TOT STOF VERGAAN

TAMI HOAG

TOT STOF VERGAAN

Uitgeverij Areopagus

Oorspronkelijke titel
Ashes to ashes
Uitgave
Bantam Books, New York
Copyright © 1999 by Diva Hoag, Inc.

Vertaling
Karina Zegers de Beijl
Omslagontwerp
Sjef Nix
Omslagdia's
© Telegraph Colour Library (boven)
© Planet Earth Pictures/Jan Tove Johanson (onder)

ISBN 90 5108 321 1   NUGI 331

1

Sommige moordenaars worden geboren, andere worden gemaakt. En soms is de oorzaak van het verlangen om mensen te doden gelegen in een wirwar van aanleidingen die zorgen voor een bedenkelijke jeugd en een gevaarlijke tienertijd, waardoor achteraf nooit met zekerheid gezegd kan worden of het gaat om een aangeboren behoefte, of een die langzaam maar zeker gegroeid is.

Hij tilt het lichaam uit de achterbak van de Blazer alsof het een rol oude vloerbedekking is die weggegooid moet worden. De zolen van zijn laarzen schuifelen over het asfalt van het parkeerterrein, maar zijn even later, wanneer hij op het verdorde gras en de harde grond stapt, nog maar nauwelijks te horen. Het is een zachte nacht voor november in Minneapolis. De wind speelt met de gevallen bladeren. De kale takken van de bomen slaan tegen elkaar als een zak met botten. Hij weet dat hij tot de laatste groep van moordenaars behoort. Hij heeft talloze uren, dagen, maanden en jaren gewijd aan het bestuderen van zijn innerlijke drang en het ontstaan ervan. Hij weet wat hij is, en hij heeft de waarheid aanvaard. Schuld of berouw kent hij niet. Hij is ervan overtuigd dat geweten, regels en wetten niet alleen nergens voor nodig zijn, maar de mens daarbij bovendien in zijn mogelijkheden beperken.

'*Niet liefde, maar angst is bepalend voor het menselijk ethisch besef.*' – Paul Ricoeur, Symboliek van het Kwaad.

Zijn Ware Ik heeft zijn eigen code waar het zich aan houdt: domineren, manipuleren en controleren.

De maan kijkt in de vorm van een gebroken scherf op het tafereel neer, en het licht onder het netwerk van takken is schaars. Hij schikt het lichaam zoals hij het hebben wil, en beschrijft twee elkaar kruisende X-en op de bovenste, linker borsthelft. In een ceremonieel gebaar giet hij de brandstof over het slachtoffer uit. Het zalven van de dode. De symboliek van het kwaad. Zijn Ware Ik beschouwt het concept van kwaad als macht. Brandstof voor het innerlijk vuur.

'Tot as zult ge wederkeren.'

De geluiden zijn nadrukkelijk en scherp, een gevoel dat door zijn opwinding alleen nog maar versterkt wordt. Het krassen van de lucifer tegen het schuurvlak, het zachte knalletje bij het ontvlammen, het sissen van het vuur wanneer het tot leven komt en verzengt. Bij het oplaaien van de vlammen herleeft hij in gedachten de eerdere geluiden van pijn en angst. Hij herinnert zich het beven van haar stem toen ze om haar leven smeekte, de unieke klank en kwaliteit van elke kreet toen hij haar martelde. De exquise muziek van leven en dood. Gedurende een enkel heerlijk moment staat hij zichzelf toe om het drama van het tafereel te bewonderen. Hij laat de hitte van de vlammen als verlangende tongen over zijn gezicht strelen. Hij sluit zijn ogen en luistert naar het sissen en knetteren, en snuift de geur van vlees dat geroosterd wordt diep in zich op.

Opgetogen, uitgelaten en opgewonden haalt hij zijn erectie uit zijn broek en begint zichzelf heftig te strelen. Hij brengt zichzelf tot op het randje van de climax, maar waakt ervoor niet te ejaculeren. Hij bewaart het voor later, wanneer hij het ten volle kan vieren.

Zijn doel is in zicht. Hij heeft een zorgvuldig uitgedacht plan dat met de grootste perfectie moet worden uitgevoerd. Zijn naam zal voortleven naast die van alle grote beruchte namen – Bundy, Kemper, de Boston Strangler en de Green River Killer. De pers hier had hem al een naam gegeven: de Cremator...

Hij moet erom glimlachen. Het geeft hem een trots gevoel. Hij strijkt nog een lucifer af en houdt hem vlak voor zich om de vlam te bestuderen. Hij houdt van het zinnelijke kronkelen ervan. Hij brengt hem dichter naar zijn gezicht, doet zijn mond open en verzwelgt hem.

Dan draait hij zich om en loopt weg. En denkt alweer aan de volgende.

Moord.

De aanblik van het tafereel brandde diep in haar geheugen, op de binnenkant van haar netvlies, zodat ze het kon zien wanneer ze met haar ogen knipperde om de tranen tegen te houden. Het lichaam dat zich langzaam kronkelend verzette tegen zijn verschrikkelijke lot. De oranje vlammen vormden de achtergrond voor dit nachtmerrieachtige beeld.

Het brandde.

Ze rende met brandende longen, brandende benen, brandende ogen en een brandende keel. In een abstract hoekje van haar bewustzijn was *zíj* het lijk. Misschien was dit wel de dood. Misschien *was* dat haar lichaam wel dat daar lag de roosteren, en was dit bewustzijn haar ziel die het hellevuur probeerde te ontvluchten. Ze had talloze keren moeten aanhoren dat ze daar terecht zou komen.

Verderop hoorde ze een sirene en zag ze het onnatuurlijke flitsen van de rode en blauwe zwaailichten in het donker. Snikkend en strui-

6

kelend rende ze naar de straat. Haar rechterknie schaafde over de bevroren grond, maar ze dwong zichzelf om te blijven rennen.

Rennen rennen rennen –

'Blijf staan! Politie!'

De patrouillewagen kwam bij de stoeprand schommelend tot stilstand. Het portier stond open. De smeris stond al op de boulevard en hield zijn getrokken pistool op haar gericht.

'Help me!' De woorden schuurden in haar keel.

'Help me!' snikte ze, verblind door de tranen.

Haar knieën knikten als lucifershoutjes onder het gewicht van haar lichaam en het gewicht van haar angst, en het gewicht van haar hart dat in haar borst bonkte als was het een of ander enorm, gezwollen ding.

De politieman was in een oogwenk bij haar, stak zijn wapen terug in de holster en liet zich op zijn knieën zakken om haar te helpen. Wedden dat hij een groentje is, schoot het vagelijk door haar heen. Ze kende kinderen van veertien die uitgekookter waren. Ze had zijn wapen *zo* kunnen pakken. Als ze een mes had gehad, had ze alleen haar arm maar op hoeven heffen om hem te kunnen verwonden.

Hij trok haar overeind in een zittende houding en legde zijn handen op haar schouders. In de verte loeiden sirenes.

'Wat is er gebeurd? Ben je ongedeerd?' wilde hij weten. Hij had het gezicht van een engel.

'Ik heb hem gezien,' zei ze ademloos en beverig, en ze probeerde de gal terug te slikken. 'Ik was erbij. O, Jezus. O, shit. Ik heb hem gezien!'

'Wie heb je gezien?'

'De Cremator.'

2

'Waarom moet *ik* toch altijd degene zijn die op het verkeerde moment op de verkeerde plaats is?' mompelde Kate Conlan voor zich uit.

Dit was haar eerste dag terug van wat in technisch opzicht een vakantie was geweest – een bezoek uit schuldgevoel aan haar ouders in het pretpark van de hel (Las Vegas) – ze was te laat, had hoofdpijn, koesterde het verlangen om een bepaalde brigadier met losse handen te wurgen omdat hij een van haar cliënten de stuipen op het lijf had gejaagd – een blunder waarvoor zíj zou moeten boeten bij de openbare aanklager. Dat alles, plus het feit dat dankzij de trap van de parkeergarage van Fourth Avenue, de blokhak van een van haar gloednieuwe suède pumps loszat.

En nu dit. Een neuroot.

Niemand scheen hem opgemerkt te hebben. Hij sloop als een zenuwachtige kat langs de muur van de grote hal van het gemeentehuis van Hennepin County. Kate schatte hem eind dertig, niet veel langer dan haar eigen één meter vijfenzeventig, met een gemiddelde tot slanke bouw. En hij was tot het uiterste gespannen. Zijn gedrag wees erop dat hij onlangs een persoonlijke of emotionele dreun te verwerken had gehad – hij was ontslagen of zijn vriendin had het uitgemaakt. Hij was ofwel gescheiden of leefde niet meer met zijn vrouw; hij woonde op zichzelf maar was niet dakloos. Zijn kleren waren ongestreken, maar het waren geen afdankertjes, en zijn schoenen waren ook te goed voor een dakloze. Hij zweette als een dikke man in een sauna, maar hield zijn jack aan terwijl hij in kringetjes om de moderne sculptuur heen liep die in de hal was neergezet – een symbolisch, pretentieus kunstwerk dat vervaardigd was van omgesmolten revolvers. Hij mompelde iets voor zich uit, en zijn rechterhand hing over de openstaande voorkant van zijn dikke canvas jack. Een jagersjack. Zijn gezicht was een strak masker dat getuigde van zijn innerlijke, emotionele spanning.

Kate trok haar schoen met de losse hak uit, deed vervolgens ook de andere uit en bleef daarbij onafgebroken naar de man kijken. Ze stak haar hand in haar tas en haalde er een draagbare telefoon uit. Op hetzelfde moment trok de neuroot de aandacht van de vrouw die zeven meter verderop achter de informatiebalie zat.

Verdomme.

Kate ging langzaam rechtop staan en drukte de alarmtoets in. Het was onmogelijk om van buiten het gebouw de beveiliging te bellen. De dichtstbijzijnde bewaker stond aan de overzijde van de grote hal, en was lachend in gesprek met de postbode. De vrouw van Informatie liep naar de man toe. Ze hield haar hoofd schuin, alsof haar blonde suikerspinkapsel te zwaar was.

Verdomme.

De telefoon ging over. Eénmaal... tweemaal. Kate liep langzaam verder met haar telefoon in de ene, en haar schoenen in de andere hand.

'Kan ik iets voor u doen, meneer?' vroeg de vrouw van Informatie, toen ze hem op een meter of drie genaderd was. Jammer genoeg zou de ivoorkleurige zijden blouse weldra onder de bloedspatten zitten.

De man draaide zich met een ruk om.

'Kan ik u ergens mee helpen?' vroeg de vrouw opnieuw.

... ging voor de vierde keer over...

Een vrouw van Zuid-Amerikaanse afkomst die een peuter achter zich aan trok, liep door de afstand die Kate van de man scheidde. Kate meende dat ze het trillen op gang zag komen – zijn lichaam dat zich inspande om de woede of de wanhoop, of wat het dan ook was dat hem in de greep hield, te onderdrukken.

... ging voor de vijfde keer over. 'Met het gemeentehuis van Hennepin County–'

'Verdomme!'

De beweging was onmiskenbaar – hij spreidde zijn voeten, reikte in zijn jack en zijn pupillen verwijdden zich..

'Liggen!' schreeuwde Kate, terwijl ze haar telefoon liet vallen.

De vrouw van Informatie verstijfde.

'Iemand zal er verdomme voor moeten boeten!' riep de man uit, terwijl hij op de vrouw af dook en haar met zijn vrije hand bij de arm greep. Hij trok haar met een ruk naar zich toe, en gebaarde met zijn revolver voor haar uit. De knal van het schot weergalmde oorverdovend tegen de hoge muren van de hal, en werd gevolgd door paniekerig geschreeuw. Nu had iedereen hem gezien.

Kate liep in volle vaart van achteren tegen hem op en hamerde met de hak van haar schoen tegen zijn slaap. Hij slaakte een kreet van verrassing en schrik, maar reageerde vrijwel onmiddellijk door haar met zijn rechterelleboog een keiharde stoot in de ribben te geven.

De vrouw van Informatie hield niet op met schreeuwen. Toen verloor ze haar evenwicht of viel ze flauw, en zakte met haar volle gewicht boven op haar aanvaller. Hij viel, onder het uitroepen van obsceniteiten, op zijn knie, en schoot daarbij opnieuw om zich heen. Ditmaal ketsten zijn kogels af op de stenen vloer en vlogen alle kanten uit.

Kate viel met hem mee, en greep hem met haar linkerhand bij de kraag van zijn jack. Hij mocht niet ontkomen. Het monster dat hij vanbinnen met zich meedroeg, was losgebroken. Als hij ontkwam, hadden ze aanzienlijk meer om zich zorgen over te maken dan een paar verdwaalde kogels.

Haar nylons gleden weg op de tegelvloer, en ze probeerde zo snel mogelijk weer overeind te komen, waarbij ze hem vast bleef houden toen ook hij probeerde om op te staan. Ze haalde opnieuw uit met haar schoen en trof hem tegen zijn oor. Hij draaide zich om en probeerde met zijn revolver naar achteren toe te meppen. Kate greep zijn arm beet en draaide hem naar boven, en toen hij opnieuw vuurde was ze zich maar al te zeer bewust van het feit dat zich boven het plafond van de hal meer dan twintig etages met kantoren en rechtszalen bevonden.

Terwijl ze verder worstelden om de revolver, haakte ze een been om een van de zijne, liet zich met haar volle gewicht tegen hem aan vallen, en het volgende moment vielen ze alle twee. En ze vielen en vielen, over elkaar heen rollend, de scherpe metalen treden van de roltrap af naar de begane grond, waar ze verwelkomd werden door een zestal kreten van: 'Halt! Politie!'

Kate keek door een nevel van pijn op naar de grimmige gezichten en mompelde: 'Nou, dat werd verdomme hoog tijd.'

'Hé, kijk!' riep een van de assistenten van de openbare aanklager vanuit zijn kantoor. 'Daar heb je Dirty Harriet!'

'Heel grappig, Logan,' zei Kate, terwijl ze verder de gang af liep naar het kantoor van de officier van justitie. 'Dat heb je zeker in een boek gelezen, hè?'

'Ze moeten Rene Russo vragen om jouw rol in de film te spelen.'

'Ik zal ze doorgeven dat je dat hebt gezegd.'

Haar rug en heup deden pijn. Ze had een rit naar de Eerste Hulp geweigerd. In plaats daarvan was ze naar de damestoiletten gehinkt, had haar lange, roodblonde haren in een staart gekamd, had het bloed afgespoeld, haar kapotte, zwarte panty uitgetrokken, en was teruggekeerd naar haar kantoor. Ze had geen verwondingen opgelopen die röntgenfoto's of hechtingen nodig maakten, en de hele toestand had haar een halve ochtend gekost. Dat was de prijs die je moest betalen als je keihard wilde zijn: ze zou het vanavond moeten doen met paracetamol, koude gin en een heet bad, in plaats van met echte pijnstillers. Ze wist nu al dat ze er spijt van zou krijgen.

Het schoot haar te binnen dat ze te oud was om geestelijk gestoorden te lijf te gaan en samen met hen van de roltrap te rollen, maar ze verzette zich onmiddellijk tegen de gedachte dat tweeën-veertig ook maar ergens te oud voor zou zijn. Daarbij, ze was nog maar net vijf jaar in wat ze zelf haar 'tweede volwassenheid' noemde. Haar tweede baan, haar tweede poging tot stabiliteit en regelmaat.

Het enige waar ze op weg terug van de waanzin van Las Vegas naar verlangd had, was terugkeren naar het plezierige, normale en relatief gezonde bestaan dat ze voor zichzelf had opgebouwd. Rust en vrede. De vertrouwde verwikkelingen van haar baan als juridisch maatschappelijk medewerkster op het bureau voor slachtoffer- en getuigenhulp. En de kookles, die ze onder geen enkele voorwaarde wilde missen.

Maar nee hoor, wie moest die engerd zo nodig als eerste opmerken? Zij was altijd degene die de engerds als eerste zag.

In reactie op het telefoontje van zijn secretaresse, trok de officier van justitie de deur van zijn kantoor persoonlijk voor haar open. Ted Sabin, was een charismatische, lange, knappe man, met een dikke dos grijs haar dat midden op zijn voorhoofd in een puntje omlaag groeide, en dat hij naar achteren gekamd droeg. Het ronde brilletje met het stalen montuur op zijn adelaarsneus verleende hem een intellec-tueel aanzien, en maskeerde het feit dat zijn blauwe ogen te diep lagen en te dicht bij elkaar stonden.

Hoewel hij zelf ooit eens een eersteklas openbaar aanklager was geweest, nam hij tegenwoordig alleen nog maar uiterst belangrijke zaken aan. Zijn baan als hoogste bobo had voornamelijk een be-stuurlijk en politiek karakter. Hij hield toezicht op een druk kantoor vol juristen die hun best deden om het toenemend aantal zaken van de rechtbank van Hennepin County te verwerken. Hij bracht zijn lunches en avonduren door met de machtige elite van Minneapolis, bij wie hij in het gevlei trachtte te komen en van wie hij gunsten pro-beerde los te krijgen. Het was algemeen bekend dat hij een oogje had op een zetel in de Senaat.

'Kate, kom binnen,' nodigde hij haar uit, terwijl hij haar met een bezorgd gezicht opnam. Hij legde een grote hand op haar schouder en leidde haar door de kamer heen naar een stoel. 'Hoe is het met je? Ik heb gehoord wat er vanmorgen beneden is gebeurd. Goeie God, je had wel dood kunnen zijn! Wat onvoorstelbaar moedig van je!'

'Nee, dat was het niet,' sprak Kate hem tegen, terwijl ze een stapje bij hem vandaan deed. Ze nam plaats op de bezoekersstoel en voel-de hem, toen ze haar benen over elkaar sloeg, onmiddellijk naar haar blote dijen kijken. Ze trok onopvallend aan de zoom van haar zwar-te rok, en betreurde het meer dan ooit dat ze, in tegenstelling tot wat ze van plan was geweest, geen reservepanty in haar bureau had ge-had. 'Ik reageerde alleen maar, anders niet. Hoe is het met je vrouw?'

'Uitstekend,' antwoordde hij zonder erover na te denken. Hij bleef naar haar kijken terwijl hij de broek van zijn krijtstreeppak ophees en met zijn heup tegen een hoekje van zijn bureau leunde. 'Je reageerde alleen maar? Zoals ze je bij het Bureau hebben geleerd.'

Hij werd geobsedeerd door het feit dat ze, in wat ze nu als haar vorige leven beschouwde, bij de FBI had gewerkt. Kate had een redelijk idee van de perverse fantasieën die dat bij hem op moest roepen. Dominante spelletjes, zwart leer, handboeien, slaag. Getsie.

Ze richtte haar aandacht op haar directe baas, de directeur juridische zaken, die naast haar was komen zitten. Rob Marshalls uiterlijk was het tegenovergestelde van dat van Sabin – het was papperig, dik en onverzorgd. Zijn hoofd was even bol als een pompoen, en werd bekroond door een dunnend laagje haar dat zó kort was geschoren, dat het op het eerste gezicht eerder een roestvlek dan een kapsel leek. Zijn gezicht was rood en gehavend door oude acne-littekens, en zijn neus was te kort.

Hij was ongeveer achttien maanden geleden van Madison, Wisconsin, waar hij een soortgelijke functie had vervuld, naar Minneapolis gekomen. In de afgelopen anderhalf jaar hadden ze met beperkt succes getracht om een evenwicht te vinden tussen hun verschillende persoonlijkheden en werkwijzen. Kate kon hem niet uitstaan. Rob was een slappe hielenlikker, en hij had de neiging om zich overal mee te bemoeien, iets dat regelrecht indruiste tegen haar zelfstandigheid. Hij vond haar bazig, eigengereid en brutaal. Dat beschouwde ze als een compliment. Maar ze probeerde niet zozeer naar zijn tekortkomingen te kijken, als wel naar zijn bezorgdheid ten aanzien van slachtoffers. Afgezien van zijn bestuurlijke plichten, woonde hij regelmatig gesprekken met slachtoffers bij, en stak hij tijd in de slachtofferhulpgroep.

Hij keek haar aan door zijn montuurloze brilletje, en tuitte zijn lippen alsof hij zojuist op zijn tong had gebeten. 'Je had wel dood kunnen zijn! Waarom heb je niet gewoon de bewaking gebeld?'

'Daar was geen tijd voor.'

'Instinct, Rob!' zei Sabin, en hij grijnsde zijn grote witte tanden bloot. 'Dat zullen jij en ik toch wel nooit kunnen begrijpen, dat soort van vlijmscherp instinct dat kenmerkend is voor iemand met een achtergrond als die van Kate.'

Kate nam niet te moeite hem er voor de zoveelste keer op te wijzen dat ze het grootste gedeelte van haar jaren bij de FBI achter een bureau op de afdeling gedragswetenschappen, van het National Center for the Analysis of Violent Crime – het nationale centrum voor de analyse van geweldsmisdrijven – had gezeten. Haar dagen in het veld waren langer geleden dan ze zich wenste te herinneren.

'De burgemeester zal je een onderscheiding willen geven,' zei Sabin stralend, in de wetenschap dat hij samen met haar op de foto zou komen.

Publiciteit was wel het laatste dat Kate wilde. Als juridisch maatschappelijk werkster was het haar taak om de hand vast te houden van slachtoffers en getuigen van geweldsmisdrijven, om ze door het justitiële apparaat te loodsen en hen op hun gemak te stellen. Het idee van een maatschappelijk werkster die door de media achterna werd gezeten, zou wel eens een tegengesteld effect op enkelen van haar cliënten kunnen hebben.

'Ik hoop van niet. Het lijkt me niet zo'n goed idee voor iemand met een baan als de mijne. Nietwaar, Rob?'

'Kate heeft gelijk, Sabin,' zei hij met dat kruiperige glimlachje van hem – een uitdrukking die zijn gezicht wel vaker beheerste wanneer hij zenuwachtig was. Kate noemde het zijn 'hielenlikkersglimlachje'. Wanneer hij zo glimlachte, kon je zijn ogen bijna niet meer zien. 'We willen niet dat haar foto in de krant komt... en nu al helemaal niet.'

'Daar heb je gelijk in,' zei Sabin teleurgesteld. 'Hoe dan ook, we hebben je niet hier laten komen vanwege het incident van vanochtend, Kate. We hebben een getuige voor je.'

'Vanwaar al die ophef?'

De meeste van haar cliënten werden haar automatisch toegewezen. Ze werkte met een groep van zes openbare aanklagers en nam alles aan wat ze haar opdroegen – met uitzondering van de moordzaken. Rob wees alle moordzaken toe, maar een opdracht vereiste zelden meer dan een telefoontje of een bezoekje aan haar kantoor. En Sabin hield zich er altijd volledig buiten.

'Afgelopen herfst zijn er twee prostituees vermoord. Ben je vertrouwd met die zaken?' vroeg Sabin. 'Ze werden vermoord en verbrand.'

'Ja, natuurlijk.'

'Er is nog zo'n moord gepleegd. Gisteravond.'

Kate keek van het ene grimmige gezicht naar het andere. Achter Sabin had ze vanaf de tweeëntwintigste verdieping een panoramisch uitzicht op het centrum van Minneapolis.

'Maar dit slachtoffer was geen prostituee,' zei ze.

'Hoe weet je dat?'

Omdat je daar, als dat zo geweest was, nooit zo veel extra tijd aan zou hebben besteed.

'Zomaar een gokje.'

'Heb je dat dan niet op straat gehoord?'

'Op straat?' Alsof hij in een gangsterfilm zat. 'Nee, ik wist niet dat er nog een moord was gepleegd.'

Sabin liep om zijn bureau heen en maakte opeens een rusteloze indruk. 'De kans bestaat dat dit slachtoffer Jillian Bondurant is. De dochter van Peter Bondurant.'

'O,' zei Kate op een veelbetekenende toon. O, nee, dit was niet gewoon maar alweer een dode hoer. En dan vergeten we voor het gemak maar even dat de eerste twee slachtoffers ook ergens een vader hadden. De vader van dít slachtoffer was *belangrijk*.

Rob schoof onrustig heen en weer op zijn stoel, maar of dat nu kwam door de zaak of door het feit dat zijn broek rond zijn middel knelde, was onduidelijk. 'We hebben haar rijbewijs bij het stoffelijk overschot gevonden.'

'En het staat vast dat ze wordt vermist?'

'Ze heeft vrijdagavond bij haar vader gegeten. En sindsdien heeft niemand haar meer gezien.'

'Dat hoeft nog niet te betekenen dat zij het is.'

'Nee, maar zo was het ook met de eerste twee,' zei Sabin. 'Het identiteitsbewijs dat was achtergelaten bleek van het slachtoffer te zijn.'

Er schoot Kate een honderdtal vragen door het hoofd, vragen ten aanzien van de plaats van de misdaad, ten aanzien van de hoeveelheid informatie die over de twee eerdere moorden was vrijgegeven en wat was achtergehouden. Dit was de eerste keer dat ze hoorde over het identiteitsbewijs dat was achtergelaten. Wat wilde dat zeggen? Waarom verbrand je een slachtoffer tot ze onherkenbaar is, terwijl je tegelijkertijd haar identiteitsbewijs achterlaat?

'Ik neem aan dat de gebitsgegevens worden nagegaan?'

De beide mannen wisselden een blik.

'Dat is helaas niet mogelijk,' zei Rob, zijn woorden met zorg kiezend. 'We hebben alleen maar een lichaam.'

'Jezus,' kwam het zachtjes over Kate's lippen, en ze huiverde. 'Hij heeft de anderen niet onthoofd. Voor zover ik weet, tenminste.'

'Nee, de anderen werden niet onthoofd,' zei Rob. Hij keek haar opnieuw aan en hield zijn hoofd een beetje schuin. 'Wat denk je ervan, Kate? Jij hebt ervaring met dit soort dingen.'

'Nou, het is duidelijk dat er sprake is van een toename van geweiddadigheid. Het zou kunnen betekenen dat hij zich aan het voorbereiden is op iets dat nog veel erger is. Was er bij de andere twee niet sprake van seksuele verminkingen?'

'De doodsoorzaak bij de andere twee was verwurging door afknelling,' zei Sabin. 'En ik hoef je natuurlijk niet te vertellen, Kate, dat, hoewel wurging op zich al ernstig genoeg is als methode om iemand te vermoorden, onthoofding de hele stad in paniek zal brengen. En helemaal nu het slachtoffer een fatsoenlijke, nette jonge vrouw blijkt te zijn. Sterker nog, de dochter van een van de meest vooraanstaande burgers van deze staat. We moeten de moordenaar zo snel mogelijk vinden. En dat kunnen we ook. We hebben een getuige.'

'En daarom zit ik nu hier,' zei Kate. 'Vertel maar op.'

'Ze heet Angie DiMarco,' zei Rob. 'Ze kwam uit het park gerend op het moment waarop de eerste patrouillewagen arriveerde.'

'Wie heeft er gebeld?'

'Een anoniem telefoontje met een mobiele telefoon, heb ik me laten vertellen,' zei Sabin. Hij spande zijn lippen en draaide ze opzij, alsof hij op een pijnlijke kies zoog. 'Peter Bondurant is bevriend met de burgemeester. Ik ken hem ook goed. Hij is buiten zichzelf van verdriet bij de gedachte dat dit slachtoffer Jillian is, en hij wil de zaak zo snel mogelijk opgelost hebben. Op dit moment wordt er een speciale eenheid samengesteld. Je oude vriendjes van het Bureau zijn erbij gehaald. Ze sturen iemand van de onderzoeks-ondersteuningseenheid. Het is duidelijk dat we met een seriemoordenaar te maken hebben.'

En jullie worden achter je kont aan gezeten door een vooraanstaande zakenman.

'De geruchten doen natuurlijk al op grote schaal de ronde,' mompelde Sabin dreigend. 'Het hoofdbureau heeft een lek dat groot genoeg is om de Mississippi leeg te laten lopen.'

De lichtjes van de telefoon op zijn bureau knipperden als kerstverlichting, maar het toestel ging niet eenmaal hoorbaar over.

'Ik heb met hoofdcommissaris Greer en met de burgemeester gesproken,' vervolgde hij. 'En de zaak wordt onmiddellijk bij de hoorns gevat.'

'En daarom hebben we jou geroepen, Kate,' zei Rob, terwijl hij opnieuw heen en weer schoof. 'We kunnen niet wachten met deze getuige aan iemand toe te wijzen tot er een arrestatie is verricht. Ze is onze enige connectie met de moordenaar. We willen dat ze meteen iemand van ons bij zich heeft. Iemand die bij haar is wanneer de politie met haar praat. Iemand die haar duidelijk maakt dat ze niet met de pers mag praten. Iemand die het contact tussen haar en het kantoor van de officier van justitie in stand houdt. Iemand die haar in de gaten houdt zodat we haar niet uit het oog verliezen.'

'Zo te horen zijn jullie op zoek naar een oppas. Ik heb al werk genoeg.'

'We kunnen wel een paar zaken van je laten overnemen door iemand anders.'

'Niet door Willis,' zei ze, en ze trok een gezicht. 'Hoe graag ik ook van hem af wil. En Melanie Hessler al helemaal niet.'

'Ik zou Hessler van je over kunnen nemen, Kate,' zei Rob. 'Ik was bij het eerste gesprek. Ik ken de zaak.'

'Nee.'

'Ik heb met talloze verkrachtingsslachtoffers gewerkt.'

'Nee,' zei ze, alsof zij de baas was en de beslissing bij haar lag.

Sabin maakte een geïrriteerde indruk. 'Over wat voor zaak hebben jullie het?'

'Melanie Hessler. Ze is verkracht door twee mannen in het steegje achter de seksshop in het centrum, waar ze werkt,' vertelde Kate. 'Ze is bijzonder kwetsbaar en ze is bang voor het openbaar verhoor tijdens het proces. Ze zou het niet kunnen verdragen als ik haar in de steek liet – en al helemaal niet voor een man. Ze heeft me nodig, en ik kan haar niet laten schieten.'

Rob slaakte een beledigde zucht.

'Best,' reageerde Sabin ongeduldig. 'Maar deze zaak heeft de allerhoogste prioriteit. Het kan me niet schelen wat ervoor nodig is. Ik wil deze gek achter de tralies. Zo snel mogelijk.'

Nu zou het slachtoffer in het journaal van zes uur aanzienlijk meer dan anderhalve minuut aandacht krijgen. Kate vroeg zich af hoeveel dode hoeren ervoor nodig zouden zijn geweest om Ted Sabin een even opgejaagd gevoel te bezorgen. Maar ze sprak de vraag niet hardop uit, knikte en probeerde het angstige voorgevoel te negeren dat zich als een loodzware baksteen in haar maag nestelde.

Gewoon de zoveelste getuige, dacht ze, om zichzelf gerust te stellen. De zoveelste zaak. Niets bijzonders, het was haar werk en het was dagelijkse kost.

Dat kun je vergeten.

De dode dochter van een miljardair, een zaak waar politieke figuren bij betrokken waren, een seriemoordenaar, en iemand die overkwam uit Quantico. Iemand van de OOE. Iemand die daar vijf jaar geleden nog niet gewerkt had, hoopte ze – maar ze wist wel beter.

Opeens leek Las Vegas lang niet meer zo erg als voorheen.

3

'Het is 's nachts gebeurd. Het was donker. Wat kan ze ervan hebben gezien?' vroeg Kate.

Ze liepen met z'n drieën door de passage die onder Fifth Street door liep en het gemeentehuis verbond met het sombere, in neogotische stijl gebouwde, bakstenen monster waarin de kantoren van het stadsbestuur en het hoofdbureau van politie van Minneapolis waren ondergebracht. Het was druk in de passage. Niemand ging vrijwillig over straat. De sombere ochtend was nog triester geworden naarmate er zich steeds meer loodgrijze wolken boven de stad hadden samengepakt, waaruit nu een koude, aanhoudende regen viel. November is een heerlijke maand in Minnesota.

'Ze heeft de politie verteld dat ze hem heeft gezien,' zei Rob, die naast haar liep. Zijn benen waren kort in verhouding tot de rest van zijn lichaam, en wanneer hij snel liep, had hij daarbij de waggelende gang van een dwerg, en dat ondanks het feit dat hij een gemiddelde lengte had. 'We kunnen alleen maar hopen dat ze hem goed genoeg heeft gezien om hem te kunnen identificeren.'

'Ik zou graag een compositietekening van hem hebben om op de persconferentie te laten zien,' zei Sabin.

Kate klemde haar kiezen op elkaar. O, ja, dit werd een makkie van een zaak. 'Een goede tekening kost tijd, Ted. En het is de moeite waard om op een goede tekening te wachten.'

'Ja, nou, hoe eerder we een beschrijving van hem kunnen geven, of een foto, des te beter.'

In gedachten zag ze Sabin de getuige onder druk zetten, om haar vervolgens als een afgedankt vod te laten vallen.

'We zullen alles doen wat in ons vermogen ligt om de zaak te bespoedigen, Sabin,' beloofde Rob. Kate wierp hem een boze blik toe.

Het gemeentehuis was in het verleden ooit eens de rechtbank van Hennepin geweest, en de sobere grandeur waarin het gebouwd was, was bedoeld geweest om indruk op de bezoekers te maken. De ingang aan Fourth Street, die Kate maar zelden gebruikte, deed, met zijn marmeren dubbele trap, schitterende glas-in-loodvensters en het reusachtige *Father of the Waters*-beeld, niet onder voor een paleis. De centrale hal van het gebouw deed haar, met zijn tegelvloer en witmarmeren wanden, altijd denken aan een ziekenhuis. Er hing een vreemde, lege sfeer, hoewel Kate wist dat het gebouw uit zijn voegen barstte van de smerissen en boeven, ambtenaren en journalisten en burgers die uit waren op gerechtigheid of een gunst.

De afdeling misdaadonderzoek van het hoofdbureau van politie was, zolang de verbouwing van hun vaste onderkomen voortduurde, weggestopt in een somber doolhof van kamertjes aan het einde van een lange, duistere gang. De ontvangstruimte was door middel van tijdelijke scheidingswandjes in hokjes verdeeld. Overal stonden stapels dossiers en dozen, en gedeukte grauwgrijze metalen archiefkasten waren in elke beschikbare hoek geschoven. Op de muur naast de deur van wat voorheen de bezemkast was, maar waarin nu zes rechercheurs waren ondergebracht, was een affiche geniet waarop stond:

IN MEMORIAM VAN DE KALKOEN
27 NOVEMBER
Bij Patrick's
16.00 uur

Sabin stak zijn hand op naar de receptioniste om duidelijk te maken dat hij haar niet nodig had, en liep rechtstreeks door naar de afdeling moordzaken. De kamer was een wirwar van lelijke, stalen bureaus in de kleur van vale stopverf. Sommige waren netjes opgeruimd, de meeste lagen vol met alle mogelijke papieren. Kasten en muren hingen vol met opgeplakte of vastgeniete memo's en cartoons. Naast de deur hing een affiche waarop stond: MOORDZAKEN – WAPENS ACHTER SLOT EN GRENDEL!

Sam Kovac stond met de telefoon tegen zijn oor gedrukt toen hij hen zag. Hij trok een gezicht en gebaarde dat ze verder moesten komen. Kovac, een veteraan die al achttien jaar in het vak zat, had het stereotype uiterlijk van een smeris, met inbegrip van de vereiste snor en het goedkope kapsel, beide zandkleurig bruin met een flinke dosis grijs.

'Ja, Sid, ik weet echt wel dat je een relatie hebt met de zus van mijn tweede vrouw.' Hij haalde een nieuw pakje Salem uit de slof op zijn bureau en worstelde met het cellofaan. Hij had het colbertje van zijn gekreukte bruine pak uitgetrokken, en zijn das losgetrokken. 'Maar dat betekent nog niet dat je automatisch recht zou hebben op de vertrouwelijke details van deze moord. Het enige wat je dat oplevert, is mijn medeleven. O, ja? O, ja? Heeft ze dat gezegd? Nou, waarom denk je dat ik bij haar ben weggegaan? Ach, echt? Je meent het. Echt waar?'

Hij beet op het lipje van het lintje van het cellofaan en trok het open met zijn tanden. 'Heb je dat gehoord, Sid? Zo klink ik die je een nieuwe... als je het waagt om daar ook maar één woord van af te drukken. Heb je me begrepen? Wil je informatie? Kom dan naar de persconferentie, net als iedereen. Ja? Nou, van hetzelfde.' Hij smeet de hoorn terug op het toestel en richtte zijn woedende blik op de officier van justitie. Zijn bloeddoorlopen ogen hadden de groenbruine tint van vochtig schors, en een harde, heldere blik die getuigde van zijn intelligentie. 'Verdomde nieuwsjagers. Deze hele zaak wordt smeriger dan mijn tante Selma, en zij is al zo smerig dat een buldog ervan moet kotsen.'

'Weten ze dat het om Bondurants dochter gaat?' vroeg Sabin.

'Natuurlijk.' Hij haalde een sigaret uit het pakje en liet hem tussen zijn lippen bungelen terwijl hij in de bende op zijn bureau zocht. 'Ze zitten er bovenop als vliegen op een hondendrol,' zei hij, terwijl hij achterom over zijn schouder naar hen keek. 'Hallo, Kate – Jezus, wat is er met jou gebeurd?'

'Dat is een lang verhaal. Ik weet zeker dat je er vanavond bij Patrick's het fijne van zult horen. Waar is onze getuige?'

'Aan het einde van de gang.'

'Is ze al aan het werk met de tekenaar?' vroeg Sabin.

Kovac blies tussen zijn lippen door en maakte een geluid als een briesend paard. 'Ze is nog niet eens met óns aan het werk. Ons meisje staat niet bepaald te juichen over het feit dat ze opeens in het middelpunt van de belangstelling staat.'

Rob Marshall keek geschrokken. 'Ze maakt toch geen moeilijkheden, hè?' Hij schonk Sabin een van zijn hielenlikkersglimlachjes. 'Ze zal van streek zijn, Sabin. Ik weet zeker dat het Kate zal lukken om haar gerust te stellen.'

'Wat is jouw indruk van de getuige, Kovac?' vroeg Sabin.

Kovac pakte een Bic-aansteker en een rommelig dossier van zijn bureau en liep naar de deur. Hij was levensmoe en gehard, en had de bouw van de brievenbus op de hoek – stevig en hoekig, niet bestemd voor de sier, maar voor het nut van het algemeen. Zijn bruine broek was een tikje te wijd en een tikje te lang, en hing bollend op de wreef van zijn afgedragen veterschoenen.

'O, ze is een schatje,' antwoordde hij op een sarcastische toon. 'Ze overhandigt ons een rijbewijs vanuit een andere staat dat gestolen moet zijn. Ze vertelt dat ze in een flat in de Phillips-wijk woont, maar ze heeft er geen sleutel van en kan ons niet vertellen wie er wel eentje heeft. Als ze geen strafblad heeft, dan scheer ik mijn kont en verf hem blauw.'

'Dus je hebt haar laten natrekken, en wat heeft dat opgeleverd?' vroeg Kate. Ze moest haar best doen om hem bij te houden, zodat Sabin en Rob geen andere keus hadden dan hen te volgen. Ze had al-

19

lang geleerd om vriendschap te sluiten met de inspecteur die de leiding had over de zaak waar ze aan werkte. Het was alleen maar in haar voordeel wanneer ze haar vriend, en niet haar vijand waren. En daarbij, ze had een zwak voor de goeden onder hen, zoals Sam. Ze werkten keihard voor weinig erkenning en onvoldoende salaris, en deden dat alleen maar omdat ze er, heel ouderwets, van overtuigd waren dat het nodig was. Zij en Kovac hadden in vijf jaar een goede verstandhouding opgebouwd.

'Wat ik geprobeerd heb, is haar natrekken op basis van de naam die ze vandaag gebruikt,' zei hij. 'De klote-computer doet het weer eens niet. Heerlijk dagje wordt dit weer. Ik zit deze week in de nachtdienst, weet je. Ik zou thuis in bed moeten liggen. Mijn *team* draait de nachtdienst. Ik haat dat team-gedoe. Geef mij maar een partner en laat me verdomme verder met rust. Snap je wat ik bedoel? Ik denk erover om te stoppen met zedenmisdrijven.'

'Wil je daarmee zeggen dat je werkelijk genoeg zou hebben van de roem en alle glamour die erbij komt kijken?' vroeg Kate plagend, waarbij ze hem zachtjes met haar elleboog porde.

Hij keek haar veelbetekenend aan en boog zijn hoofd op een samenzweerderige manier naar haar toe. 'Verdomme. Ik hou van lijken zonder complicaties, weet je.'

'Ja, dat heb ik over je gehoord, Sam,' zei ze lachend, in het besef dat hij de beste inspecteur was die ze in huis hadden. Hij was een eerlijke man die hield van zijn werk, en een bloedhekel had aan al het politieke gedoe dat erbij scheen te horen.

Zijn lachje leek meer op blazen dan op een echte lach, en hij trok de deur open van een kamertje dat door de troebele ruit van een doorkijkspiegel uitkeek op het kamertje ernaast. Aan de andere kant van de ruit zagen ze Nikki Liska, een van de rechercheurs, die tegen de muur stond geleund en strak keek naar een meisje dat met neergeslagen ogen achter een namaak houten tafel zat. Een slecht teken. De zaak liep nu al stroef. De tafel lag vol met lege frisdrankblikjes, plastic koffiebekertjes en resten van donuts.

Kate keek door de ruit en het akelige voorgevoel in haar maag nam toe. Ze schatte het meisje vijftien, hooguit zestien. Ze was bleek en mager, had een wipneusje en de weelderige, rijpe mond van een dure callgirl. Haar gezicht was smal en ovaal, de kin een tikje te lang, zodat ze waarschijnlijk een uitdagende indruk zou maken zonder dat bewust te willen. Haar ogen stonden een klein beetje schuin op een exotische, Slavische manier, en de blik erin was twintig jaar te oud voor haar leeftijd.

'Ze is nog maar een kind,' zei Kate op effen toon, terwijl ze Rob aankeek met een blik die het midden hield tussen verwijt en verwarring. 'Ik doe geen kinderen. Dat weet je heel goed.'

'We hebben je nodig voor deze zaak, Kate.'

'Waarom?' vroeg ze fel. 'Je hebt een hele jeugdafdeling tot je beschikking. En de hemel weet dat zij maar al te vaak met moord worden geconfronteerd.'

'Dit is anders. We hebben hier niet te maken met een schietpartij,' zei Rob, alsof de meest gewelddadige misdrijven die er in de stad plaatsvonden tot dezelfde categorie behoorden als winkeldiefstallen en verkeersovertredingen. 'Het gaat hier om een seriemoordenaar.'

Zelfs binnen een vak waar moord schering en inslag was, raakte de term 'seriemoordenaar' altijd nog een gevoelige snaar. Kate vroeg zich af of de man die ze zochten dat wist, of hij dat een opwindende gedachte vond, of dat hij volledig opging in zijn eigen beperkte wereldje van jagen en doden. Ze had met beide types te maken gehad. Maar hun slachtoffers waren even dood.

Ze keek van haar baas weer naar het meisje dat het pad van deze laatste moordenaar had gekruist. Angie DiMarco keek nijdig naar de spiegel, en de haat en de wrok straalden in onzichtbare golven van haar af. Ze pakte een dikke zwarte viltstift van de tafel en rolde de kant met de dop langzaam heen en weer over haar volle onderlip, in een gebaar dat zowel ongeduldig als zinnelijk was.

Sabin stond naast Kate en bood haar zijn profiel alsof hij poseerde voor een graveur van munten. 'Je hebt eerder met dit soort zaken te maken gehad, Kate. Bij de FBI. Je hebt ervaring. Je weet wat je kunt verwachten van het onderzoek en van de media. Misschien ken je de agent wel die ze van de OOE sturen. Dat zou een voordeel zijn. We hebben alle hulp nodig die we krijgen kunnen.'

'Ik heb slachtoffers bestudeerd. Mijn werk had te maken met dode mensen.' Het angstige gevoel dat in haar binnenste de kop opstak, beviel haar niets. Ze wilde het niet hebben, en ze wilde niet stilstaan bij waar het vandaan kwam. 'Er is een groot verschil tussen het werken met een dode en het werken met een kind. Als ik me goed herinner, kun je meer medewerking verwachten van een dode dan van een tiener.'

'Je bent een maatschappelijk werkster die met getuigen werkt,' zei Rob, op een lichtelijk zeurderige toon. 'En dit meisje is een getuige.'

Kovac, die tegen de muur stond geleund en hen observeerde, schonk haar een vreugdeloos glimlachje. 'Je weet het, Red, je kunt je familie en je getuigen nu eenmaal niet kiezen. Als het aan mij lag, had ik veel liever gezien dat Moeder Teresa gisteren uit het park was komen rennen.'

'Nee, dat meen je niet,' zei Kate. 'De verdediging zou aanvoeren dat ze staar en de ziekte van Alzheimer heeft, en zeggen dat iemand die gelooft dat een mens drie dagen na zijn overlijden uit de dood kan herrijzen, onmogelijk een betrouwbare getuige kan zijn.'

Kovac trok met zijn mond. 'Waardeloze juristen.'

Rob keek hen bevreemd aan. 'Moeder Teresa is dood.'

Kate en Kovac rolden op hetzelfde moment met hun ogen. Sabin schraapte zijn keel en wierp een nadrukkelijke blik op zijn horloge. 'Vooruit, we moeten aan de slag. Ik wil horen wat ze te zeggen heeft.'

Kate trok haar wenkbrauwen op. 'Dacht je echt dat ze alles zomaar zou vertellen? Je komt te weinig achter je bureau vandaan, Ted.'

'Nou, het is haar geraden, verdomme,' kwam het dreigend over zijn lippen, en hij liep naar de deur.

Kate wierp nog een laatste blik door de ruit en keek de getuige recht in de ogen, hoewel ze wist dat het meisje haar niet kon zien. Een tiener, Christus, ze hadden haar net zogoed een mannetje van Mars kunnen toewijzen. Ze had geen enkele ervaring met kinderen. En dat was iets waar ze niet aan herinnerd wilde worden.

Ze keek naar het bleke meisjesgezicht en zag woede en uitdaging en ervaring waar ze nog veel te jong voor was. En ze zag angst. Diep weggestopt onder al het andere, diep binnen in haar als een groot geheim, lag angst. Kate weigerde stil te staan bij wat het binnen in haar eigen ziel was dat die angst herkende.

In de verhoorkamer wierp Angie DiMarco een blik op Liska, die op haar horloge keek. Toen keek ze weer naar de doorkijkspiegel en stak de viltstift in de halsboord van haar trui.

'Een kind,' mompelde Kate, terwijl Sabin en Rob Marshall voor haar uit de gang op stapten. 'Ik had zelf moeite om een behoorlijk kind te zijn.'

'Dat komt mooi uit,' zei Kovac, terwijl hij de deur voor haar openhield. 'Want zij is dat ook niet.'

Liska, een kleine, blonde, atletisch gebouwde vrouw met een kort jongenskapsel, zag hen de verhoorkamer binnenkomen. Ze zette zich af tegen de muur en schonk hen een vermoeid glimlachje. Ze zag eruit als Tinker Bell die steroïden nam – of dat was in ieder geval wat Kovac had gezegd toen hij haar de bijnaam van Tinks had gegeven.

'Welkom op de kleuterschool,' zei ze. 'Wil iemand koffie?'

'Cafeïnevrij voor mij, en eentje voor onze vriendin hier aan tafel, graag, Nikki,' zei Kate zacht, terwijl ze het meisje onafgebroken bleef aankijken en probeerde te bepalen wat de beste strategie zou zijn.

Kovac pakte een stoel, ging zitten en leunde met één arm tegen de tafel, waarna hij met zijn stompe vingertoppen met de chocoladehagelslag begon te spelen die als muizenkeutels op het tafelblad lag.

'Kate, dit is Angie DiMarco,' zei hij nonchalant. 'Angie, dit is Kate Conlan van het bureau slachtoffer- en getuigenhulp. Ze heeft je zaak toegewezen gekregen.'

'Ik ben geen zaak,' snauwde het meisje. 'En wie zijn dat?'

'Officier van justitie Ted Sabin, en Rob Marshall, eveneens van het bureau slachtoffer- en getuigenhulp.' Kovac wees van de een op de ander, terwijl de mannen tegenover hun belangrijke getuige aan tafel plaatsnamen.

Sabin keek haar aan en trakteerde haar op zijn beste imitatie van Ward Cleaver. 'We zijn reuzebenieuwd naar wat je ons kunt vertellen, Angie. Deze moordenaar die we zo graag te pakken willen krijgen, is een heel gevaarlijke man.'

'Je meent het.' Het meisje wendde zich weer tot Kovac. Ze richtte haar blik op zijn mond. 'Mag ik roken?'

Hij trok de sigaret uit zijn mond en keek ernaar. 'Verdomme, ík mag hier zelfs niet roken,' bekende hij. 'Er mag hier binnen niet gerookt worden. Ik had ermee naar buiten willen gaan.'

'Dat is klote. Ik zit hier verdomme de halve nacht opgesloten in deze teringkamer, en ik mag verdomme nog niet eens een sigaret opsteken!'

Ze leunde naar achteren en sloeg haar armen over elkaar. Ze droeg haar vette, donkerblonde haar in een middenscheiding, en het viel los om haar schouders. Ze had te veel mascara op die onder haar ogen gevlekt was en droeg een gebleekt spijkerjack van Calvin Klein dat ooit eens aan een zekere Rick had toebehoord. De naam was in onuitwasbare inkt boven het linker borstzakje gedrukt. Ze hield het jack aan hoewel het warm was in de kamer. Uit veiligheidsoverwegingen, of omdat ze de sporen van naalden wilde verbergen, dacht Kate.

'O, verdomme, Sam, geef haar toch een sigaret,' zei Kate, terwijl ze de mouwen van haar trui opstroopte. Ze ging op de onbezette stoel naast het meisje zitten. 'En als je toch bezig bent, kun je mij er ook een geven. Als de nazi's hier ons betrappen, dan krijgen we tenminste met z'n allen op ons lazer. Wat denk je dat ze zullen doen? Ons verzoeken om dit rattenhol te verlaten?'

Ze sloeg het meisje vanuit haar ooghoeken gade terwijl Kovac nog twee sigaretten uit zijn pakje schudde. Angie's nagels waren afgebeten stompjes en had ze metallic ijsblauw gelakt. Ze nam het geschenk met bevende handen aan. Ze droeg een aantal goedkope zilveren ringen, en ze had met balpen twee, kleine, grove tatoeages op haar bleke huid getekend – een kruis bij haar duim en de letter A met een horizontale streep door de bovenkant. De tatoeage rond haar pols, een fijne doornenarmband, was het werk van een deskundige.

'Zit je hier al de hele nacht, Angie?' vroeg Kate, terwijl ze een trekje van haar sigaret nam. Hij smaakte naar gedroogde stront. Ze kon zich niet voorstellen dat ze in haar studentenjaren ooit gerookt had. Wat je al niet deed om erbij te horen, dacht ze. En nu deed ze het om contact te krijgen.

'Ja.' Angie blies de rook naar het plafond. 'En ik mocht niet eens een advocaat van ze hebben.'

'Je hebt geen advocaat nodig, Angie,' zei Kovac vriendelijk. 'Er word je niets ten laste gelegd.'

'Waarom kan ik hier dan verdomme niet weg?'

'Omdat we een heleboel dingen moeten uitzoeken. Zoals, bijvoorbeeld, de kwestie van je identiteitsbewijs.'

'Dat heb ik u toch gegéven!'

Hij haalde het document uit het dossier en gaf het met een veelzeggend optrekken van zijn wenkbrauwen aan Kate.

'Je bent eenentwintig,' las Kate met een volkomen uitdrukkingsloos gezicht op, terwijl ze haar as aftikte in een achtergelaten bekertje stroperige, koude koffie.

'Dat staat er.'

'Er staat dat je uit Milwaukee bent –'

'Dat wás ik. Ik ben daar weg.'

'Heb je er nog familie?'

'Ze zijn allemaal dood.'

'O, dat spijt me.'

'Dat betwijfel ik.'

'Heb je hier familie wonen? Ooms, tantes, nichten, neven, half verwante circusklanten? Iemand die we zouden kunnen bellen en vragen of ze je zouden kunnen helpen met het verwerken hiervan?'

'Nee. Ik ben wees. Arme ik.' Ze lachte kort en sarcastisch. 'Ik heb geen familie nodig. Echt niet.'

'Je hebt geen vaste verblijfplaats, Angie,' zei Kovac. 'Je moet je goed realiseren wat er gebeurd is. Jij bent de enige die de moordenaar kan identificeren. We moeten weten waar we je kunnen vinden.'

Ze rolde met haar ogen op een manier zoals alleen tieners dat kunnen, en gaf daarmee uiting aan een combinatie van ongeloof en ongeduld. 'Ik heb u toch gezégd waar ik woon.'

'Ja, je hebt me het adres gegeven van een flat waar je geen sleutels van hebt, en je bent niet in staat om me de naam te noemen van degene bij wie je logeert.'

'Dat heb ik u wél gezegd!'

Ze stond op van de stoel en wendde zich van Kovac af. De as van de sigaret in haar hand viel op de vloer. De blauwe trui die ze onder het spijkerjack droeg was afgeknipt of gekrompen, en onthulde een navelpiercing en nog een tatoeage – drie druppels bloed die in de tailleband van haar vuile spijkerbroek vielen.

'Ze heet Molly,' zei ze. 'Ik heb haar leren kennen op een feest en ze zei dat ik net zo lang bij haar kon slapen tot ik zelf iets heb gevonden.'

Kate bespeurde een lichte trilling in de stem van het meisje, en zag de defensieve houding van haar lichaam terwijl ze zich voor hen afsloot en in zichzelf terugtrok. De deur van de kamer ging open en Liska kwam binnen met de koffie.

'Angie, niemand wil je kwaad doen hier,' zei Kate. 'Het enige waar het ons om gaat, is dat je veilig bent.'

Het meisje draaide zich met een ruk naar haar om en keek haar met van woede fonkelende, blauwe ogen aan.

'Het enige waar het jullie om gaat, is dat ik die griezel van een Cremator voor jullie identificeer en tegen hem getuig. Dacht je soms dat ik gek was? Voor hetzelfde geld vindt hij me en vermoordt hij míj ook!'

'Je medewerking is van het grootste belang, Angie,' zei Sabin op autoritaire toon. De man die de leiding had. 'Je bent onze enige getuige. Voor zover we weten heeft deze man al drie vrouwen vermoord.'

Kate wierp hem een vernietigende blik toe.

'Het is voor een deel mijn taak om erop toe te zien dat jou niets overkomt, Angie,' zei Kate op effen, kalme toon. 'Als je onderdak nodig hebt, kunnen we daarvoor zorgen. Werk je?'

'Nee.' Ze wendde zich weer af. 'Ik heb naar werk gezocht,' voegde ze er bijna defensief aan toe. Ze liep naar de hoek van de kamer waar een vuile rugzak stond. Kate durfde er wat om te verwedden dat die rugzak alles bevatte wat ze had.

'Het valt niet mee als je ergens nieuw bent in een stad,' zei Kate zacht. 'Je kent er de weg niet, je hebt geen vrienden. Het is niet gemakkelijk om een start te maken en je leven op poten te zetten.'

Het meisje liet haar hoofd zakken en kauwde op de nagel van haar duim. Haar haren vielen voor haar gezicht.

'Er is geld voor nodig om een leven op te bouwen,' vervolgde Kate. 'Geld om te eten. Geld voor de huur. Geld voor kleren. Alles kost geld.'

'Ik red me wel.'

En Kate had er een aardig idee van hoe. Ze wist wat kinderen die op straat leefden deden om van rond te kunnen komen. Ze deden wat ze konden om te overleven. Bedelen. Stelen. Drugs verkopen. Met mannen meegaan. Er was een grote groep verdorven menselijk uitschot dat er geen kwaad in zag gebruik te maken van kinderen die dakloos waren en geen hoop op de toekomst hadden.

Liska zette de twee dampende bekertjes op tafel, boog zich naar Kovac toe en fluisterde iets in zijn oor. 'Elwood heeft de huisbewaarder gevonden. Hij zegt dat de flat leeg staat, en dat als het waar is dat dit meisje er woont, hij een waarborgsom van vijfhonderd dollar van haar wil hebben, en dat hij haar anders zal aanklagen wegens huisvredebreuk.'

'Dat noem ik nog eens naastenliefde.'

'Dus Elwood zegt tegen hem: Vijfhonderd? O, ja? Een dollar per kakkerlak?'

Kate luisterde naar het gefluister, maar bleef ondertussen naar Angie kijken. 'Je leven is al gecompliceerd genoeg, en je zat er niet

echt op te wachten om ook nog eens getuige van een moord te zijn.'
Ze zat nog steeds met gebogen hoofd, snoof en nam een trekje van haar sigaret. 'Ik heb niet gezien hoe hij haar vermoord heeft.'
'Wat heb je dan wél gezien?' vroeg Sabin. 'Dat moeten we weten, Angie. Elke minuut die verstrijkt is van het grootste belang. We hebben te maken met een seriemoordenaar.'
'Daarvan zijn we ons allemaal bewust, Ted,' zei Kate op een vlijmscherpe toon. 'Daar hoef je ons echt niet om de twee minuten aan te herinneren.'
Rob Marshall ging met een ruk verzitten. Sabin wisselde een blik met haar en toonde zijn toenemende ongeduld. Hij wilde een onthulling voor hij moest opdraven voor zijn gesprek met de burgemeester. Hij wilde in staat zijn om tijdens de persconferentie voor de camera's te stappen en het monster dat vrij onder hen rondliep, een naam en een gezicht te geven. Hij wilde kunnen zeggen dat de arrestatie van dat monster weldra een feit zou zijn.
'Angie schijnt nog niet helemaal voor zichzelf te hebben uitgemaakt of ze bereid is mee te werken of niet,' zei hij. 'Ik denk dat het belangrijk is dat ze beseft hoe ernstig de situatie is.'
'Ze heeft gezien hoe iemand een lichaam in brand heeft gestoken. Ik denk dat ze héél goed beseft hoe ernstig de situatie is.'
Vanuit haar ooghoeken zag ze dat ze de aandacht van het meisje te pakken had. Misschien dat ze, wanneer ze samen op straat leefden, vriendinnen zouden kunnen zijn, nadat Sabin haar ontslagen had op grond van de uitdagende toon die ze, in het bijzijn van anderen, tegen hem had aangeslagen. Hoe haalde ze het in haar hoofd? Ze wilde helemaal niet met deze toestand worden opgezadeld.
'Wat deed je zo laat in het park, Angie?' vroeg Rob, terwijl hij met zijn zakdoek het zweet van zijn voorhoofd veegde.
Het meisje keek hem recht aan. 'Dat is mijn zaak.'
'Je kunt je jack uittrekken als je dat wilt,' zei hij met een vluchtig glimlachje.
'Dat wil ik niet.'
Hij klemde zijn kaken op elkaar en de glimlach kreeg iets van een grimas. 'Zoals je wilt. Als je hem aan wilt houden, is dat best. Het lijkt me alleen nogal warm hierbinnen. Waarom vertel je ons niet met eigen woorden wat je gisteravond in het park deed, Angie.'
Ze keek hem aan met een giftige blik. 'Wat ik tegen u zou willen zeggen is, lik m'n reet, maar omdat u zo ontzettend lelijk bent, zou ik u van tevoren laten betalen.'
Hij werd knalrood.
Er ging een pieper af in de kamer, en iedereen, met uitzondering van de getuige, greep naar de zijne. Sabin trok een bedenkelijk gezicht toen hij de boodschap op de zijne las. Hij wierp opnieuw een blik op zijn horloge.

'Heb je de man goed kunnen zien, Angie?' vroeg Rob gespannen. 'Je zou ons een enorme dienst kunnen bewijzen. Ik weet dat het een verschrikkelijke erva–'

'U weet helemaal niets,' viel het meisje hem snauwend in de rede.

Er klopte een ader bij Robs linkerslaap, en het zweet stond in dikke druppels op zijn voorhoofd.

'Daarom vragen we je ook of je het ons wilt vertellen, meisje,' zei Kate op kalme toon. Ze liet de rook langzaam tussen haar lippen uit komen. Alsof ze alle tijd van de wereld had. 'Heb je de man goed kunnen zien?'

Angie keek haar even aan, en toen keek ze naar Sabin, naar Liska, naar Kovac en weer terug naar Rob Marshall. Er lag een schattende blik in haar ogen. Het moment en de stilte leken eindeloos te duren.

'Ik heb hem in het licht van de vlammen gezien,' zei ze ten slotte, terwijl ze haar blik liet zakken en naar de vloer keek. 'Hij stak het lichaam in brand en zei: "Tot as zult ge wederkeren."'

'Zou je hem herkennen als je hem terugzag?' vroeg Sabin.

'Natuurlijk,' mompelde ze, terwijl ze de sigaret voor een laatste trekje naar haar lippen bracht. Het uiteinde ervan lichtte op als een gloeiend kooltje uit de hel en stak fel af tegen haar intens bleke gezicht. 'Hij is de duivel,' voegde ze er, onder het uitademen van de rook, aan toe.

'Waar was dat in vredesnaam voor nodig?' riep Kate verontwaardigd uit toen de deur van de verhoorkamer achter hen was dichtgevallen.

Sabin keek haar woedend aan. 'Dat had ik ook aan jou willen vragen, Kate. We kunnen niet zonder de medewerking van dit meisje.'

'En die denk je te krijgen door haar op die manier onder druk te zetten? Misschien was het je nog niet opgevallen, maar ze reageerde niet echt.'

'Hoe kón ze ook reageren! Telkens wanneer ik bijna een antwoord van haar had, moest jíj je er weer zo nodig mee bemoeien.'

'Kracht stuit op weerstand, Ted. En het is mijn taak om me ermee te bemoeien. Ik ben haar maatschappelijk werkster,' zei ze, in het besef dat ze bezig was de wraak van een machtig man over zichzelf uit te roepen. Hij had de macht om haar van deze zaak te halen.

Als dat zou kunnen, dacht ze. Alles aan dit onderzoek wees er nu al op dat het een grote ellende zou worden. Ze zat er echt niet op te wachten om daar middenin terecht te komen.

'Jij bent degene die me op deze zaak heeft gezet,' zei ze. 'Jij wil dat ik vriendschap sluit met het meisje, of was je dat soms vergeten? En dat zal al moeilijk genoeg zijn, zonder dat je ons als groep als haar tegenstander presenteert.'

'Ze moet ons vertellen wat ze heeft gezien. Ze moet het gevoel krijgen dat we om haar geven. Dacht je echt dat ze niet weet dat je alleen maar in haar geïnteresseerd bent om wat ze weet, en dat je haar, zodra ze alles verteld heeft, laat vallen? Hoe dacht je eigenlijk dat een kind als Angie om te beginnen in deze ellende verzeild is geraakt?'

'Je wilde deze zaak niet omdat ze een kind is,' verzuchtte Sabin geïrriteerd. 'En nu ben je opeens een deskundige.'

'Je wilde me voor deze zaak vanwege mijn ervaring, vanwege mijn referentiekader,' bracht ze hem in herinnering. 'Maar dan moet je er ook op vertrouwen dat ik de zaak naar behoren behandel. Ik weet hoe ik een getuige moet verhoren.'

Sabin negeerde haar door zich tot Kovac te wenden. 'Zei je niet dat het meisje werd aangehouden toen ze bij de plaats van de misdaad vandaan kwam gerend?'

'Niet helemaal.'

'Ze kwam uit het park gerend toen de eerste patrouillewagen arriveerde,' zei hij ongeduldig. 'Ze kwam bij een brandend lichaam vandaan gerend. Dat maakt haar tot een verdachte. Zet haar klem, zet haar onder druk, maak haar bang, bedreig haar. Het kan me niet schelen hoe je het doet, maar ik wil dat ze de waarheid vertelt. Ik heb over twee minuten een bespreking met de hoofdcommissaris en de burgemeester. De persconferentie is om vijf uur. En dan wil ik een beschrijving van de moordenaar hebben.'

Hij liep bij hen vandaan terwijl hij zijn jasje aftrok en zijn schouders bewoog als een bokser die er zojuist vijf ronden op heeft zitten. Kate keek naar Kovac, die een zuur gezicht trok.

'Zie je nou zélf wat ik allemaal moet slikken?' vroeg hij.

'Jíj?' vroeg Kate honend. 'Hij kan mij er zo uitgooien. Het kan me niet schelen of hij in de Senaat komt. Macht geeft hem nog niet het recht om een getuige te mishandelen – of van jou te verlangen dat jij dat voor hem doet. Als je dit kind niet met fluwelen handschoentjes aanpakt, zal ik zorgen dat je dat zult berouwen, Sam.'

Kovac trok een gezicht. 'Jezus, Kate. Het opperhoofd zegt dat ik haar als een verdachte moet behandelen. Wat wil je dat ik doe? Moet ik mijn tong tegen hem uitsteken? In dat geval stopt hij mijn ballen voor Kerstmis in de notenkraker.'

'En ik zal er een partijtje mee tennissen.'

'Sorry, Kate, dat kun je vergeten. Sabin kan mij én mijn pensioen castreren. Waarom bekijk je het niet van de positieve kant? We sluiten haar op, en voor haar zal het zijn alsof ze in Club Med zit.'

Kate wendde zich tot haar baas. Rob verplaatste zijn gewicht van zijn ene op zijn andere been. 'We hebben te maken met buitengewone omstandigheden, Kate.'

'Ja, dat besef ik ook wel. En wat ik me net zo goed realiseer, is dat er, als ze gezien had hoe onze moordenaar een van die twee hoeren in de hens had gestoken, geen persconferentie zou zijn en Ted Sabin niet eens zou weten hoe ze heet. Maar dat verandert niets aan wat ze heeft gezien, Rob. Het verandert niets aan wie ze is en hoe ze behandeld moet worden. Ze verwacht een slechte behandeling. Dat geeft haar een excuus om niet mee te willen werken.'

Zijn gezichtsuitdrukking hield het midden tussen wrang en verwrongen. 'Ik dacht dat je deze zaak niet wilde hebben, Kate.'

'Dat klopt,' zei Kate op effen toon. 'Ik heb er geen enkele behoefte aan om tot over mijn oren in een slangenkuil terecht te komen, maar als ik deze zaak doe, dan doe ik het ook goed. Laat me mijn werk met haar doen, of haal me van de zaak. Ik weiger naar iemands pijpen te dansen en wil ook niet aan iemand gebonden zijn. Zelfs niet aan zijne koninklijke hoogheid.'

Dat was natuurlijk bluf. Ze mocht de zaak dan niet willen, maar ze was de beste die ervoor te vinden was – of dat dacht Ted Sabin in elk geval. Sabin, die het zo'n opwindende gedachte vond dat ze bij de FBI had gezeten. Hoewel Kate helemaal niet blij was met die obsessie van hem, wist ze dat het haar de nodige invloed opleverde bij hem, én bij Rob.

De hamvraag was alleen, wat zou het haar kosten? En waarom zou ze bereid zijn om de prijs te willen betalen? Deze zaak stonk, en niet zo'n beetje ook, en ze wist nu al dat de mogelijke verwikkelingen die eruit voortkwamen haar als de tentakels van een octopus zouden omsluiten. Ze had nee moeten zeggen en er zo hard als ze kon vandoor moeten gaan. Ze had verstandig moeten zijn, en dat betekende dat ze niet bij Angie DiMarco naar binnen had moeten kijken, want dan zou ze geen glimp hebben opgevangen van haar angst.

'Wat kan Sabin ons aandoen, Rob?' vroeg ze. 'Ons onthoofden en in brand steken?'

'Dat is helemaal niet grappig.'

'Dat was ook niet de bedoeling. Wees niet zo laf, verdomme, en zeg hem waar het op staat.'

Rob zuchtte en haakte zijn duim onopvallend achter de tailleband van zijn broek. 'Ik zal met hem praten en kijken wat ik kan doen. We geven het meisje de fotoboeken van daders, en misschien dat ze de moordenaar er vóór vijf uur in heeft gevonden,' zei hij zonder hoop.

'Je hebt vast nog wel relaties in Wisconsin,' zei Kate. 'Misschien kun je wat meer over haar aan de weet komen, ontdekken wie ze in werkelijkheid is.'

'Ik zal een paar mensen bellen. Is dat alles?' vroeg hij nadrukkelijk.

Kate trok een onschuldig gezicht. Ze was zich bewust van haar neiging om de leiding te nemen, maar daar zat ze niet mee voor wat haar baas betrof. Hij was geen inspirerend voorbeeld voor haar.

Rob liep door. Hij maakte een verslagen indruk.

'Altijd een man van actie, die baas van jou,' merkte Kovac droog op.

'Volgens mij bewaart Sabin zijn ballen in een potje in zijn medicijnkastje.'

'Ja, nou, ik wil de mijne er niet bij hebben. Probeer voor vijven wat meer uit dit kind te krijgen dan leugens en sarcastische opmerkingen.' Hij gaf haar een kneepje in haar schouder bij wijze van gelukwens en troost. 'Ga je gang, Red. Het is helemaal aan jou.'

Hij verdween naar de wc, en Kate keek hem peinzend na. 'En opnieuw stel ik de vraag: waarom ben ik altijd degene die op het verkeerde moment op de verkeerde plaats moet zijn?'

4

Toezichthoudend speciaal agent John Quinn liep vanuit de pier de aankomsthal van het vliegveld van St. Paul-Minneapolis in. Het leek op bijna elk ander vliegveld dat hij had gezien: grauw en somber. Het enige teken van emotie dat zich boven de grimmige en vermoeide reizigers verhief, was de familie die de thuiskomst vierde van een jongen met een nagenoeg kaalgeschoren hoofd en een blauw luchtmachtuniform.

Even voelde hij iets van jaloezie, een gevoel dat even oud leek als hij was – vierenveertig. Zijn familie werd beheerst door ruzie en onenigheid – het was geen familie die ervan hield om dingen te vieren. Hij had ze al jaren niet meer gezien. Te druk, te ver weg, te ongeïnteresseerd. Hij schaamde zich te zeer voor hen, zou zijn vader hebben gezegd... en daar zou hij gelijk in hebben gehad.

Hij zag de veldagent bij de uitgang van de gate staan. Vince Walsh. Volgens het dossier was hij tweeënvijftig en had hij er een indrukwekkende staat van dienst op zitten. Hij zou in juni met pensioen gaan. Hij zag eruit als een ongezond persoon van tweeënzestig. Zijn huid had de kleur van chamotteklei, zijn gezicht was uitgezakt en vertoonde diepe plooien in zijn wangen en over zijn voorhoofd. Hij zag eruit als een man die in zijn leven te veel stress te verwerken had gehad en voor wie een hartaanval de enige manier was om te sterven. Hij zag eruit als een man die liever iets anders had gedaan dan naar het vliegveld gaan om een van de meest succesvolle agenten uit Quantico af te halen.

Quinn vergaarde energie en probeerde tegelijkertijd zijn mondhoeken op te trekken. Zorg voor een gepaste reactie: kijk verontschuldigend, niet agressief, niet dreigend. Een tikje vriendelijkheid, maar niet overdreven familiair. Zijn schouders hingen van vermoeidheid – hij deed geen poging om zijn rug te rechten. 'Ben jij Walsh?'

'Jij bent Quinn,' verklaarde Walsh op effen toon, toen Quinn aanstalten maakte om zijn identiteitsbewijs uit de binnenzak van zijn jasje te halen. 'Heb je bagage?'

'Wat je ziet, meer niet.' Een uitpuilende kledingtas die de toegestane afmetingen voor handbagage overtrof, en een loodzware aktetas met een laptopcomputer en een berg paperassen. Walsh bood niet aan om iets te dragen.

'Bedankt voor het afhalen,' zei Quinn, terwijl ze de hal uit liepen. 'Op die manier verlies ik geen onnodige tijd met rondrijden en zoeken, en kan ik meteen aan het werk.'

'Best.'

Best. Niet wat je echt een geweldig begin noemt, maar het kon slechter. Het kostte waarschijnlijk wat tijd, maar uiteindelijk zou het hem wel lukken om de man voor zich te winnen. Waar het om ging, was dat hij onmiddellijk aan het werk kon. De zaak ging voor. Altijd de zaak. De ene na de andere, ze stapelden zich op, en de volgende kwam er alweer aan... De vermoeidheid deed hem huiveren en bezorgde hem een steek in zijn maag.

Ze liepen in stilte naar de centrale hal, namen de lift naar de volgende etage en staken de straat over naar de parkeerstrook waar Welsh zijn Taurus tegen de regels in op een invalidenplaats had gezet. Quinn zette zijn bagage in de achterbak en stelde zich in op een rit over de snelweg. Het interieur van de auto rook naar de sigarettenrook, die de beige bekleding dezelfde grauwe tint had gegeven als de bestuurder.

Toen ze de snelweg opreden, haalde Walsh een pakje Chesterfields uit zijn zak. Hij klemde zijn lippen om een sigaret en trok hem uit het pakje. 'Heb je er bezwaar tegen?'

Hij ontstak zijn aansteker zonder op een antwoord te wachten.

Quinn draaide het raam op een kiertje open. 'Het is jouw auto.'

'Over zeven maanden niet meer.' Hij stak de sigaret aan, zoog zijn longen vol teer en nicotine en onderdrukte een hoestbui. 'Jezus, ik wou dat ik eens van die verkoudheid af kwam.'

'Smerig weer,' merkte Quinn op. Of longkanker.

Er hing een loodzware lucht boven Minneapolis. Regen en negen graden. Alle vegetatie was in winterslaap of dood, en daar zou tot het voorjaar geen verandering in komen. En zo ver was het hier nog lang niet. In Virginia begon je tenminste in maart al iets van het voorjaar te merken.

'Het had nog veel erger kunnen zijn,' zei Walsh. 'Zoals een sneeuwstorm. Een paar jaar geleden hadden we er een met Halloween. Wat een ellende. Er lag die winter zeker drie meter sneeuw, en het duurde tot mei voordat alles gesmolten was. Ik haat het hier.'

Quinn vroeg hem niet waarom hij dan bleef. Hij had geen behoefte aan de gebruikelijke litanie tegen het Bureau, of aan de algemene klacht van de ongelukkig getrouwde man met zijn schoonouders in de buurt, of aan welke andere verklaring dan ook waarom een man als Walsh een hekel had aan zijn leven. Hij had zijn eigen problemen

– waar Vince Walsh ook niet in geïnteresseerd was. 'Utopia bestaat niet, Vince.'

'Ja, nou, Scottsdale komt er aardig bij in de buurt. Ik wil het van mijn leven niet meer koud hebben. Zodra het juni is, smeer ik 'm. Dan hou ik het hier voor gezien. En hang ik mijn pet aan de wilgen. Wát een ondankbare baan.'

Hij wierp Quinn een achterdochtige blik toe, alsof hij hem aanzag voor de een of andere verklikker van het Bureau die, zodra hij alleen was, onmiddellijk naar de betreffende speciaal agent zou bellen.

'Ja, het kan behoorlijk zwaar werk zijn,' beaamde Quinn. 'Waar ik niet tegen kan, is de politiek,' zei hij, blindelings de gevoelige plek rakend. 'En wanneer je in de buitendienst zit, krijg je het van twee kanten te verduren – van de plaatselijke overheden, én van het Bureau.'

'Jij zegt het. Ik wou werkelijk dat ik gisteren voorgoed had kunnen vertrekken. Deze zaak wordt de ene trap tegen je kont na de andere.'

'Is het dan al begonnen?'

'Jij bent er toch, of niet?'

Walsh pakte een dossiermap van de bank tussen hen in en gaf hem aan Quinn. 'De foto's van de plaats van de misdaad. Ik wist dat je ze zo snel mogelijk zou willen hebben. Ga je gang.'

Quinn bleef Walsh aankijken terwijl hij de map van hem aannam. 'Heb je een probleem met het feit dat ik hier ben, Vince?' vroeg hij, zonder eromheen te draaien, maar hij verzachtte het effect met een gezichtsuitdrukking die aan de ene kant bestond uit een kameraadschappelijk glimlachje, en aan de andere kant uit een innerlijke verwarring die hij niet voelde. Hij had dit al zo vaak meegemaakt en was vertrouwd met elke denkbare reactie op zijn aankomst ter plekke: oprecht welkom, hypocriet welkom, verkapte irritatie en openlijke vijandigheid. Walsh was een nummer drie, die bij navraag zou beweren dat hij precies gezegd had wat hij dacht.

'Natuurlijk niet,' zei hij na een poosje. 'Als we deze klootzak niet zo snel mogelijk te pakken krijgen, zijn we straks allemaal een lopende schietschijf. En het kan me echt niet schelen dat jij dan een grotere bent dan ik.'

'Dat neemt niet weg dat het nog steeds jouw zaak ik. Ik ben hier alleen maar ter ondersteuning.'

'Grappig. Ik heb precies hetzelfde tegen de inspecteur van moordzaken gezegd.'

Quinn zei niets. Hij was in gedachten al bezig met het opstellen van een strategie voor de speciale eenheid. Het zag ernaar uit dat hij om Walsh heen zou moeten werken, hoewel het onwaarschijnlijk leek dat de assistent van de met de leiding belaste speciaal agent hier niet een van zijn allerbeste agenten op de zaak had gezet. Als Peter

Bondurant invloed had op de bobo's in Washington, zouden de plaatselijke jongens het wel uit hun hoofd laten om de man tegen de haren in te strijken. Volgens de faxen beschikte Walsh over een uitstekende reputatie en kon hij bogen op een jarenlange ervaring. Misschien wel te veel jaren, en te veel zaken, en te veel politieke spelletjes.

Quinn had al een idee van de politieke situatie hier. Tot nu toe waren er drie slachtoffers, en dat was het minimum aantal om van een seriemoordenaar te kunnen spreken. Normaal gesproken zou hij in dit stadium telefonisch om advies zijn gevraagd – als men het al nodig achtte om dat te doen. Meestal gaven de plaatselijke jongens er de voorkeur aan om dit soort zaken zelf op te lossen, totdat het aantal slachtoffers echt beangstigend werd. Hij had op het moment vijfentachtig zaken waar hij mee bezig was, en die zouden nu allemaal moeten wachten. Het gebeurde vrijwel nooit dat hij voor een zaak van drie moorden in het vliegtuig stapte. Zijn aanwezigheid hier leek onnodig, en dat kwam zijn frustratie en gevoel van algehele uitputting niet ten goede. Even sloot hij zijn ogen om alle gevoelens weer terug te duwen in hun respectievelijke hokjes.

'Die meneer Bondurant van jullie heeft vriendjes op hoog niveau,' zei hij. 'Wat kun je me over hem vertellen?'

'Nou, hij is het stereotype zwaargewicht. Hij heeft een computerbedrijf, Paragon, en doet veel voor defensie. Hij heeft laten doorschemeren dat hij zijn bedrijf naar een andere staat wil verhuizen, en dat heeft tot gevolg gehad dat de gouverneur en elke andere politicus nu uit zijn hand eten. Ze zeggen dat hij goed is voor een miljard dollar of meer.'

'Ken je hem persoonlijk?'

'Nee. Hij heeft niet de moeite genomen via ons contact met jou op te nemen. Ik heb gehoord dat hij rechtstreeks naar de directie is gestapt.'

En een paar uur later had Quinn op bevel van hogerhand in het vliegtuig naar Minneapolis gezeten. Zonder dat ook maar iemand rekening had gehouden met de zaken waar hij aan bezig was. En zonder, zoals anders altijd gebeurde wanneer hij toestemming nodig had om op reis te mogen, bureaucratische hindernissen op te werpen.

Hij vroeg zich met een wrang glimlachje af of Bondurant om hem persoonlijk had gevraagd. Hij was het afgelopen jaar meer dan eens in de publiciteit geweest. En niet omdat hij daarnaar op zoek was geweest. De pers was dol op zijn image. Hij beantwoordde aan het stereotype plaatje dat ze hadden van een speciaal agent van de OOE: atletische bouw, vierkante kin, donker en intens. Hij was fotogeniek, deed het goed op de televisie, en als er een film over hem gemaakt zou worden, dan zouden ze George Clooney voor de hoofdrol kiezen. Er waren dagen waarop dat image hem goed van pas kwam. Er waren ook dagen waarop hij erom moest lachen. Maar steeds vaker vond hij het alleen maar lastig.

'Hij had er haast bij,' vervolgde Walsh. 'Het lijk is nog niet eens helemaal koud. Ze weten zelfs nog niet eens zeker of het zijn dochter wel is – zo zonder hoofd. Maar, weet je, mensen met geld verspillen geen tijd. Dat hoeven ze ook niet.'

'Hoe ver zijn we met de identificatie van het slachtoffer?'

'Ze hebben haar rijbewijs. Ze zijn bezig te proberen vingerafdrukken van haar te krijgen, maar ik heb me laten vertellen dat de handen zwaar verbrand zijn. De lijkschouwer heeft Jillian Bondurants medische gegevens opgevraagd, om te zien of er overeenkomsten zijn betreffende opvallende kenmerken of gebroken botten. We weten intussen al wel dat het lichaam de juiste lengte en bouw heeft. En we weten dat Jillian Bondurant vrijdagavond bij haar vader heeft gegeten. Ze is ongeveer om middernacht bij hem weggegaan, en daarna is ze niet meer gezien.'

'Weten we iets van haar auto?'

'Die is nog niet gevonden. De autopsie staat voor vanavond op het programma. Misschien hebben ze geluk en kunnen ze aantonen dat de maaginhoud overeenkomt met wat ze die avond bij haar vader heeft gegeten, maar dat betwijfel ik. Dan zou ze vrijwel meteen vermoord moeten zijn. Maar zo werkt deze gestoorde niet.'

'De persconferentie is om vijf uur – niet dat de pers erop wacht,' vervolgde hij. 'Het verhaal is allang uitgezonden. En ze hebben de klootzak ook al een bijnaam gegeven. Ze noemen hem de Cremator. Toepasselijk, niet?'

'Ik heb gehoord dat er vergelijkingen worden getrokken met een aantal moorden die een paar jaar geleden zijn gepleegd. Is er een verband?'

'De Wirth Park-moorden. Geen verband, maar wel een aantal overeenkomsten. Die slachtoffers waren zwarte vrouwen, én een Aziatische travestiet die hij per ongeluk te grazen heeft genomen. Dat waren prostituees, of er wordt tenminste aangenomen dat het prostituees waren, en de eerste twee slachtoffers van déze moordenaar zijn ook prostituees. Hoeren worden altijd vermoord omdat het gemakkelijke slachtoffers zijn. Die slachtoffers waren overwegend zwart, en deze zijn blank. Dat laatste wijst op een andere moordenaar, niet?'

'Seksuele seriemoordenaars blijven binnen hun eigen etnische groep, ja.'

'Hoe dan ook, ze hebben iemand veroordeeld op één van de Wirth Park-moorden, en voor de andere twee is het onderzoek afgesloten. Ze hebben de moordenaar, maar er was niet voldoende bewijs om hem voor alle drie veroordeeld te krijgen. En daarbij, hoeveel levenslange gevangenisstraffen kan een mens uitzitten?

'Ik heb vanochtend met iemand van moordzaken gesproken,' vervolgde Walsh, terwijl hij zijn peuk uitdrukte in de overvolle asbak. 'Hij zegt dat het vaststaat dat we met een andere dader te maken hebben. Maar om eerlijk te zijn, ik weet niet veel meer van die moorden dan jij. Tot vanochtend hadden ze niet meer dan twee dode hoeren. Ik heb er, net als iedereen, over in de krant gelezen. Wat ik wel heel zeker weet, is dat die andere dader niemand onthoofd heeft. Dat is een totaal nieuwe ontwikkeling voor hier.'

Quinn keek uit het raampje naar het grijs en de regen, naar de doodse, winterse bomen die er even zwart en kleurloos uitzagen alsof ze verbrand waren, en had in een flits te doen met de naamloze, gezichtsloze slachtoffers, die zó onbelangrijk werden gevonden dat men ze alleen maar een etiket opdrukte. Het was meer dan waarschijnlijk dat ze vóór hun dood doodsangsten hadden uitgestaan en pijn hadden geleden. Ze hadden vrienden en familie die om hen treurden en die hen misten. Maar de pers, en de maatschappij in het algemeen, reduceerde hun leven en hun dood tot de laagste gemene deler: twee dode hoeren. Quinn had er meer dan honderd gezien... en hij kon ze zich nog allemaal herinneren.

Met een zucht masseerde hij zijn voorhoofd, waar zich een semipermanente hoofdpijn had genesteld. Hij was te moe voor het soort van tact dat altijd vereist was aan het begin van een zaak. Dit was het soort moeheid dat tot diep in zijn botten was doorgedrongen en hem een loodzwaar gevoel bezorgde. Er waren in de afgelopen paar jaar te veel lijken geweest. 's Nachts, wanneer hij probeerde te slapen, trokken de namen in een lange lijst aan hem voorbij. Lijken tellen, noemde hij het. Niet iets om daarna fijn te dromen.

'Wil je eerst naar je hotel, of wil je meteen naar kantoor?' vroeg Walsh.

Alsof het iets uitmaakte wat hij wilde. Wat hij van het leven wilde was hij al lange tijd geleden uit het zicht verloren.

'Ik wil eerst naar de plaats van de misdaad,' zei hij. Het ongeopende dossier lag loodzwaar op zijn schoot. 'Ik wil zien waar hij haar heeft achtergelaten.'

In het park zag het eruit alsof de padvinders er hadden gekampeerd. De geblakerde grond waar het vuur was geweest, de gele tape die als een touw met vlaggetjes van boom naar boom was gespannen om het gebied af te zetten, het vertrapte dorre gras, blaadjes die als natte knipsels van papier in de grond waren gedrukt. De omgeving lag vol met in elkaar gedrukte plastic bekertjes die uit de afvalbak waren gewaaid die bij het geasfalteerde pad boven op de heuvel stond.

Walsh parkeerde de auto. Ze stapten uit en stonden op het asfalt. Quinn liet zijn blik van noord naar zuid over de omgeving gaan. De plaats van de misdaad bevond zich iets lager op de helling, in een soort van ondiepe kuil die voor uitstekende dekking had gezorgd. Er stonden zowel loofbomen als naaldbomen in het park. Midden in de nacht zou het hier een wereldje op zich zijn. De dichtstbijzijnde huizen – keurige, vrijstaande middenstandswoningen – bevonden zich op ruime afstand van de plaats waar de misdaad had plaatsgevonden, terwijl er tussen hier en de wolkenkrabbers van het centrum van Minneapolis meerdere kilometers lagen. Zelfs het voor de onderhoudsdienst van het park bestemde parkeerplaatsje waar ze stonden, werd aan het zicht onttrokken door wat in het voorjaar waarschijnlijk een prachtige heg van seringen was, die diende om het afgesloten huisje – een opslagplaats van de plantsoenendienst – en de auto's die kwamen en gingen, onzichtbaar te houden voor de bezoekers van het park.

Het was waarschijnlijk dat de onbekende dader hier geparkeerd had en het lijk voor zijn ceremonie de helling af had gedragen. Quinn keek naar de veiligheidslamp die boven aan een donkere paal naast het opslaghuisje hing. Het glas was kapotgeslagen, maar er lagen geen zichtbare scherven op de grond.

'Weten we hoe lang die lamp al kapot is?'

Walsh keek op en trok een gezicht toen hij regen in zijn ogen kreeg. 'Dat zul je aan de politie moeten vragen.'

Een dag of twee, durfde Quinn te wedden. Niet lang genoeg voor de plantsoenendienst om hem te repareren. Als dit het werk was van de dader die de omgeving had voorbereid op zijn middernachtelijk bezoek... Als hij hier van tevoren was gekomen, de lamp kapot had gegooid, de scherven had opgeruimd om ervoor te zorgen dat zijn vandalistische daad niet gemakkelijk opgemerkt zou worden waardoor het langer zou duren voor de lamp vervangen werd... als dat allemaal klopte, dan hadden ze te maken met een hoge mate van voorbedachten rade. En ervaring. Dit soort gedrag was aangeleerd. Een crimineel leerde uit ervaring wat hij bij de uitvoering van zijn misdaden wel en niet moest doen. Herhaling en ervaring leidden tot een grotere perfectionering van de door hem gehanteerde methode.

Quinn trok zijn schouders op onder zijn regenjas en liep, zonder zich iets aan te trekken van de regen die op zijn onbedekte hoofd viel, de helling af, terwijl hij zich ervan bewust was dat de dader – met het lijk – dezelfde weg genomen moest hebben. Het was een behoorlijke afstand – vijftig tot zestig meter. De speciale eenheid zou de precieze gegevens hebben. Je moest sterk zijn om zo ver te lopen met een loodzware last. Het moment van de dood zou bepalend zijn geweest voor de manier waarop hij haar had gedragen. Over zijn schouder zou het gemakkelijkste zijn geweest – als het lijk nog niet stijf was geworden, of als de stijfheid alweer voorbij was. Als hij haar over zijn schouder had kunnen dragen, was het moeilijk iets naders over zijn lengte te kunnen zeggen, want dan zou hij ook klein van

37

stuk geweest kunnen zijn. Had hij haar in zijn armen gedragen, dan moest hij langer zijn geweest. Quinn hoopte dat ze na de lijkschouwing meer zouden weten.

'Wat heeft de speciale eenheid onderzocht?' vroeg hij. De woorden kwamen in kleine wolkjes damp over zijn lippen. Walsh volgde hem op een afstandje van drie passen. Hij kuchte. 'Alles. Deze hele kant van het park, met inbegrip van de parkeerplaats en het huisje. De jongens van moordzaken hebben er hun eigen onderzoeksploeg bij gehaald, en het mobiele lab van het bureau aanhoudingen uit Minnesota is er ook bij geweest. Ze zijn heel grondig te werk gegaan.'

'Wanneer is het gaan regenen?'

'Vanochtend.'

'Verdomme,' mompelde Quinn. 'Wat denk je, is de grond gisteravond hard of zacht geweest?'

'Keihard. Er waren geen schoenafdrukken. Ze hebben wat troep opgeraapt – snippertjes papier, sigarettenpeuken, dat soort dingen. Maar, allemachtig, wat wil je, het park is voor iedereen toegankelijk, en de troep kan van iedereen afkomstig zijn geweest.'

'Is er bij de eerste twee moorden iets opvallends gevonden?'

'Het rijbewijs van de slachtoffers. Verder niets, voor zover ik weet.'

'Wie doet het labwerk?'

'Het bureau aanhoudingen. Ze hebben een uitstekend lab.'

'Ja, dat heb ik gehoord.'

'Ze weten dat ze, wanneer dat nodig mocht zijn, altijd een beroep kunnen doen op het lab van de FBI.'

Quinn bleef staan aan de rand van de zwartgeblakerde grond waar het lichaam was achtergelaten. Zoals altijd wanneer hij op de plaats van een misdaad was, was hij zich bewust van een gevoel van duistere beklemming, die zwaar op zijn borst drukte. Hij had voor zichzelf nooit de behoefte gehad om uit te zoeken of het gevoel iets mystieks of romantisch was, en of hij daadwerkelijk in staat was iets te bespeuren van het kwaad dat op deze plek was geschied, of dat hij de verklaring ervoor eerder moest zoeken in een misplaatst schuldgevoel. Het enige dat hij wist, was dat het gevoel bij hem hoorde. Waarschijnlijk zou hij er blij mee moeten zijn omdat het bewees dat hij nog iets menselijks in zich had. Hoewel hij talloze lijken had gezien, was hij daardoor nog niet zo gehard dat hij er ongevoelig voor was geworden.

Maar aan de andere kant zou hij op die manier misschien beter af zijn geweest.

Nu pas sloeg hij het dossier open dat Walsh hem had gegeven, en bekeek hij de foto's die iemand gelukkig in plastic hoesjes had gestoken. Een normaal mens zou van de afbeelding geschrokken zijn. Draagbare halogeenlampen waren bij het slachtoffer opgesteld om zowel de omgeving als het lijk te verlichten, en verleende de opname een bizar soort artistieke kwaliteit. Dat gold ook voor het verschroeide vlees en de gesmolten stof van de kleren van de vrouw. Kleur tegen het ontbreken van kleur, het grillige, felle rood van een driehoekje stof van de rok van het slachtoffer dat gespaard was gebleven, tegen de grimmige achtergrond van de gewelddadige dood van de draagster ervan.

'Waren de andere slachtoffers gekleed?'

'Dat weet ik niet.'

'Die foto's wil ik ook zien. Ik wil alles zien wat ze hebben. Heb je mijn lijstje?'

'Ik heb er een kopie van naar de rechercheurs van moordzaken gefaxt. Ze proberen alles bij elkaar te hebben voor de bespreking van de speciale eenheid. Wat een rotgezicht, hè?' Hij knikte naar de foto. 'Barbecuen hoeft niet meer voor mij.'

Quinn bestudeerde de foto en onthield zich van enig commentaar. Door de hitte van het vuur waren de spieren en de pezen van de ledematen samengetrokken, en vertoonden de armen en benen van het slachtoffer nu een zogenaamde boksershouding – een houding die beweging suggereerde. Een suggestie die extra macaber overkwam door de afwezigheid van het hoofd.

Surrealistisch, vond hij. Zijn brein wilde geloven dat hij keek naar een afgedankte etalagepop, iets dat te laat bij Macy's uit de oven was gehaald. Maar hij wist dat waar hij naar keek een vrouw van vlees en bloed was geweest en niet van plastic, en wat ze drie dagen eerder levend had rondgelopen. Ze had gegeten, naar muziek geluisterd, met vrienden gesproken, had alles gedaan wat je nu eenmaal deed wanneer je een doodnormaal leven leidde, en ze had er niet het flauwste vermoeden van gehad dat haar leven weldra voorbij zou zijn.

Het lijk had met de voeten richting stad gelegen, hetgeen volgens Quinn van grotere betekenis zou zijn geweest als het hoofd in de buurt had gelegen of begraven was geweest. Een aantal jaren geleden was hij betrokken geweest bij een zaak waarbij twee slachtoffers onthoofd waren. De moordenaar, Ed Kemper, had de hoofden in de achtertuin van zijn ouderlijk huis begraven, onder het raam van de slaapkamer van zijn moeder. Een persoonlijk wrang grapje, had Kemper later toegegeven. Zijn moeder, die hem van kind af aan emotioneel mishandeld had, had altijd gewild dat de mensen 'tegen haar op zagen', had hij verteld.

Het hoofd van dit slachtoffer was niet gevonden, en de grond was zo hard dat de moordenaar het hier niet begraven kon hebben.

'Er zijn een heleboel theorieën over waarom hij ze verbrandt,' zei Walsh. Hij wipte op de ballen van zijn voeten op en neer, en probeerde, zonder veel succes, de kou de baas te blijven. 'Er zijn mensen die denken dat hij een na-aper van de Welsh Park-moorden is. Anderen denken dat het een symbolische betekenis heeft: de hoeren van de wereld branden in de hel – je weet wel. Nog weer anderen denken dat hij het doet om de bewijzen te verbranden en het slachtoffer onherkenbaar te maken.'

'Als hij ze onherkenbaar wil maken, waarom laat hij hun rijbewijs dan achter?' vroeg Quinn. 'Maar nu heeft hij deze hier onthoofd. Dat maakt het lastig om haar te identificeren – hij had haar niet hoeven verbranden. Maar desondanks laat hij nog steeds haar rijbewijs achter.'

'Denk je dan dat hij het doet om de sporen uit te wissen?'

'Dat kan zijn. Wat heeft hij als brandstof gebruikt?'

'Alcohol. Iets van een heel sterke wodka, of zo.'

'In dat geval is het vuur onderdeel van zijn signatuur,' zei Quinn. 'Het kan zijn dat hij het doet om zijn sporen uit te wissen, maar als dat het enige was, had hij net zo goed benzine kunnen gebruiken. Dat is goedkoop. Je kunt er gemakkelijk aan komen zonder dat iemand anders je ziet. Hij kiest voor alcohol omdat hij daar een persoonlijk, emotioneel motief voor heeft, en niet uit praktische overwegingen. Het maakt deel uit van het ritueel, van de fantasie.'

'Of misschien is hij wel alcoholist.'

'Nee. Een alcoholist verspilt geen goede drank. En dat is precies wat dit voor hem is: het verspillen van goede drank. Misschien drinkt hij voorafgaand aan de jacht. Misschien drinkt hij tijdens de fase van het martelen en het doden. Maar hij is geen alcoholicus. Een alcoholicus zou fouten maken. En zo te horen heeft hij die tot dusver nog niet gemaakt.'

En als hij fouten had gemaakt, dan waren die nog niet opgevallen. Hij dacht opnieuw aan de twee hoeren wier dood aan de moord op deze vrouw vooraf was gegaan, en vroeg zich af wie met het onderzoek belast was geweest: een goede inspecteur of een slechte. Op elke afdeling kwam je goede en slechte tegen. Hij had inspecteurs gezien die zich met de grootste onverschilligheid met een onderzoek bezighielden, alsof ze het gevoel hadden dat het slachtoffer hun tijd niet waard was. En hij had veteranen gezien die in snikken uitbarstten bij de moord op iemand naast wie een doorsneeburger nog niet eens in de bus zou willen zitten.

Hij klapte het dossier dicht. De regen droop over zijn voorhoofd en van het puntje van zijn neus.

'Dit is niet de plek waar hij de anderen heeft achtergelaten, wel?'

'Nee. De ene hebben we in Minnehaha Park gevonden, en de andere in Powderhorn Park. Andere buurten van de stad.'

Hij zou plattegronden moeten bekijken om te zien waar elke plek lag in verhouding tot de andere, en waar elke ontvoering had plaatsgevonden – om te zien of er een jachtgebied en een moord- en/of dumpgebied was. De speciale eenheid zou plattegronden hebben met speldjes met rode kopjes erin geprikt. Dat was standaard. Je hoefde er niet om te vragen. Zijn hoofd zat vol met plattegronden met spelden met rode knopjes. Razzia's als vossenjacht, en commandoposten en crisiscentra die er allemaal hetzelfde uitzagen en hetzelfde roken, en smerissen die er hetzelfde uitzagen en allemaal naar sigaretten en goedkope eau de cologne roken. Hij kon zich de afzonderlijke steden niet meer herinneren, maar alle slachtoffers stonden nog stuk voor stuk in zijn geheugen gegrift.

Opnieuw was hij zich bewust van de intense uitputting, en hij zou het liefste ter plekke op de grond zijn gaan liggen.

Hij keek naar Walsh op het moment dat deze opnieuw een verschrikkelijke hoestbui kreeg.

'Kom op,' zei Quinn. 'Ik heb het hier voorlopig wel gezien.'

Hij had genoeg gezien, punt. Maar toch duurde het even voor hij in staat was zijn voeten te verzetten en Vince Walsh naar de auto te volgen.

5

De spanning in de conferentiekamer van de burgemeester was te snijden. Grimmige opwinding, verwachting, angst, latente macht. Je had altijd mensen voor wie moord een tragedie was, en anderen die het beschouwden als een kans om carrière te maken. In het komende uur zou blijken wie in dat opzicht wie was, en hoe de machtsverdeling onder de betrokkenen was. In die tijd zou Quinn voor zichzelf moeten uitmaken aan wie hij wat had, hoe hij de verschillende spelers in het spel moest bewerken en welke rol hij deze of gene binnen zijn werkopzet wilde geven.

Hij ging rechtop staan, rechtte zijn schouders, hief zijn kin op en maakte zijn entree. Showtime. Hij was nog niet goed en wel over de drempel gestapt, of alle hoofden draaiden zich naar hem om. In het vliegtuig had hij, door het aandachtig doorlezen van de faxen die voor zijn vertrek uit Virginia op kantoor waren binnengekomen, de namen van enkele van de hoofdrolspelers hier uit het hoofd geleerd. Hij probeerde ze zich nu weer te herinneren, en ze te selecteren uit de lange lijst van honderden andere die hij uit het hoofd had moeten leren voor overeenkomstige situaties in honderden andere conferentiekamers verspreid over het hele land.

De burgemeester van Minneapolis zag hem, maakte zich los uit de menigte en kwam, gevolgd door minder belangrijke politici, met vastberaden stap op hem af. Grace Noble leek op een uit een opera afkomstige walkure. Ze was vijftig-plus, groot en forsgebouwd, en haar kapsel deed denken aan een helm van gesteven blond haar. Ze had geen noemenswaardige bovenlip, maar had er zorgvuldig eentje getekend en die vervolgens ingekleurd met rode lippenstift waarvan de tint bij haar mantelpak paste.

'Speciaal agent Quinn,' verklaarde ze, waarbij ze een brede, gerimpelde hand met rode nagels naar hem uitstak. 'Ik heb alles over u gelezen. Toen het bericht van de directeur binnen was, heb ik Cynthia meteen naar de bibliotheek gestuurd met de opdracht om alle artikelen over u te verzamelen.'

Hij schonk haar dat wat ooit eens zijn *Top Gun*-glimlachje was genoemd: zelfverzekerd, innemend en charmant, maar met een onmiskenbare keiharde ondertoon. 'Mevrouw de burgemeester. Ik zou u ervoor moeten waarschuwen dat u niet alles wat u leest moet geloven, maar ik moet eerlijk bekennen dat ik me ervan bewust ben dat het voordelen heeft wanneer men denkt dat ik gedachten kan lezen.'

'Nou, u hoeft beslist geen gedachten te kunnen lezen om te beseffen hoe dankbaar wij hier zijn dat u er bent.'

'Ik zal doen wat ik kan om te helpen. Zei u dat u met de directeur hebt gesproken?'

Grace Noble gaf legde haar hand even op zijn arm. Het was een moederlijk gebaar. 'Nee, m'n beste. Peter heeft hem gesproken. Peter Bondurant. Ze zijn toevallig al jarenlang bevriend.'

'Is meneer Bondurant hier?'

'Nee, hij ziet vooralsnog verschrikkelijk op tegen een confrontatie met de pers. Helemaal zo lang...' Ze liet haar schouders hangen onder de last die er zwaar op drukte. 'Goeie God, hij zal er kapot van zijn als het werkelijk Jillie blijkt te zijn...'

Een kleine Amerikaan van Afrikaanse afkomst met de bouw van een gewichtheffer, die gekleed ging in een op maat gemaakt grijs pak, kwam naast haar staan. Hij keek Quinn doordringend aan. 'Dick Greer, hoofdcommissaris van politie,' zei hij kortaf, terwijl hij zijn hand uitstak. 'Fijn dat je gekomen bent, John. We krijgen hem te pakken, deze schoft.'

Alsof dat aan hem zou liggen. In grote steden was een hoofdcommissaris uitsluitend belast met het bestuur van het korps. Hij was een politicus, een woordvoerder en een man met ideeën. Het zou Quinn niets verbazen als de agent op straat van hem zei dat hij nog niet eens in staat was om in het donker zijn eigen lul te vinden.

Quinn luisterde naar de reeks namen en titels van de vele mensen die aan hem werden voorgesteld. Een assistent-hoofdcommissaris, een loco-burgemeester, een hulpofficier van justitie, een directeur openbare veiligheid, een advocaat, en een stel perschefs – veel te veel politici. Verder waren aanwezig de sheriff van Hennepin County, een inspecteur van het bureau van de sheriff, een speciaal dienstdoend agent van het bureau aanhoudingen van Minnesota met een van zijn agenten, de inspecteur moordzaken van de gemeentepolitie – vertegenwoordigers van drie van de instellingen waaruit de speciale eenheid zou worden samengesteld.

Hij gaf iedereen een hand en liet het daar voorlopig bij. Hier, in de Midwest, stelde men zich in de regel gereserveerd op en stond men wantrouwend tegenover mensen van buiten. In het noordoosten zou hij zich meer van de harde kant hebben laten zien. Aan de Westkust zou hij vooral op de charmante toer zijn gegaan, zou hij zich vriendelijk hebben opgesteld en het gegooid hebben op zijn bereidheid om mee te werken. Een pet voor elke situatie, zei zijn vader altijd.

Maar welke pet nu zijn eigen pet was, wist zelfs hij intussen niet meer.

'... en mijn man, Edwyn Noble,' stelde de burgemeester als laatste aan hem voor.

'Ik ben hier uit hoofde van mijn beroep, agent Quinn,' zei Edwyn Noble. 'Peter Bondurant is zowel een cliënt als een vriend.'

Quinn nam de man die voor hem stond aandachtig op. Hij was pakweg één meter negentig lang, broodmager en zijn glimlach was oprecht, en te breed voor zijn gezicht. Hij leek een paar jaar jonger dan zijn vrouw. Zijn grijze haren waren beperkt tot grijzende slapen.

'Heeft meneer Bondurant zijn advocaat gestuurd?'

'Ja, ik ben Peter Bondurants advocaat. Ik ben hier namens hem.'

'Waarom is dat?'

'Het is een geweldige schok voor hem.'

'Dat kan ik me best voorstellen. Heeft meneer Bondurant al met de politie gesproken, en heeft hij al een verklaring afgelegd?'

Noble boog zich naar achteren alsof hij zich door die vraag lichamelijk uit het veld geslagen voelde. 'Een verklaring waarover?'

Quinn haalde achteloos zijn schouders op. 'Ach, de gebruikelijke vragen. Wanneer hij zijn dochter voor het laatst heeft gezien. Hoe ze zich op dat moment voelde. Hoe hun persoonlijke relatie was.'

Er verscheen een blos op de uitstekende jukbeenderen van de advocaat. 'Wilt u daarmee suggereren dat meneer Bondurant verdacht zou worden van de dood van zijn eigen dochter?' vroeg hij op scherpe, fluisterende toon, waarbij hij even om zich heen keek om te zien of iemand hen gehoord had.

'Helemaal niet,' zei Quinn met een onschuldig, uitdrukkingsloos gezicht. 'Het spijt me als ik die indruk heb gewekt. Maar als we een duidelijk beeld van de situatie willen krijgen, hebben we alle puzzelstukjes nodig. Dat is alles. Dat moet u toch begrijpen.'

Noble maakte een ontevreden indruk.

Quinns ervaring met ouders van slachtoffers die vermoord waren, was dat ze dag en nacht op het politiebureau waren, waar ze de agenten onophoudelijk voor de voeten liepen en antwoorden op hun vragen eisten. Na Walshs beschrijving van de man, had Quinn een briesende Bondurant verwacht die gelijk een woedende stier door het gemeentehuis rende om waar dat maar mogelijk was van zijn invloed gebruik te maken. Maar Peter Bondurant had volstaan met een telefoontje naar de directeur van de FBI, had zijn advocaat erop uitgestuurd, en was zelf thuis gebleven.

'Peter Bondurant is een van de meest rechtschapen mensen die ik ken,' verklaarde Noble.

'Ik weet zeker dat agent Quinn daar geen moment aan heeft getwijfeld, Edwyn,' zei de burgemeester, waarbij ze haar hand even op de arm van haar man legde.

De aandacht van de advocaat bleef op Quinn gericht. 'Men heeft

Peter de verzekering gegeven dat u de aangewezen man bent voor deze taak.'

'Ik ben heel goed in wat ik doe, meneer Noble,' zei Quinn. 'En een van de redenen waarom dat zo is, is omdat ik niet bang ben om mijn werk te dóen. Ik weet zeker dat meneer Bondurant dat graag zal willen horen.'

Daar liet hij het bij. Hij wilde zich niet de vijandschap van Bondurants mensen op de hals halen. Als hij een man als Bondurant zou beledigen, zou hij op het matje worden geroepen door personeelszaken – of nog erger. Maar aan de andere kant wilde hij ook heel duidelijk laten blijken dat hij, nadat hij als een hondje aan de halsband hierheen was gehaald, zich niet zou laten manipuleren.

'Mensen, de tijd vliegt. Laten we gaan zitten, we kunnen beginnen,' zei de burgemeester, terwijl ze de mannen, als een schooljuf van de eerste klas die met een groep jochies te maken had, voor zich uit naar de vergadertafel dreef.

Ze ging aan het hoofdeinde van de tafel staan terwijl iedereen op rangvolgorde zijn plaats innam. Net toen ze had ademgehaald om het woord te nemen, ging de deur open en kwamen er nog vier mensen binnen.

'Ted, we waren bijna zonder jullie begonnen.' De burgemeester trok een afkeurend gezicht bij het zien van de laatkomers.

'Er waren enkele complicaties.' Hij liep regelrecht op Quinn af. 'Agent Quinn. Ted Sabin, officier van justitie. Hoe maakt u het.'

Quinn kwam wankelend overeind. Zijn blik ging van de schouder van de man naar de vrouw die hem aarzelend volgde. Hij mompelde een gepast woord tegen Sabin en schudde hem de hand. Een agent met een snor deed een stapje naar voren en stelde zichzelf voor. Kovac. De naam drong vagelijk tot hem door. De pafferige man uit het groepje stelde zich voor en zei dat hij Quinn ooit eens ergens had horen spreken.

'… En dit is Kate Conlan van ons bureau slachtoffer- en getuigenhulp,' zei Sabin. 'Misschien –'

'Wij kennen elkaar,' zeiden ze in koor.

Kate keek Quinn gedurende een kort moment in de ogen omdat het haar belangrijk leek dat te doen, om hem te herkennen en te erkennen, maar niet meer dan dat. Ze vertoonde geen enkele reactie. Toen wendde ze haar blik af en onderdrukte het verlangen te zuchten, te vloeken of de kamer te verlaten.

Ze kon niet zeggen dat ze verbaasd was hem te zien. Er werkten maar achttien agenten bij de OOE. Quinn werd op dit moment beschouwd als de beste agent op zijn gebied, en moord met verkrachting was zijn specialiteit. Het had er dik in gezeten dat ze hem zouden sturen, en bovendien wees alles erop dat het vandaag niet bepaald haar geluksdag was. Verdomme, ze had eigenlijk van tevóren al kunnen weten dat hij hier, in de vergaderkamer van de burgemeester, zou zijn. Maar ze had hem niet verwacht.

'Hebben jullie samengewerkt?' vroeg Sabin, die niet zeker wist of hij blij of teleurgesteld moest zijn.

Even bleef het pijnlijk stil. Kate ging zitten.

'Eh, ja,' zei ze toen. 'Maar dat is heel lang geleden.'

Quinn keek haar strak aan. Hij liet zich niet verrassen. Nooit. Hij was zijn leven lang bezig geweest ervoor te zorgen dat dat niet gebeurde. Dat Kate Conlan na al die jaren zomaar binnen kon komen en hem het gevoel bezorgde alsof iemand het kleed onder zijn voeten vandaan had getrokken, zat hem niet lekker. Hij liet het hoofd zakken en schraapte zijn keel. 'Ja. We missen je, Kate.'

Wie is we, had ze willen vragen, maar in plaats daarvan zei ze: 'Dat betwijfel ik. De FBI is als als het Chinese leger: het personeel kan rustig een jaar lang onderduiken in zee, en er zijn nog steeds voldoende mensen om alle posten te bezetten.'

De burgemeester, die aan de andere kant van de tafel zat en niets merkte van de spanning tussen Kate en Quinn, verzocht om stilte. Nog een uurtje maar, en dan zou de persconferentie beginnen. De politici moesten de zaken op een rijtje krijgen. Wie het eerste het woord zou voeren. Wie waar moest staan. Wie wat moest zeggen. De agenten draaiden hun snorren op en trommelden op tafel – de formaliteiten interesseerden hen niet.

'We moeten met kráchtige uitspraken komen,' zei hoofdcommissaris Greer, zijn redenaarsstem verheffend. 'We moeten deze schoft duidelijk laten voelen dat we niet zullen rusten tot we hem te pakken hebben. Hij moet er van begin af aan van doordrongen zijn dat we de beschikking hebben over de beste agent van de FBI, en dat er maar liefst door víer verschillende instellingen dag en nacht aan de zaak wordt gewerkt.'

Edwyn Noble knikte. 'Meneer Bondurant looft een beloning van honderdvijftigduizend dollar uit voor de tip die tot een arrestatie leidt.'

Quinn maakte zijn blik los van Kate en stond op. 'Nou, eigenlijk, hoofdcommissaris, zou ik dat allemaal vooralsnog willen afraden.'

Greers gezicht betrok. Edwyn Noble keek hem strak aan. De collectieve gezichtsuitdrukking van het politieke eind van de tafel was een diepe frons.

'Ik heb nog niet de gelegenheid gehad om de zaak grondig door te nemen,' begon Quinn, 'hetgeen op zich al reden genoeg is om daar nog even mee te wachten. We moeten ons eerst een beeld zien te vormen van wie deze moordenaar zou kunnen zijn en hoe hij denkt. Blind machtsvertoon op dit moment zou wel eens een stap in de verkeerde richting kunnen zijn.'

'En waar wil je dat op baseren?' vroeg Greer. Hij spande zijn forse schouders, en het was duidelijk dat hij uit was op ruzie. 'Je hebt zelf gezegd dat je de zaak nog niet hebt doorgenomen.'

'We hebben te maken met een moordenaar die een stuk theater opvoert. Ik heb de foto's gezien van de plek waar hij zijn laatste slachtoffer heeft verbrand. Dat hij het lijk naar een openbare plek heeft gebracht, betekent dat hij erop uit is om te shockeren. Hij heeft de aandacht op die plek gevestigd door het lijk in brand te steken. Dat wijst er mogelijk op dat hij behoefte heeft aan publiek, en als dat inderdaad zo is, dan moeten we er heel goed over nadenken hoe we hem dat geven.

'Ik adviseer vandaag nog vaag te houden. Hou de persconferentie zo beperkt mogelijk. Geef de burgers de verzekering dat alles wordt gedaan om de moordenaar te vinden en te arresteren, maar treed niet in details. Hou het aantal mensen op het podium klein – hoofdcommissaris Greer, mevrouw de burgemeester, meneer Sabin, en meer niet. Weid niet uit over de speciale eenheid. Geen woord over meneer Bondurant. En ook niet over de FBI. Laat mijn naam er helemaal buiten. En beantwoord geen vragen.'

Zoals hij verwacht had, keek iedereen aan tafel hem vragend aan. Hij wist uit ervaring dat een aantal van hen verwacht had dat hij zou proberen zichzelf in het voetlicht te plaatsen: de FBI die er alles voor over had om de krantenkoppen te halen. En verder waren er onder de aanwezigen ongetwijfeld een aantal die de persconferentie wilden gebruiken om met hem te pronken – *Kijk eens wie ons meehelpt? Superagent!* Niemand verwachtte van hem dan hij zo veel mogelijk op de achtergrond wilde blijven.

'Op dit moment moeten we alles doen om te voorkomen dat hij mij als een directe uitdaging zal gaan beschouwen,' vervolgde hij, terwijl hij zijn handen in zijn zij zette en zich voorbereidde op de onvermijdelijke tegenargumenten. 'Ik zal mij zoveel mogelijk op de achtergrond houden. Hoe langer de media niets van mij weten, des te beter. Mocht ik het nodig achten om mijzelf bekend te maken, dan kan dat altijd nog gebeuren.'

De politici maakten een diep teleurgestelde indruk. Er was niets waar ze zo dol op waren als een publiek forum en de onverdeelde aandacht van de media en daarmee van het volk. Greer had er duidelijk de pest over in dat hij zijn donderspeech niet zou kunnen afsteken. Quinn zag zijn kaakspieren trekken.

'De mensen van deze stad zijn bang,' zei de hoofdcommissaris. 'Er zijn drie vrouwen vermoord, en één van hen is onthóófd. De telefoons op mijn kantoor staan roodgloeiend. Er móet een krachtige uitspraak worden gedaan. De mensen willen horen dat we met alles wat we in huis hebben jácht op dit monster maken.'

De burgemeester knikte. 'Ik ben het, denk ik, met Dick eens. We hebben zakenconferenties in de stad, er komen toeristen voor het

47

theater, voor de concerten, om inkopen te doen voor de feestdagen.'
'Om nog maar te zwijgen over de algemene angst van de bevolking voor de groeiende misdaad in de stad,' zei de loco-burgemeester.

'Het was al erg genoeg dat de moord op die twee prostituees in de krant is gekomen,' voegde een van de perschefs eraan toe. 'Maar nu hebben we te maken met de moord op de dochter van een vooraanstaand burger. De mensen zullen denken dat, als dit zo iemand als háár kan overkomen, er helemaal níemand meer veilig is. Dit soort nieuws zorgt voor een algemene angstpsychose.'

'Als je de moordenaar het gevoel gaat geven dat hij belangrijk is en macht heeft, kun je de burgers daarmee inderdaad wel eens een goede reden geven om echt bang te zijn,' reageerde Quinn kortaf.

'Is het niet even waarschijnlijk dat hij, door de hele situatie als min of meer onbelangrijk af te doen, juist boos wordt? Dat hij dan nog meer moorden zal plegen om de aandacht te trekken?' vroeg Greer.

'Hoe kun je weten dat het niet veel doeltreffender zal zijn om hem het gevoel te geven dat er op grote schaal jacht op hem wordt gemaakt? Om hem op die manier bang te maken?'

'Dat kan niemand met zekerheid zeggen. Ik weet niet hoe hij zal reageren, en dat weet niemand. We hebben tijd nodig om te proberen daar inzicht in te krijgen. Voor zover we weten heeft hij tot nu toe drie vrouwen vermoord, en wordt zijn optreden steeds brutaler. Het is duidelijk dat hij zich niet gemakkelijk laat afschrikken. Misschien lukt het ons om hem op den duur bij het onderzoek te betrekken – het is duidelijk dat hij ons in de gaten houdt – maar we moeten de boel goed onder controle houden en ervoor zorgen dat we nog alle kanten op kunnen.' Hij wendde zich tot Edwyn Noble. 'En de beloning is te hoog. Ik raad u aan om het in het begin op een bedrag van maximaal vijftigduizend te houden.'

'Met alle respect, agent Quinn,' zei de advocaat onvriendelijk, 'maar die beslissing is aan meneer Bondurant.'

'Inderdaad, en ik twijfel er ook niet aan dat hij het gevoel heeft dat tips over de moord op zijn dochter ruimschoots beloond moeten worden. Maar ik zie het zo, meneer Noble: wie iets weet komt daarmee voor de dag voor heel wat minder geld dan honderdvijftigduizend. Wanneer er zo'n hoge beloning wordt uitgeloofd, trek je daarmee alle mogelijke opportunisten en oplichters aan die desnoods nog bereid zijn om hun eigen moeder voor dat bedrag te verkopen. Begin met vijftig. Misschien dat we later, bij wijze van strategische zet, besluiten dat bedrag te verhogen.'

Noble slaakte een afgemeten zucht en schoof zijn stoel naar achteren. 'Ik moet dit met Peter overleggen.' Hij ontvouwde zijn lange lichaam en liep naar de andere kant van het vertrek, waar een telefoon op een zijtafeltje stond.

'De trappen van het stadhuis staan vol met journalisten,' merkte de burgemeester op. 'Ze verwachten meer dan alleen maar een simpele verklaring.'

'Dat is hun probleem,' zei Quinn. 'Beschouw ze liever als werktuigen dan als gasten. Ze hebben geen recht op de details van het onderzoek. U hebt besloten om een persconferentie te geven, maar u hebt ze niets beloofd.'

Het gezicht van de burgemeester suggereerde het tegendeel. Quinn moest zijn uiterste best doen om zijn geduld niet te verliezen. *Wees diplomatiek. Blijf kalm en rustig.* Jezus, hij was het allemaal zo zat!

'Of wel?'

Grace Nobel keek naar Sabin. 'We hadden gehoopt dat we een tekening zouden hebben...'

Sabin wierp een onvriendelijke blik op Kate. 'Onze getuige werkt niet zo erg mee.'

'Onze getuige is een doodsbang kind dat gezien heeft hoe een psychopaat een lijk zonder hoofd in brand heeft gestoken,' zei Kate op scherpe toon. 'Het is heel begrijpelijk dat ze zich niet laat dwingen zich aan te passen aan ons schema.'

'Heeft ze de man duidelijk gezien?' vroeg Quinn.

Kate spreidde haar handen. 'Ze zegt dat ze hem heeft gezien, ze is moe, ze is bang en terecht woedend over de manier waarop ze hier behandeld wordt. Dergelijke factoren zijn niet bevorderlijk voor het ontstaan van een coöperatief sfeertje.'

Sabin stelde zich op voor het verweer, maar Quinn was hem voor. 'Dus waar het op neerkomt, is dat we geen tekening hebben.'

'Nee, we hebben geen tekening,' beaamde Kate.

'Begin er dan ook niet over,' zei Quinn, zich opnieuw tot de burgemeester wendend. 'Probeer ze af te leiden. Geef ze bijvoorbeeld een foto van Jill Bondurant en eentje van haar auto, en vraag of die mensen die Jill óf haar auto sinds vrijdagavond hebben gezien, willen bellen. Zeg niets over de getuige. Het eerste waaraan u moet denken is hoe uw acties en reacties zullen worden opgevat door de moordenaar, en niet hoe de media erop zullen reageren.'

Grace Noble haalde diep adem. 'Agent Quinn –'

'Ik kom doorgaans pas veel later bij een zaak,' viel hij haar in de rede. Het kostte hem steeds meer moeite om zijn zelfbeheersing te bewaren. 'Maar nu ik hier ben wil ik alles doen wat in mijn vermogen ligt om de situatie niet te laten ontvlammen en het onderzoek zo snel mogelijk tot een bevredigend besluit te brengen. Dat betekent dat ik bij u allemaal moet aandringen op pro-actieve onderzoeksstrategieën, en dat ik u moet adviseren ten aanzien van de omgang met de pers. Ik kan u niet dwingen naar mij te luisteren, maar ik baseer mij op de ruime ervaring die ik met vergelijkbare gevallen heb. De directeur van de FBI heeft me persoonlijk aangewezen voor deze zaak. Voordat u mijn suggesties van de hand wijst, raad ik u aan eerst even stil te staan bij de vraag waaróm hij dat heeft gedaan.'

Kate keek naar hem terwijl hij twee stapjes naar achteren deed, wég bij de tafel en wég bij het argument. Hij wendde zich van haar af en deed alsof hij naar buiten keek. Een subtiel dreigement. Hij had duidelijk gemaakt wie en wat hij was, en wie ertegenin wilde gaan, moest dat vooral doen. Hij had zijn positie gekoppeld aan de directeur van de FBI, dus wie zich tegen hém keerde, keerde zich tegelijkertijd tegen zijn grote baas.

Quinn was geen spat veranderd. Er waren maar weinigen die John Quinn zo goed kenden als zij. Hij was een meester in het manipuleren. Hij had iemand in een fractie van een seconde door, en kon even gemakkelijk van kleur veranderen als een kameleon. Hij bespeelde zowel zijn tegenstanders als zijn collega's met het genie van Mozart aan het toetsenbord, en wist met innemendheid, met dreigementen, met bedrog of met de brute kracht van zijn intelligentie op zijn hand te krijgen. Hij was uitgekookt, hij was sluw en hij was meedogenloos wanneer dat nodig was. En wie er uiteindelijk achter al die verschillende gezichten en vlijmscherpe strategieën zat – nou, Kate vroeg zich af of hij dat zélf wel wist. Er was een tijd geweest waarin ze gemeend had dat zij dat wist.

In lichamelijk opzicht was hij in de afgelopen vijf jaar wel wat veranderd. Zijn dikke, donkere haar vertoonde het eerste grijs, en hij droeg het nu bijna gemillimeterd. Hij was magerder geworden van het harde werken. Hij was altijd al gek geweest op mooie kleren, en nu droeg hij een duur Italiaans pak. Maar het jasje hing wat ruim van zijn brede schouders, en zijn broek was ook wat aan de wijde kant. In plaats echter van dat het afbreuk deed aan zijn verschijning, verleende het hem juist iets voornaams. Zijn gezicht was mager en hoekig. Hij had kringen onder zijn bruine ogen. Hij straalde ongeduld uit, en ze vroeg zich af of dat echt was, of dat hij het alleen maar speelde.

Sabin draaide zich plotseling met een ruk naar haar toe. 'Nou, Kate, wat vind jij ervan?'

'Ik?'

'Jij hebt op dezelfde eenheid gewerkt als speciaal agent Quinn. Wat vind jij?'

Ze kon voelen dat Quinn en alle anderen in de kamer naar haar keken. 'Dat moet je mij niet vragen. Ik ben alleen maar de maatschappelijk werkster hier. Ik weet zelfs niet eens waarom ik bij deze bespreking zit. John is de deskundige –'

'Nee, Kate, hij heeft gelijk,' zei Quinn. Hij zette zijn handen op tafel en boog zich naar haar toe. Zijn donkere ogen waren als kooltjes – ze meende de hitte ervan op haar gezicht te kunnen voelen. 'Jij zat op de vroegere afdeling voor gedragswetenschappen. Je hebt meer

ervaring met dit soort zaken dan wie dan ook aan deze tafel, met uitzondering dan van mij. Hoe zie jij het?'
Kate keek hem strak aan en wist dat hij de wrok in haar ogen moest kunnen lezen. Het was al erg genoeg om door Sabin in het nauw te worden gedreven, maar wat Quinn betrof, beschouwde ze het als verraad. Maar waarom haar dat verbaasde, wist ze niet.
'Ik heb ten aanzien van deze zaak absoluut geen enkele ervaring om er een mening op te kunnen baseren,' begon ze stijfjes. 'Ik ben echter volledig op de hoogte van de grote deskundigheid en ervaring van speciaal agent Quinn. Ik persoonlijk kan u alleen maar adviseren zijn advies op te volgen.'
Quinn keek naar de burgemeester en de hoofdcommissaris van politie.
'Je kunt wat je zegt niet meer ongedaan maken,' zei hij zacht. 'Wat je nu te veel zegt, kun je niet meer terugnemen. Als het nodig mocht zijn, geeft u morgen nog een persconferentie. Maar geeft u deze speciale eenheid alstublieft de kans om de koppen bij elkaar te steken en vervolgens een vliegende start te maken.'
Edwyn Noble maakte met een ernstig gezicht een eind aan zijn gesprek. 'Meneer Bondurant zegt dat hij zich neerlegt bij wat agent Quinn zegt. We beginnen met een tipgeld van vijftigduizend.'

De bespreking werd besloten om twaalf minuten voor vijf. De politici begaven zich naar het kantoor van de burgemeester om daar snel nog even alles door te nemen vóór de confrontatie met de pers. De politie verzamelde zich achter in de vergaderkamer om de samenstelling van de speciale eenheid te bespreken
'Sabin is niet erg over je te spreken, Kate,' zei Rob op een vertrouwelijke toon, alsof dat iemand in de kamer zou interesseren.
'Als het aan mij lag, zou ik zeggen dat hij mijn reet kon likken, maar in dat geval zou ik hem in een fractie van een seconde tegen de vlakte slaan.'
Rob bloosde en trok een bedenkelijk gezicht. 'Kate –'
'Hij heeft me hierbij gesleept, en hij zal de gevolgen daarvan moeten accepteren,' zei ze, terwijl ze naar de deur liep. 'Ik ga naar Angie. Kijken of ze al iets in de fotoboeken heeft gevonden. Ga jij naar de persconferentie?'
'Ja.'
Mooi. Ze had een getuige die ze aan de praat moest zien te krijgen, en dat deed ze het liefst zonder iemand anders erbij. Het volgende probleem was waar ze met het meisje naartoe moest. Ze hoorde thuis in een strafinrichting voor minderjarigen, maar vooralsnog hadden ze nog niet kunnen bewijzen dat ze een strafbaar feit had gepleegd.
'Dus dan heb je met Quinn gewerkt?' vroeg Rob, nog steeds op sa-

menzweerderige toon. Hij was haar naar de deur gevolgd. 'Ik heb hem ooit eens op een congres horen spreken. Hij is heel indrukwekkend. Voor mij slaat hij met zijn ideeën over victimologie de spijker helemaal op de kop.'

'Ja, hoor, dat is John ten voeten uit. *Indrukwekkend* zou zijn achternaam moeten zijn.'

Aan de andere kant van het vertrek wendde John zich af van zijn gesprek met de inspecteur van moordzaken en keek haar aan alsof hij had gehoord wat ze had gezegd. Op hetzelfde moment begon Rob Marshalls pieper te piepen, en hij excuseerde zich om te kunnen telefoneren. Aan zijn gezicht was duidelijk te zien dat hij teleurgesteld was over het feit dat het hem opnieuw niet was gelukt een praatje met Quinn te maken.

Kate wachtte daarentegen helemáál niet op zo'n kans. Ze draaide zich om en wilde doorlopen naar de deur, maar Quinn kwam naar haar toe.

'Kate.'

Ze wierp hem een woedende blik toe en trok haar arm weg toen ze zag dat hij haar vast wilde pakken.

'Bedankt voor je hulp,' zei hij zacht, waarbij hij dat knikje maakte op de manier die hem jongensachtig en berouwvol deed lijken, terwijl hij geen van beide was.

'Ja, hoor. Best. Neem het je dan wel voor míj op als je hier morgen binnen komt stuiven en hun zegt dat ze deze schoft juist uit de tent moeten proberen te lokken om hem in de kraag te kunnen vatten?'

Hij knipperde met zijn ogen en trok een onschuldig gezicht. 'Ik snap niet wat je bedoelt, Kate. Je weet net zo goed als ik hoe belangrijk het is om in een situatie als deze pro-actief te zijn – wanneer het moment daar rijp voor is.'

Ze wilde hem vragen of hij het over de moordenaar of over de politici had, maar ze beheerste zich. 'Het was niet mijn bedoeling om je te helpen. Ik heb je niets aangeboden. Jij hebt genomen, en daar heb ik geen waardering voor. Je denkt dat je mensen als stukken op een schaakbord kunt manipuleren.'

'Het doel heiligt de middelen.'

'Dat geldt voor alle omstandigheden, niet?'

'Je weet best dat ik gelijk had.'

'Grappig, maar dat doet niets af van het feit dat ik je nog steeds een even grote rotzak vind.' Ze deed een stapje in de richting van de deur. 'Neem me niet kwalijk. Ik moet aan het werk. Als jij je macht wilt laten voelen, dan ga je je gang maar. Ik verzoek je alleen mij erbuiten te laten.'

'Fijn om je weer te zien, Kate,' zei hij zacht, toen ze wegliep. Haar dikke, roodgouden haar dat op haar rug hing, zwaaide zachtjes heen en weer.

Pas toen ze de kamer uit was, drong het tot hem door dat ze een lelijke blauwe plek op haar wang en een gescheurde lip had. Hij had haar gezien zoals hij zich haar herinnerde: als de ex-vrouw van een vriend... als de enige vrouw van wie hij ooit werkelijk had willen houden.

6

De opkomst is enorm. In de Twin Cities wemelt het van de verslaggevers. Twee grote dagbladen, een zestal televisiezenders en te veel radiozenders om op te noemen. En de gebeurtenis trekt zelfs nog meer journalisten uit andere plaatsen. Hij heeft hun aandacht weten te trekken. Hij geniet van het gevoel van macht dat hem dat bezorgt. Het zijn met name de *geluiden* die hem opwinden – de drukke stemmen, de boze stemmen, het geschuifel van voeten, het zoemen van de camera's. Het spijt hem dat hij zo lang had gewacht met de openbaarheid op te zoeken. Zijn eerste moorden waren onopvallend en in stilte gepleegd, en hij had de lijken in ondiepe graven gelegd, maar op deze manier was het stukken beter.

De verslaggevers duwen elkaar opzij voor de beste plaatsjes. Videocameramannen en fotografen staan aan de rand van de groep. Verblindend kunstlicht geeft het tafereel een onwereldse, witte gloed. Hij staat met de andere toeschouwers naast de jongens van de pers, zij aan zij met de krantenkoppen.

De burgemeester beklimt het podium. Namens de gemeenschap geeft ze uiting aan de algemene woede jegens zinloos geweld. De officier van justitie herhaalt de woorden van de burgemeester en belooft zware straffen. De hoofdcommissaris van politie legt een verklaring af ten aanzien van de samenstelling van een speciale eenheid.

Er worden geen vragen beantwoord, hoewel de verslaggevers als kwijlende aasgieren snakken naar een kans om het karkas te plunderen nadat het roofdier zich eraan heeft volgevreten, en schreeuwen om de bevestiging van de identiteit van het slachtoffer, en om de gruwelijke details van de misdaad.

Het idee dat iemand getuige is van de intimiteit van zijn daden, windt hem op. Hij is ervan overtuigd dat elke getuige van zijn daden daar even opgewonden van moet raken als hijzelf. Opgewonden op een manier die het begrip net te boven gaat, zoals hij als kind was geweest toen hij in de kast zat opgesloten en luisterde naar zijn moeder die vrijde met mannen die hij niet kende. Opwinding waarvan hij intuïtief aanvoelde dat het verboden was, maar die niet te onderdrukken was.

Vragen en nog meer vragen van de pers.

Geen antwoord. Geen commentaar.

Hij ziet John Quinn opzij, bij een groepje agenten staan, en het bezorgt hem een gevoel van trots. Hij is op de hoogte van Quinns reputatie en van zijn theorieën. De FBI heeft de beste man gestuurd die ze in huis hebben voor de jacht op de Cremator.

Hij hoopt dat de agent het podium zal bestijgen, verlangt naar het horen van zijn stem en zijn gedachten, maar Quinn verroert zich niet. De verslaggevers schijnen hem niet te herkennen, zoals hij onopvallend in het zijdoek staat. Dan verlaat de burgemeester en haar gevolg, omringd door geüniformeerde politie, het podium. De persconferentie is afgelopen.

De teleurstelling weegt zwaar. Hij had meer verwacht, had meer gewild. Heeft meer nodig. Hij was ervan overtuigd geweest dat zíj meer nodig zouden hebben.

Met een schok realiseert hij zich dat hij gewacht had op een kans om te kunnen reageren, dat hij zijn gevoelens had toegestaan om afhankelijk te zijn van de beslissing van anderen. Hij is pró-actief. Niet ré-actief.

De verslaggevers geven het op en haasten zich naar de uitgang. Verhalen moeten worden geschreven, bronnen moeten worden aangeboord. Het groepje waarin hij staat begint uiteen te vallen en komt in beweging. Hij beweegt met hen mee als het zoveelste onopvallende gezicht in de menigte.

'Kom op, kind. We gaan.'

Angie keek achterdochtig op van de fotoboeken op tafel. Haar gezicht ging half schuil achter haar piekerige haren. Terwijl ze opstond keek ze achterdochtig naar Liska, alsof ze verwachtte dat de rechercheur haar revolver zou trekken om haar het vertrek te beletten. Liska keek naar Kate.

'Heb je toestemming om te gaan? Waar is Kovac?'

Kate keek haar recht aan. 'Ja.... eh, Kovac is op de persconferentie. Ze hebben het over de samenstelling van de speciale eenheid.'

'Daar wil ik ook bij,' zei Liska op vastberaden toon.

'Daar kan ik inkomen. Een zaak als deze is een echte carrièremaker.' En -breker, dacht Kate, terwijl ze zich afvroeg hoeveel moeilijkheden ze zich op de hals haalde met haar besluit om Angie DiMarco vrij te laten – en in hoeverre ze Liska daarmee in de problemen zou brengen.

Het doel heiligt de middelen. Ze dacht aan Quinn. Bij haar ging het tenminste om een nobel doel, in plaats van om egoïstische manipulatie.

Rationalisatie: de sleutel tot een zuiver geweten.
'Zijn ze aan het filmen?' vroeg Liska.
'Terwijl we hier staan te praten.' Kate zag vanuit haar ooghoeken hoe haar cliënte een Bic-aansteker die iemand op tafel had laten liggen in haar zak liet glijden. Jezus. Een kind én een kleptomane. 'Als je het mij vraagt, het ideale moment om 'm te smeren.'
'Doe dat dan zolang je nog kunt,' raadde Liska haar aan. 'Je bent vandaag een dubbele bonus. Ik hoorde je naam in verband met spontaan en waanzinnig heroïsch gedrag op het gemeentehuis vanochtend. Als de pers je niet voor het ene te pakken kan krijgen, dan proberen ze dat wel voor het andere.'
'Ik heb toch zó'n opwindend leven.'
'Waar breng je me naartoe?' vroeg Angie, terwijl ze, haar rugzak over haar schouder slingerend, naar de deur kwam.
'We gaan iets eten. Ik rammel, en jij ziet eruit alsof je al langere tijd niets te eten hebt gehad.'
'Maar je baas zei –'
'Hij kan de pot op. Ik zou wel eens willen weten hoe Ted Sabin zich voelde wanneer iemand hem een dag of twee in een kamer opsluit. Misschien dat hij daardoor wat empathie zou ontwikkelen. Vooruit, kom mee.'
Angie wierp een laatste blik op Liska en was met twee grote stappen bij de deur. Ze hees haar rugzak wat hoger op en haastte zich Kate achterna.
'Kom je hierdoor in moeilijkheden?'
'Kan je dat wat schelen?'
'Het is niet mijn probleem als je ontslagen wordt.'
'Zo mag ik het horen. Luister, we moeten eerst nog even naar mijn kantoor. Als we onderweg staande worden gehouden, doe me dan een lol en doe alsof je niet bij me hoort. Ik wil niet dat de pers twee en twee bij elkaar optelt, en jij wilt ook niet dat ze weten wie je bent. Neem dat maar rustig van me aan.'
Angie keek haar sluw aan. 'Denk je dat ik in *Hard Copy* zou kunnen komen? Ik heb gehoord dat ze goed betalen.'
'Als je dit voor Sabin verpest, dan zorgt hij ervoor dat je in *America's Most Wanted* komt. Tenminste, als onze aardige seriemoordenaar je niet eerst in *Unsolved Mysteries* laat komen. Misschien wil je niets aannemen van wat ik je zeg, maar neem in ieder geval één advies ter harte: je wilt niet op de televisie, en je wilt ook niet met een foto in de krant.'
'Probeer je me soms bang te maken?'
'Ik vertel je alleen maar hoe het is,' zei ze, terwijl ze de gang naar het gemeentehuis inliepen.
Kate keek strak voor zich uit en liep zo snel als ze kon, hetgeen gezien de opkomende pijn en stijfheid van haar knokpartij die ochtend,

nog redelijk snel was. Er was geen tijd te verspillen. Als de politici zich aan Johns advies hielden en het voor elkaar kregen zich te beheersen, zou de persconferentie weldra zijn afgelopen.

Sommige van de verslaggevers zouden proberen om hoofdcommissaris Greer alsnog aan de praat te krijgen, maar het merendeel zou zich opsplitsen tussen de burgemeester en Ted Sabin, omdat ze meenden bij politici een betere kans te maken dan bij een smeris. Nog even, en ze zouden de gang in komen.

Als ze Sabin de gang in volgden en haar zagen, als iemand haar naam riep of haar aanwees op een manier die de aandacht trok van de hongerige wolven, dan zat het er dik in dat ze alles van haar zouden willen horen over haar confrontatie met de schutter die ochtend. En uiteindelijk zou er dan een slimmerik zijn die de link legde en haar in verband bracht met de geruchten over een getuige in de meest recente moordzaak, en dan zouden de afgelopen paar uur werkelijk een plaatsje verdienen op de lijst van beroerdste dagen ooit. Een plaatsje ergens op éénderde van onderen of zo, zodat erboven nog voldoende plaats overbleef voor de zeer beroerde dagen die nog moesten komen.

Het geluk bleek haar echter, bij wijze van uitzondering die dag, goedgezind. Er waren maar drie mensen die haar op weg naar boven, naar de tweeëntwintigste verdieping, probeerden te onderscheppen. En allemaal maakten ze opmerkingen over Kate's heldendaad van die ochtend. Ze scheepte hen af met een scherpe blik en een vinnige opmerking, en bleef doorlopen.

'Waar heeft iedereen het over?' vroeg Angie, toen ze uit de lift stapten. Haar nieuwsgierigheid had het gewonnen van haar onverschilligheid.

'Niets.'

'Hij noemde je de Terminator. Wat heb je gedaan? Heb je iemand vermoord?' Ze keek Kate aan met een blik die het midden hield tussen ongeloof, achterdocht en een ongewild vleugje bewondering.

'Nee, hoor, zo dramatisch was het niet. Maar dat wil niet zeggen dat ik vandaag niet in de verleiding zou zijn gekomen.' Kate toetste de toegangscode in op het beveiligingspaneeltje naast de deur van de juridische afdeling. Ze stak de sleutel in het slot van haar eigen kantoor, deed de deur open en liet Angie voorgaan.

'Je hóeft me helemaal niet ergens naartoe te brengen,' zei het meisje, terwijl ze op de onbezette stoel ging zitten. 'Ik kan echt wel voor mezelf zorgen. Het is een vrij land, en ik heb niets gedaan wat in strijd is met de wet... en ik ben ook geen kind meer,' voegde ze er na een korte aarzeling aan toe.

'Laten we het dáár voorlopig nog maar even niet over hebben,' zei Kate, haar ongeopende post doorkijkend. 'Je weet wat we hebben gezegd. Je hebt een plek nodig waar je veilig de nacht door kunt brengen.'

'Ik kan bij mijn vriendin Michele logeren –'

'Ik dacht ze Molly heette.'

Angie perste haar lippen op elkaar en vernauwde haar ogen. 'Ik waarschuw je, probeer me niet te belazeren,' zei Kate – alsof het kind zich daar werkelijk iets van aan zou trekken. 'Je hebt geen vriendin en er is in de wijk Phillips geen huis waar je terecht kunt. Maar ik moet zeggen, het was slim van je om die achterbuurt te noemen. Wie zou willen beweren dat hij daar woonde als dat niet zo was?'

'Noem je me soms een leugenaar?'

'Ik denk dat je je eigen redenen hebt om dingen te vertellen die niet kloppen,' antwoordde Kate kalm, terwijl ze met haar aandacht bij een memo was waarop stond: *Met Sabin overlegd. Getuige naar Phoenix House – RM. Toestemming.* Vreemd dat Rob daar niets van had gezegd toen ze bij de burgemeester waren. Het handschrift was van een van de receptionistes. Er stond geen tijd op. Het was waarschijnlijk vlak voor het begin van de persconferentie besloten. En daarmee had ze zich al dat heimelijke gedoe kunnen besparen. Nou ja.

'Redenen om ervoor te zorgen dat je niet in het huis van bewaring of in de jeugdgevangenis wordt opgesloten,' voegde ze eraan toe.

'Ik ben geen –'

'Laat maar zitten.'

Ze drukte op het afspeelknopje van de telefoonbeantwoorder en luisterde naar de stemmen van de ongeduldige en eenzame mensen die gedurende de afgelopen middag getracht hadden haar te spreken te krijgen. Verslaggevers die op het spoor waren van de heldin van de schietpartij in het gemeentehuis. Ze spoelde de boodschappen snel door. Er tussendoor waren boodschappen van de vaste bellers. David Willis, de zeurkous van het moment. Een coördinator van een groep voor slachtofferrechten. De echtgenoot van een vrouw die beweerde dat ze overvallen was, hoewel Kate sterk het vermoeden had dat ze het alleen maar verzonnen hadden om schadevergoeding te kunnen eisen. De echtgenoot had een strafblad en was meerdere keren veroordeeld voor het bezit van kleine hoeveelheden drugs.

'Kate.' Ze kromp ineen bij het horen van de barse mannenstem die uit het apparaat kwam. 'Dit is Quinn – eh – John. Ik, eh, logeer in het Radisson Hotel.'

Alsof hij een telefoontje van haar verwachtte. Hoe haalde hij het in zijn hoofd.

'Wie is dat?' vroeg Angie. 'Je vriend?'

'Nee, eh, nee,' zei Kate, terwijl ze haar best deed om haar emoties onder controle te houden. 'Vooruit, laten we gaan. Ik rammel.'

Ze haalde diep adem en liet de lucht beetje bij beetje uit haar longen ontsnappen terwijl ze langzaam overeind kwam. Ze had het gevoel dat ze betrapt was, iets dat ze altijd bewust getracht had te voorkomen. Nog iets op de lange lijst van dingen die ze Quinn kon verwijten. Ze moest hem op een afstand zien te houden. Hij bleef maar kort. Hooguit een paar dagen, dacht ze, en dan was hij weer weg. Het Bureau had hem gestuurd omdat Peter Bondurant invloedrijke vrienden had. Het was een blijk van goed vertrouwen of van hielenlikken, afhankelijk van de kant waaruit je het bekeek.

Hij hoefde hier niet te zijn. Hij bleef niet lang. Ze hoefde helemaal geen contact met hem te hebben zo lang hij hier was. Ze werkte niet meer bij het Bureau. Ze maakte geen deel uit van zijn speciale eenheid. Hij had helemaal niets over haar te zeggen.

God, Kate, het lijkt wel alsof je bang voor hem bent, dacht ze vol walging, terwijl ze haar Toyota 4Runner vanuit de parkeergarage Fourth Avenue op reed. Quinn was verleden tijd, en ze was geen tiener die het uit had gemaakt met het stuk van de klas en zijn aanblik niet meer kon verdragen, maar ze was een volwassen vrouw.

'Waar gaan we naartoe?' vroeg Angie, terwijl ze de radio op een andere zender – een rockzender – zette. Alanis Morisette zong met een zeurderige stem en met bongo's op de achtergrond over een ex-vriendje.

'Uptown. Wat wil je eten? Zo te zien kun je wel wat vet en cholesterol gebruiken. Heb je zin in een hamburger? In pizza? Pasta?'

Het meisje haalde onverschillig haar schouders op, op een manier die ouders van tieners sinds Adam en Eva gedreven had om na te denken over de voor- en tegendelen van het vermoorden van hun nageslacht. 'Het kan me niet schelen. Zolang ze er maar drank verkopen. Ik heb behoefte aan een borrel.'

'Als ik jou was, kind, dan zou ik me maar liever wat gedeisd houden.'

'Hoe bedoel je? Ik heb een geldig rijbewijs.' Ze leunde naar achteren en zette haar voeten tegen het dashboard. 'Geef je me een sigaret?'

'Ik heb geen sigaretten. Ik ben gestopt.'

'Wanneer?'

'In 1981. Zo af en toe zwicht ik nog wel eens voor de verleiding. Haal je voeten van het dashboard.'

Met een diepe zucht ging ze verzitten, waarna ze zich opzij, naar Kate toe, draaide. 'Waarom wil je iets met me gaan eten? Je kunt me niet uitstaan. Ga je niet veel liever naar huis, naar je man?'

'Ik ben gescheiden.'

'Van die man op het antwoordapparaat? Van Quinn?'

'Nee. Niet dat het je iets aangaat.'

'Heb je kinderen?'

Een korte aarzeling alvorens ze antwoord gaf. Kate vroeg zich af of ze dat aarzelen, of het schuldgevoel dat ze daarvan kreeg, ooit te boven zou komen. 'Ik heb een kat.'

'Dus dan woon je in Uptown?'

Kate haalde haar blik even van het drukke spitsverkeer en wierp haar een zijdelingse blik toe. 'Laten we het maar liever over jou hebben. Wie is Rick?'

'Rick?'

'Rick. De naam op je jack.'

'Die stond erop.'

Vertaling: de naam van de jongen van wie ik hem heb gejat.

'Hoelang ben je al in Minneapolis?'

'Een tijdje.'

'Hoe oud was je toen je ouders om het leven zijn gekomen?'

'Dertien.'

'Dus dan ben je al hoelang alleen?'

Het meisje keek haar even scherp aan. 'Acht jaar. Leuk geprobeerd, hoor.'

Kate haalde haar schouders op. 'Het was de moeite van het proberen waard. Wat is er met hen gebeurd? Hebben ze een ongeluk gehad?'

'Ja,' zei Angie zacht, terwijl ze weer voor zich uit keek. 'Het was een ongeluk.'

Daar zat meer achter, dacht Kate, terwijl ze de bochtige afrit van Ninety-fourth Street naar Hennepin Avenue nam. Het zou haar niets verbazen als er dingen in het spel waren geweest als alcohol, misbruik, een reeks van ongelukkige omstandigheden en scheve familieverhoudingen. Zo goed als elk kind dat op straat leefde had wel een variant van dat verhaal meegemaakt. En dat gold ook voor elke man die in de gevangenis zat. Het gezin was een vruchtbare broedplaats voor het soort van psychologische bacteriën die zorgden voor hersenkronkels en moedeloosheid. Daar stond tegenover dat ze binnen het wereldje van de justitie en het maatschappelijk werk voldoende mensen kende die een dergelijke achtergrond hadden, die dezelfde splitsing op hun pad waren tegengekomen, maar de andere kant op waren gegaan.

Ze dacht aan Quinn, hoewel ze dat niet wilde.

De regen had zich verdicht tot een mistige, sombere nevel. Er liep geen mens op straat. Uptown lag, in tegenstelling tot wat de term deed vermoeden, een behoorlijk eind ten zuiden van het centrum van Minneapolis. Het was een van de betere buurten met mooie winkels, restaurants, koffieshops, galeries en bioscopen, waarvan het centrum rond het kruispunt van Lake Street en Hennepin Avenue was gelegen. Het bevond zich op een steenworp afstand ten westen van de ruigere wijk Whittier, waar de criminaliteit in de afgelopen jaren schrikbarend was toegenomen.

Uptown werd in het westen begrensd door Lake Calhoun en Lake of the Isles, en gold als de favoriete wijk voor yuppies en al degenen die zichzelf verschrikkelijk hip vonden. Het huis waarin Kate was opgegroeid en waarin ze nu woonde, was slechts twee straten lopen van Lake Calhoun. Haar ouders hadden het in solide prairie-stijl gebouwde huis tientallen jaren geleden gekocht, lang voordat de buurt zo 'in' was geraakt.

Kate besloot om naar La Loon te gaan, een pub die niet direct in de buurt van de drukke Calhoun Square lag, en vond een parkeerplaatsje er niet ver vandaan. Ze was niet in de stemming voor lawaai of voor drukte, en was zich ervan bewust dat het meisje zich achter beide zou kunnen verschuilen. Alleen al het feit dat ze een tiener was, was op zich al hindernis genoeg.

Het warme interieur van La Loon bestond overwegend uit hout en koper, en er was een lange, ouderwetse bar. Er waren maar weinig klanten. Kate koos voor een hoektafeltje, en ging met haar rug tegen de muur zitten, zodat ze de hele ruimte kon overzien. De zitplaats voor paranoïde mensen. Een eigenschap die Angie DiMarco zich ook al eigen had gemaakt. Ze wilde niet tegenover Kate, met haar rug naar de rest van het vertrek zitten, maar nam de stoel aan het hoofdeinde, zodat ze iedereen kon zien die in de buurt van hun tafeltje kwam.

De serveerster bracht de kaart en vroeg wat ze wilden drinken. Kate had behoefte aan een stevige gin, maar beperkte zich tot een glas wijn. Angie bestelde een rum-cola.

De serveerster wierp een vragende blik op Kate, die haar schouders ophaalde. 'Ze heeft een legitimatiebewijs.'

Er gleed een soort van sluwe, triomfantelijke uitdrukking over Angie's gezicht toen de serveerster zich omdraaide en wegliep. 'Ik dacht dat je niet wilde dat ik zou drinken.'

'Ach, wat maakt het uit,' zei Kate, terwijl ze de Tylenol uit haar tas viste. 'Je zult er heus niet door op het verkeerde pad raken.'

Het was duidelijk dat het meisje een confrontatie had verwacht. Ze trok een verbaasd en lichtelijk teleurgesteld gezicht en leunde naar achteren. 'Ik heb nog nooit zo'n maatschappelijk werkster ontmoet als jij.'

'Hoeveel ken je er?'

'Een paar. Als het geen krengen waren, dan waren het wel van die schijnheilige types waar ik van moet kotsen.'

'Ja, nou, er zijn genoeg mensen die me voor het eerst houden.'

'Maar je bent anders. Ik weet niet,' zei ze, terwijl ze naar de juiste woorden zocht. 'Het is alsof je weet wat er in de wereld te koop is.'

'Laten we maar zeggen dat ik deze baan niet langs de gebruikelijke weg heb gekregen.'

'Maar als je niet over je heen laat lopen, wie heeft je dan in elkaar geslagen?'

'Dat had niets met mijn werk te maken.' Kate stopte de Tylenol in haar mond en slikte hem door met water. 'Je zou de ander eens moeten zien. En, heb je nog bekende gezichten gezien in de fotoboeken die je hebt doorgekeken?'

Angie's humeur veranderde met het onderwerp. Haar mondhoeken zakten omlaag en ze richtte haar blik op de tafel. 'Nee. Anders had ik het wel gezegd.'

'O, ja?' vroeg Kate, wat haar een gemelijke blik opleverde. 'Ze willen je morgen met de tekenaar aan het werk zetten. Denk je dat dat iets zal opleveren? Heb je hem goed genoeg gezien om een beschrijving van hem te kunnen geven?'

'Ik heb hem gezien in het licht van het vuur,' mompelde ze.

'Hoe groot was de afstand tussen jou en hem?'

Ze ging met de afgekloven nagel van haar wijsvinger door een groef in het tafelblad. 'Dat weet ik niet. Niet groot. Ik nam een doorsteekje door het park en moest plassen, en dus dook ik achter de bosjes. En toen zag ik hem de helling af komen... met die –'

Haar gezicht verstrakte en ze beet op haar lip. Ze liet haar hoofd nog verder hangen, kennelijk in de hoop dat haar haren voor haar gezicht zouden vallen en de emotie die daar te zien was aan het oog zouden onttrekken. Kate wachtte geduldig af en was zich bewust van Angie's groeiende spanning. Zelfs voor een kind dat al heel wat had meegemaakt in haar jonge leven, moest de aanblik van wat ze had gezien toch nog een hele schok zijn geweest. De emotionele gevolgen daarvan, plus die van wat ze op het politiebureau had meegemaakt en de vermoeidheid, moesten uiteindelijk hun tol wel eisen.

En ik wil erbij zijn wanneer de stakker instort, dacht ze, hoewel dat een kant van haar werk was waar ze altijd moeite mee had. Haar afdeling werd geacht op te komen voor de getuige, maar meestal leidde dat ertoe dat hij of zij daarbij tot slachtoffer werd gemaakt. En als maatschappelijk werkster zat zij ertussenin. Ze werkte voor het systeem, en van haar werd verwacht dat ze de burger die tegen zijn wil in tussen de raderen van het apparaat van justitie terecht was gekomen, in bescherming zou nemen.

De serveerster kwam terug met hun drankjes. Kate bestelde cheeseburgers en patat voor hen beiden en gaf de kaart terug.

'Ik... ik wist niet wat hij droeg,' fluisterde Angie toen de serveerster buiten gehoorafstand was. 'Ik wist alleen maar dat er iemand aankwam en dat ik me moest verstoppen.'

Als een wezen dat maar al te goed wist dat er 's nachts alle mogelijke roofdieren op pad waren.

'Ik kan me voorstellen dat een park bij donker best eng is,' zei Kate zacht, terwijl ze haar wijnglas bij de steel nam en ronddraaide. 'Iedereen vindt het heerlijk om er overdag naartoe te gaan. We vinden het er zo mooi, en je bent er zo lekker even uit de drukte van de stad. Maar als het donker wordt, is het er opeens als in het boze bos uit *De Tovenaar van Oz.* Geen mens wil er 's nachts zijn. Dus wat deed jij er eigenlijk, Angie?'

'Dat zei ik toch al. Ik nam een doorsteekje.'

'Waar ging je naartoe, op dat tijdstip?' Ze probeerde zo nonchalant mogelijk te klinken.

Angie boog zich over haar rum-cola en zoog met kracht op haar rietje. Ze was zenuwachtig en deed haar best om de angst te verdringen door boos te worden.

'Angie, ik ben niet van gisteren. Ik heb dingen meegemaakt die zelfs jij niet zou kunnen geloven,' zei Kate. 'Er is niets wat me nog kan shockeren.'

Het meisje lachte kort en zonder vreugde, en keek naar de televisie die boven de bar hing. Paul Magers van het plaatselijk nieuws vertelde met een ernstige uitdrukking op zijn knappe gezicht over een geestelijk gestoorde man die op het gemeentehuis om zich heen had geschoten. Er kwam een politiefoto van de man in beeld, en het verhaal ging verder over hoe zijn huwelijk op de klippen was gelopen, en over hoe zijn vrouw de week tevoren met de kinderen was ondergedoken.

Allemaal factoren die hadden bijgedragen tot de uiteindelijke stress, dacht Kate.

'Het kan niemand wat schelen of je iets deed dat in strijd is met de wet, Angie. Moord staat boven alles – inbraak, prostitutie en het stropen van eekhoorns – hetgeen ik persoonlijk beschouw als een dienst aan de gemeenschap,' zei ze. 'Ik had afgelopen maand een eekhoorn op zolder. Het is gewoon ongedierte. Ratten met pluimstaarten.'

Geen reactie. Geen glimlach. Geen overdreven tienerreactie op haar gebrek aan dierenliefde.

'Ik probeer je niet onder druk te zeggen, Angie. Ik zeg dit alleen maar als je maatschappelijk werkster: hoe eerder je alles opbiecht wat er gisteravond is voorgevallen, des te beter dat voor alle betrokkenen is – met inbegrip van jouzelf. De officier van justitie zit hartstikke klem in deze zaak. Hij wilde dat inspecteur Kovac van de recherche je als een verdachte zou behandelen.'

Nu lag er een geschrokken blik in de ogen van het meisje. 'Klootzak! Ik heb helemaal niets gedaan wat niet mag!'

'Kovac gelooft je, en dat is de enige reden waarom je op dit moment niet in een cel zit. Dat, plus het feit dat ik dat nooit goedgevonden zou hebben. Maar dit is een ernstig probleem, Angie. Deze moordenaar is publieksvijand nummer één, en jij bent de enige die hem gezien heeft en dat kan navertellen. Aller ogen zijn op jou gericht.'

Het meisje zette haar ellebogen op tafel en sloeg de handen voor het gezicht. 'O, verdomme, wat een puinhoop!' fluisterde ze tussen haar vingers door.

'Zeg dat wel, schattebout,' zei Kate zacht. 'Maar waar het op neerkomt is dit: deze man is geestelijk gestoord en hij zal net zo lang doorgaan met mensen te vermoorden tot iemand hem dat onmogelijk maakt. Misschien ben jij wel degene die kan helpen om dat voor elkaar te krijgen.'

Ze wachtte. Met ingehouden adem. Probeerde met haar gedachten het meisje te dwingen om haar mond open te doen. Tussen Angie's gespreide vingers door zag ze dat ze een kleur kreeg van alle onderdrukte emoties. Ze zag de spanning in de magere schoudertjes en voelde hoe de verwachting de sfeer om haar heen verdichtte.

Maar niets aan dit geval zou simpel en eenvoudig zijn, dacht Kate, toen de pieper in haar tas schril begon te piepen. Het moment, de kans, was voorbij. Ze fluisterde een lelijk woord en zocht in haar tas, de moderne techniek vervloekend.

'Denk daar maar eens goed over na, Angie,' zei ze, terwijl ze opstond. 'Alles draait om jou, en ik ben hier om je te helpen.'

En daarmee draait ook alles om MIJ, dacht ze, op weg naar de openbare telefoon bij de toiletten.

Nee. Niets aan deze zaak zou simpel of eenvoudig zijn.

7

'Wat heb je, verdomme nog aan toe, met mijn getuige gedaan, Red?'
Kovac leunde tegen de muur van de autopsiekamer en hield de
hoorn van de telefoon tussen zijn oor en schouder geklemd. Hij stak
een hand onder het operatieschort dat hij over zijn kleren droeg,
haalde een potje Mentholatum uit de zak van zijn jasje en smeerde
er wat van onder elk van zijn neusgaten.

'Het leek me aardig om haar als een echt mens te behandelen en
haar iets behoorlijks te laten eten, in tegenstelling tot de rommel die
je bij jullie te eten krijgt,' zei Kate.

'Hou je dan niet van donuts? Wat ben je voor een Amerikaan?'

'Eentje die in ieder geval nog énig besef van het begrip van bur-
gerlijke vrijheden heeft.'

'Ja, ja, goed, ik snap wat je bedoelt.' Hij stopte zijn wijsvinger in
zijn andere oor toen, op de achtergrond, het metaal van een botzaag
langs de slijpsteen gierde. 'Als Sabin naar haar vraagt, zal ik zeggen
dat je haar ontvoerd hebt voordat ik haar in de bajes heb kunnen
gooien – en dat is ook zo. Beter jouw mooie tiet in een wringer dan
mijn janneman.'

'Maak je over Sabin maar geen zorgen. Ik heb een memo met zijn
goedkeuring.'

'Heb je ook een foto van hem waarop hij die ondertekent? Is hij
door de notaris beëdigd?'

'Jezus, en ik dacht dat ík paranoïde was.'

'Hoe denk je dat ik het zo lang in deze functie heb uitgehouden?'

'Nou, niet door te slijmen en ja te knikken, dat is duidelijk.'

Daar moest hij om lachen. Kate noemde het beestje bij de naam.
En ze had gelijk. Hij deed zijn werk op de manier die hem het beste
leek, en publiciteit en promotie interesseerden hem niet. 'Zou je me
dan misschien willen vertellen waar je van plan bent om m'n engeltje na afloop van jullie feestmaal naartoe te brengen?'

'Naar Phoenix House, dat is de opdracht. Ze hoort thuis in een
strafinrichting voor minderjarigen, maar wat zou het? Ik zal haar ergens moeten onderbrengen, en volgens haar rijbewijs is ze volwassen. Heb je een foto van haar gemaakt?'

'Ja. Ik zal ermee naar de jeugdpolitie gaan en vragen of iemand haar kent. En ik stuur er ook een afdruk van naar de zedenpolitie.'

'Als je mij er eentje geeft, zal ik er binnen mijn circuit mee rondgaan.'

'Doe ik. Hou me op de hoogte. Ik wil dat ze zo kort mogelijk wordt gehouden.' Hij verhief zijn stem toen er water met veel lawaai in een roestvrijstalen gootsteen liep. 'Ik moet ophangen. Dokter Dood begint met het opensnijden van ons krokantje.'

'Jezus, Sam, wat zijn we weer gevoelig.'

'Zolang we er maar niet aan onderdoor gaan. Je snapt wel wat ik bedoel.'

'Ach, ja, natuurlijk snap ik dat. Zolang je er maar voor uitkijkt wie je hoort. Is de task force al samengesteld?'

'Ja. Zodra we van de bemoeizucht van boven af zijn, kunnen we aan de slag.' Hij keek naar de andere kant van het vertrek waar Quinn in gesprek was met de ME en Hamill, de agent van de BCA. Allen droegen operatieschorten en sloffen. 'Wat is er eigenlijk tussen jou en de ster uit Quantico?'

Ze aarzelde maar heel even alvorens te vragen: 'Hoe bedoel je?'

'Hoe bedoel je, hoe bedoel je? Wat is er tussen jullie? Wat hebben jullie? Wat hebben jullie samen?'

Nog een korte aarzeling. 'Ik ken hem van vroeger, dat is alles. Ik deed research bij gedragswetenschappen. De mensen van mijn afdeling en die van hem hebben regelmatig met elkaar te maken. En hij was bevriend met Steven – mijn ex.'

Dit laatste erachteraan, alsof hij zou geloven dat dat niet belangrijk was, en ze er niet meteen aan had gedacht. Kovac sloeg het op in zijn geheugen om er later nog eens over na te denken. Hij *was* bevriend met Steven. Daar zat meer achter, dacht hij, terwijl Liska zich met een ongeduldig gezicht en een houding alsof ze misselijk was uit het groepje rond het stoffelijk overschot losmaakte en naar hem toe kwam. Hij gaf Kate het nummer van zijn pieper, zei haar dat ze moest bellen en hing op.

'Ze willen beginnen,' zei Liska, terwijl ze een potje Vicks Vapo-Rub uit de zak van haar ruimvallende blazer haalde. Ze hield haar neus erboven en inhaleerde diep.

'God, wat een stank!' fluisterde ze, terwijl ze zich omdraaide en in de pas met hem terugliep naar de tafel. 'Ik heb drenkelingen gedaan. Zuiplappen in containers. En ik heb ooit eens een man gehad die gedurende het weekend van de vierde juli in de kofferbak van een Chrysler had gelegen. Maar zoiets als dit heb ik nog nooit geroken.'

De stank was een voelbare, tastbare aanwezigheid. Het was als een onzichtbare vuist die langzaam maar zeker binnendrong in de mond van alle aanwezigen, over hun tong rolde en in hun keel bleef steken. Het was koud in het vertrek, maar zelfs de aanhoudende stroom van zuivere, ijskoude lucht van het ventilatiesysteem, en de doordringende geur van de chemische luchtverfrissers waren niet in staat om de stank van geroosterd mensenvlees en organen ongedaan te maken.

'Wie wil er nog een toastje?' vroeg Kovac.

Liska wees op zijn borst en vernauwde haar ogen. 'Nog zo'n flauwe opmerking en ik kots over je schoenen.'

'Slappeling.'

'En dát kost je een trap onder je kont.'

Er waren drie tafels in het vertrek, en alleen de middelste was onbezet. Ze liepen langs de andere tafel op het moment waarop een assistent een plastic zak vol met organen terugstopte in de maagholte van een man met dikke, gele teennagels. Boven elke tafel hing een weegschaal van het soort dat je in de supermarkt hebt om druiven en rode paprika's te wegen. Deze hier waren voor het wegen van harten en hersenen.

'Wilde je soms dat ik zonder jou aan dit feest begon?' vroeg de ME met opgetrokken wenkbrauwen.

Het overgrote deel van het personeel van de Gemeentelijke Medische Dienst van Hennepin beschouwde Maggie Stone als iemand die ze niet allemaal op een rijtje had. Ze verdacht iedereen van alles, reed bij mooi weer op een Harley Hog, en het was van haar bekend dat ze met wapens op zak liep. Maar er was geen betere lijkschouwer dan zij.

Mensen die haar van vroeger, uit haar saaie jaren, kenden, beweerden dat ze van nature muisbruin haar had. Het had Sam altijd moeite gekost om dergelijke details langere tijd te onthouden, en dat was een van de vele redenen waarom hij twee ex-vrouwen had. Wat hem wel was opgevallen, was dat dr. Stone, die tegen de vijftig liep, onlangs van vlammend rood was overgestapt op platinablond. Ze droeg haar haren kort, in een kapsel dat eruitzag alsof ze zojuist uit bed was gerold en iemand haar ontzettend had laten schrikken.

Ze keek hem strak aan terwijl ze het kleine microfoontje aan de hals van haar doktersjas bevestigde. Haar ogen hadden een griezelige, doorschijnend groene tint.

'Zorg dat je deze schoft te pakken krijgt,' beval ze, terwijl ze met haar scalpel op hem wees. Haar toon impliceerde dat, als híj dat niet zou doen, zij dat zélf wel voor elkaar zou krijgen. Toen richtte ze haar aandacht op het verkoolde lijk dat, opgekruld als een bidsprinkhaan, op de roestvrijstalen tafel lag.

'Oké, Lars, eens kijken of we haar wat kunnen strekken.'

Ze ging aan het hoofdeinde van de tafel staan en pakte het lijk voorzichtig maar stevig vast, terwijl haar assistent, een forsgebouwde Zweed, de enkels beetpakte. Ze begonnen zachtjes te trekken. Het geluid dat daar het gevolg van was, deed denken aan het laten knappen van gefrituurde kippenvleugeltjes.

Liska sloeg een hand voor haar mond en wendde zich af. Kovac hield voet bij stuk. Quinn, die tegenover hem stond, keek met een keihard, strak gezicht naar het lichaam dat zijn geheimen nog prijs moest geven.

Hamill, een van de twee agenten van het bureau aanhoudingen die aan de speciale eenheid waren toegevoegd, sloeg zijn blik op naar het plafond. Hij was een klein, keurig mannetje met het magere, pezige lichaam van een hardloper, en een in hoog tempo teruglopende haargrens en een enorm hoog voorhoofd.

Stone deed een stapje naar achteren en pakte een kaart met gegevens op.

'Dr. Maggie Stone,' zei ze zacht ten behoeve van de opname, hoewel het leek alsof ze tegen de overledene sprak. 'Zaak nummer 11-7820, identiteit onbekend. Blanke, Kaukasische vrouw. Het hoofd is van het lichaam verwijderd en wordt op dit moment vermist. Het lichaam is één meter veertig lang en weegt eenenzestig kilo.'

De lengte en het gewicht waren eerder vastgesteld. Er was een groot aantal röntgenfoto's en foto's gemaakt, en Stone had om bewijzen te verzamelen het lichaam zorgvuldig met laser onderzocht. Nu liet ze haar blik centimeter na centimeter over het slachtoffer gaan, waarbij ze een gedetailleerde beschrijving gaf van alles – elke verwonding en elk vlekje en plekje – dat ze zag.

Het slachtoffer was nog gekleed. De kleren waren door de hitte van het vuur gesmolten en aan de huid vastgeplakt. Een waarschuwing tegen het dragen van synthetische vezels.

Stone maakte melding van het 'ernstige letsel' aan de hals van het slachtoffer en zei erbij dat dit letsel mogelijk was toegebracht door een kartelmes of zaag.

'Postmortem?' vroeg Quinn.

Stone keek naar de gapende wond alsof ze probeerde in het hart van de dode vrouw te kijken. 'Ja,' zei ze ten slotte.

Wat lager op de hals waren meerdere, veelzeggende sporen van afknelling te zien – niet één enkele, rode groef, maar een aantal striemen, dat erop wees dat het touw tijdens de beproeving waaraan het slachtoffer was blootgesteld, meerdere keren was losgemaakt en strakgetrokken. Dit was waarschijnlijk ook de doodsoorzaak geweest – verstikking als gevolg van verwurging door afknelling – hoewel dat door de onthoofding moeilijk te bewijzen zou zijn. Het duidelijkste teken dat wees op dood door verwurging, was altijd een verbrijzeld tongbeentje bij de aanzet van de tong in het bovenste gedeelte van de slokdarm, dat zich in dit geval boven het punt van de onthoofding bevond. Ook konden de ogen niet worden nagezien op petechiale bloedingen, hetgeen eveneens met zekerheid op wurging wees.

'Heeft hij met de anderen ook zo gespeeld?' vroeg Quinn, doelend op het aantal rode striemen op de hals.

Stone knikte, en ging verder.

'Waren de andere slachtoffers in overeenkomstige mate verbrand?'

'Ja.'

'En de anderen waren gekleed.'

'Ja. We denken dat hij ze heeft aangekleed nadat hij ze vermoord heeft. De lichamen vertoonden verwondingen die niet overeenkwamen met schade aan de kleren – die kleren dan die niet verbrand waren.'

'En het waren niet hun eigen kleren,' zei Kovac. 'De moordenaar heeft kleren voor ze uitgezocht. Altijd van synthetisch materiaal. Dat smelt in de hitte van het vuur. En daarmee worden eventuele sporen op het lichaam uitgewist.'

Daar kon Quinn vast meer mee beginnen dan hij, dacht hij met iets van ongeduld. Hij wist hoe belangrijk het was om een profielschets van de moordenaar te hebben, maar de doodgewone smeris in hem was van mening dat de studiekoppen in zijn vak dit soort gestoorde monsters vaak meer intelligentie toedichtten dan ze bezaten. Soms deden moordenaars iets gewoon om de lol. En soms deden ze dingen uit nieuwsgierigheid, of zuiver uit boosaardigheid, of omdat ze wisten dat ze er het onderzoek mee zouden bemoeilijken.

'Hebben we vingerafdrukken?' vroeg hij.

'Nee,' zei Stone, terwijl ze de rug van de linkerhand bestudeerde. De bovenste huidlaag had een vaal ivoren kleur gekregen en was aan het vervellen. De onderhuid was rood. Daar waar de huid helemaal was weggebrand, waren gedeelten van glanzende knokkels te zien.

'In ieder geval geen bruikbare,' voegde ze er aantoe. 'Ik vermoed dat hij het lichaam met de handen gekruist over de borst of de maag heeft gelegd. De blouse is onmiddellijk gesmolten in de hitte van de vlammen, en de smurrie is aan de vingertoppen geplakt voordat de pezen in de armen zich samentrokken, waardoor de handen van de torso werden getrokken.'

'Is het mogelijk om de resten van de stof van de vingertoppen te verwijderen?' vroeg Quinn. 'Het kan zijn dat de hard geworden smurrie van de gesmolten stof vingerafdrukken bevat.'

'Dat kunnen we hier niet,' zei ze. 'Misschien dat jullie mensen in Washington het zouden willen proberen. We kunnen de handen verwijderen, inpakken en aan ze opsturen.'

'Ik zal Walsh vragen om ze te bellen.'

Walsh, die hoestte alsof hij tuberculose had, had gevraagd of hij de autopsie mocht overslaan. Het was niet nodig dat de voltallige speciale eenheid erbij was. Ze zouden er de volgende ochtend alles over horen, en ze hadden allemaal toegang tot de rapporten en de foto's.

Stone ging verder met haar verslag. De benen van het slachtoffer waren bloot, en de huid vertoonde een onregelmatig patroon van

69

schroeiplekken en blaren, afhankelijk van waar de alcohol dieper of minder diep was ingebrand.

'Afklemmingsstriemen rond de linker- en rechterenkel,' zei ze, waarbij ze haar gehandschoende hand teder, bijna liefdevol, over de bovenkant van de voeten van het slachtoffer liet gaan – en dat was de maximale emotie die ze tijdens de procedure toonde.

Sam keek naar de verwondingen die de koorden of touwen rond de enkels van het slachtoffer hadden gemaakt, en moest zijn best doen om het beeld van de vrouw, zoals ze in de martelkamer van de een of andere maniak op een bed vastgebonden had gelegen en zo koortsachtig geprobeerd had los te komen, dat de touwen diepe verwondingen in haar huid hadden gemaakt, te onderdrukken.

'De vezels zijn al doorgestuurd naar het lab van het bureau aanhoudingen,' zei Stone. 'Ze lijken van hetzelfde soort als de andere – getwijnd touw van wit polypropyleen,' voegde ze er omwille van Quinn en Hamill aan toe. 'Zogoed als onbreekbaar. Je kunt het in elke kantoorboekhandel krijgen. De gemeente koopt er maandelijks kilometers van in. Onmogelijk om na te gaan.

'Diepe inkervingen in een dubbel X-patroon op beide voetzolen,' vervolgde ze het onderzoek. Ze nam de afmetingen van elke snee zorgvuldig op en ging verder met de beschrijving van brandplekken op elke teen die, naar het leek, met een brandende sigaret gemaakt moesten zijn.

'Marteling, of verminking om herkenning onmogelijk te maken?' vroeg Hamill zich hardop af.

'Of beide,' zei Liska.

'Zo te zien is dit allemaal gedaan toen ze nog leefde,' zei Stone.

'De schoft,' mompelde Kovac.

'Zelfs als ze zich los had weten te trekken, dan had ze nog niet kunnen vluchten,' zei Quinn. 'Een paar jaar geleden was er in Canada een geval waarbij ze, om dezelfde reden, de achillespezen van het slachtoffer hebben doorgesneden. Hadden de andere slachtoffers overeenkomstige verwondingen?'

'Beiden zijn op verschillende manieren gemarteld,' antwoordde Stone. 'Niet helemaal precies hetzelfde. Ik kan voor kopieën van de onderzoeken zorgen.'

'Dat is al geregeld, dank u.'

Het was onmogelijk om de kleding van het slachtoffer te verwijderen zonder de huid mee te trekken. Stone en haar assistent knipten, sneden en trokken, en deden wat ze konden om de gesmolten stof van de huid te krijgen, waarbij Stone om de zoveel minuten vloekte.

Kovacs was zich bewust van een toenemend afwachtend gevoel in zijn hart terwijl de verwoeste blouse en een laag vlees van de linkerzijde van de borst werden verwijderd.

Stone keek hem over het lichaam heen aan. 'Daar is het.'

'Wat?' vroeg Quinn, terwijl hij aan het hoofdeinde van de tafel ging staan.

Sam deed een stapje dichterbij en bekeek het handwerk van de dader. 'Het detail dat we geheim hebben weten te houden voor de pers. Dit patroon van steekwonden – zie je wel?'

De borst van de dode vrouw vertoonde, grofweg in de buurt van het hart, een groepje van acht steekwonden die elk één tot tweeëneenhalve centimeter lang waren.

'Dat hadden de eerste twee ook,' zei Kovac, met een blik op Quinn. 'Ze waren alle twee gewurgd, en de steekwonden waren daarna toegebracht.'

'In hetzelfde patroon?'

'Ja. Het is net een ster, zie je wel?' Hij hield zijn hand een centimeter of tien boven het lijk en beschreef het patroon met zijn wijsvinger in de lucht. 'De langere steekwonden vormen één X. De kortere vormen een tweede. Jantje Rook heeft weer toegeslagen.'

'Er zijn nog meer overeenkomsten,' zei Stone. 'Hier, de amputatie van de tepels en de areola.'

'Postmortem?' vroeg Quinn.

'Nee.'

Stone keek naar haar assistent. 'Lars, we draaien haar om. Kijken wat we aan de andere kant vinden.'

Het lichaam was, voordat het was aangestoken, op de rug gelegd. Het gevolg daarvan was dat alleen de voorzijde van het lichaam door de vlammen was aangetast. Stone verwijderde de onbeschadigde kledingstukken en stopte ze in een plastic zak voor het lab. Een stuk van een rode, lycra rok. Een stuk doorschijnende blouse. Geen ondergoed.

'Ja, hoor,' mompelde Stone voor zich heen, waarna ze Sam aankeek. 'Er ontbreekt een stukje huid van de rechterbil.'

'Was dat bij de anderen ook zo?' vroeg Quinn.

'Ja. Bij het eerste slachtoffer ontbrak een stuk van de rechterborst. Bij de tweede was het ook de rechterbil.'

'Heeft hij haar gebeten, en vervolgens de afdruk van zijn gebit weggesneden?' speculeerde Hamill hardop.

'Mogelijk,' zei Quinn. 'Bijten is zeker geen uitzondering bij dit soort moordenaars. Zijn daar verder nog sporen van te ontdekken? Wanneer dit soort jongens de tanden in het lijf van hun slachtoffer zetten, zijn dat meestal geen liefdesbeetjes.'

Stone pakte de liniaal om de wond precies op te meten. 'Als er een blauwe plek is geweest, dan heeft hij die weggesneden. Er is een groot deel van het spierweefsel verdwenen.'

'Jezus,' mompelde Kovac vol walging terwijl hij naar het glanzende, rode vierkant op het lichaam van het slachtoffer keek, op de plek waar het vlees met een klein, scherp mesje zorgvuldig was weggesneden. 'Wie denkt deze gek wel niet dat hij is? Hannibal Lecter, of zo?'

Quinn keek hem aan vanaf de onthoofde kant van het lichaam. 'Elk mens heeft zijn persoonlijke held.'

Zaak nummer 11-7820, identiteit onbekend, Kaukasische vrouw, had geen organische reden om te sterven. Ze was in ieder opzicht gezond geweest. Ze was goed doorvoed, en was net als de meeste mensen een kilootje of vijf, zes te zwaar. Dr. Stone had evenwel niet kunnen vaststellen wat ze als laatste gegeten had. Als het Jillian was, had ze de maaltijd die ze met haar vader had gedeeld, vóór haar dood verteerd. Ze was niet ziek en haar lichaam vertoonde geen natuurlijke gebreken. Stone schatte haar tussen de twintig en de vijfentwintig. Een jonge vrouw met het grootste gedeelte van haar leven nog voor zich – tot ze het pad van de verkeerde man had gekruist.

Dit soort moordenaar koos zelden een slachtoffer dat op het punt van sterven stond.

Quinn dacht na over dit feit, terwijl hij op het natte asfalt van de parkeerplaats van het lijkenhuis stond. De vochtige kou van de avond drong door tot in zijn kleren en zijn spieren. Een fijne nevel hing als een dunne, witte lijkwade over de stad.

Er werden té veel jonge vrouwen vermoord: knappe jonge vrouwen, gewone jonge vrouwen, vrouwen die alles mee hadden in het leven, en vrouwen die niets anders hadden dan een sprankje hoop op iets beters. En allemaal werden ze als lappenpoppen gedood en afgedankt, misbruikt en weggeworpen alsof hun leven helemaal niets te betekenen had gehad.

'Ik hoop maar dat je niet gehecht bent aan dat pak,' zei Kovac, terwijl hij naar hem toe kwam gelopen en een sigaret uit zijn pakje Salem Menthols haalde.

Quinn keek omlaag naar zijn pak in het besef dat de stank van gewelddadige dood was doorgedrongen tot in elke vezel van zijn kleren. 'Een beroepsrisico. Ik had geen tijd iets anders aan te trekken.'

'Ik ook niet. Mijn vrouwen werden er stapelgek van.'

'Vrouwen? Meervoud?'

'Na elkaar, niet tegelijkertijd. Twee. Je kent het wel – het werk, en zo… Hoe dan ook, mijn tweede vrouw noemde ze lijkenkleren – wat ik aanhad naar een echt smerige moord of een lijkschouwing, of zo. Dan moest ik me in de garage uitkleden, en dan zou je verwachten dat ze ze misschien zou verbranden of weggooien, want ze wilde in geen geval dat ik ze nog eens zou dragen. Maar nee hoor. Dan deed ze alles in een doos en bracht hem naar het goede doel – omdat ze nog best een poosje mee konden, zei ze dan.' Hij schudde verbaasd zijn hoofd. 'Dankzij haar liepen er in heel Minneapolis naar lijken stinkende minderbedeelden rond. Ben jij getrouwd?'

Quinn schudde het hoofd.

'Gescheiden?'

'Eén keer. Heel lang geleden.' Zó lang geleden dat de korte poging tot een huwelijk meer op een half vergeten nachtmerrie dan op een herinnering leek. De herinnering eraan was als het schoppen in een hoopje as, en deed oude flardjes emotionele resten in hem opdwarrelen – gevoelens van frustratie en falen en spijt waar al lang geen leven meer in zat. Gevoelens die heftiger waren bij de gedachte aan Kate.

'Iedereen heeft er een,' zei Kovac. 'Het komt door het werk.'

Hij bood Quinn een sigaret aan, maar hij bedankte.

'God, ik moet die stank uit mijn mond zien te krijgen.' Kovac zoog zijn longen vol met de maximale hoeveelheid teer en nicotine, waarna hij de rook over zijn tong liet rollen en weer uitblies. De rook waaide weg en ging op in de mist. 'Dus denk je dat het Jillian Bondurant is, daarbinnen?'

'Dat is mogelijk, maar er is ook een kans dat ze het niet is. De dader heeft zich verschrikkelijk uitgesloofd om ervoor te zorgen dat we geen vingerafdrukken kunnen maken.'

'Maar tegelijkertijd laat hij Bondurants rijbewijs bij het lijk achter. Dus misschien heeft hij Bondurant wel ontvoerd, maar toen hij eenmaal ontdekte wie ze was, besloot hij haar te houden en om losgeld te vragen,' speculeerde Kovac. 'Ondertussen ontvoert hij een andere vrouw en maakt haar van kant, en laat Bondurants rijbewijs achter bij het lijk om te laten zien wat er zal gebeuren als pappie niet over de brug komt.'

Kovac vernauwde zijn ogen alsof hij de theorie nog eens doornam. 'Voor zover we weten is er geen verzoek om losgeld binnengekomen en wordt ze al sinds vrijdag vermist. Maar toch, misschien... Maar dat geloof jij niet.'

'Zoiets heb ik nog nooit meegemaakt, dat is alles,' zei Quinn. 'Als regel gaat het bij dit soort moorden om een moordenaar die maar aan één ding kan denken: het uitspelen van zijn fantasie. Het heeft in de meeste gevallen helemaal niets met geld te maken.'

Quinn draaide zich half naar Kovac toe, in het besef dat dit hét lid van de speciale eenheid was dat hij te vriend moest houden. Kovac had de leiding over het onderzoek. Zijn bekendheid met deze zaken, met deze stad en het soort van misdadigers dat er in de onderwereld hier leefde, was van onschatbare waarde. Het probleem was alleen dat Quinn vreesde dat hij niet meer beschikte over de energie die nodig was om de farce van 'ik ben ook maar een gewone agent, net als jij' op te voeren. In plaats daarvan gooide hij het op een stukje eerlijkheid.

'De kwestie met het maken van een profielschets is, dat het een pro-actief werktuig is dat gebaseerd is op het reactieve gebruik van aan eerdere gebeurtenissen ontleende kennis. Niet bepaald wat je een exacte wetenschap noemt. In principe kan er zich bij elke zaak iets voordoen dat we nog niet eerder zijn tegengekomen.'

'Dat neemt niet weg dat ik me heb laten vertellen dat je erg goed bent,' gaf de rechercheur toe. 'Het was een geweldig staaltje werk, zoals je die kindermoordenaar in Colorado te pakken hebt gekregen.'

Quinn haalde zijn schouders op. 'Soms passen de stukjes precies in elkaar. Hoelang duurt het voor je aan Bondurants medische gegevens kunt komen om ze met het stoffelijk overschot te vergelijken?'

Kovac rolde met zijn ogen. 'Ik zou mijn naam in Murphy moeten veranderen. Je weet wel, van Murphy's Wet: niets is ooit gemakkelijk. Stel je voor, nu blijkt dat het grootste gedeelte van haar medische gegevens niet hier, maar in Fránkrijk zijn.' Hij zei het op een toontje alsof Frankrijk de een of andere obscure planeet in een ander zonnestelsel was. 'Haar moeder is elf jaar geleden van Peter Bondurant gescheiden en is daarna hertrouwd met een man met een internationaal constructiebedrijf. Ze woonden in Frankrijk. De moeder is dood, de stiefvader woont daar nog steeds. Jillian is een paar jaar geleden teruggekomen naar Amerika. Ze stond ingeschreven aan de U – Universiteit van Minnesota.'

'Het Bureau kan via ons kantoor in Parijs helpen de gegevens te achterhalen.'

'Dat weet ik. Walsh is er al mee bezig. Ondertussen proberen we in gesprek te komen met iedereen die Jillian van nabij kende. Wat we willen weten is of ze moedervlekken, littekens of tatoeages had. We krijgen foto's. We hebben nog geen goede vrienden of vriendinnen kunnen vinden. Geen vriendjes, voor zover we weten. Ik heb begrepen dat ze niet bepaald een society-vlinder was.'

'En haar vader?'

'Hij is te zeer van streek om ons te woord te kunnen staan.' Kovac trok met zijn mond. 'Te zeer van streek, dat zijn de woorden van zijn advocaat. Als ik het vermoeden had dat iemand mijn kind van kant had gemaakt, zou ik ook flink van streek zijn. Dan zou ik de politie geen moment met rust laten. Dan zou ik voortdurend alles van hen willen weten, en alles doen wat ik kon om de klootzak te pakken te krijgen.' Hij keek Quinn met opgetrokken wenkbrauwen aan. 'Jij niet?'

'Ik zou de wereld op zijn kop zetten en bij de hielen door elkaar rammelen.'

'Jij zegt het. Ik ben bij Bondurant om hem te vertellen dat het mogelijk Jillian is. Hij kijkt me aan alsof ik hem met een honkbalknuppel op zijn kop heb geslagen. "O, mijn God. O, mijn God," zegt hij, en ik denk even dat hij moet kotsen. Dus ik zoek er niet veel achter wanneer hij zich excuseert. De klootzak gaat naar zijn werkkamer om zijn advocaat te bellen en komt daar niet meer uit. Het hele uur daarop zit ik via Edwyn Noble met Bondurant te praten.'

'En wat heeft hij je verteld?'

'Dat Jillian vrijdagavond bij hem thuis gegeten heeft en dat hij haar daarna niet meer heeft gezien. Ze is tegen een uur of twaalf naar huis gegaan. De buren hebben dat bevestigd. Het stel aan de overkant kwam op dat moment toevallig net thuis van een feestje. Jillians Saab reed de straat door op het moment waarop zij, om tien voor twaalf, ook de straat in reden.'

'Peter Bondurant, vuile rijke klootzak,' gromde hij. 'Dat moet ík weer hebben. Voordat deze zaak is opgelost sta ik parkeerbonnen te schrijven.'

Toen zijn sigaret op was, liet hij de peuk op het asfalt vallen en trapte hem uit met de neus van zijn schoen.

'Wat is het toch jammer dat DNA zo lang duurt,' zei hij, terugkerend tot het onderwerp van de identificatie. 'Zes tot acht weken. Dat is veel te lang.'

'Wordt de lijst van vermiste personen gecontroleerd?'

'Minnesota, Wisconsin, Iowa en de Dakota's. We hebben zelfs naar Canada gebeld. Er is nog niets wat in aanmerking komt. Misschien vinden we het hoofd nog wel,' voegde hij er optimistisch aan toe, alsof hij hoopte op een bril of een portemonnee die boven water zou kunnen komen.

'Misschien.'

'Nou, genoeg van deze ellende voor vanavond. Ik rammel,' zei hij plotseling, terwijl hij aan het jasje van zijn pak trok alsof hij honger had gezegd, maar bedoelde dat hij het koud had. 'Ik weet ergens waar je lekker Mexicaan kunt halen. Zó heet dat het de lijkensmaak uit je mond brandt. We komen erlangs op weg naar je hotel.'

Ze liepen naar de andere kant van de parkeerplaats terwijl er een ambulance aan kwam rijden. Geen zwaailicht, geen sirene. Nog een klant. Kovac viste de sleuteltjes uit zijn zak terwijl hij Quinn vanuit zijn ooghoeken aankeek. 'Dus dan ken je onze Kate?'

'Ja.' Quinn staarde voor zich uit in de mist en vroeg zich af waar ze op dat moment was. En of ze aan hem dacht. 'Uit een ander leven.'

8

Kate liet haar pijnlijke, stijve lichaam langzaam in het oude bad op pootjes zakken en probeerde de spanning die ze in de loop van de dag verzameld had, uit te ademen. Het kwam vanuit haar binnenste in de vorm van pijn door haar spieren naar buiten. In gedachten zag ze het samen met de damp en de geur van lavendel van het water opstijgen. In het mandje van koperdraad dat voor haar als een brug over het bad hing, stond een groot glas Bombay Sapphire-gin met tonic. Ze nam een grote slok, leunde naar achteren en sloot haar ogen. Deskundigen op het gebied van stress zagen niets in alcohol als een antwoord op de stress, en waarschuwden ervoor dat het leidde tot alcoholisme en persoonlijke ondergang. De ondergang was niets nieuws voor Kate. Als ze het werkelijk in zich had om aan de drank te raken, dan zou dat al jaren geleden gebeurd moeten zijn. Vijf jaar geleden. Maar dat was niet gebeurd, en daarom dronk ze nu een glas gin en wachtte ze op het aangename gevoel van verdoving dat daar het gevolg van was.

Heel even flitste de verzameling gezichten uit die treurige tijd van haar leven door haar geheugen: Stevens gezicht, dat in de loop van dat verschrikkelijke jaar veranderd was – afstandelijk, koud, boos en bitter; het spijtige, vermoeide gezicht van de dokter, die al te veel drama's had meegemaakt; het lieve gezichtje van haar dochtertje, dat maar zo kort had mogen leven. Quinns gezicht – intens, meevoelend, hartstochtelijk... boos, ongevoelig, onverschillig, een herinnering.

Het verbaasde haar altijd weer, die plotselinge scherpe pijn die dwars door de wattendeken van de tijd heen prikte. Aan de ene kant hoopte ze vurig dat die pijn zou verminderen, maar aan de andere kant hoopte ze juist dat dat nooit zou gebeuren. De eindeloze cyclus van het schuldgevoel: de noodzaak om ervan af te komen, en de even sterke, wanhopige noodzaak om je eraan vast te blijven klampen.

Ze deed haar ogen open en keek naar het raam bij het voeteneinde van het bad. Een rechthoek donkere nacht keek naar binnen boven het halve gordijntje, duisternis achter de beslagen ruit.

Het was haar in ieder geval gelukt om de oude wonden naar buiten toe te helen, en ze had de draad van haar leven weer opgepakt. En dat was op zich al een hele prestatie. Er was alleen zo weinig voor nodig om dat oude littekenweefsel weer open te rijten. Hoe vernederend was het om vast te moeten stellen dat ze de pijn die vastzat aan de herinnering aan John Quinn niet echt te boven was. Ze voelde zich dwaas en kinderlijk, en weet het aan het element van verrassing.

Morgen zou ze het er beter van afbrengen. Morgen zou ze een helder hoofd hebben en wakker blijven. Ze zou zich niet opnieuw laten verrassen. Het was zinloos om het verleden op te halen nu ze haar volledige aandacht nodig had voor het heden. En Kate Conlan stond erom bekend dat ze altijd even verstandig en paktisch was... afgezien van die paar korte maanden tijdens het verschrikkelijkste jaar van haar leven.

Zij en Steven waren uit elkaar gegroeid. Een op zich draaglijke situatie, als er maar niets veranderd was. Maar toen had Emily een zware griep opgelopen, en enkele dagen later was hun lieve, stralende dochtertje overleden. Steven gaf Kate de schuld en verweet haar dat ze de ernst van de ziekte eerder had moeten onderkennen. Hoewel de artsen Kate verzekerd hadden dat ze er niets aan kon doen en dat ze het niet had kunnen weten, had ze zichzelf er de schuld van gegeven. Ze had zo'n behoefte gehad aan iemand die haar kon troosten, die haar kon steunen en haar absolutie zou kunnen geven...

Ze trok het puntje van de handdoek, van het handdoekenrek achter haar, over haar schouder, pinkte er een traan mee weg, veegde haar neus af en nam nog een slok. Ze kon niets aan het verleden veranderen, had er geen controle meer over. Het minste wat ze kon doen, was zichzelf wijsmaken dat ze het heden wel in de hand had.

Ze richtte haar gedachten op haar cliënte. Belachelijk woord, *cliënte*. Het impliceerde dat degene in kwestie haar had uitgekozen, haar in dienst had genomen. Angie DiMarco zou geen van tweeën hebben gedaan. Wat een kind. En Kate had veel te veel meegemaakt en beleefd om te kunnen geloven dat er onder al die branie een hartje van goud zat. Er zat eerder iets dat totaal verwrongen en verminkt was door een leven dat nog harder was dan dat van een zwerfkat. Hoe was het mogelijk dat er mensen waren die een kind op de wereld zetten en dit van haar lieten worden... De gedachte bezorgde haar een gevoel van verontwaardiging en een onwelkome steek van jaloezie.

Het was eigenlijk helemaal niet haar taak om uit te zoeken wie Angie DiMarco was en waarom ze zo'n zielig hoopje verwrongen ellende was. Maar hoe meer ze af wist van een cliënt, des te beter ze in staat was die cliënt te begrijpen en naar behoefte te handelen en te reageren. Om te manipuleren. Om van de getuige te horen te krijgen wat Sabin interesseerde.

Ze liet het water uit het bad lopen, trok een dikke badjas aan en nam haar glas mee naar het antieke bureautje in haar slaapkamer. Haar vrouwelijke heiligdom. Perzikroze en diep donkergroene tinten gaven de kamer een warm en welkom gevoel. Nanci Griffith's zoete stem klonk uit de luidsprekers van de kleine stereo-installatie in de boekenkast. Thor, de Noorse boskat die het huis beheerste, had Kate's bed opgeëist als de troon die hem toekwam, en lag in al zijn vorstelijke, langharige pracht precies in het midden van het donzen dekbed. Hij keek haar aan met de verveelde suprematie van een kroonprins.

Kate trok een been onder zich op de stoel, pakte een vel papier uit een vakje van het bureau, en begon te schrijven.

Angie DiMarco

Naam? Waarschijnlijk verzonnen. Is van de een of andere vrouw in Wisconsin. Door iemand in Wisconsin na laten trekken. Ouders dood – letterlijk of figuurlijk? Misbruikt? Waarschijnlijk. Seksueel? Eveneens waarschijnlijk. Tatoeages: meerdere – professionele en amateuristische. Betekenis? Betekenis van de afzonderlijke motieven? Bodypiercing: mode of meer dan dat? Dwanggedrag: Nagelbijten. Rookt. Drinkt: Hoeveel? Hoe vaak? Drugs? Mogelijk. Mager, bleek, onverzorgd. Maar is te gedragsbewust.

Alles bij elkaar was er niet veel wat ze van Angie's persoonlijkheid kon zeggen. Ze hadden maar weinig tijd samen gehad en de stemming had duidelijk te lijden gehad onder de druk van de situatie. Kate moest er niet aan denken wat een vreemde van háár zou denken wanneer ze zich in een dergelijke situatie zou bevinden. Stress riep in iedereen het vecht-of-vluchtinstinct op. Maar dat inzicht maakte het meisje nog niet prettiger in de omgang.

Gelukkig was de vrouw die de leiding had over het Phoenix House heel wat slecht gedrag gewend. Het tehuis werd bewoond door vrouwen die uit eigen vrije wil of gedwongen door de omstandigheden voor een ruig levenspad hadden gekozen, en daar nu van af wilden.

Angie was helemaal niet blij geweest met het dak boven haar hoofd. Ze was op een totaal onbegrijpelijke wijze tegen Kate tekeer gegaan.

'En wat als ik hier niet wil blijven?'

'Angie, je kunt nergens anders heen.'

'Dat kun jij niet weten.'
'Dwing me niet om alles nog eens te herhalen,' zei Kate met een ongeduldig zuchtje.

Toni Urskine, de directrice van het Phoenix House, had vanaf de drempel met een bedenkelijk gezicht naar hen staan luisteren. Toen was ze weggegaan en had ze het hen verder samen laten uitzoeken in de verlaten zitkamer – een kleine kamer met goedkope lambriseringen en afgedankte meubels. Niet op elkaar afgestemde, in de uitverkoop op de kop getikte 'kunst'-posters aan de muur verleenden de kamer de sfeer van een goedkoop achterbuurthotelletje.

'Je hebt geen vast adres,' zei Kate. 'Je hebt me zelf verteld dat je ouders niet meer leven. Je hebt me niet één levend wezen kunnen noemen dat bereid zou zijn om je in huis te nemen. Je hebt onderdak nodig. Hier kun je slapen. Een kamer van zes vierkante meter, een bed en een bad. Wat is daarop tegen?'

Angie sloeg op een smoezelig kussentje dat op een versleten, geruit tweepersoonsbankje lag. 'Wat erop tegen is, is dat het hier een godvergeten, smerige stal is!'

'O, neem me niet kwalijk. Heb je dan in het Hilton gewoond? Je verzonnen adres was nog minder dan dit.'

'Als jíj het hier zo geweldig vindt, waarom blijf jíj er dan niet?'

'Ik hoef hier niet te blijven. Ik ben geen dakloze getuige in een moordzaak.'

'Alsof ík dat zo graag wil zijn!' riep het meisje uit. Haar ogen blonken als kristal, en de plotseling opgekomen tranen dreigden over haar wangen te rollen. Ze draaide zich met een ruk om en drukte haar handen hard tegen haar ogen. Haar magere lichaampje kromde zich als een komma.

'Nee, nee, nee,' jammerde ze zachtjes. 'Niet nu...'

Kate schrok van het plotseling vertoon van emoties en wist zich er geen raad mee. Maar dit was toch wat ze gewild had, of niet soms? Om door de harde buitenkant heen te breken? Maar nu dat gebeurd was, wist ze zich er opeens geen raad mee. Ze had niet verwacht dat het nu zou gebeuren, en over zo'n onbenullig iets.

Aarzelend stapte ze op het meisje toe. Ze voelde zich verlegen en schuldig. 'Angie...'

'Nee,' fluisterde het meisje eerder tegen zichzelf dan tegen Kate. 'Niet nu. Alsjeblieft, alsjeblieft...'

'Je hoeft je niet te schamen, Angie,' zei Kate zacht. Ze stond vlak bij haar, maar deed geen poging om haar aan te raken. 'Je hebt een verschrikkelijke dag achter de rug. Ik zou ook hebben gehuild. Ik huil straks wel. Ik ben daar niet goed in – mijn neus gaat ervan lopen en het is geen gezicht.'

'Waarom... waarom k-kan ik n-niet g-gewoon met j-jou m-meegaan?'

De vraag kwam van ergens ver weg, van links, trof Kate vol tegen de slaap en verdoofde haar tot aan haar tenen. Alsof het meisje nog nooit van thuis was weggeweest. Alsof ze nog nooit bij vreemden had gelogeerd. Ze had naar alle waarschijnlijkheid God weet hoelang op straat gezworven en had God weet wat gedaan om te overleven, en nu opeens dit afhankelijke gedrag. Het sloeg nergens op.

Voor Kate iets kon zeggen, schudde Angie haar hoofd, veegde met de mouw van haar jack de tranen weg en haalde haperend diep adem. Het venster van de kans was dichtgevallen en het keiharde masker was er weer voor in de plaats gekomen.

'Laat maar zitten. Alsof het jóu wat kan schelen wat er met mij gebeurt.'

'Angie, als het me niet kon schelen wat er met jou gebeurde, zou ik deze baan niet hebben.'

'Precies, ja. Je baan.'

'Luister,' zei Kate, die geen energie meer had om ertegenin te gaan. 'Je kunt nog altijd beter hier slapen dan in een kist. Kijk het een paar dagen aan. Als je het hier dan nog zo verschrikkelijk vindt, kijk ik wel of ik iets anders voor je kan vinden. Je hebt het nummer van mijn mobiele telefoon. Als je me nodig hebt, kun je me bellen, of gewoon, als je behoefte hebt aan een gesprek. Het maakt niet uit hoe laat of wanneer. Ik meen wat ik gezegd heb – ik sta aan jouw kant. Morgenochtend kom ik je halen.'

Angie zei niets. Ze stond daar stilletjes en verslagen en klein in haar veel te grote spijkerjack dat van iemand anders was.

'Probeer nu maar wat te slapen, kindje,' zei Kate zacht.

Ze had het meisje in de zitkamer achtergelaten, waar ze voor het raam stond en naar het licht bij de buren keek. Het schrijnende beeld riep een gevoel van medelijden in Kate op. De symboliek van een kind dat aan de rand van een gezin staat en naar binnen kijkt. Een kind dat niemand had.

'En daarom werk ik niet met kinderen,' zei ze nu tegen de kat. 'Ze verpesten mijn reputatie van keiharde tante.'

Thor spinde diep in zijn keel, draaide zich op zijn rug en bood haar zijn buik om te aaien. Ze voldeed aan het verzoek en genoot van het contact met een ander levend wezen dat haar op zijn eigen manier waardeerde en op zijn eigen manier van haar hield. En ze dacht aan Angie DiMarco, die wakker lag in een donkere kamer in een huis vol mensen die ze niet kende – en de enige band in haar leven die haar medemens interesseerde, was de band die ze had met een moordenaar.

Het eerste dat Quinn zag toen hij zijn hotelkamer binnenkwam, was het knipperende lichtje van de telefoon – een teken dat er een boodschap voor hem was. Hij gooide de zak met afhaal-Mexicaan in de prullenbak onder de schrijftafel, belde roomservice en bestelde wilde-rijstsoep en een broodje kalkoen dat hij waarschijnlijk niet zou eten. Zijn maag kon geen Mexicaans meer verdragen.

Hij kleedde zich uit, stopte al zijn kleren, behalve zijn schoenen, in een plastic waszak, knoopte de zak dicht en zette hem naast de deur. Iemand van de wasserij wachtte een onaangename verrassing.

Het water van de douche sloeg, zo warm als hij het maar kon verdragen, als een kogelregen op zijn hoofd. Hij boende zijn haren en zijn lichaam en liet de straal zijn stijve schouderspieren en vervolgens zijn gezicht en borst masseren. Beelden van de afgelopen dag schoten hem in willekeurige volgorde door het hoofd: de bespreking, Bondurants advocaat, de snelle rit naar het vliegveld, het gele plastic lint dat op de plaats van het delict rond de dikke esdoorns was gebonden, Kate.

Kate. Vijf jaar was een lange tijd. In die vijf jaar had ze een nieuwe carrière en een nieuw leven opgebouwd – en dat verdiende ze, na alles wat er in Virginia was misgelopen.

En wat had hij, afgezien van zijn reputatie en een groot aantal niet opgenomen vakantiedagen, voor zichzelf opgebouwd?

Niets. Hij bezat een huis in de stad en een Porsche en een kast vol couturepakken. Hij spaarde de rest van zijn geld voor zijn pensionering die waarschijnlijk zou eindigen in een hartaanval, twee maanden nadat hij het Bureau vaarwel had gezegd. Omdat hij niets anders in zijn leven had. En dat alleen nog maar als zijn werk hem niet eerder de kop zou kosten.

Hij draaide de kraan dicht, stapte uit de douche en droogde zich af. Hij had het stevige, gespierde lichaam van een atleet. Hij was, in tegenstelling tot de meeste mannen van in de veertig, slanker dan hij vroeger was geweest. Hij kon zich niet herinneren wanneer zijn plezier in eten was omgeslagen in onverschilligheid. Er was een tijd geweest waarin hij zichzelf had beschouwd als een eersteklas kok. Nu at hij alleen nog maar omdat het moest. De lichaamsbeweging die hij gebruikte om de spanning te verdrijven, rekende tegelijkertijd af met de calorieën.

De vettige, kruidige geur van het weggegooide Mexicaanse eten verspreidde zich door de slaapkamer. Het was een betere geur dan die van verbrand mensenvlees, maar hij wist uit ervaring dat hij er, wanneer hij er om drie uur in de nacht van wakker werd, aanzienlijk minder blij mee zou zijn.

Die gedachte riep een aantal onplezierige herinneringen aan andere hotelkamers in andere steden, en aan andere maaltijden die hij had meegebracht om de nasmaak en de geur van de dood te overwinnen, bij hem op. Herinneringen aan het wakker liggen, alleen in een vreemd bed midden in de nacht, zwetend en met wild kloppend hart door de nachtmerries.

De paniek trof hem, als een sloophamer, keihard in zijn maag en hij ging in zijn trainingsbroek en het grijze T-shirt van de FBI Academy op de rand van het bed zitten. Even steunde hij, in angstige afwachting van de aanval, zijn hoofd in zijn handen. Het holle gevoel, de duizeligheid; het trillen dat diep vanbinnen begon en zich naar buiten toe en langs zijn armen en benen verspreidde; het gevoel van dat er niets over was van wie hij in werkelijkheid was, en de angst dat hij het onderscheid niet meer zou herkennen.

Hij vervloekte zichzelf en reikte diep bij zichzelf naar binnen op zoek naar de kracht om de aanval tegen te houden, zoals hij in het afgelopen jaar al zo vaak had gedaan. Of was het al sinds twee jaar? Hij herinnerde zich de tijd aan de hand van zaken, en de zaken aan de hand van de slachtoffers. Hij had een terugkerende nachtmerrie waarin hij zat opgesloten in een witte kamer en zich de haren één voor één uit het hoofd trok, waarbij hij elke haar de naam meegaf van een slachtoffer en die vervolgens met spuug aan de muur plakte.

Hij zette de televisie aan vanwege het geluid, om de stem van angst in zijn hoofd te overstemmen, en pakte de telefoon om de boodschappen af te luisteren. Er waren zeven telefoontjes die verband hielden met andere zaken die hij hiernaartoe met zich mee had gesleept: een reeks van overvallen en martelmoorden van homoseksuele mannen in Miami; vijf oudere vrouwen in Charlotte, North Carolina, die door vergiftiging om het leven waren gebracht; een kidnapping in Blacksburg, Virginia, die om negentien over acht vanavond moord was geworden toen men het lijkje van het meisje in een ravijn in een bosgebied had gevonden.

Verdomme, hij had erbij moeten zijn. Of misschien had hij beter op het platteland van Georgia kunnen zijn, waar een moeder van vier kinderen met een hamer was doodgeslagen op een wijze die deed denken aan drie andere moorden die in de afgelopen vijf jaar waren gepleegd. Of misschien had hij nog beter in Engeland kunnen zijn om te overleggen met Scotland Yard in verband met een zaak waarbij negen verminkte lijken waren opgegraven op het achterplaatsje van een verlaten slachthuis, en waarbij van alle slachtoffers de ogen waren uitgestoken en de mond was dichtgenaaid met wasdraad.

'Speciaal agent Quinn, dit is Edwyn Noble–'

'En hoe ben je aan mijn nummer gekomen?' vroeg Quinn hardop, terwijl de boodschap doorkwam.

Hij was niet blij met Noble's rol in het onderzoek. Het feit dat hij getrouwd was met de burgemeester zorgde ervoor dat hij zijn voet tussen de deur had zoals geen andere advocaat in de stad dat had. En het feit dat hij Peter Bondurants advocaat was, zorgde ervoor dat hij de deur nog verder probeerde open te duwen.

'Ik bel uit naam van meneer Bondurant. Peter zou u morgenoch-

tend graag willen ontmoeten, als dat mogelijk is. Kunt u mij vanavond terugbellen, alstublieft?'

Hij noemde het nummer, en vervolgens meldde een verleidelijke,
op de band opgenomen stem, dat Quinn verder geen boodschappen
meer had. Hij legde de hoorn terug op het toestel en was niet van
plan om Noble terug te bellen. Laat hem maar in zijn sop gaarkoken.
Als hij iets dringends had mee te delen, kon hij Kovac bellen, of Fowler, de hoofdinspecteur van moordzaken. Quinn belde niemand terug en gaf er de voorkeur aan om te wachten tot nadat hij zijn eten
niet had gegeten.

Het journaal van tien uur begon met de laatste moord en toonde
beelden van de specialisten van Plaats Delict die het gebied in het
park afzochten, gevolgd door een reportage van de persconferentie.
Er werd een foto van Jillian Bondurant getoond, en daarna nóg een,
van haar met haar rode Saab. Alles bij elkaar een dikke drieëneen-
halve minuut uitzending. Het gemiddelde nieuwsonderwerp kreeg
nog niet eens de helft.

Quinn haalde de dossiers van de eerste twee moorden uit zijn tas
en legde ze op de schrijftafel. Kopieën van de onderzoeksrapporten
en foto's van de plaats van de misdaad. Autopsierapporten, labrap-
porten, beginnende en aanvullende onderzoeksrapporten. Krantenknipsels uit zowel de *Minneapolis Star Tribune* als de *St. Paul Pioneer
Press.*

Hij had heel duidelijk gezegd dat hij geen informatie over mogelijke verdachten wilde hebben voor het geval men daarover beschikte, en die zat er dan ook niet bij. Hij kon zich niet laten beïnvloeden
door speculaties van iemand anders, waardoor zijn analyse wel eens
heel anders uit zou kunnen vallen. Dit was nog een reden waarom hij
veel liever vanuit zijn kantoor in Quantico een profiel zou hebben
samengesteld. Hier zat hij er te dicht met zijn neus bovenop en werd
hij van alle kanten met de zaak geconfronteerd. De mensen die bij de
zaak betrokken waren konden reacties oproepen die hij mogelijk
niet gehad zou hebben wanneer hij had kunnen volstaan met de be-
studering van een reeks gegevens en feiten. Er was sprake van te veel
waardeloze input en te veel afleiding.

Te veel afleiding – zoals Kate. Die niet gebeld had en daar in werkelijkheid ook geen reden toe had. Behalve dan dat ze ooit eens iets
heel speciaals met elkaar hadden gedeeld... dat ze hadden opgegeven... en hadden laten sterven...

Niets in een mensenleven kon iemand zo krankzinnig maken als
het onherstelbare verleden. Het enige middel dat hij daartegen had
gevonden, was de poging om het heden in de hand te houden, en dat
betekende dat hij zich met hart en ziel op deze zaak zou moeten storten. Hoe beter hij in staat was om zich daarop te concentreren, des te
meer hij het heden in de hand had. Het heden, en zijn geestelijke ge-

zondheid. En wanneer de nachten te lang waren – zoals ze dat allemaal waren – en hij geplaagd werd door de herinnering aan de details van honderden moorden, dan merkte hij hoe hij zijn greep op beide verloor.

Angie zat op het hoofdeinde van een van de twee harde, eenpersoonsbedden. Ze zat met haar rug in de hoek gedrukt, zodat ze de bobbels van de grove pleisterlaag door het ruime flanellen hemd dat ze voor de nacht had aangetrokken, heen kon voelen. Ze zat met haar knieën opgetrokken tot onder haar kin en hield haar armen stijf om haar benen geslagen. De deur was dicht en ze was alleen. Het enige licht dat door het raam naar binnen viel, kwam van een straatlantaarn in de verte.

De Phoenix was een tehuis voor vrouwen die 'herrezen naar een nieuw begin'. Dat stond er op het bord in de voortuin. Het was een groot, ruim, oud huis met krakende vloeren en geen tierelantijnen. Kate had haar ernaartoe gebracht, en haar achtergelaten tussen de ex-hoeren en ex-junks en vrouwen die probeerden te ontkomen aan vriendjes die hen in elkaar sloegen.

Angie had bij ze om het hoekje gekeken van de grote televisiekamer waar ze bij elkaar op oude stoelen en banken naar de buis zaten te kijken, en ze had vastgesteld dat ze allemaal even stom moesten zijn. Als er één ding was dat ze in het leven had geleerd, dan was het wel dat je je omstandigheden wel kon veranderen, maar dat je nooit iets kon veranderen aan wie je was. Je persoonlijke waarheid was als een schaduw: het was iets dat je niet kon ontkennen en niet kon veranderen, en waar je niet van af kon.

Ze voelde hoe de schaduw zich nu langzaam maar zeker, koud en zwart, van haar meester maakte. Haar lichaam trilde en de tranen sprongen haar in de ogen. Ze had het gevoel de hele dag en de hele avond weten te onderdrukken. Ze was bang geweest dat het haar in het bijzijn van Kate zou overweldigen – een idee dat de angst er alleen maar nóg groter op had gemaakt. Ze kon zich niet laten gaan waar iemand bij was. Dan zouden ze weten dat ze gek was, dat ze zwakzinnig was. Dan zouden ze haar opsluiten in een gekkenhuis. En dan zou ze alleen zijn.

Ze was nu ook alleen.

Het trillen begon heel langzaam, diep vanbinnen, en verspreidde zich op een vreemde manier in een raar, hol gevoel. Op hetzelfde moment merkte ze hoe haar bewustzijn ineenkromp, tot ze het gevoel had alsof haar lichaam alleen maar een omhulsel was en ze zelf een klein wezentje was dat erin zat opgesloten en het gevaar liep van een smalle richel in een grote, diepe afgrond te storten waar ze nooit meer uit zou kunnen komen.

Ze noemde dit gevoel Het Gat. Het Gat was een oude vijand.

Maar hoe goed ze het ook kende, ze was en bleef er doodsbang voor. Ze wist dat ze, als ze zich er niet tegen verzette, de controle over zichzelf zou verliezen, en controle was alles. Als ze zich er niet tegen verzette, zou ze hele blokken tijd kwijt kunnen raken. Ze zou zichzelf kwijt kunnen raken, en wat zou er dan gebeuren? Ze voelde het innerlijke schudden, en begon te huilen. Stilletjes. Altijd stilletjes. Niemand mocht haar horen. Niemand mocht weten hoe bang ze was. Ze sperde haar mond wijd open, maar ze onderdrukte de snikken tot haar keel er pijn van deed. Ze drukte haar gezicht tegen haar knieën en perste haar ogen stijf dicht. De tranen brandden, vielen, en rolden over haar blote dij. In gedachten kon ze het lichaam zien branden. Ze was er vandaan gerend. Ze had gerend en gerend, maar was niet ver gekomen. In haar gedachten zag ze zichzelf als dat lijk, maar ze kon de vlammen niet voelen. Ze zou blij zijn geweest met de pijn, maar ze kon het zich niet voorstellen. En aldoor voelde ze zich kleiner en kleiner worden binnen de omhulling van haar lichaam.

Hou op! Hou op! Hou op! Ze kneep hard in haar dij en drukte de scherpe rand van haar afgekloven nagel diep in haar huid. Maar ze bleef stééds verder wegzakken in Het Gat.

Je weet wat je te doen staat. De stem ontspon zich in haar hoofd als een zwart lint. Ze rilde in reactie erop. Het vertakte zich door haar lichaamsdelen, een vreemde mengeling van angst en behoefte.

Je weet wat je te doen staat.

Met een wilde ruk trok ze haar rugzak naar zich toe, scharrelde aan de rits en zocht in het binnenvakje naar het ding dat ze nodig had. Haar vingers sloten zich om het cuttermesje, dat vermomd was als een kleine, plastic sleutel.

Bevend, de snikken onderdrukkend, kroop ze naar een streep licht op het bed, schoof de linkermouw van haar flanellen shirt omhoog, en ontblootte een magere witte arm die een groot aantal smalle littekens vertoonde, littekens in dunne, rechte lijntjes, als de spijlen van een ijzeren hekje. Het vlijmscherpe mesje stak als de tong van een slang uit het uiteinde van de cutter, en ze haalde het over een plekje tere huid in de buurt van haar elleboog.

De pijn was scherp en verlossend, en leek de paniek die haar brein onder stroom had gezet, kort te sluiten. Bloed welde op uit de snee – een glanzende zwarte kraal in het licht van de maan. Ze keek er als betoverd naar, terwijl ze de kalmte in zichzelf langzaam maar zeker weer terug voelde keren.

Controle. In het leven draaide alles om controle. Pijn en controle. Die les had ze al heel jong geleerd.

'Ik denk erover om van naam te veranderen,' zegt hij. 'Wat vind je van Elvis? Elvis Nagel?'

Zijn metgezellin zwijgt. Hij pakt een slipje van de stapel in de doos, houdt het tegen zijn gezicht, drukt zijn neus in het kruis en snuift de geur van kut diep in zich op. Lekker. Geur windt hem niet zo op als geluid, maar toch... 'Snap je het?' vraagt hij. 'Het is een anagram. Elvis Nagel, dat is Evil's Angel, de Engel van het Kwaad.'

Op de drie televisietoestellen op de achtergrond lopen videobanden van de plaatselijke nieuwsuitzendingen van zes uur. De stemmen vervloeien tot een onharmonische kakofonie die hij opwindend vindt. De ondertoon die ze alle drie met elkaar gemeen hebben, is er een van urgentie. Een urgente ondertoon leidt tot angst. Angst windt hem op. Hij is voornamelijk dol op het geluid ervan. De trillende spanning in een beheerste stem. De oncontroleerbare veranderingen in geluidssterkte en toonhoogte in de stem van iemand die openlijk bang is.

De burgemeester verschijnt op twee van de schermen. Wat een lelijk wijf. Hij kijkt naar haar terwijl ze spreekt en vraagt zich af hoe het zou zijn om haar lippen af te snijden terwijl ze nog leeft. Hij zou haar kunnen dwingen om ze op te eten. De fantasie windt hem op, zoals zijn fantasieën dat altijd doen.

Hij draait het volume van de televisies wat hoger, loopt naar de stereo-installatie in de boekenkast, haalt een cassettebandje uit het rek en stopt het in het apparaat. Hij staat in het midden van de kelder, kijkt naar de televisies, naar het bedenkelijke gezicht van de nieuwslezers, en naar het gezicht van de mensen bij de persconferentie die vanuit drie verschillende hoeken gefilmd zijn, en laat de geluiden over zich heen komen – de stem van de verslaggevers, de echo in de enorme hal, de urgentie. Tegelijkertijd schalt uit de luidsprekers van de stereo de klank van zuivere, rauwe angst. Smekend. Huilend om God. Smekend om de dood. Zijn overwinning.

Hij staat er middenin. De dirigent van deze macabere opera. Hij voelt zijn innerlijke opwinding groeien. Het is een enorme, vurige, toenemende, seksuele opwinding die aanzwelt tot een crescendo en om verlossing vraagt. Hij kijkt naar zijn metgezellin voor de avond en denkt erover, maar hij weet de behoefte te onderdrukken.

Onderdrukking en controle. Dat is alles. Controle is macht. Híj is de actie. Zíj zijn de reactie. Hij wil de angst op hun gezicht zien en in hun stem horen – bij de politie, bij de speciale eenheid, en bij John Quinn. Met name bij Quinn, die het niet nodig had gevonden om op de persconferentie het woord te voeren, alsof hij de Cremator het gevoel wilde geven dat hij zijn persoonlijke aandacht niet waard was.

Quinn zal hem zijn aandacht schenken. Quinn zal hem respecteren. Hij zal krijgen wat hij hebben wil, want hij heeft macht.

Hij draait de televisies zachter tot een zacht gemompel, maar zet ze niet uit om geen stilte om zich heen te hebben. Hij haat stilte. Hij zet de stereo uit, maar steekt een microcassetterecorder met een bandje in zijn zak.

'Ik ga uit,' zegt hij. 'Ik ben je zat. Je verveelt me.'

Hij loopt naar de etalagepop waarmee hij heeft gespeeld en waarop hij de verschillende combinaties van de kleren van zijn slachtoffers heeft uitgeprobeerd.

'Niet dat ik je niet zou waarderen,' zegt hij zacht.

Hij buigt zich naar voren en kust haar, waarbij hij zijn tong in haar open mond steekt. Dan tilt hij het hoofd van zijn laatste slachtoffer van de schouders van de etalagepop, stopt hem terug in zijn plastic zak, brengt hem naar de koelkast in het washok en zet hem voorzichtig op de glazen plaat.

Buiten is het donker. Er hangt een dichte mist. De straten zijn zwart en glanzen nat in het schijnsel van de straatlantaarns. Een nacht die doet denken aan die van de Ripper in Londen. Een nacht voor de jacht.

Hij glimlacht bij de gedachte en rijdt in de richting van het meer. Zijn glimlach wordt breder als hij op het afspeelknopje van de recorder drukt, het apparaatje bij zijn oor houdt en luistert naar het geschreeuw – een verwrongen metamorfose van de gefluisterde lieve woordjes van een geliefde. Affectie en verlangen verworden tot haat en angst. Twee kanten van dezelfde emotie. Het verschil ertussen is controle.

9

'Als de pers ons hier vindt, dan kan ik het wel schudden,' verklaarde Kovac, terwijl hij in het midden van het vertrek rondjes liep.

Eén van de muren was beplakt met een montage van naakte vrouwen in allerlei erotische posities, en de andere drie waren behangen met goedkoop rood fluweelbehang dat eruitzag alsof de motten erin hadden gezeten.

'Ik heb het gevoel dat ze dat hier wel voor je hadden kunnen doen,' merkte Quinn droog op. Hij snoof de lucht in zich op en rook muizen, goedkope parfum en vochtig ondergoed. 'Voor een spotprijsje.'

'Als de jongens van de pers ons vinden, dan zitten we met de gebakken peren,' zei Elwood Knutson. De forse rechercheur van moordzaken haalde een enorme aardenwerken penis uit een la achter de bar, en hield hem op zodat iedereen hem kon zien.

Liska trok een gezicht. 'Jezus, Sam. Hoe kies je het zo uit!'

'Bij mij moet je niet wezen! Dacht je soms dat ik een klant van massagesalons was?'

'Ja.'

'Leuk hoor. Deze prettige accomodatie is voor ons uitgezocht door rechercheur Adler van het Bureau van de Sheriff van de gemeente Hennepin. Wil je even buigen, Chunk?'

Adler, een bonk spieren met een bijna zwarte huid en kort, grijs kroeshaar, lachte schaapachtig en stak zijn hand op naar de rest van de speciale eenheid. 'Mijn zus werkt bij Norwest Banks. Ze hebben de zaak wegens een hypothecaire schuld verkocht toen de zedenpolitie het de afgelopen zomer wegens zedendelicten gesloten had. De locatie is ideaal, de prijs is goed – waarmee ik wil zeggen dat het niets kost – en de pers verloor zijn interesse in het pand toen de hoeren eenmaal waren opgestapt. Niemand zal op het idee komen dat dit de plek is waar we bijeenkomen.'

En daar ging het uiteindelijk om, dacht Quinn, terwijl hij Kovac de smalle gang af volgde en de rechercheur na elkaar het licht aandeed in vier kleinere kamers – twee aan elke kant van de gang. Het was van belang dat de speciale eenheid ongestoord aan de zaak kon werken en niet voortdurend werd lastiggevallen door de pers. Een plek waar de zaak binnenshuis kon blijven en waar zo min mogelijk lekken waren. En als die lekken bleven voorkomen, was het waar wat Elwood had gezegd. Dan zou de pers hen zodanig aan de openbare schandpaal nagelen dat ze met de gebakken peren kwamen te zitten.

'Ik vind het geweldig hier!' verklaarde Kovac, terwijl hij weer terugliep naar de ontvangstruimte. 'Vooruit, laten we de boel inrichten.'

Liska trok haar neus op. 'Kunnen we het niet eerst ontsmetten met lysol?'

'Je gaat je gang maar, Tinks. Jij mag de tent ontsmetten en opnieuw inrichten terwijl wij ons bezighouden met het oplossen van de moorden.'

'O, krijg de kelere, Kovac. Ik hoop dat jij de eerste bent die besprongen wordt door de platjes op de pleebril.'

'Nee, dat geluk is weggelegd voor Bear Butt die daar met zijn *Readers Digest* gaat zitten. De platjes zien zijn harige kont en komen onmiddellijk aangesneld. Hij heeft van waarschijnlijk hele stammen in die bontjas van hem.'

Elwood, die grofweg het formaat en de afmetingen van een kleine grizzlybeer had, maakte zich zo lang mogelijk en verklaarde op waardige toon: 'Ik protesteer namens alle behaarde mensen.'

'O, ja?' vroeg Sam. 'Nou, doe dat dan maar buiten en haal wat spullen naar binnen. Als we zo doorgaan, is de dag voorbij en hebben we nog niets gedaan.'

Twee onbeschilderde bestelwagens van de politie stonden in het steegje te wachten tot het kantoormeubilair en de apparatuur was uitgeladen. Alles werd binnengebracht in de voormalige Loving Touch Massage Parlor – de meubels, de apparatuur, de dozen met kantoorartikelen, een koffiezetapparaat en, natuurlijk, de dozen met de volledige dossiers van alle moorden die werden toegeschreven aan de moordenaar die door de rechercheurs Smokey Joe werd genoemd.

Quinn werkte even hard als de anderen. Hij was gewoon een van het team. Het was zijn taak om zich in elk team thuis te voelen. Hij werd van hot naar her gestuurd om zaken op te lossen, en als dat gebeurd was, werd hij weer naar de volgende crisis gezonden. De grapjes deden geforceerd aan, de pogingen tot kameraadschappelijkheid voelden onoprecht aan. Sommige van deze mensen zouden, wanneer alles achter de rug was, het gevoel hebben dat ze hem kenden. Maar in werkelijkheid hadden ze er geen idee van wie hij feitelijk was.

Dat nam niet weg dat hij braaf meedeed, zoals altijd in de wetenschap dat geen van de mensen om hem heen ook maar een idee had wie hij was – net zomin als de mensen die deel uitmaakten van de onmiddellijke omgeving van deze seriemoordenaar er ook maar het flauwste vermoeden van hadden dat *hij* dat was. De mensen hadden in het algemeen een bijziende kijk op hun eigen, kleine wereldje. Ze concentreerden zich op dat wat voor hén belangrijk was. De rottende ziel van de man in het hokje ernaast interesseerde hen niet – totdat ze met zijn ziekte geconfronteerd werden.

Het duurde niet lang voor de Loving Touch van bordeel in crisiscentrum veranderd was. Om negen uur was de voltallige speciale eenheid aangetreden: zes rechercheurs van de gemeentelijke politie van Minneapolis, drie van het Bureau van de Sheriff, twee van het bureau aanhoudingen, Quinn en Walsh.

Walsh zag eruit alsof hij malaria had.

Kovac gaf een korte samenvatting van alle drie de moorden, en besloot met de autopsie op het nog niet geïdentificeerde, laatste slachtoffer, compleet met foto's die in allerijl ontwikkeld, vergroot en afdrukt waren.

'De eerste, voorlopige, labuitslagen komen vandaag binnen,' zei hij, terwijl hij de gruwelijke foto's de tafel rond liet gaan. 'We hebben een bloedgroep – O positief – die overeenkomt met die van Jillian Bondurant en miljoenen andere mensen.

'Kijken jullie vooral goed naar de foto's van de wonden waar stukjes uit het lichaam zijn gesneden. De eerste twee slachtoffers vertoonden overeenkomstige verwondingen. We vermoeden dat de moordenaar tandafdrukken heeft verwijderd. Maar in het laatste geval is het ook mogelijk dat hij opvallende kenmerken, zoals littekens en moedervlekken, heeft weggesneden om identificatie onmogelijk te maken.'

'Tatoeages,' merkte iemand op.

'Bondurants vader zegt dat ze, voor zover hij weet, geen tatoeages heeft. Volgens zijn advocaat kan de vader niet één opvallend kenmerk van zijn dochter noemen. Jillian heeft gedurende twaalf jaar geen deel uitgemaakt van zijn leven, dus zo verwonderlijk is dat niet. We zijn op zoek naar foto's van haar in badpak of zo, maar tot dusver hebben we die niet gevonden.

'We gaan ervan uit dat Jillian Bondurant het slachtoffer is,' zei hij, 'maar blijven openstaan voor andere mogelijkheden. Er zijn op het speciale nummer een paar telefoontjes binnengekomen van mensen die beweren dat ze haar sinds vrijdag hebben gezien, maar niemand heeft dat nog hard kunnen maken.'

'Behoort ontvoering tot de mogelijkheden, denk je?' vroeg Mary Moss van het Bureau Aanhoudingen. Ze zag er, in een coltrui en een blazer van tweed, uit als een voetbalmoeder uit een van de buitenwijken. Haar ovale gezicht ging voor een groot deel schuil achter een grote bril. Haar dikke, grijsblonde pagekapsel leek dringend uitgedund te moeten worden.

'Er zijn, voor zover we weten, nog geen verzoeken om losgeld binnengekomen,' zei Sam, 'maar ondenkbaar is het niet.'

'Pappie Bondurant heeft het nooit over een mogelijke ontvoering gehad,' zei Adler. 'Ben ik de enige die dat vreemd vindt?'

'Hij heeft gehoord over het rijbewijs dat bij het slachtoffer is gevonden, en heeft zich neergelegd bij de waarschijnlijkheid dat het zijn dochter is,' concludeerde Hamill.

Adler spreidde zijn enorme handen. 'Ik herhaal: ben ik de enige die dat vreemd vindt? Wie wil er geloven dat zijn kind het onthoofde slachtoffer van een geestelijk gestoorde moordenaar is? Zal een man die zo rijk is als Bondurant, niet eerst aan ontvoering denken, voordat hij op het idee van moord komt?'

'Is hij al verhoord?' vroeg Elwood, terwijl hij een volkorenbroodje at en de autopsiefoto's bestudeerde.

'Niet door mij,' zei Sam.

'Dat zit mij ook niet lekker.'

'Ik ben gisteravond door zijn advocaat gebeld, en hij heeft een boodschap ingesproken,' zei Quinn. 'Bondurant wil dat ik vanochtend bij hem langsga.'

Kovac deed een stapje naar achteren en keek hem verbaasd aan. 'Echt? Wat heb je tegen hem gezegd?'

'Niets. Ik heb hem niet teruggebeld. Ik voel er niet zo heel veel voor om hem zo vroeg in het onderzoek al te spreken, maar als jij denkt dat het je helpt om bij hem binnen te komen...'

Kovac glimlachte als een haai. 'Je hebt iemand nodig die je naar Bondurants huis brengt, niet, John?'

Quinn knikte en trok een gezicht. 'Heb ik nog tijd om mijn levensverzekering te bellen?'

Iedereen schoot in de lach, en toen was het Kovac die een gezicht trok.

'Hij heeft me gisteravond van het lijkenhuis een lift gegeven,' vertelde Quinn. 'Ik vreesde dat ik het niet zou overleven.'

'Kom op, zeg,' snauwde Kovac op een gespeeld gekwetste toon. 'Je bent heelhuids aangekomen.'

'Nou, ik geloof dat mijn milt ergens op de Marquette Boulevard is blijven liggen. Misschien dat we er zo even langs kunnen gaan om hem op te halen.'

'Hij is hier nog maar één dag en heeft je al helemaal in de smiezen, Sam,' merkte Liska lachend op.

'Als ik jou was, Tinks, dan zou ik mijn mond maar houden,' riep iemand anders.

'Ik rij alleen maar zo als Kovac als ik ongesteld moet worden.'

Kovac hield een hand op. 'Goed, goed, zo is het wel mooi geweest.

Terug naar de tandafdrukken. Daar zijn we mee bezig geweest voor het onderzoek van de eerste moord. We hebben een lijst gemaakt van bekende daders – moordenaars of verkrachters – die hun slachtoffers gebeten of opgegeten hebben.' Hij hield de lijst omhoog. 'Hoelang duurt het voor we zeker weten dat het slachtoffer Bondurant is?'

Gary 'Charm' Yurek van de gemeentepolitie was aangewezen als officiële woordvoerder van de speciale eenheid, en moest de pers elke dag het een en ander – voornamelijk onzin – vertellen om ze tevreden te houden. Hij was knap genoeg om zo in een televisieserie te kunnen komen. De mensen werden in de regel afgeleid door zijn volmaakte glimlach, en realiseerden zich pas veel later dat hij helemaal niets had gezegd.

Kovac wendde zich tot Walsh. 'Vince, is er al iets binnen over haar medische geschiedenis?'

Walsh hoestte wat slijm op en schudde het hoofd. 'Het bureau in Parijs is ermee bezig. Ze hebben getracht contact op te nemen met de stiefvader, maar hij bevindt zich ergens tussen twee bouwplaatsen in Hongarije en Slowakije.'

'Het schijnt dat ze sinds haar terugkeer naar de VS het toonbeeld van gezondheid is geweest,' zei Liska. 'Ze heeft geen ernstige verwondingen of ziektes gehad, niets waar röntgenfoto's voor nodig waren. Alleen voor haar tanden.'

'Hij heeft ons goed te pakken met die onthoofding,' klaagde Elwood.

'Heb jij daar ideeën over, John?' vroeg Kovac.

'Het kan zijn dat het zijn opzet was om het onderzoek te dwarsbomen. Maar het kan net zogoed zijn dat het niet Jillian Bondurant is en dat hij een soort van boodschap probeert over te brengen of een spelletje speelt,' suggereerde Quinn. 'Misschien kende hij het slachtoffer – wie ze ook was – en heeft hij haar onthoofd om haar persoonlijkheid weg te nemen. Of misschien is de onthoofding wel een nieuwe fase in de escalatie van zijn gewelddadige fantasieën en hoe hij ze in praktijk brengt. Voor hetzelfde geld heeft hij het hoofd behouden als een trofee. Of misschien gebruikt hij het wel om er zijn seksuele fantasieën verder op uit te leven.'

'Judas,' mompelde Chunk.

Tippen, de andere rechercheur van het Bureau van de Sheriff, trok een gezicht. 'Je maakt het zoeken er niet bepaald gemakkelijker op.'

'Ik weet nog niet voldoende van hem af,' zei Quinn op effen toon.

'Wat weet je dan wél?'

'Primaire dingen.'

'Zoals?'

Hij keek naar Kovac, die hem gebaarde dat hij naar het hoofd van de tafel moest komen.

'Dit is in géén geval de volledige analyse. Laat ik daar heel duidelijk in zijn. Ik heb de rapporten gisteravond snel even doorgelezen, maar er zijn echt wel meer dan een paar uurtjes nodig om tot een accuraat en betrouwbaar profiel te komen.'

'Goed, goed, ik begrijp het,' zei Tippen ongeduldig. 'Maar naar wat voor iemand denk je dat we moeten zoeken?'

Quinn deed zijn best om kalm te blijven. Het was niets nieuws om een scepticus in de groep te hebben. Hij had intussen allang geleerd hoe hij met dat soort lieden moest omgaan om ze beetje bij beetje met logica en een praktische aanpak te overtuigen. Hij keek Tippen aan. Hij was een magere, onaantrekkelijke man met een gezicht dat deed denken aan een Ierse wolfshond – een en al neus en snor en wilde wenkbrauwen boven felle, donkere ogen.

'De dader is een blanke man, waarschijnlijk tussen de dertig en vijfendertig jaar oud. Sadistische moordenaars en plegers van zedendelicten zoeken hun slachtoffers in de regel binnen hun eigen etnische groep.' Terwijl hij op de close-ups van de wonden op de foto's wees, vervolgde hij: 'We hebben te maken met een heel specifiek patroon van steekwonden, een patroon dat zorgvuldig bij elk slachtoffer wordt herhaald. Hij heeft veel tijd gespendeerd aan de vervolmaking van zijn fantasie. Als je hem vindt, dan vind je ook een uitgebreide collectie SM-foto's. Hij is hier al heel lang mee bezig. De perfectionering van zijn daad en de zorg die hij besteedt aan het uitwissen van bruikbare sporen wijzen op inzicht en ervaring. Het kan zijn dat hij een strafblad heeft voor zedenmisdrijven. Maar strafblad of niet, hij is hiermee begonnen toen hij rond een jaar of twintig was.

'Hij is naar alle waarschijnlijkheid begonnen met gluren en met het stelen van fetisjen – damesondergoed, en zo. Dat kan nog steeds deel uitmaken van zijn fantasie. We weten niet wat hij doet met de kleren van zijn slachtoffers. De kleren die hij ze aantrekt nadat hij ze vermoord heeft zijn kleren die hij uit eigen voorraad voor hen heeft uitgezocht.'

'Denk je dat hij als kind met Barbie's heeft gespeeld?' vroeg Tippen aan Adler.

'Als dat zo is, dan kun je er wat om verwedden dat ze ledematen hebben moeten missen,' zei Quinn.

'Jezus, het was maar een geintje.'

'Nee, dat was het niet. Afwijkende fantasieën kunnen op vijf- of zesjarige leeftijd ontstaan. Helemaal in een omgeving waar verkrachting of openlijk onzedelijk gedrag regelmatig voorkomt – hetgeen ik in dit geval bijna met zekerheid durf te stellen.

'Het zit er dik in dat het eerste slachtoffer dat wij van hem hebben helemaal niet zijn eerste slachtoffer is, maar dat hij tot nu toe vrij uit is gegaan. Het feit dat het de politie niet lukt om hem te vinden, leidt

93

ertoe dat hij zich steeds moediger en onkwetsbaar gaat voelen. Dat hij zijn slachtoffers naar openbare plaatsen brengt waar hij gezien kan worden en waar ze zeker gevonden zullen worden, is riskant en wijst op overmoed. En het zegt ook wat over het soort van dader waar we naar op zoek zijn. Hij wil aandacht, hij volgt het nieuws en knipt de artikelen die over hem gaan uit de krant.'

'Dus dan had hoofdcommissaris Greer gisteren gelijk, toen hij zei dat we deze griezel heel duidelijk moeten zeggen waar het op staat,' zei Kovac.

'Hij had gisteren gelijk, maar dat geldt net zogoed voor vandaag of morgen, wanneer we klaar zijn om tot de aanval over te gaan.'

'En dan lijkt het alsof het idee van jou komt,' mompelde Tippen.

'Ik heb er niets op tegen als jij dat idee aan de baas wilt voorleggen, Tippen,' zei Quinn. 'Het kan me geen barst schelen wie hiervoor een pluim op zijn hoed krijgt. Ik wil mijn naam niet in de krant. Ik wil niet op de tv. Allemachtig, ik zou deze zaak veel liever behandelen vanuit mijn kantoor in Quantico, vijfentwintig meter onder de grond. De enige reden waarom ik hier ben, is dat ik jullie probeer te helpen met het vinden en voorgoed opsluiten van dit monster, amen. Dat is het enige waar het mij om gaat.'

Tippen liet zijn blik zakken naar zijn aantekenboekje. Hij was nog steeds niet overtuigd.

Kovac slaakte een puffend zuchtje. 'Jongens, we hebben geen tijd voor jaloezie. Ik weet heel zeker dat het niemand van het algemene publiek ook maar íets kan schelen wie van ons de grootste lul heeft.'

'Die heb ík!' kraaide Liska, terwijl ze de reuzenpenis bij Elwood vandaan griste, die hem midden op tafel had gezet. Ze hield hem omhoog om haar bewering te staven.

Iedereen schoot in de lach, en de spanning was gebroken.

'Hoe dan ook,' vervolgde Quinn, terwijl hij zijn handen in zijn broekzakken stak en zijn rechterbeen een kwartslag opzij draaide en de knie boog om Tippen op subtiele wijze duidelijk te maken dat hij zich hier thuis voelde, nergens naartoe zou gaan en zich niet aan zijn meningen stoorde. 'We moeten er goed over nadenken hoe we hem uit de tent lokken. Ik stel voor om te beginnen met een openbare buurtvergadering op een plek ergens tussen de vindplaatsen in, en dat we daar veel ruchtbaarheid aan geven. De politie vraagt om hulp, om de medewerking van de burgers. Dat is niet agressief en niet bedreigend. Hij kan bij die vergadering aanwezig zijn en ervan overtuigd zijn dat niemand hem zal herkennen.'

'Het zal niet eenvoudig zijn hem in de val te lokken, tenzij zijn overmoed te groot wordt. Hij weet precies waar hij mee bezig is. Zijn intelligentie ligt boven het gemiddelde. Hij werkt, maar het is niet ondenkbaar dat zijn baan onder zijn vermogen ligt. Hij is op de hoogte van het onderhoud van de parken, dus als jullie dat nog niet

hebben gedaan, ga dan na wie er bij de plantsoenenonderhoudsdienst werken en of er iemand met een strafblad bij zit.'
'Daar wordt al aan gewerkt,' zei Kovac.
'Hoe kun je er zo zeker van zijn dat hij werkt?' vroeg Tippen uitdagend. 'Voor hetzelfde geld is hij een zwerver die alles weet van het onderhoud van de parken omdat hij daar op bankjes slaapt.'
'Hij is geen zwerver,' zei Quinn op stellige toon. 'Hij heeft een huis. De slachtoffers worden niet vermoord op de plaats waar hij ze in brand steekt. De vrouwen worden ontvoerd, ergens naartoe gebracht en daar vastgehouden. Hij heeft behoefte aan privacy, en aan een plaats waar hij zijn slachtoffers kan martelen zonder dat hij er bang voor hoeft te zijn dat iemand het hoort.
'Verder heeft hij waarschijnlijk meer dan één voertuig. Naar alle waarschijnlijkheid heeft hij de beschikking over een pick-up truck of een transportbusje. Simpele uitvoering, wat ouder model, donkere kleur en goed onderhouden. Iets waarin hij de lijken kan transporteren, een voertuig dat niet opvalt op de parkeerplaats van de onderhoudsdienst van een park. Maar het kan heel goed zijn dat dit niet de auto is die hij gebruikt wanneer hij op jacht gaat, want een groter voertuig valt op en blijft getuigen beter bij.'
'Hoe weet je dat hij te intelligent is voor zijn werk?'
'Omdat dat gangbaar is voor dit soort moordenaar. Hij werkt omdat het nodig is. Maar zijn energie en zijn *talent* staan in dienst van zijn hobby. Hij verdoet veel tijd met fantaseren. Hij leeft voor de volgende moord. Een directeur van een groot bedrijf zou daar geen tijd voor hebben.'
'Ook al zijn dat meestal psychopaten,' merkte iemand grappend op.
Quinn grijnsde als een haai. 'Wees maar blij dat de meesten van hen tevreden zijn met hun baan van negen tot vijf.'
'En verder?' vroeg Liska. 'Kun je iets over zijn uiterlijk zeggen?'
'Dat vind ik moeilijk, op grond van het feit dat het type slachtoffers niet gelijk is.'
'Hoeren doen het voor de centen, niet voor de show,' zei Elwood.
'En als alle drie de slachtoffers hoeren waren geweest, zou ik zeggen dat we op zoek zijn naar een onaantrekkelijke man met mogelijk een licht gebrek, zoals stotteren, of een opvallend litteken, iets op grond waarvan hij moeite zou kunnen hebben om met vrouwen in contact te komen. Maar als ons derde slachtoffer de dochter van een miljardair is?' Quinn trok zijn wenkbrauwen op.
'Wie weet wat zij heeft uitgespookt.'
'Is er reden om aan te nemen dat ze in de prostitutie heeft gezeten?' vroeg Quinn. 'Zo op het eerste gezicht heeft ze niet veel gemeen met de eerste twee slachtoffers.'
'Ze heeft geen strafblad,' zei Liska. 'Maar ja, haar vader is Peter Bondurant.'

'Ik moet me eerst meer in alle drie de slachtoffers verdiepen,' zei Quinn. 'Als er ook maar iets is dat ze met elkaar gemeen hebben, dan moet dat het uitgangspunt van ons onderzoek worden.'

'Twee hoeren en de dochter van een miljardair – wat kunnen die nu met elkaar gemeen hebben?' vroeg Yurek.

'Drugs,' zei Liska.

'Een man,' opperde Mary Moss.

Kovac knikte. 'Willen jullie die kant op je nemen?'

De vrouwen knikten,.

'Maar misschien heeft hij ze van achteren overvallen,' opperde Tippen. 'Misschien konden hun details hem helemaal niet schelen. Misschien heeft hij ze alleen maar uitgekozen omdat ze op het verkeerde moment op de verkeerde plaats waren.'

'Dat is mogelijk, maar zo voelt het niet,' zei Quinn. 'Hij is me veel te glad. Deze vrouwen zijn gewoon verdwenen. Niemand heeft een worsteling gezien. Niemand heeft horen gillen. Op grond van logisch nadenken zeg ik dat ze uit vrije wil met hem mee zijn gegaan.'

'En waar is Bondurants auto dan?' vroeg Adler. Jillians rode Saab was nog niet teruggevonden.

'Misschien heeft zij hém wel opgepikt,' zei Liska. 'We leven in de jaren negentig. Misschien heeft hij haar auto nog wel.'

'Dus dan zijn we op zoek naar een moordenaar met een garage voor drie auto's?' vroeg Adler. 'Jee, ik geloof dat ik in het verkeerde vak zit.'

'Als ik jou was zou ik maar beginnen met voor de kost ex-vrouwen in elkaar te timmeren, want dan heb je, voor je het weet, een garage vol met Porsches,' merkte Kovacs lachend op.

Liska gaf hem een zet. 'Hé, ík ben een ex-vrouw.'

'Met uitzondering van de aanwezigen.'

Quinn nam een paar slokken van zijn koffie terwijl er rond de tafel grapjes werden gemaakt. Humor was een manier van afreageren voor de politie, een methode om de spanning kwijt te raken die nu eenmaal bij hun werk hoorde. De leden van deze speciale eenheid stonden aan het begin van wat ongetwijfeld een langdurige en onplezierige zaak zou worden. Ze hadden het nodig om, waar ze maar konden, grapjes te maken. Hoe beter ze het als groep met elkaar konden vinden, des te meer resultaat het onderzoek zou opleveren. Zelf maakte hij van tijd tot tijd ook grapjes om zijn image van onbuigzame topagent wat te verzachten.

'Wat zijn lichaamsbouw betreft, hou ik het erop dat hij een gemiddelde lengte en een gemiddelde bouw heeft – sterk genoeg om een dode te kunnen dragen, maar niet zo groot dat hij, wanneer hij een potentieel slachtoffer benadert, onmiddellijk als een dreiging wordt ervaren. En meer kan ik jullie voorlopig niet zeggen.'

'Nee? Kun je niet, wanneer je je ogen sluit, een helderziende foto van hem maken, of zo?' vroeg Adler lachend, en het was maar half als grapje bedoeld.

'Het spijt me,' zei Quinn grinnikend, en hij haalde zijn schouders op. 'Van helderziendheid heb ik niets.'

'Dat zou je wel hebben als je op de televisie was.'

'Als we op de televisie waren, dan zouden we deze moorden binnen het uur hebben opgelost,' zei Elwood. 'En het komt door de televisie dat het publiek genoeg krijgt van een onderzoek dat langer dan twee dagen in beslag neemt. Het hele verrekte land wordt door de televisie beheerst.'

'Over televisie gesproken,' zei Hamill, terwijl hij een videocassette omhooghield. 'Ik heb de opname van de persconferentie.'

De televisie met ingebouwde video stond op een metalen, verrijdbaar tafeltje bij het hoofdeinde van de tafel. Hamill stopte de cassette erin en ze zakten allemaal onderuit om te kijken. Op verzoek van Quinn had de cameraman van het bureau aanhoudingen zich discreet onder de cameralieden van de plaatselijke televisiestations opgesteld en de opdracht gekregen niet de sprekers te filmen, maar de mensen die gekomen waren om naar hen te luisteren.

De stemmen van de burgemeester, hoofdcommissaris Greer en de officier van justitie galmden op de achtergrond terwijl de camera over het gezicht van de verslaggevers en politieagenten en persfotografen ging. Quinn keek strak naar het scherm en lette scherp op de geringste nuances van gezichtsuitdrukkingen, een wetend oplichten van een stel ogen, of een voldaan, zelfingenomen trekje rond iemands mondhoeken. Zijn aandacht was gericht op de mensen die een beetje achteraan stonden, mensen van wie het leek alsof ze toevallig bij de persconferentie terecht waren gekomen.

Hij speurde naar dat ongrijpbare, bijna onzichtbare iets dat de intuïtie van een rechercheur op scherp stelt. De wetenschap dat het meer dan waarschijnlijk was dat hun moordenaar daar te midden van de nietsvermoedende aanwezigen had gestaan, dat hij zonder het te weten naar het gezicht van een moordenaar kon kijken, bezorgde hem een gevoel van intense frustratie. Deze moordenaar zou niet opvallen. Hij zou geen zenuwachtige indruk maken. Hij zou niet zo'n onrustige uitstraling hebben waardoor onprofessionele misdadigers in de regel door de mand vielen. Hij had minstens drie vrouwen vermoord en was niet gevonden. De politie had geen bruikbare aanknopingspunten. Hij hoefde zich nergens zorgen om te maken. En dat wist hij.

'Nou,' zei Tippen op droge toon, 'ik zie niemand met een extra hoofd onder zijn arm.'

'Het is niet ondenkbaar dat we hem allemaal hebben gezien, en dat zonder het te weten,' zei Kovac, terwijl hij op de afstandsbediening van de video drukte. 'Maar als we een mogelijke verdachte hebben, dan kunnen we deze opnamen altijd opnieuw bekijken.'

'Krijgen we die compositietekening van de getuige vandaag, Sam?' wilde Adler weten. Kovac trok met zijn mond. 'Dat kan ik alleen maar hopen. De hoofdcommissaris en Sabin hebben er ook al over opgebeld.' En ze zouden hem net zo lang achternazitten tot ze die tekening hadden. Hij had de leiding van het onderzoek en werd overal op aangesproken. 'Maar laten we intussen nu maar een taakverdeling maken en op pad gaan voordat Smokey Joe besluit er nog een in de hens te steken.'

Peter Bondurants huis was een reusachtig, oud huis in tudorstijl met een duur uitzicht op het Lake of the Isles achter zijn hoge, ijzeren hek. Hoge, kale bomen stonden hier en daar op het gazon. Eén brede muur van het huis was begroeid met een wirwar van, in deze tijd van het jaar kale, klimop. Het stond op slechts enkele kilometers van het hartje van Minneapolis en getuigde, door de discrete blauw-witte schildjes van het bewakingsbedrijf op de hoge omheining en op het gesloten hek van de oprit, op discrete wijze van de paranoia van het leven in de stad.

Quinn probeerde alles in zich op te nemen, en zich tegelijkertijd te concentreren op het gesprek dat hij via zijn mobiele telefoon aan het voeren was. Er was een verdachte gearresteerd in de kinderontvoeringszaak in Blackburg, Virginia. Een collega agent die ter plekke was, wilde van hem de bevestiging voor een ondervragingsstrategie hebben. Quinn was klankbord en goeroe. Hij luisterde, beaamde, maakte een suggestie en hing zo snel mogelijk weer op omdat hij zich helemaal wilde concentreren op de zaak waar hij nu mee bezig was. Hij moest zich afsluiten voor het feit dat zijn aanwezigheid op zo veel verschillende plaatsen tegelijkertijd werd vereist.

'Je bent een veelgevraagd man,' merkte Kovac op, terwijl hij met te veel vaart de oprit inreed, op de rem trapte en naast het paneeltje van de intercom stopte. Hij keek langs Quinn heen naar de busjes van de pers die aan de overkant langs de stoeprand stonden geparkeerd. De inzittenden van de busjes keken terug. 'Aasgieren.'

De intercom kwam krakend tot leven. 'Ja?'

'John Quinn, FBI,' zei Kovac op theatrale toon, waarna hij Quinn grijnzend aankeek.

Het hek schoof open en ging vervolgens weer achter hen dicht. De verslaggevers deden geen poging om samen met hen naar binnen te komen. De welgemanierdheid van het Midwesten, dacht Quinn, in de wetenschap dat er in dit land plaatsen waren waar de pers het huis bestormd zou hebben en antwoorden geëist zou hebben alsof ze het recht had zich te bemoeien met het verdriet van de familie van het slachtoffer. Hij had het zien gebeuren. Hij had naar promotie snakkende journalisten de vuilniszakken van mensen zien uitpluizen op zoek naar snippertjes informatie die omgezet zouden kunnen worden tot speculatieve koppen. Hij had ze onuitgenodigd op begrafenissen zien verschijnen.

Op de oprit voor het huis stond een glanzend gepoetste zwarte Lincoln Continental. Kovac zette zijn vaalbruine Caprice naast de luxe-auto en draaide het contactsleuteltje om. De motor hijgde en pufte nog een halve minuut na.

'Goedkoop kreng,' mompelde hij. 'Ik doe dit werk al achttien jaar en krijg verdomme de meest waardeloze auto die ze hebben. En weet je waarom?'

'Omdat je geen kontenlikker bent?' opperde Quinn.

Kovac hoestte een lach. 'Ik lik niets met een lul aan de andere kant.' Hij grinnikte voor zich heen terwijl hij tussen de berg troep op de voorbank zocht en er ten slotte een mini-cassetterecorder uitviste, die hij aan Quinn aanbood.

'Voor het geval hij nog steeds niet met me wil praten... Volgens de wet van Minnesota hoeft maar één deelnemer aan het gesprek toestemming te geven om een gesprek op te nemen.'

'Dat noem ik nog eens een wet voor een staat vol Democraten.'

'We zijn praktisch ingesteld. We moeten een moordenaar vinden. Misschien weet Bondurant wel iets waarvan hij zich niet bewust is. Of misschien zegt hij wel iets dat jou niets zegt omdat je niet van hier bent.'

Quinn liet de recorder in het binnenzakje van zijn colbertje glijden. 'Het doel heiligt de middelen.'

'Jij snapt het.'

'Beter dan de meesten.'

'Wordt het je nooit eens te veel?' vroeg Kovac, toen ze uit de auto stapten. 'Om vierentwintig uur per dag en zeven dagen per week naar seriemoordenaars en kidnappers te zoeken? Mij zou het wel te veel worden. En meer dan een paar van de lijken die ik krijg verdienen een pak slaag. Hoe verwerk jij het allemaal?'

Niet, dus. De reactie kwam automatisch – en werd even automatisch niet uitgesproken. Hij kon er niet tegen. Had er nooit tegen gekund. Hij veegde alles in het grote, donkere gat diep in zijn binnenste en hoopte maar dat het gat niet zou overstromen.

'Ik concentreer me op de successen,' zei hij.

De wind blies hard over het meer en zorgde voor schuimkopjes op water dat op kwik leek, en joeg dorre blaadjes over het dode gazon. Hij speelde met de achterpanden van Quinns en Kovacs regenjas. De hemel leek op vuile watten en hing laag over de stad.

'Ik drink,' bekende Kovac op vriendelijke toon. 'Ik drink en ik rook.'

Quinn grijnsde. 'En je zit vrouwen achterna?'

'Nee, dat heb ik opgegeven. Dat is een slechte gewoonte.'

Edwyn Noble deed de voordeur open. Een schurk met de titel van advocaat. Zijn gezicht verstrakte toen hij Kovac zag.

'Speciaal agent Quinn,' begon hij, terwijl ze langs hem heen de hal met een mahoniehouten lambrisering in stapten. Aan het plafond van de begane grond hing een enorme, smeedijzeren kroonluchter. 'Ik kan me niet herinneren dat u rechercheur Kovac hebt genoemd toen u belde.'

Quinn schonk hem een onschuldig glimlachje. 'Heb ik dat dan niet gedaan? Nou, Sam bood aan om me te brengen, en ik ken de weg hier niet, en dus...'

'Ik had zelf ook graag even met meneer Bondurant gesproken,' zei Kovac terloops, terwijl hij zijn blik over de kunstvoorwerpen liet gaan die in de hal stonden uitgestald. Hij had zijn handen diep in zijn zakken, alsof hij bang was dat hij iets zou kunnen breken.

De advocaat kreeg rode oren. 'Rechercheur Kovac, Peter heeft zojuist zijn enig kind verloren. Hij heeft tijd nodig om van de schok te bekomen voor hij in staat is om zich te laten ondervragen.'

'Ondervragen?' Sam keek op van een sculptuur van een renpaard en trok zijn wenkbrauwen op. Hij wisselde een blik met Quinn. 'Zoals een verdachte? Denkt meneer Bondurant dan dat we hem als een verdachte beschouwen? Want ik zou werkelijk niet weten waar hij dat idee vandaan heeft gehaald. U wel, meneer Noble?'

Noble's konen kleurden rood. 'Verhoor. Verklaring. Hoe u het ook noemen wilt.'

'Ik zou het een gesprek willen noemen, maar u mag het zeggen.'

'Wat ík zou willen zeggen,' zei een zachte stem vanachter een open deur, ' is dat ik mijn dochter terug wil hebben.'

De man die uit de zwak verlichte gang de hal in stapte, was één meter vijfenzestig lang en mager, en hij straalde zelfs in zijn sportieve broek en trui de grootste precisie en netheid uit. Zijn donkere haar was zo kortgeknipt dat het bijna een dun laagje ijzerschaafsel leek. Hij keek Quinn door de kleine, ovalen glazen van zijn metalen brilletje met ernstige ogen aan.

'Dat willen we allemaal, meneer Bondurant,' zei Quinn. 'En die kans bestaat nog steeds, maar we hebben alle hulp nodig die we kunnen krijgen.'

De rechte wenkbrauwen trokken zich samen in een rechte, verwarde lijn. 'Denkt u dan dat Jillian nog steeds in leven is?'

'Het is ons nog niet gelukt om het tegendeel te bewijzen,' zei Kovac. 'Zolang de identiteit niet onomstotelijk vaststaat, bestaat er een kans dat het niet uw dochter is. We hebben een aantal mogelijkheden –'

Bondurant schudde het hoofd. 'Nee, dat geloof ik niet,' zei hij zacht. 'Jillie is dood.'

'Hoe weet u dat?' vroeg Quinn. Er lag een sombere, gekwelde en verslagen uitdrukking op Bondurants gezicht. Zijn blik dwaalde af naar iets aan Quinns linkerzijde.

'Omdat ze mijn dochter was,' zei hij ten slotte. 'Beter kan ik het niet uitleggen. Het is een gevoel – als een brok steen in mijn maag, alsof iets van mij met haar is gestorven. Ze leeft niet meer. Hebt u kinderen, agent Quinn?' vroeg hij.

'Nee. Maar ik ken te veel ouders die een kind verloren hebben. Dat is een verschrikkelijke ervaring. En als ik u was, zou ik dat gevoel zo lang mogelijk uitstellen.'

Bondurant keek naar Quinns schoenen en slaakte een diepe zucht. 'Komt u verder, agent Quinn,' zei hij, waarna hij zich tot Kovac wendde. Hij trok met zijn mond. 'Edwyn, waarom wachten jij en inspecteur Kovac niet in de zitkamer tot we klaar zijn?'

Kovac maakte een ontevreden geluid.

De advocaat keek bezorgd. 'Misschien is het beter dat ik erbij ben, Peter. Ik –'

'Nee. Laat Helen koffie voor jullie zetten.'

Noble, die duidelijk ontevreden was, boog zich naar de andere kant van de hal naar zijn cliënt, alsof hij een marionet was die zich tegen zijn touwtjes verzette. Bondurant draaide zich om en liep weg.

Quinn volgde hem. Hun voetstappen werden gedempt door de fijne wol van een dikke, oriëntaalse loper. Hij vroeg zich af wat Bondurants strategie was. Hij weigerde om met de politie te spreken, en hij stuurde zijn advocaat weg voor zijn gesprek met een agent van de FBI. Als hij zichzelf probeerde te beschermen, dan sloeg dat nergens op. Maar als hij, aan de andere kant, zonder de aanwezigheid van zijn advocaat iets zei dat tegen hem gebruikt zou kunnen worden, dan zou dat in de rechtszaal niets waard zijn, cassettebandje of geen cassettebandje.

'Ik begrijp dat u een getuige hebt. Kan zij de man die dit heeft gedaan identificeren?'

'Daar mag ik niet over spreken,' zei Quinn. 'Ik zou het graag willen hebben over u en uw dochter, over uw relatie. Neemt u mij niet kwalijk dat ik dit zo bot zeg, maar uw gebrek aan medewerking met de politie tot nu toe komt op z'n minst vreemd op ons over.'

'Komt mijn reactie dan niet overeen met de typische reactie van een ouder van een vermoord kind? En ís er wel zoiets als een typische reactie?'

'*Typisch* is misschien niet het goede woord. Sommige reacties komen vaker voor dan andere.'

'Ik weet niets dat belangrijk kan zijn voor het onderzoek, en daarom heb ik de politie niets te vertellen. Een onbekende man heeft mijn dochter ontvoerd en vermoord. Hoe kunnen ze van míj verwachten dat ik iets zinnigs kan toevoegen aan een dergelijke zinloze daad?'

101

Bondurant ging hem voor, een ruime werkkamer in, en deed de deur achter hen dicht. De kamer werd beheerst door een reusachtig U-vormig, mahoniehouten bureau, waarvan de ene kant in beslag werd genomen door computerapparatuur, en de andere door papieren. Het middelste gedeelte was keurig netjes opgeruimd. Er lag niets op het vloeiblad en elke pen en paperclip lag precies op de plaats.

'U kunt uw jas uittrekken, agent Quinn. Gaat u zitten.' Hij wees met een magere hand op een tweetal roodleren stoelen, terwijl hij zelf om het bureau heen liep en op zijn troon erachter plaatsnam.

Om een barrière van afstand en autoriteit tussen ons op te trekken, dacht Quinn, terwijl hij zijn overjas uittrok. *Hij wijst me op mijn plaats.* Hij ging zitten en realiseerde zich onmiddellijk dat de stoel net even te laag was, juist voldoende om degene die erop zat het vage gevoel te geven dat hij klein was.

'De een of andere maniak heeft mijn dochter vermoord,' herhaalde Bondurant kalm. 'En het interesseert me voor wat dat betreft werkelijk absoluut niets wat men van mijn gedrag vindt. En daarbij, ik ben wel dégelijk behulpzaam bij het onderzoek. Ik heb ú hierheen laten komen.'

Waarmee hij Quinn opnieuw – op subtiele wijze – liet voelen hoe de macht verdeeld was.

'En met mij wilt u wel spreken?'

'Bob Brewster zegt dat u de beste bent.'

'Wilt u de directeur, wanneer u hem weer spreekt, namens mij bedanken, alstublieft? We hebben maar zelden iets met elkaar te maken,' zei Quinn. Hij liet duidelijk blijken dat hij totaal niet onder de indruk was van de schijnbare vriendschap tussen Bondurant en de directeur van de FBI.

'Hij zegt dat u gespecialiseerd bent in dit type moord.'

'Ja, maar ik ben niet te huur en kan niets garanderen, meneer Bondurant. Laat ik daar van begin af aan heel duidelijk in zijn,' zei hij, even kalm als Bondurant zelf. 'Ik zal doen wat ik kan wat betreft het samenstellen van een profiel en het adviseren bij de onderzoekstechniek. En als er een verdachte wordt binnengebracht, dan kan ik adviseren bij de wijze van verhoren. En komt het tot een rechtszaak, zal ik optreden als getuige-deskundige, en kan ik de officier van justitie advies geven ten aanzien van de ondervraging van de getuigen. Ik doe mijn werk, en ik ben goed in wat ik doe, maar ik werk niet voor u, meneer Bondurant.'

Bondurant nam de informatie met een uitdrukkingsloos gezicht in zich op. Zijn gezicht was even mager en ernstig als dat van zijn advocaat, maar miste de opluchting van de te brede glimlach. Een hard masker, waar niet doorheen gekeken kon worden.

'Ik wil dat Jillians moordenaar gevonden wordt. Ik praat met u omdat u de beste bent en omdat ik me heb laten vertellen dat u niet kletst.'

'Dat ik niet klets? Hoe bedoelt u dat?'

'Dat u niets verder vertelt aan de media. Ik ben iemand die een openbare positie bekleedt maar uiterst teruggetrokken leeft. Ik moet er niet aan denken dat miljoenen onbekenden iets te weten zouden komen over de intieme details van mijn dochters dood. Zoiets behoort volgens mij iets heel persoonlijks te zijn – het einde van iemands leven.'

'Dat ben ik met u eens. Maar wat niet verzwegen kan worden, is wanneer iemands leven genómen wordt. En dat is in ieders belang.'

'Waar ik in werkelijkheid tegenop zie is, denk ik, niet zozeer dat mensen weten hoe Jillie gestorven is, als wel dat ze haar leven willen uitpluizen. En het mijne, dat wil ik best toegeven.'

Quinn ging verzitten, sloeg zijn benen over elkaar en bood de man achter het bureau iets wat vagelijk op een meelevend glimlachje leek. Hij maakte het zich gemakkelijk. De houding van: ik zou je vriend kunnen zijn. 'Dat is begrijpelijk. Heeft de pers het u lastig gemaakt? Ik zie dat ze voor de deur hun kamp hebben opgeslagen.'

'Ik weiger met ze te spreken. Ik heb mijn perschef van Paragon de opdracht gegeven om ze te woord te staan. Waar ik vooral niet tegen kan, is dat ze doen alsof ze recht hebben op nieuws van mij. Omdat ik rijk ben, omdat ik iemand ben in deze stad, denken ze automatisch dat ze het recht hebben om zich met mijn verdriet te bemoeien. Dacht u soms dat ze het huis van de ouders van de twee prostituees die door dezelfde maniak vermoord zijn ook zo belegerd hebben? Ik geef u de verzekering dat ze dat niet hebben gedaan.'

'We leven in een maatschappij die verslaafd is aan sensatie,' zei Quinn. 'Sommige mensen worden interessant beschouwd, en naar andere kijkt geen mens om. Ik weet niet zeker welke van beide varianten het ergste is. Maar ik kan u wél zeggen dat de ouders van die twee eerdere slachtoffers zich thuis zitten af te vragen waarom de pers níet bij hen op de stoep staat.'

'Denkt u soms dat ze willen dat de mensen te weten komen hoe ze als ouders gefaald hebben?' vroeg Bondurant, en er klonk een boze ondertoon in zijn stem. 'Denkt u dat ze willen dat de mensen weten waarom hun dochters hoeren en drugsverslaafden zijn geworden?'

Schuldgevoel. Hoeveel daarvan was een projectie van zijn eigen pijn?

'Wat deze getuige betreft,' zei hij, kennelijk nogal onthutst over wat hij bijna bekend had. Hij schoof de blocnote op zijn bureau een fractie van een centimeter naar rechts. 'Denkt u dat ze in staat zal zijn om de moordenaar te identificeren? Ze klinkt niet erg betrouwbaar.'

'Dat weet ik niet,' zei Quinn. Hij wist precies hoe Bondurant aan

103

zijn informatie was gekomen. Kovac zou zijn best moeten doen om het lek te dichten, en dat betekende dat hij op een aantal uiterst gevoelige en invloedrijke tenen zou moeten stappen. De familie van het slachtoffer had recht op bepaalde tegemoetkomingen, maar bij dit onderzoek stond geheimhouding voorop. Peter Bondurant mocht niet alles weten. Het stond zelfs nog niet eens vast dat hij onschuldig was.

'Nou... We kunnen er alleen maar het beste van hopen...' mompelde Bondurant.

Zijn blik dwaalde af naar de muur waaraan een collectie ingelijste foto's hing, waaronder een groot aantal van hemzelf met mannen van wie Quinn aannam dat het zakenrelaties, rivalen of hoogwaardigheidsbekleders waren. Hij zag een foto met Bob Brewster erop, en zag toen waar Bondurant naar keek: een klein groepje foto's in de hoek linksonder.

Quinn stond op en liep naar de muur om ze beter te kunnen bekijken. Jillian op verschillende momenten in haar leven. Hij herkende haar van een foto in het dossier. Er was met name één foto bij die zijn aandacht trok: een jonge vrouw die zich slecht op haar gemak voelde in een zedige zwarte jurk met een grote witte kraag en manchetten. Haar haren waren jongensachtig kortgeknipt en bijna wit gebleekt. Een opvallend contrast met de donkere wortels en wenkbrauwen. Eén oor was versierd met een zestal oorbelletjes. In een van haar neusgaten droeg ze een klein robijntje. Ze leek op geen enkele manier op haar vader. Haar lichaam en haar gezicht waren zachter, ronder. Haar ogen waren groot en verdrietig, en de camera was erin geslaagd vast te leggen hoe kwetsbaar ze zich voelde over het feit dat ze niet in staat was het beschaafde, vrouwelijke wezen te zijn dat iemand anders zo graag in haar wilde zien.

'Mooi meisje,' mompelde Quinn automatisch. Het maakte niet uit dat het niet helemaal waar was. Het was ook niet bedoeld als complimentje. 'Ze moet een heel nauwe band met u hebben gehad, dat ze vanuit Europa hierheen is gekomen om te studeren.'

'Onze relatie was gecompliceerd.' Bondurant kwam uit zijn stoel, bleef ernaast staan en maakte een aarzelende, onzekere indruk. Het was alsof hij aan de ene kant graag naar de foto's wilde gaan, maar alsof iets anders, iets dat sterker was, hem daarvan weerhield. 'Toen ze jong was hadden we een heel hechte band. Toen zijn haar moeder en ik gescheiden, en dat was toen Jillie op een kwetsbare leeftijd was. Het was moeilijk voor haar – de onenigheid tussen Sophie en mij. En toen kwam Serge, Sophie's laatste man. En Sophie's ziekte – ze moest voortdurend worden opgenomen wegens zware depressies.'

Hij zweeg gedurende lange seconden, en Quinn voelde de last

van alles wat Bondurant niet vertelde. Wat was de aanleiding tot de scheiding geweest? Waarom was Sophie depressief geweest? Was de afkeurende klank van Bondurants stem,toen hij over zijn opvolger had gesproken, alleen maar het gevolg van rivaliteit, of zat er meer achter?

'Wat studeerde ze?' vroeg hij, omdat hij wel beter wist dan rechtstreeks achter de antwoorden aan te gaan die hij wilde horen. Peter Bondurant zou zijn geheimen niet zo gemakkelijk prijsgven, áls hij al bereid was om ze prijs te geven.

'Psychologie,' zei hij op een lichtelijk ironische toon, terwijl hij naar de foto van de zwarte jurk, het gebleekte haar, de neuspiercing en de verdrietige ogen keek.

'Zag u haar vaak?'

'Elke vrijdag. Dan kwam ze altijd 's avonds eten.'

'Hoeveel mensen wisten dat?'

'Dat weet ik niet. Mijn huishoudster, mijn advocaat, een paar goede vrienden. Een paar van Jillians vrienden, neem ik aan.'

'Heeft u nog meer personeel, afgezien van de huishoudster?'

'Helen werkt fulltime. Eén keer per week komt een meisje helpen met schoonmaken. Er zijn drie tuinlieden die één keer in de week komen. Dat is alles. Ik geef de voorkeur aan mijn privacy boven personeel. Ik stel geen al te hoge eisen.'

'Vrijdagavond gaan de studenten meestal stappen. Deed Jillian daar niet aan mee?'

'Nee. Daar was ze al overheen.'

'Had ze veel goede vrienden?'

'Niet voor zover ik weet. Ze sprak er nooit over. Ze was heel gesloten. De enige over wie ze het wel eens had, was een serveerster in een coffeeshop. Michele en nog wat. Ik heb haar nooit ontmoet.'

'Had ze een vriend?'

'Nee,' zei hij, terwijl hij zich afwendde. De dubbele deuren achter zijn bureau gaven toegang tot een groot terras van flagstones, waarop lege banken en bloembakken stonden. Hij keek door de ruit alsof hij naar een plek in het verleden tuurde. 'Jongens interesseerden haar niet. Ze hield niet van tijdelijke relaties. Ze had al zoveel meegemaakt...'

Zijn dunne lippen trilden even, en er was een intense pijn in zijn ogen zichtbaar. Zoveel emotie had hij nog niet eerder getoond. 'Ze had nog zo'n lang leven voor zich,' zei hij zacht. 'Ik wou dat dit niet gebeurd was.'

Quinn was rustig naast hem gaan staan. Zacht, op een ervaren en begrijpende toon, zei hij: 'Dat is het moeilijkste te verwerken wanneer er een jong persoon sterft – vooral wanneer er sprake is van moord. De onvervulde dromen, alles wat nog gerealiseerd had kunnen worden. De mensen die hen na zijn – familie, vrienden – dachten dat ze nog zeeën van tijd hadden om gemaakte fouten te herstellen, om diegene te zeggen en te bewijzen dat ze van hem of haar hielden. En dan is er plotseling geen tijd meer.'

Hij zag hoe Bondurant zijn spieren spande tegen de pijn. Hij zag het verdriet in zijn ogen, de wanhoop in het besef dat de emotionele vloedgolf op komst was, en de angst dat er mogelijk niet voldoende kracht was om hem tegen te houden.

'U hebt in ieder geval die laatste avond nog samen mogen zijn,' zei Quinn zacht. 'Dat zou toch een troost voor u moeten zijn.'

Of het was de bittere, laatste herinnering aan een onopgelost conflict tussen vader en dochter. De rauwe wond van een niet benutte kans. Quinn kon de spijt bijna voelen.

'Hoe was ze die avond?' vroeg hij zacht. 'Was ze in een opgewekte stemming?'

'Ze was' – Bondurant slikte heftig en zocht naar het juiste woord – 'zichzelf. Jillie was altijd het ene moment blij, en het volgende weer verdrietig. Ze was wispelturig.'

De dochter van een vrouw die regelmatig in een psychiatrische inrichting moest worden opgenomen.

'Maar er was niets waaruit bleek dat haar iets dwarszat, dat ze zich ergens zorgen over maakte?'

'Nee.'

'Hebt u het ergens in het bijzonder over gehad, of hebt u ruzie gehad over –'

Bondurant explodeerde heel plotseling en volkomen onverwacht. 'Mijn God, als ik het idee had gehad dat er iets was, als ik gemeend had dat er iets zou kunnen gebeuren, denkt u dan dat ik haar niet zou hebben tegengehouden toen ze weg wilde? Denkt u niet dat ik haar hier zou hebben gehouden?'

'O, daar twijfel ik niet aan,' zei Quinn zacht, met een stem vol medeleven en geruststelling, emoties die hij al lang niet meer voluit gaf omdat het te veel van hem vergde en er niemand was om het gat in hem opnieuw te vullen. Hij probeerde zich te concentreren op zijn onderliggende motief, en dat was om informatie te verzamelen. Hij moest manipuleren, bewerken, vertrouwen winnen, en de waarheid beetje bij beetje uit de man zien te trekken. Hij had de informatie nodig om de moordenaar te kunnen vinden. Hij mocht niet vergeten dat hij op de eerste plaats voor het slachtoffer werkte.

'Waar hebt u het die avond over gehad?' vroeg hij vriendelijk, terwijl Bondurant zichtbaar zijn best deed om zijn emoties onder controle te houden.

'O, de gebruikelijke dingen,' zei hij, ongeduldig, en hij keek weer naar buiten. 'Haar studie. Mijn werk. Niets bijzonders.'

'Haar therapie?'

'Nee, ze –' Hij verstijfde, draaide zich om en keek Quinn woedend aan.

'We moeten dit soort dingen weten, meneer Bondurant,' zei Quinn, zonder zich te verontschuldigen. 'Bij elk slachtoffer moeten we er rekening mee houden dat een bepaald onderdeel van hun leven verband kan houden met hun dood. Het hoeft maar een heel dun draadje te zijn dat het ene met het andere verbindt. Het kan iets zijn dat in uw ogen helemaal niet van belang is. Maar soms is dat genoeg, en soms is dat het enige wat we hebben. 'Begrijpt u wat ik u duidelijk probeer te maken? We doen alles wat we kunnen om de details vertrouwelijk te houden, maar als u wilt dat de moordenaar wordt gegrepen, zult u mee moeten werken.'

De uitleg maakte Bondurants woede er niet minder op. Hij draaide zich met een ruk om naar zijn bureau en trok een kaartje uit de Rolodex. 'Dr. Lucas Brandt. Hoewel ik me niet kan voorstellen dat u er wat aan zult hebben. Ik hoef u natuurlijk niet te vertellen dat de relatie tussen Jillian en Lucas die van arts en patiënt was, en daarmee vertrouwelijk is.'

'En hoe staat het met de relatie die ze met u had, de relatie met haar vader?'

Zijn woede flitste opnieuw naar de oppervlakte en hij slaagde er niet in hem te onderdrukken. 'Als ik ook maar iets, maar íets wist dat zou kunnen bijdragen tot het vinden van de moordenaar van mijn dochter, dacht u dan niet dat ik u dat zou vertellen?'

Quinn zei niets. Hij keek Peter Bondurant strak aan, recht naar de gezwollen ader die, in de vorm van een bliksemflits, over zijn hoge voorhoofd liep. Hij trok het Rolodexkaartje uit zijn vingers.

'Dat kan ik alleen maar hopen, meneer Bondurant,' zei hij ten slotte. 'Het leven van een andere jonge vrouw kan ervan afhangen.'

'Wat ben je te weten gekomen?' vroeg Kovac, toen ze van het huis naar de auto liepen. Hij had een sigaret opgestoken en zoog er voor het instappen zoveel mogelijk nicotine uit op.

Quinn keek de oprijlaan af, naar het hek waarachter twee cameramannen met hun oog tegen de zoeker gedrukt stonden. Er was geen langeafstands-geluidsapparatuur in zicht, maar de lenzen op de camera's waren dik en lang. Het zou niet lang meer duren voor zijn anonimiteit verleden tijd was.

'Ik heb er een rotgevoel aan overgehouden.'

'Jezus, dat heb ik al van begin af aan. Realiseer je je wel wat een man als Bondurant met iemands carrière kan doen?'

'Mijn vraag is: waarom zou hij dat willen?'

'Omdat hij rijk is en omdat hij verdriet heeft. Hij is net als de man die gisteren in het gemeentehuis om zich heen heeft staan schieten. Hij wil dat iemand anders net zo veel verdriet heeft als hij. Hij wil iemand ervoor laten boeten. Als hij het leven van iemand anders kan verzieken, hoeft hij zichzelf niet zo ellendig te voelen. Ik hoef jou toch niet te zeggen,' zei hij op zijn laconieke manier, 'dat er een aantal goed gestoorde lieden rondloopt? Nou, wat heeft hij gezegd? Waarom wil hij niet met ons, de plaatselijke jongens, praten?'

'Hij vertrouwt jullie niet.'

Kovac keek beledigd op en gooide zijn sigaret op de oprit. 'Hij kan de kelere krijgen!'

'Hij is doodsbang voor het uitlekken van vertrouwelijke gegevens.'

'Zoals wat? Wat heeft hij te verbergen?'

Quinn haalde zijn schouders op. 'Dat is aan jou om uit te zoeken, Sherlock. Maar ik heb een goed uitgangspunt voor je gevonden.'

Ze stapten in de Caprice. Quinn haalde de cassetterecorder uit zijn binnenzak en legde hem, met het kaartje van de Rolodex erbovenop, tussen hen in op de bank.

Kovac pakte het kaartje op en bekeek het met een bedenkelijk gezicht. 'Een zielenknijper. Zei ik het niet? De mensen zijn gestoord. En rijke mensen helemáál. Zij zijn de enigen die het zich kunnen veroorloven om er iets aan te doen. Voor hen is het een soort hobby.'

Quinn keek op naar het huis, half in de verwachting dat hij een gezicht achter de ramen zou zien, maar er was niemand. Alle ramen waren egaal donker op deze sombere ochtend.

'Heeft er in de krant gestaan dat de andere twee slachtoffers drugsverslaafden waren?' vroeg hij.

'Nee,' zei Kovac. 'Eentje was er verslaafd, maar dat hebben we verzwegen. Lila White. "Lily" White. Het eerste slachtoffer. Ze heeft een tijdje gesnoven, maar is afgekickt. Ze heeft een ontwenningskuur van de gemeente gedaan en een poosje in een opvangtehuis voor hoeren gewoond – ik neem aan dat dat het enige was waar ze niet van af is gekomen. Hoe dan ook, over drugs is niets gezegd. Hoezo?'

'Bondurant heeft er een zinspeling op gemaakt. Het kan zijn dat hij het alleen maar heeft aangenomen, maar dat geloof ik niet. Ik denk dat hij iets van de andere slachtoffers af weet, of iets van Jillian weet.'

'Als ze rond de tijd van haar dood iets gebruikt heeft, dan zal dat uit het bloedonderzoek blijken. Ik heb haar huis onderzocht, en daar was niets sterkers te vinden dan Tylenol.'

'Als ze gebruikte, dan is dat mogelijk een connectie met de andere slachtoffers.' En daarmee mogelijk een verband met een dealer of een andere gebruiker die tot verdachte kon uitgroeien.

De roofdierachtige grijns van de jager die een vers spoor heeft ontdekt deed de uiteinden van Kovacs snor omhoogkomen. 'Netwerken. Daar geniet ik altijd van. Het Amerikaanse zakenleven denkt dat het iets nieuws ontdekt heeft. De onderwereld doet het al sinds Judas Jezus Christus heeft versjachert. Ik zal Liska bellen, dan

108

kan ze wat rondneuzen met Moss. Ondertussen zullen wij eens gaan kijken wat Sigmund Freud hier heeft te zeggen over de prijs van gestoorde koppies.' Hij tikte met het kaartje op het stuur. 'Zijn praktijk is aan de andere kant van dit meer.'

10

'Wat vind jij van Quinn?' vroeg Liska.

Mary Moss keek uit het raam naar de Mississippi. Het scheep-vaartverkeer had het opgegeven voor de rest van dat jaar. Op dit punt kroop de rivier als een eenzaam bruin lint door de vervallen, half verlaten buurt van kleine industrieën en pakhuizen. 'Ze zeggen dat hij de beste is. Een levende legende.'

'Heb je nog nooit eerder met hem gewerkt?'

'Nee. Normaal gesproken stuurt Quantico Roger Emerson naar ons toe. Maar ja, het is dan ook niet normaal dat het slachtoffer de dochter van een miljardair met belangrijke contacten in Washington is.'

'Ik vond het goed zoals hij op Tippen reageerde,' vervolgde Moss. 'Geen verwaand gedoe, niets van: ik ben hier de grote jongen en jij bent maar een onbenullig politieagentje. Ik denk dat hij mensen snel doorheeft. Het zou me ook niet verbazen als hij verschrikkelijk intelligent was. Wat denk jij?'

Liska schonk haar een wellustige grijns. 'Mooie broek.'

'Jezus! En ik maar professioneel doen, terwijl jij alleen maar naar zijn kont hebt gekeken!'

'Nou, niet toen hij aan het woord was. Maar je zult toch moeten toegeven dat hij een schatje is. Zou je dat niet willen, zo'n man, als je hem kon krijgen?'

Moss maakte een verwarde indruk. 'Je moet me dat soort dingen niet vragen. Ik ben een oude, getrouwde vrouw. Sterker nog, ik ben een katholíeke getrouwde vrouw!'

'Zolang het woordje *dood* niet in dat rijtje voorkomt, mag je echt wel kijken.'

'Mooie broek,' mompelde Moss, terwijl ze probeerde niet in de lach te schieten.

'Die grote bruine ogen, die keiharde kaaklijn, die sexy mond. Ik denk dat ik een orgasme zou kunnen krijgen alleen al door naar hem te kijken wanneer hij het over pro-actieve strategieën heeft.'

'Nikki!'

'O, ja, je bent een getrouwde vrouw,' zei Liska plagend. 'Je mag geen orgasmes hebben.'

'Praat je ook zo wanneer je met Kovac op pad bent?'

'Alleen als ik hem knettergek wil maken. Dan draait en schuift hij heen en weer als een geknevelde kikker, zegt hij helemaal niet in mijn orgasmes geïnteresseerd te zijn, dat de G-plek van een vrouw een mysterie behoort te blijven. Dan zeg ik hem dat het daardoor komt dat hij twee keer gescheiden is. Je zou eens moeten zien hoe rood hij dan wordt. Ik ben gek op Kovac – hij is een kei van een vent.'

Moss wees door het raampje. 'We zijn er – Edgewater.'

De woningen in Edgewater waren een zorgvuldige imitatie van huizen uit een keurig vissersdorp in New England – de buitenmuren bestonden uit grijsgeschilderde, overnaadse planken met witte randjes, cederhouten dakpannen en vensters met kleine ruitjes. Ze stonden bijeen in grillige blokjes die via slingerende paden met elkaar verbonden werden. En allemaal hadden ze uitzicht op de rivier.

'Ik heb de sleutel van Bondurants huis,' zei Liska, terwijl ze het wijkje herenhuizen binnenreed, 'maar ik heb toch de beheerder maar gebeld. Hij zegt dat hij Jillian vrijdagmiddag weg heeft zien gaan. Ik dacht dat het geen kwaad zou kunnen om nogmaals een praatje met hem te maken.'

Ze parkeerde hij het eerste groepje huizen, en zij en Moss toonden hun legitimatie aan de man die op de stoep op hen stond te wachten. Liska schatte Gil Vanlees ergens midden dertig. Hij was blond met een dunne, dichtbehaarde snor, één meter tachtig lang en had een wat fatterig uiterlijk. Zijn Timberwolves beginnersjack hing open over een blauw bewakersuniform. Hij kwam over als het stuk van een marginale school die zichzelf had laten gaan. Te veel uren met chips en bier op de bank voor sportprogramma's op de televisie.

'Dus dan ben jij een rechercheur?' Hij keek Liska aan met oogjes waarin een haast seksuele opwinding fonkelde. Zijn linkeroog was blauw, het rechter had de kleur van rooktopaas.

Liska keek hem glimlachend aan. 'Inderdaad.'

'Ik vind het geweldig dat vrouwen dit werk doen. Ik zit bij de beveiliging van Target Center,' voegde hij er op een gewichtige toon aan toe. 'Ik vind het echt te gek. Jullie verdienen het.'

Ze durfde er wat om te verwedden dat hij, wanneer hij met zijn vrienden een pilsje hees, vrouwen zoals zij zou uitmaken voor dingen waarvan zelfs zij het woord niet in de mond wilde nemen. Ze kende het type Vanlees uit eigen ervaring. 'Dus dan doe je, afgezien van de bewaking daar, ook aan de bewaking van dit buurtje?'

'Ja, nou, mijn vrouw – we zijn uit elkaar – werkt bij de beheersmaatschappij, en daardoor hebben we ook een huis hier kunnen krijgen, want ik zeg je, wat ze voor die huizen hier willen hebben… dat kun je je niet voorstellen.

'Dus ik ben zo'n beetje de opzichter, weet je wel, hoewel ik hier nu niet meer woon. De bewoners hier rekenen op me, dus blijf ik dat werk nog maar even doen totdat mijn vrouw heeft besloten wat ze wil gaan doen. De mensen hebben alle mogelijke problemen – met loodgieterswerk, met elektra, noem maar op – en ik zorg ervoor dat de boel gerepareerd wordt. Vanmiddag komt de slotenmaker een nieuw slot op de voordeur van het huis van juffrouw Bondurant zetten. En ik hou een oogje in het zeil, je weet wel. Onofficiële bewaking. Dat wordt op prijs gesteld hier in de buurt. Ze weten dat ik in het vak zit en dat ik ervoor ben opgeleid.'

'Is het huis van juffrouw Bondurant deze kant op?' vroeg Moss, terwijl ze naar de rivier gebaarde.

Vanlees keek haar met een bedenkelijke blik aan, waarbij zijn kleine oogjes nog kleiner werden. 'Ik heb gisteren ook al met de recherche gesproken.' Alsof hij haar met haar muizige huismoederuiterlijk aanzag voor een bedriegster. Ze leek dan ook weinig op Liska, die veel meer aan het stereotype beeld van rechercheur beantwoordde.

'Ja, nou, het onderzoek gaat verder,' reageerde Liska laconiek. 'Je weet hoe het is.' Hoewel hij duidelijk absoluut geen idee had van hoe het er bij de recherche aan toe ging, afgezien van wat hij in programma's als *NYPD Blue* op de televisie had gezien en in slechte detectiveboekjes had gelezen. Er waren mensen die eerder bereid waren om mee te werken wanneer ze het gevoel hadden dat ze erbij betrokken werden. Anderen wilden bij hoog en bij laag de verzekering hebben dat de misdaad noch het onderzoek op generlei wijze van invloed op hun leven zou zijn.

Vanlees liep voor hen uit de stoep af en haalde een sleutelbos uit de zak van zijn jack. 'Ik heb ooit eens bij de politie gesolliciteerd,' vertelde hij op een vertrouwelijke toon. 'Ze hadden een personeelsstop. Je weet wel, bezuinigingen en zo.'

'Jee, zeg, dat was pech hebben,' zei Liska, haar beste imitatie van Frances McDormand in *Fago* weggevend. 'Goede mensen kunnen we in principe altijd gebruiken, maar die bezuinigingen, daar kun je gewoon niet omheen.'

Vanlees knikte – de man die wist waar hij het over had. 'Politiek gelazer – maar dat hoef ik jullie niet te vertellen, wel?'

'Jij zegt het. Wie weet hoeveel potentieel geweldige agenten zoals jij nu ander werk lopen te doen? Het is een schande.'

'Ik zou goed zijn geweest.' Jarenlang onderdrukte verbittering kleurde zijn stem als een oude vlek die er niet helemaal uit wilde gaan.

'Zeg eens, Gil, kende je dat meisje van Bondurant?'

'O, natuurlijk. Ik zag haar wel eens. Ze had nooit veel te zeggen. Onvriendelijk type. Ze is dood, hè? Ze wilden het niet officieel bevestigen op het nieuws, maar ze is het wel, hè?'

'We zitten nog steeds met een aantal onbeantwoorde vragen.'

'Ik heb gehoord dat er een getuige is. Maar een getuige van wat, vraag ik me af. Ik bedoel, heeft hij gezien hoe ze vermoord is? Dat moet iets verschrikkelijks zijn. Stel je voor, hè? Ontzettend.'

'Daar kan ik je niet echt antwoord op geven, maar dat snap je vast wel,' zei Liska op een verontschuldigende toon. 'Niet dat ik het niet graag zou willen – je zit ten slotte ook een beetje in het vak, en zo – maar je weet hoe het is.'

Vanlees knikte met valse wijsheid.

'Heb je haar vrijdag gezien?' vroeg Moss. 'Jillian Bondurant?'

'Ja. Rond een uur of drie. Ik stond hier te werken aan mijn afvalafvoer. Mijn vrouw had de selderie erdoorheen gegooid. Wat een zooitje! Mevrouw de doctorandus. Je zou toch mogen verwachten dat ze meer hersens in haar kop had dan dat.'

'Jillian Bondurant...' drong Moss aan.

Opnieuw vernauwde hij zijn beide verschillende ogen. 'Ik keek uit het keukenraam. Heb haar weg zien rijden.'

'Was ze alleen?'

'Ja.'

'En daarna heb je haar niet meer gezien?'

'Nee.' Hij wendde zich opnieuw tot Liska. 'Die gek heeft haar verbrand, hè? De Cremator. Jezus, die moet goed gestoord zijn,' zei hij, hoewel zijn ogen straalden van de morbide fascinatie. 'Waar gaat het heen met deze stad?'

'Wie zal het zeggen.'

'Volgens mij ligt het aan het millennium. Dat denk ik,' zei hij. 'De wereld wordt met de dag gekker. De duizend jaar die om zijn, en zo.'

'Het *millennium*,' mompelde Moss, terwijl ze naar de aardewerken pot met dode chrysanten keek die op het terrasje naast Jillian Bondurants voordeur stond.

'Dat zou kunnen,' zei Liska. 'God helpe ons, hè?'

'God helpe ons,' herhaalde Moss op een sarcastische toon.

'Maar voor juffrouw Bondurant is het te laat,' zei Vanlees ernstig, terwijl hij de sleutel in het geelkoperen slot omdraaide. 'Heb je hulp nodig daarbinnen, rechercheur?'

'Nee, dank je, Gil. Voorschriften en zo...' Liska draaide zich naar hem om en versperde hem de doorgang. 'Heb je juffrouw Bondurant wel eens met andere mensen gezien? Vrienden? Een vriendin? Een vaste vriend?'

'Ik zag haar wel eens samen met haar vader. Het huis is van hem. Geen vaste vriend. Zo af en toe kwam er een vriendin op bezoek. Gewoon een vriendin, bedoel ik. Niet dat ze iets met haar had. Dat denk ik niet, tenminste.'

'Een meisje in het bijzonder? Weet je hoe ze heet?'

'Nu. Ze was ook niet uitgesproken vriendelijk. Ze straalde iets gemeens uit. Ze had iets van die motormeiden, maar dat was ze niet. Hoe dan ook, ik heb nooit met haar te maken gehad. Zij – juffrouw Bondurant – was meestal alleen en ze zei niet veel. Ze paste hier niet echt. Er zijn niet veel studenten onder de bewoners hier, en verder liep ze er ook een beetje vreemd bij. Legerlaarzen en zwarte kleren en zo.'

'Heb je ooit iets vreemds aan haar gemerkt?'

'Je bedoelt of ze drugs gebruikte of zo? Nee. Deed ze dat dan?'

'Ik ga alleen mijn lijstje met vragen maar af, anders niet. Als ik dat niet doe, krijg ik gedonder met mijn baas…'

Ze weidde er niet verder over uit en deed alsof ze ervan uitging dat Vanlees, bloedbroeder die hij was, wel zou begrijpen wat de repercussies waren. Ze bedankte hem voor zijn hulp en gaf hem haar kaartje, met de opdracht om onmiddellijk te bellen wanneer hem iets te binnen schoot dat bij het onderzoek zou kunnen helpen. Hij liep met tegenzin naar achteren, weg bij de deur, en draaide zijn hoofd opzij om te kunnen zien waar Moss, die naar binnen was gegaan, precies mee bezig was. Liska zwaaide ten afscheid en deed de deur dicht.

'Getsie, Christus, kan ik even onder de douche?' fluisterde ze met een rilling, terwijl ze de zitkamer in liep.

'Vond je hem dan niet aardig, Margie?' vroeg Moss met een overdreven provinciaals accent.

Liska keek haar aan en trok een gezicht – zowel als reactie op die vraag als in reactie op de vreemde combinatie van geuren die in het huis hing – zoete luchtverfrisser en verschaalde sigarettenrook. 'Maar ik heb hem wel mooi aan de praat gekregen, niet?'

'Je zou je moeten schamen.'

'Het hoort allemaal bij het werk.'

'Ben ik even blij dat ik in de menopauze zit.'

Liska werd ernstig en wierp een blik op de deur. 'Nee, ik meen het, ik krijg echt de kriebels van die types die zo graag bij de politie willen. Ze zitten allemaal met een autoriteitscomplex. Ze smachten naar macht en controle, en hebben een uitermate zwak ontwikkeld gevoel voor eigenwaarde. En meestal hebben ze ook iets tegen vrouwen. Hé!' Ze was ineens weer vrolijk. 'Ik denk dat ik deze theorie maar eens aan speciaal agent Lekker Stuk voorleg.'

'Sloerie.'

'Noem me liever *opportunist.*'

Jullian Bondurants zitkamer keek uit op de rivier. De inrichting leek nieuw. Een zachte bank en stoelen hadden een gebroken witte bekleding. Een rotan koffietafel met een glazen blad en bijzettafeltjes die bedekt waren met het dunne laagje stof dat was achtergelaten door de sporendienst die naar vingerafdrukken had gezocht. Er stonden een grote televisie en een dure stereo-installatie. In de hoek stonden een bureau en bijpassende boekenkasten met studieboeken, schriften en alles wat Jillian voor haar studie aan de universiteit nodig had gehad. Alles maakte een onwerkelijk keurige indruk. Tegen de andere muur stond een gloednieuwe, glanzende zwarte keyboard. De keuken, die vanuit de zitkamer gemakkelijk te zien was, was smetteloos.

'We moeten erachter zien te komen of ze een werkster had.'

'Niet bepaald het onderkomen van de gemiddelde student zonder geld,' zei Liska. 'Maar er was volgens mij helemaal niets gemiddelds aan dit kind. Ze had om te beginnen al een nogal atypische jeugd, met al dat gereis door Europa.'

'En toch kwam ze hier terug om te studeren. Waarom heeft ze dat gedaan? Ze had naar de Sorbonne kunnen gaan, of naar Oxford, Harvard of Southern Cal. Ze had ergens naartoe kunnen gaan waar het warm en zonnig was. Naar het een of andere exotische oord. Dus waarom is ze hier teruggekomen?'

'Om dicht bij pappie te kunnen zijn.'

Moss liep door de kamer, op zoek naar iets dat wat over hun slachtoffer zou kunnen zeggen. 'Ja, dat kan ik begrijpen, maar toch… Mijn dochter Beth en ik kunnen het uitstekend met elkaar vinden, maar op het moment waarop ze haar eindexamen had gehaald, wilde ze het huis uit.'

'Waar is ze naar toegegaan?'

'De Universiteit van Wisconsin. Mijn man is Peter Bondurant niet. Ze moest ergens heen waar het betaalbaar was,' zei Moss, terwijl ze de tijdschriften doorkeek. *Psychology Today* en *Rolling Stone*.

'Als mijn pa een miljard dollar had en bereid was voor zo'n huis als dit te dokken, dan zou ik ook wel in zijn buurt willen wonen. Misschien krijg ik Bondurant wel zo ver dat hij me wil adopteren.'

'Wie is hier gisteren geweest?'

'Ze hebben een paar mensen van het Bureau gestuurd nadat het stoffelijk overschot met Bondurants rijbewijs was gevonden – om te controleren of ze niet vrolijk en levend en wel thuis zat. Daarna is Sam met Elwood langsgegaan om een kijkje te nemen. Ze hebben met de buren gesproken. Niemand wist iets. Hij heeft haar adresboekje, creditcardbonnetjes, telefoonrekeningen en nog wat dingen meegenomen, maar geen belangrijke vondsten gedaan. Als ze verslaafd was, zouden de jongens van de sporendienst wel wat gevonden hebben.'

'Misschien had ze alles wel bij zich in haar tas.'

'Met het risico dat een tasjesdief er met haar voorraadje vandoor gaat? Dat lijkt me niet waarschijnlijk. En daarbij, dit huis is veel te keurig voor een verslaafde.'

Twee slaapkamers met twee volledige badkamers op de eerste verdieping. In haar kleine huis in St. Paul had Liska het gezellige genoegen om één badkamertje met haar zoons van negen en elf te mogen delen. Ze verdiende niet slecht bij de recherche, maar dingen als de hockeycompetitie en tandartsen kosten geld, en de alimentatie die haar ex van de rechter moest betalen was een lachertje. Ze had er regelmatig spijt van dat ze zich niet door een rijke man zwanger had laten maken, in plaats van eentje die luisterde naar de naam *Rich*.

Jillians slaapkamer was al even griezelig opgeruimd en netjes als de rest van het huis. De jongens van de sporendienst hadden het bed afgehaald en de lakens meegenomen naar het lab voor onderzoek op sporen bloed en sperma. Er hingen geen kleren over de stoelen en er lag ook niets op de vloer. Er waren geen half opengetrokken laden waar lingerie uit hing, er stonden geen uitgeschopte schoenen. Het leek in de verste verte niet op Liska's eigen overvolle slaapkamer, die ze nooit wilde opruimen en waar ze ook de tijd niet voor had. Zij en haar zoons waren toch de enigen die die kamer zagen. En wie was degene die Jillian Bondurants kamer zag?

Geen foto's van een vriendje in de lijst van de spiegel boven de eikenhouten toilettafel. Geen foto's van familieleden. Ze trok de laden van de nachtkastjes aan weerszijden van het bed open. Geen condooms, geen pessarium. Een schone asbak en een doosje lucifers van D'Cup Coffee House.

Niets in de kamer vertelde iets naders over de bewoonster – en dat wees voor Liska op twee mogelijkheden: dat Jillian Bondurant een superneuroot was, of dat er iemand na haar verscheiden in huis was geweest en alles had schoongemaakt en opgeruimd.

Lucifers en de geur van sigaretten, maar alle asbakken in huis waren schoon.

Vanlees had een sleutel. Wie konden ze verder nog op dat lijstje zetten? Peter Bondurant. Jillians onvriendelijk kijkende vriendin? De moordenaar. De moordenaar was nu in het bezit van Jillians sleutels, haar adres, haar auto en haar creditcards. Kovac had de creditcards onmiddellijk als vermist opgegeven, om na te gaan of ze na vrijdagavond, na de verdwijning van het meisje, nog gebruikt waren. Tot dusver had dat niets opgeleverd. Elke agent in de stad en directe omgeving had de beschrijving en het kenteken van Bondurants rode Saab. Ook dat had nog niets opgeleverd.

Het bad van de grote badkamer was schoon. Wijnrood en jadegroen en decoratieve zeepjes die niet echt bestemd waren om gebruikt te worden. De shampoo in het rekje bij het bad was van Paul Mitchell, en er zat een sticker op van een kapsalon in het winkelcentrum van Dinkydale. Een mogelijke informatiebron, vooropgesteld dat Jillian het soort vrouw was dat ertoe neigde haar hart uit te storten bij haar kapper. Er stond niets interessants in het medicijnkastje of onder de wastafel.

De tweede slaapkamer was kleiner, en ook daar was het bed afgehaald. In de kast hingen zomerkleren die uit de andere slaapkamer hadden moeten verdwijnen om plaats te maken voor de snelle nadering van alweer een meedogenloze winter in Minnesota. De laden van de commode bevatten van alles wat – een paar zwarte, zijdeachtige slipjes maatje vijf; een door veelvuldig wassen versleten zwarte kanten beha, maatje 34B; een goedkope zwarte legging met een gat in een van de knieën, maatje S. De kleren waren niet opgevouwen, en Liska had het gevoel dat ze niet van Bondurant waren.

Van de vriendin? Er was niet voldoende om te kunnen wijzen op iemand die hier vast woonde. Het feit dat deze tweede slaapkamer gebruikt werd, betekende dat het niet om een geliefde ging. Ze keerde terug naar de grote slaapkamer en trok opnieuw de laden van de commode open.

'Heb je iets gevonden?' vroeg Moss, terwijl ze in de deuropening van de slaapkamer verscheen. Ze paste ervoor op dat ze niet tegen de deurpost leunde, die vies was van het poeder voor de vingerafdrukken.

'Nee. Of dit kind had een dwangneurose, of de schoonmaaksterfee is ons allemaal voor geweest. Ze is sinds vrijdag vermist. Dat betekent dat de moordenaar twee dagen zijn gang heeft kunnen gaan met haar sleutels.'

'Maar niemand heeft een verdacht of onbekend persoon bij of in het huis gezien.'

'Misschien was de moordenaar dan wel niet onbekend of verdacht. Ik vraag me af of we een surveillanceteam kunnen krijgen om het huis een paar dagen te laten bewaken,' dacht Liska hardop. 'Misschien vertoont hij zich wel.'

'Volgens mij is hij al geweest en vertrokken. Het zou een veel te groot risico zijn om terug te komen nu het lichaam is gevonden.'

'Hij heeft anders ook een groot risico genomen met dat lichaam in het park in brand te steken.'

Liska haalde haar mobiele telefoon uit de zak van haar jas en draaide het nummer van Kovac, waarna ze ongeduldig luisterde naar het herhaaldelijke overgaan. Ten slotte gaf ze het op en stopte de telefoon weer terug in haar zak. 'Sam zal zijn jas wel weer in de auto hebben laten liggen. Hij zou zijn telefoon aan een ketting om zijn hals moeten dragen. Nou ja, je hebt waarschijnlijk wel gelijk. Als Smokey Joe hier terug wilde komen, dan heeft hij dat gedaan nadat hij haar vermoord heeft, maar voordat haar stoffelijk overschot werd gevonden. En als hij hier al is geweest, misschien heeft de sporendienst zijn vingerafdrukken dan wel gevonden.'

'Dat zou een mazzel zijn.'

Liska zuchtte. 'Ik heb wat kleren in de tweede slaapkamer gevonden die waarschijnlijk van een vriendin zijn, en verder heb ik de naam van Jillians kapper, en een doosje lucifers met de naam van een koffiehuis erop.'

'D-cup?' vroeg Moss. 'Ik heb er ook een gevonden. Zullen we kijken of hij past?'

Liska grijnsde. 'Een D-cup? De grote droom van mijn ex. Weet je wat ik ooit eens in zijn sokkenla heb gevonden?' vroeg ze, terwijl ze samen de zitkamer weer in liepen. 'Zo'n pornoblaadje met van die vrouwen met enorme, reusachtige, gigantische tieten. En dan bedoel ik van die monsters die tot op je knieën hangen. Bladzijde na bladzijde van hetzelfde. Tieten, tieten, tieten met de afmetingen van de *Hindenburg*. En de mannen denken dat er met óns iets niet deugt omdat we willen dat vijftien centimeter ook daadwerkelijk vijftien centimeter betekent.'

Moss maakte een geluid dat het midden hield tussen een kreun en een giechel. 'Nikki, na een dag met jou moet ik ter biecht.'

'Nou, als je daar dan tóch bent, waarom vraag je de priester dan niet meteen wat dat toch is, wat jongens met tieten hebben.'

Ze verlieten het huis en deden de deur achter zich op slot. De wind blies vanaf de rivier en het rook naar modder, rottende bladeren en de metaalachtige geur van de stad en de machines die hem bevolkten. Moss trok haar jack strak om zich heen. Liska stak haar handen diep in haar zakken en trok haar schouders op. Ze liepen terug naar de auto en klaagden er bij voorbaat over hoe lang de winter zou gaan duren. De winter in Minnesota duurde altijd te lang.

Ze reden weg, en Gil Vanlees keek hen na vanuit de deuropening van het huis waar hij niet langer woonde. Zijn gezicht was volkomen uitdrukkingsloos totdat Liska haar hand opstak en zwaaide.

'Waarom probeer je het niet nog een keer, Angie?' vroeg de tekenaar.

Hij heette Oscar, en de klank van zijn stem deed denken aan warme karamel. Kate had gezien hoe hij mensen bijna in slaap had gekregen met zijn stem, maar Angie DiMarco was er niet gevoelig voor.

Kate stond bij de deur, op een afstand van bijna vier meter achter Angie. Ze wilde voorkomen dat haar ongeduld Angie extra zenuwachtig zou maken. Het meisje schoof heen en weer op haar stoel als een peuter in de wachtkamer van de kinderarts. Ze was ontevreden, voelde zich slecht op haar gemak en weigerde mee te werken. Ze zag eruit alsof ze slecht had geslapen, hoewel ze in Phoenix House gebruik had gemaakt van de badkamer en zich gedoucht had. Haar bruine haar was nog steeds slap en steil, maar het was schoon. Ze droeg hetzelfde spijkerjack over een andere trui en dezelfde vuile spijkerbroek.

'Ik wil dat je je ogen sluit,' zei de tekenaar. 'Dan haal je langzaam diep adem, en adem je weer uit –'

Angie slaakte een ongeduldige zucht.

'– *langzaam*...'
Kate had bewondering voor zijn geduld. Zelf moest ze zich beheersen om iemand niet een flinke mep te verkopen – het maakte niet uit wie. Maar ja, Oscar was dan ook niet bij Phoenix House geweest om Angie af te halen, en daarmee was hem de lange tirade bespaard gebleven van Toni Urskine, die het weer eens nodig had gevonden om haar frustratie ten aanzien van de Cremator-moorden op Kate uit te leven.

'Er worden twee vrouwen op beestachtige wijze om het leven gebracht, en er gebeurt niets omdat het prostituees waren. Goeie God, de politie heeft het zelfs gepresteerd om te zeggen dat de burgers in het algemeen niets te vrezen hadden – alsof deze vrouwen geen burgers van deze stad waren! Het is een grof schandaal!'

Kate had geen moeite gedaan om haar iets uit te leggen over het begrip risicogroepen, omdat ze van tevoren al wist hoe de vrouw daarop zou reageren: emotioneel en zonder ook maar enige logica. 'De politie kijkt niet om naar vrouwen die uit wanhoop tot prostitutie en drugsgebruik worden gedreven. Voor hen is een dode hoer alleen maar één mens minder op straat. Maar dan wordt de dochter van een miljonair vermoord, en ineens hebben we een crisis! Goeie God, er is een écht mens om het leven gebracht!' had ze op sarcastische toon geroepen.

Zelfs nu nog moest Kate bewust haar best doen om haar gespannen kaakspieren te ontspannen. Ze had Toni Urskine nooit gemogen. Urskine was dag en nacht bezig om haar verontwaardiging op een laag pitje te houden. Als haar of 'haar slachtoffers', zoals ze de vrouwen noemde die in het Phoenix House woonden, niet regelrecht getroffen waren, dan vond ze wel een manier om er toch een belediging in te zien, op grond waarvan ze dan op haar stokpaardje kon klimmen en tegen iedereen die in haar buurt kwam tekeer kon gaan. Voorlopig was ze nog lang niet uitgeschreeuwd over de door de Cremator gepleegde moorden.

Dat nam evenwel niet weg dat Urskine's woede tot op zekere hoogte terecht was. Kate had ten aanzien van deze moorden overeenkomstige cynische gedachten gekoesterd. Maar ze wist dat de politie aan de eerste twee moorden had gewerkt en dat ze hun best hadden gedaan met de beperkte mankracht en het even beperkte budget dat voor de gemiddelde moord beschikbaar werd gesteld. Het probleem zat niet bij de politie. Het probleem zat bij de prioriteiten van de politici en de media.

Toch had ze die ochtend niets anders tegen Toni Urskine willen zeggen dan: 'Het leven is nu eenmaal oneerlijk. Leg je er nu maar bij neer.' Ze had zo hard op het puntje van haar tong gebeten, dat het er nu nog pijn van deed. In plaats daarvan had ze gezegd: 'Ik ben niet van de politie. Ik werk voor justitie, en denk er net zo over als jij.'

Er waren veel mensen die dat ook niet wilden horen. Ze werkte samen met de politie en werd alleen al op grond van die samenwerking schuldig bevonden. En het gebeurde regelmatig dat de politie haar als hun vijand beschouwde, omdat ze samenwerkte met weekhartige liberalen die nauwelijks een goed woord voor de politie overhadden. Ze zat er precies tussenin.

Het is maar goed dat ik het heerlijk werk vind, want anders zou ik het haten.

'Je bent in het park, maar je bent veilig,' zei Oscar zacht. 'Het gevaar is geweken, Angie. Hij kan je nu niets meer aandoen. Concentreer je op wat je hebt gezien en kijk vooral goed naar zijn gezicht. Je kunt er alle tijd voor nemen.'

Kate liep langzaam naar de stoel die op ruim een meter van haar getuige stond, en ging zitten. Angie zag Kate strak naar zich kijken, keek de andere kant op en zag dat Oscar ook naar haar keek. Zijn vriendelijke ogen schitterden als gepolijste onyx in een gezicht dat overwoekerd werd door haar – een volle baard en snor, en een wijd uitstaande haardos die tot over zijn vlezige schouders viel.

'Als je je niet concentreert, kun je je het niet goed herinneren,' zei hij wijs.

'Misschien wíl ik het me wel niet herinneren,' verklaarde het meisje op uitdagende toon.

Oscar keek teleurgesteld. 'Je hebt hier niets van hem te vrezen, Angie. En het enige wat je hoeft te doen, is je ogen sluiten en zijn gezicht weer voor je zien. Je hoeft niet in zijn hart te kijken of je in zijn gedachten te verplaatsen. Je hoeft alleen maar naar zijn gezicht te kijken.'

Oscar had in de loop van zijn carrière tegenover heel wat getuigen gezeten, en hij wist dat er twee dingen waren waar ze allemaal bang voor waren: dat de misdadiger het hen in de toekomst betaald zou zetten, en dat ze de verschrikkelijke dingen die ze hadden gezien opnieuw moesten beleven. Kate wist dat een herinnering of een nachtmerrie evenveel psychologische schade aan kon richten als een gebeurtenis die zich in werkelijkheid afspeelde. Hoewel men over het algemeen graag geloofde dat de mens zo'n ontwikkeld wezen was, bleek het menselijk brein toch nog steeds moeite te hebben met het maken van onderscheid tussen de realiteit zoals die was en die zoals men dácht dat ze was.

De stilte duurde voort. Oscar wisselde een blik met Kate.

'Angie, je hebt me beloofd dat je mee zou werken.'

Haar gezicht verstrakte. 'Ja, nou, misschien ben ik wel van gedachten veranderd. Ik bedoel, wat schiet ík ermee op als ik het doe?'

'Dat je niets te vrezen hebt en dat er een moordenaar in de gevangenis komt.'

'Nee, dat bedoel ik niet. Wat ik bedoel is, wat word ík er wijzer van?' vroeg ze, opeens heel zakelijk. 'Ik heb gehoord dat er een beloning is uitgeloofd. Daar heb je me nooit iets van gezegd.'

'Ik heb nog geen kans gehad om het daar met iemand over te hebben.'

'Nou, dat zou ik dan maar snel doen, want als ik dit doe, dan wil ik er wel wat voor hebben. Daar heb ik recht op.'

'Dat staat nog te bezien,' zei Kate. 'Tot dusver heb je ons nog helemaal niets verteld. Ik zal het nagaan van die beloning, maar ondertussen is het wel zo dat je een getuige bent. Jij helpt ons en wij helpen jou. Misschien ben je hier nog wel niet helemaal klaar voor. Misschien ben je bang dat je het je niet goed genoeg kunt herinneren. Als dat het geval is, dan is dat ook best. De politie beschikt over stapels boeken met foto's van misdadigers. Misschien kom je hem daarin wel tegen.'

'En misschien kan ik hier wel weg.' Ze stond zo wild op dat haar stoel naar achteren schoof.

Kate kon haar wel wurgen. Dat was waarom ze niet met kinderen werkte: ze kon niet tegen al het theater en het kinderachtige gedoe.

Ze nam Angie op en probeerde een strategie te verzinnen. Als het meisje echt weg wilde, dan kon niemand haar tegenhouden. Ze was vrij om te gaan. Wat Angie wilde, was een scène trappen, en dat iedereen haar vervolgens zou smeken om toch alsjeblieft te blijven. Kate piekerde er niet over om zich tot smeken te verlagen. Ze had geen zin in spelletjes waarin ze het niet voor het zeggen had.

Als ze deed alsof Angie haar niet geloofde en ze tóch ging, zou ze er waarschijnlijk verstandig aan doen om tegelijkertijd op te stappen. Sabin zou haar carrière door de papierversnipperaar halen als ze het presteerde om zijn ster en enige getuige te verliezen. En dit was al haar tweede loopbaan. Hoeveel kon een mens hebben?

Ze stond langzaam op, liep naar de deur en ging met over elkaar geslagen armen tegen de deurpost geleund staan.

'Weet je, Angie, volgens mij is er een reden waarom je ons verteld hebt dat je die man hebt gezien. Je had net zogoed je mond kunnen houden. Je wist niets van een beloning. Je had kunnen liegen en kunnen zeggen dat je het lichaam hebt zien branden, maar dat hij al weg was. We zouden geen enkele reden hebben gehad om aan je verhaal te twijfelen. We zouden je geloofd hebben. Dus hou op met dit kinderachtige gedoe, oké? Ik hou er niet van als mensen spelletjes met me spelen, en vooral niet wanneer ik aan hun kant sta. Ik ben degene die tussen jou en de officier van justitie in staat, en hij zou je het liefste willen opsluiten en je het stempel van verdachte op drukken.'

Angie stak koppig haar kinnetje in de lucht. 'Ik hou niet van mensen die dreigen.'

'Dit is geen dreigement. Ik zeg je waar het op staat, omdat ik denk dat je dat van me wilt horen. Je wilt net zomin als ik dat er tegen je gelogen wordt en ze je van alles op de mouw spelden. Daar kan ik helemaal inkomen. En ik kan alleen maar hopen dat jij ook iets voor mij wilt doen.'

Het meisje knaagde op de rafelige nagel van haar duim en liet haar haren voor haar gezicht vallen, maar desondanks zag Kate dat ze heftig met haar ogen knipperde, en even had ze met haar te doen. Als Angie zo met haar emoties bleef spelen, raakte ze nog aan de Prozac.

'Je zult me wel een onmogelijk rotmens vinden,' zei Angie ten slotte, en ze trok met haar rechter mondhoek, waardoor ze even een teleurgestelde indruk maakte.

'Ja, maar op zich heb ik daar geen moeite mee. Ik weet dat je een reden hebt om te zijn zoals je bent. Maar je hebt nog meer te vrezen als je niet probeert om een beschrijving van hem te geven,' zei Kate. 'Jij bent toevallig de enige die weet hoe hij eruitziet. Het zou niet gek zijn als een paar honderd agenten dat ook wisten.'

'Wat gebeurt er als ik weiger?'

'Geen beloning. En afgezien daarvan, geen idee. Op dit moment ben je een potentiële getuige. Als jij vindt dat je dat niet bent, kan ik er verder niets aan doen. De officier kan twee dingen doen – je laten gaan of je als een verdachte behandelen. Maar waar hij ook voor kiest, ik heb er dan verder niets meer mee te maken.'

'En daar zou je waarschijnlijk blij om zijn.'

'Ik heb deze baan niet aangenomen omdat ik dacht dat het een plezierige en simpele manier van geld verdienen zou zijn. Ik wil niet dat je het gevoel hebt dat je er in deze zaak helemaal alleen voor staat, Angie. En volgens mij wil je dat zelf ook niet.'

Alleen. Angie kreeg op slag kippenvel. Het woord was een aanhoudende leegte binnen in haar. Ze dacht terug aan de afgelopen avond, toen het gevoel langzaam maar zeker in haar gegroeid was en haar bewustzijn steeds verder en verder had teruggedrongen. Er was op deze wereld en daarbuiten niets waar ze zo bang voor was. Het was erger dan lichamelijke pijn. Het was erger dan een moordenaar.

'Dan laten we je alleen. Hoe zou je dat vinden, klein kreng? Je kunt je leven lang alleen zijn. Denk daar maar eens even rustig over na. Misschien komen we wel nooit meer terug.'

Ze kromp ineen bij de herinnering aan het geluid van de dichtvallende deur, de intense duisternis in de kast en het gevoel van eenzaamheid dat haar verzwolg. Ze voelde het nu in zich omhoogkomen als een zwart spook. Het sloot zich als een onzichtbare hand om haar keel, en eigenlijk moest ze huilen, maar ze wist dat ze dat niet kon. Niet hier. Niet nu. Haar hart begon nog sneller te slaan.

'Vooruit, kind,' zei Kate vriendelijk, en ze knikte naar Oscar. 'Doe je best. Je kunt niet zeggen dat je iets beters te doen hebt. En dan zal ik ondertussen even bellen om te vragen hoe het met die beloning zit.'

122

Dat heb ik nu iedere keer, dacht Angie. *Als je niet doet wat ik wil, ga ik weg. Als je niet doet wat ik zeg, zul je dat berouwen.* Keuzes die geen keuzes waren.

'Goed dan,' zei ze zacht, en liep terug naar haar stoel om de tekenaar te vertellen over de gedaante van het kwaad.

11

Het gebouw waarin de praktijk van dr. Lucas Brandt en die van twee andere psychotherapeuten en twee psychiaters was gevestigd, was een groot, uit baksteen opgetrokken huis in Georgiaanse stijl. De patiënten die hier kwamen om behandeld te worden, hadden waarschijnlijk eerder het gevoel dat ze ergens chic op de thee gingen, dan dat ze waren gekomen om hun diepste geheimen en psychologische vuile was prijs te geven.

De praktijk van Lucas Brandt was op de eerste verdieping. Quinn en Kovac moesten tien minuten op de gang wachten terwijl hij het uur volmaakte met een patiënt. Bachs Derde Brandenburgse Concert klonk fluisterzacht op de achtergrond. Quinn keek uit het Palladiaanse raam dat uitzicht bood op het Lake of the Isles en een deel van het grotere Lake Calhoun, die beide even grauw en grijs waren als de dag zelf.

Kovac liep de gang op en neer en bekeek de meubels. 'Echt antiek. Smaakvol. Hoe komt het toch dat rijke gestoorden smaak hebben en het soort dat ik achter slot en grendel zet op mijn schoenen probeert te piesen?'

'Onderdrukking.'

'Wat?'

'Sociale vaardigheden zijn gebaseerd op onderdrukking. Rijke gekken willen net zo graag op je schoenen piesen.' Quinn glimlachte. 'Maar hun welgemanierdheid weerhoudt hen daarvan.'

Kovac grinnikte. 'Ik mag je, Quinn. Ik zal een bijnaam voor je moeten verzinnen.' Hij keek Quinn aan, liet zijn blik over zijn fraaie pak gaan, dacht even na, en knikte. 'GQ. Ja, dat is het. GQ, zoals het tijdschrift. G van G-man, Q van Quinn.' Hij grijnsde zelfvoldaan. 'Ja, dat is een goeie.'

Hij vroeg niet aan Quinn of hij er blij mee was.

De deur van Brandts spreekkamer ging open en zijn secretaresse, een frêle vrouwtje met rood haar en bijna geen kin, verzocht hen met het fluisterstemmetje van een bibliothecaresse om binnen te komen.

De patiënt, als die er geweest was, moest via de deur van de aan-

124

grenzende kamer ontsnapt zijn. Lucas Brandt stond op van zijn bureaustoel toen ze binnenkwamen, en Kovac werd getroffen door een onaangename flits van herkenning. *Brandt.* De naam was hem al bekend voorgekomen, maar hij had niet verwacht dat de Brandt van zijn associatie dezelfde zou zijn als de Brandt van *Neuroses van rijke en beroemde mensen.*

Ze stelden zich aan elkaar voor, en Kovac verwachtte bij Brandt eenzelfde herkenningsflits te zullen zien, maar die kwam er niet – hetgeen Sams stemming er nóg zuurder op maakte. Er lag een gepast ernstige uitdrukking op Brandts gezicht. Hij was blond, aantrekkelijk op een Germaanse manier, had een rechte neus en blauwe ogen. Hoewel hij van gemiddelde lichaamsbouw en lengte was, wekte hij de indruk dat hij groter was. *Solide,* was het woord waar hij aan deed denken. Hij droeg een trendy zijden das en een blauw overhemd dat eruitzag alsof het door een strijkmachine was gehaald. Een staalgrijs colbertje hing op zo'n moderne kapstok in de vorm van een mannenlijf, die in de hoek was neergezet.

Sam voelde zelfbewust aan zijn das van J.C. Penney. 'Dr. Brandt, ik heb u op de rechtbank gezien.'

'O, ja, dat is heel goed mogelijk. Forensische psychologie – een onderdeel van mijn vak dat ik er indertijd, bij het opstarten van de praktijk, bij heb genomen,' legde hij ten behoeve van Quinn uit. 'Ik kon het geld toen goed gebruiken,' bekende hij met een samenzweerderig glimlachje, waaruit bleek dat dat intussen allang niet meer het geval was. 'Maar het werk beviel me, dus ben ik ermee doorgegaan. Het is een goede tegenhanger van wat ik hier dagelijks zie.'

Sam trok zijn wenkbrauwen op. 'Aan de ene kant de aan anorexia lijdende dochter van rijke ouders en aan de andere kant de een of andere crimineel die verdedigd moet worden. Ja, dat noem ik nog eens een hobby.'

'Ik werk voor wie mij nodig heeft, inspecteur. Voor de verdediging of voor de officier van justitie.'

Je werkt voor wie het snelst zijn portefeuille trekt. Maar dat zei hij niet hardop.

'Ik moet toevallig vanmiddag naar de rechtbank,' zei Brandt. 'En daarvóór heb ik een lunchafspraak. Dus hoewel ik niet graag onbeleefd ben, heren, zou ik u willen verzoeken zo snel mogelijk terzake te komen.'

'We hebben maar een paar vragen, en het zal niet lang duren,' zei Kovac, terwijl hij het harkje oppakte dat deel uitmaakte van het zentuintje die op het kastje bij het raam stond. Hij keek van het harkje naar de doos alsof hij verwachtte dat het bedoeld was om kattendrollen mee uit te graven.

'U weet dat ik u niet veel bij uw onderzoek kan helpen. Jillian was

een patiënte van mij. Ik moet onze vertrouwensband respecteren.'
'Uw patiënte is dood,' zei Sam bot. Hij pakte een gladde, zwarte steen van het zand, draaide zich om, ging met zijn rug tegen het kastje geleund staan en rolde de steen tussen zijn vingers heen en weer. Een man die zich op zijn gemak voelt. 'Ik kan me niet voorstellen dat haar eisen ten aanzien van de vertrouwelijkheid hetzelfde zijn als voorheen.'

Brandt keek bijna geamuseerd. 'U lijkt maar niet te kunnen beslissen, rechercheur. Is Jillian nu dood, of is ze dat niet? Tegen Peter hebt u laten doorschemeren dat ze mogelijk nog in leven is. En als dat zo is, dan heeft ze recht op beroepsgeheim.'

'Het is meer dan waarschijnlijk dat het lichaam dat gevonden is, dat van Jillian Bondurant is, maar het is nog niet helemaal bewezen,' zei Quinn, terugkerend tot het gesprek, en de teugels van diplomatie van Kovac overnemend. 'Maar of ze nu leeft of niet, we werken tegen de klok, dr. Brandt. Deze moordenaar zal opnieuw toeslaan. Daar is geen twijfel over mogelijk. En waarschijnlijk sneller dan we denken. Hoe meer we over zijn slachtoffers aan de weet kunnen komen, hoe groter de kans is dat we hem daarvan kunnen weerhouden.'

'Ik ken uw theorieën, agent Quinn. Ik heb een aantal van uw artikelen gelezen. En ik geloof zelfs dat ik het studieboek dat u samen met een collega hebt geschreven hier ergens in de kast heb staan. Uiterst inzichtelijk. Als je de slachtoffers kent, dan ken je de dader.'

'Dat is het voor een deel. De eerste twee slachtoffers van deze moordenaar behoorden tot een risicogroep. Jillian schijnt niet aan die categorie te beantwoorden.'

Brandt leunde naar achteren tegen de rand van zijn bureau, tikte met zijn wijsvinger tegen zijn lippen en knikte langzaam. 'Het afwijken van de regels. Tja. Dat maakt haar tot logisch centraal thema van de puzzel. U denkt dat hij, door de moord op Jillian, meer over zichzelf zegt dan hij met de andere twee heeft gedaan. Maar wat als ze alleen maar op het verkeerde moment op de verkeerde plaats was? Wat als hij de eerste twee niet heeft uitgekozen omdat het prostituees waren? Misschien waren alle drie de slachtoffers wel toevalskeuzen.'

'Nee,' zei Quinn, met een oog op de subtiele, vreemde, uitdagende blik in Brandts ogen. 'Er is niets toevalligs aan het gedrag van deze moordenaar. Hij heeft elk van de slachtoffers om een bepaalde reden gekozen. Die reden moet in Jillians geval duidelijker zijn. Hoelang was ze al patiënte van u?'

'Twee jaar.'

'Hoe is ze bij u gekomen? Is ze doorverwezen?'

'Via de golfsport. Peter en ik zijn alle twee lid van Minikahda. Een uitstekende plek om de juiste mensen te leren kennen,' bekende hij met een glimlachje. Het was duidelijk dat hij reuze tevreden was over zijn eigen zakelijk inzicht.

'Als u in Florida woonde, zou u meer verdienen,' merkte Quinn bij wijze van grapje op. *Zijn we geen beste maatjes – zo slim, zo vindingrijk.* 'Het seizoen hier kan nooit langer zijn dan – wat – twee maanden, alles bij elkaar?'

'Drie, als er een voorjaar is,' antwoordde Brandt prompt. 'En een groot deel van de tijd wordt in het clubgebouw doorgebracht. De eetzaal is een plaatje. Golft u?'

'Wanneer ik de kans krijg.' En nooit omdat hij het een fijne sport vond. Hij deed het wanneer hij iemand wilde spreken, wanneer hij een van zijn superieuren van zijn inzichten wilde overtuigen of wanneer hij zich wilde ontspannen in het gezelschap van mensen van het politiekorps met wie hij op een bepaald moment samenwerkte. Hij golfde in grote lijnen om precies dezelfde redenen als Lucas Brandt.

'Jammer dat het seizoen voorbij is,' zei Brandt.

'Ja,' zei Kovac. 'Als je het van die kant bekijkt, dan is het wel bijzonder onattent van onze dader om in november een moord te plegen.'

Brandt keek hem even aan. 'Zo bedoelde ik het niet, inspecteur. Maar nu u het zegt, ja, het is jammer dat u hem van de zomer niet te pakken hebt gekregen. Dan zouden we dit gesprek nu niet hebben.'

'Hoe dan ook,' zei hij, zich opnieuw tot Quinn wendend, 'Peter ken ik al jaren.'

'Hij komt niet over als iemand die een uitgebreid sociaal leven leidt.'

'Nee. Golf is voor Peter een ernstige zaak. Alles is een ernstige zaak voor Peter. Hij is een gedreven mens.'

'Hoe was die eigenschap van invloed op zijn relatie met Jillian?'

'Ah!' Hij stak een waarschuwend vingertje op, bleef glimlachen en schudde het hoofd. 'Daarmee overschrijdt u de grens, agent Quinn.'

Quinn knikte.

'Wanneer hebt u Jillian voor het laatst gesproken?' wilde Kovac weten.

'Ze is vrijdag bij me geweest. Ze komt elke vrijdag. Om vier uur.'

'En daarna is ze voor het eten naar haar vader gegaan?'

'Ja. Peter en Jillian werkten heel hard aan hun relatie. Ze hebben elkaar vele jaren moeten missen, en er zijn heel wat oude emoties die verwerkt moeten worden.'

'Zoals?'

Brandt keek hem aan en knipperde met zijn ogen.

'Goed, goed. Waarom doet u dan geen algemene uitspraak, zoals, bijvoorbeeld, de grondoorzaak van Jillians problemen. Geeft u ons eens een indruk waar het om gaat.'

'Het spijt me. Nee.'

Kovac zuchtte. 'U kunt best een paar eenvoudige vragen beantwoorden zonder iemands vertrouwen te beschamen. Zoals, bijvoorbeeld, of ze medicijnen nam. Dat moeten we weten voor het bloedonderzoek.'

'Prozac. Tegen de plotseling wisselende stemmingen.'

'Manisch-depressief?' vroeg Quinn.

De dokter keek hem strak aan.

'Had ze, voor zover u weet, problemen met drugs?' probeerde Kovac.

'Geen commentaar.'

'Had ze problemen met een vriendje?'

Niets.

'Heeft ze er ooit over gesproken dat ze door iemand misbruikt zou zijn?'

Stilte.

Sam wreef over zijn mond en voelde aan zijn snor. Hij voelde dat hij hard bezig was zijn kalmte te verliezen. 'U kent dit meisje al twee jaar. U kent haar vader. Hij beschouwt u als een vriend. U kunt ons mogelijk op weg helpen bij de oplossing van deze moord. En u verdoet uw tijd met dit soort stomme spelletjes van warm en koud!'

Quinn schraapte op discrete wijze zijn keel. 'Sam, je kent de regels.'

'Ja, nou, de pot op met die regels!' blafte Kovac, terwijl hij een boek met foto's van Mapplethorpe van tafel veegde. 'Als ik een advocaat van de verdediging had en met een dikke portefeuille kon zwaaien, wedden dat hij dan wel een gaatje in de mazen van het net zou kunnen vinden!'

'Dat neem ik u kwalijk, rechercheur.'

'O, nou, jee, neemt u mij niet kwalijk dat u ik gekwetst heb. Iemand heeft dit meisje gemarteld, dokter.' Hij zette zich af tegen het kastje, en zijn gezicht was even hard als de steen die hij in de prullenbak mikte. Het klonk als het schot van een .22. 'Iemand heeft haar hoofd afgezaagd en het bewaard als souvenir. Als ik dit meisje had gekend, zou ik me echt wel druk maken over wie haar dat heeft aangedaan. En als ik die gestoorde klootzak te pakken kon krijgen, dan deed ik dat. Maar u geeft meer om uw maatschappelijk aanzien dan om Jillian Bondurant. Ik vraag me af of haar vader zich dat realiseert.'

Hij lachte kort en vreugdeloos toen zijn pieper afging. 'Alhoewel... Peter Bondurant wil niet eens gelóven dat er een kans bestaat dat zijn dochter nog in leven is. Eigenlijk verdienen jullie elkaar.'

De pieper ging opnieuw. Hij bekeek de display, vloekte zacht, ging de spreekkamer uit en liet het opruimen van de brokken over aan Quinn.

Brandt kreeg het voor elkaar om een amusante kant aan Kovacs uitval te ontdekken. 'Nou, dat was snel. Het duurt bij de gemiddelde smeris over het algemeen wat langer voor hij zijn geduld met mij verliest.'

'Inspecteur Kovac staat zwaar onder druk wat deze moorden betreft,' zei Quinn, terwijl hij bij het kastje met het zen-tuintje ging staan. 'Ik wil me namens hem verontschuldigen.'

De steentjes in het bakje waren in een X-vorm gelegd, en het zand eromheen was in golvende patronen geharkt. Hij dacht in een flits aan de dubbele X die op de voeten van het slachtoffer was aangetroffen, en aan de twee elkaar snijdende X-en op de borst van de vermoorde vrouw.

'Heeft dit patroon een speciale betekenis?' vroeg hij langs zijn neus weg.

'Mij zegt het niets,' antwoordde Brandt. 'Mijn patiënten spelen er meer mee dan ik. Ik heb vastgesteld dat het een kalmerende uitwerking op bepaalde mensen heeft, en dat het bevorderend werkt op de gedachtestroom en de communicatie.'

Quinn kende een aantal speciale agenten die een zen-tuintje hadden. Hun kantoren waren twintig meter onder de grond, en dat was, zo merkten ze altijd grappend op, tien keer zo diep als de hoogte waarop de doden werden begraven. Geen ramen, geen frisse lucht, en het besef dat het gewicht van de aarde tegen de muren drukte, was alles bij elkaar symbolisch genoeg om Freud een erectie te bezorgen. Een mens had iets nodig om zich af te kunnen reageren. Zelf gaf hij er de voorkeur aan om tegen dingen te stompen en te schoppen – en dan hard. Hij bracht uren door in het fitnesscentrum, waar hij de boksbal liet boeten voor de zonden van de wereld.

'U hoeft zich niet namens Kovac te verontschuldigen.' Brandt boog zich naar voren om het boek van Mapplethorpe op te pakken. 'Ik heb heel wat ervaring in de omgang met de politie. Voor hen is alles zwart-wit. Of je bent een goeie, óf je bent een slechte. Ze begrijpen niet dat ik ook wel eens moeite heb met de ethische beperkingen van mijn beroep, en dat ik ze reuze frustrerend vind, maar zo is het nu eenmaal. U begrijpt het.'

Hij legde het boek opzij en leunde weer tegen zijn bureau, waarbij zijn heup een stapeltje dossiers raakte. JILLIAN BONDURANT stond er op het etiket, en op het bovenste dossier lag een mini-cassetterecorder. Het leek alsof hij aan het werk was geweest, of nog aan de slag wilde gaan met zijn aantekeningen van haar laatste bezoek.

'Ja, ik begrijp uw positie, en ik hoop dat u evenveel begrip hebt voor de mijne.' Quinn koos zijn woorden met zorg. 'Ik ben niet van de politie. Hoewel ons doel uiteindelijk hetzelfde is, gaat het mij om andere dingen dan rechercheur Kovac. Ik ben niet op zoek naar bewijsmateriaal dat in de rechtszaal van nut kan zijn. Ik ben uit op indrukken, gevoel, intuïtie, details die een ander wellicht onbeduidend vindt. Sam is op zoek naar een bloederig mes met vingerafdrukken. Snapt u wat ik bedoel?'

Brandt knikte bedachtzaam, waarbij hij Quinn recht aan bleef kijken. 'Ja, ik geloof van wel. Ik moet erover nadenken. Maar tegelijkertijd moet u zich realiseren dat het best kan zijn dat de problemen die Jillian aan mij toevertrouwde wel eens niets met haar dood te maken hoeven hebben. Het is goed mogelijk dat haar moordenaar helemaal niets van haar af heeft geweten.'

'Maar voor hetzelfde geld wist hij dat ene specifieke iets van haar dat hem voor haar heeft doen kiezen,' zei Quinn. Hij haalde een visitekaartje uit een plat doosje uit zijn borstzakje, en gaf het aan Brandt. 'Dit is mijn rechtstreekse nummer van het FBI-kantoor in de stad. Ik hoop iets van u te horen.'

Brandt legde het kaartje neer en gaf hem een hand. 'Ik beschouw het, ondanks de omstandigheden, als een genoegen u te hebben ontmoet. Ik moet bekennen dat ik degene ben geweest die Peter heeft aangeraden om, toen hij uw baas wilde bellen, naar u te vragen.'

Quinn trok met zijn mond en liep naar de deur. 'Ik weet nog niet zo zeker in hoeverre ik u daar dankbaar voor moet zijn, dr. Brandt.'

Hij verliet de spreekkamer via de wachtruimte en keek naar de vrouw die op de bank zat te wachten. Ze zat met haar voeten keurig naast elkaar, met een grote, rode tas op haar schoot en met een nietszeggende, maar tegelijkertijd geïrriteerde en beschaamde uitdrukking op haar gezicht. Ze vond het niet prettig daar te worden gezien.

Hij vroeg zich af hoe Jillian het had gevonden om hier te komen, en alles toe te vertrouwen aan een van de volgelingen van haar vader. Was ze uit eigen vrije wil gegaan, of was het een voorwaarde voor Peters steun geweest? Ze had zich gedurende twee jaar één keer per week gemeld, en alleen God en Lucas Brandt wisten waarom. En mogelijk ook Peter Bondurant. Brandt kon voor hen heen en weer paraderen, en als een pauw pronken met de veren van zijn ethische opvattingen, maar Quinn vermoedde dat Kovac gelijk had: wanneer puntje bij paaltje kwam, dacht Brandt alleen maar aan zichzelf. En zolang hij ervoor zorgde dat Peter Bondurant gelukkig was, was hij dat zelf ook.

Kovac stond in de hal op de begane grond op hem te wachten en keek met een verbaasd gezicht naar een abstract schilderij van een vrouw met drie ogen en borsten die opzij uit haar hoofd groeiden.

'Godallemachtig, dit is nog lelijker dan de moeder van mijn tweede vrouw – en wanneer zij maar op vijftig meter van een spiegel kwam, dan knalde die al uit elkaar. Waarom denk je dat ze dit ding hier hebben opgehangen? Om hun gekken bij het binnenkomen en weggaan nog een beetje gekker te maken?'

'Het is een Rorschach-test,' zei Quinn. 'Het is bedoeld om die mannen eruit te pikken die denken dat het een vrouw is met drie ogen en tieten aan haar hoofd.'

Kovac fronste zijn voorhoofd en wierp een laatste bedenkelijke blik op het doek, alvorens Quinn naar buiten te volgen.

'Eén telefoontje van Brandt, en ik kan deze zaak wel vergeten,' mopperde hij, terwijl ze de stoeptreden afliepen. 'Ik kan de hoofdinspecteur nu al horen – "Hoe héb je dat nu kunnen doen, Kovac?" Jezus, ik zou er niet eens van opkijken als Brandt de hoofdinspecteur achter me aan stuurt. Het zou me, verdomme, niets verbazen als ze in dezelfde triktrakcompetitie speelden. En ze dezelfde manicuurster hebben. Greer klimt op zijn preekgestoelte, geeft me op mijn lazer en schreeuwt: "Hoe kon je dát nu doen, Kovac? Eén maand zonder salaris!"'

Hij schudde het hoofd. 'Hoe héb ik dat kunnen doen?'

'Geen idee. Hoe kón je?'

'Het komt gewoon doordat ik die man niet kan uitstaan. Dat is alles.'

'Echt? Ik dacht dat je alleen maar een spelletje met hem speelde.'

Kovac keek hem aan over het dak van de Caprice. 'Kon ik maar zo goed acteren. Of vind je soms dat ik op Harrison Ford lijk?'

Quinn kneep zijn ogen halfdicht. 'Misschien als je je snor af zou scheren...'

Kovac schudde het hoofd, lachte kort, en ze stapten elk aan hun kant in. 'Ik weet niet eens waar ik om lach. Ik zou beter moeten weten in plaats van me zo te laten gaan. Die man heeft iets waardoor ik me niet kan beheersen, dat is alles. Ik kan mezelf wel voor de kop slaan dat ik me niet meteen gerealiseerd had wie hij is. Ik had het gewoon helemaal niet verwacht...'

Geen excuus was een goed excuus. Hij blies de lucht tussen zijn lippen door naar buiten en keek door het zijraampje, door de kale takken van een slapende struik naar het meer in de verte.

'Ken je hem van een zaak?' vroeg Quinn.

'Ja. Acht of negen jaar geleden getuigde hij voor de verdediging in een moordzaak waar ik aan had gewerkt. Carl Borchard, negentien jaar oud, had zijn vriendinnetje vermoord nadat zij geprobeerd had het met hem uit te maken. Hij had haar gewurgd. Brandt komt met een heel zielig verhaal over hoe Borchards moeder hem in de steek heeft gelaten, en hoe dit hele gedoe met zijn vriendin voor hem de laatste druppel is geweest. Hij vertelt de jury dat we eigenlijk allemaal medelijden moeten hebben met Carl omdat hij het niet echt zo bedoeld heeft en er verschrikkelijk veel spijt van heeft. Dat hij niet echt een moordenaar is. Het was een crime passionnel. Hij was geen gevaar voor de maatschappij. Bla, bla, bla. Wat een geouwehoer.'

'Maar jij wist wel beter?'

'Carl Borchard was een slap, sociopathisch figuur met een jeugdstrafblad vol met zaken waarvan de openbare aanklager nooit bekentenissen van hem los heeft kunnen krijgen. Het was van hem bekend dat hij zich afreageerde op vrouwen. Brandt wist dat net zo goed als wij, maar hij werd niet door ons betaald.'

'En Borchard heeft vrijspraak gekregen.'

'Dood door schuld. Eerste misdaad na meerderjarigheid, strafvermindering, aftrek van voorarrest, enzovoort, enzovoort. De etter heeft amper lang genoeg gezeten om er naar de plee te kunnen gaan. Daarna sturen ze hem naar een open inrichting. Tijdens zijn verblijf daar verkracht hij een vrouw uit de buurt en slaat haar hoofd in met een klauwhamer. Dankjewel, dr. Brandt.

'En weet je wat hij erover te zeggen had?' vroeg Kovac in opperste verbazing. 'In een interview in de *Star Tribune* zei hij dat hij gemeend had dat Carl "zijn slachtofferpotentieel had uitgeput" met zijn eerste moord, maar ach, zulke dingen kunnen nu eenmaal gebeuren. Hij ging verder met te zeggen dat dit blundertje hem eigenlijk niet aangerekend kon worden omdat hij niet genoeg tijd met Borchard door had kunnen brengen. Hoe is het in godsnaam mogelijk!'

Quinn liet de informatie in alle rust op zich inwerken. Opnieuw werd hij zich bewust van het beklemmende gevoel dat hij hard op weg was zich deze zaak veel te persoonlijk aan te trekken. Hij had het gevoel alsof de mensen die erbij betrokken waren zich om hem hen verdrongen, en zo dicht boven op hem zaten dat hij ze niet echt kon zien. Hij wilde dat ze een stukje naar achteren gingen. Hij wilde niets van Lucas Brandt weten, wilde geen persoonlijke indruk van de man hebben. Hij wilde alleen maar dat wat Brandt hem vanaf een afstandje kon aanreiken. Hij wilde zich terugtrekken in het keurige, van lambriseringen voorziene kantoor aan de Washington Avenue in de stad, dat hij van de SAC toegewezen had gekregen. Maar zo zou het hier niet gaan.

'Ik kan je nóg iets vertellen over die dr. Brandt van je,' zei hij, toen Kovac de auto startte en schakelde.

'En dat is?'

'Hij was gisteren bij de persconferentie. Hij stond helemaal achteraan.'

'Daar heb je hem.'

Kovac drukte op het pauzeknopje van de afstandsbediening. Het beeld van de video-opname kwam schokkend en trillend tot stilstand. Achter de groep journalisten, te midden van een aantal in pakken gehulde mannen, stond Brandt. Een spier onder in Kovacs middenrif werd keihard. Hij drukte weer op het playknopje en keek naar de psycholoog, die zijn hoofd schuin hield en iets zei tegen de man die naast hem stond. Vervolgens drukte hij opnieuw op het pauzeknopje.

'Wie is dat, tegen wie hij iets zegt?'

'Eh...' Yurek hield zijn hoofd schuin om het beter te kunnen zien. 'Kellerman. De openbare aanklager.'

'O, ja. Die griezel. Bel hem op. Vraag hem of hij en Brandt samen zijn gekomen,' beval Sam. 'Zoek uit of Brandt een goede reden had om erbij te zijn.'

Adler trok zijn wenkbrauwen op. 'Beschouw je hem als een verdachte?'

'Ik beschouw hem als een klootzak.'

'Als dat in strijd was met de wet, dan zou de gevangenis uitpuilen van de advocaten.'

'Hij heeft vanmorgen een spelletje met me gespeeld,' klaagde Sam. 'Hij en Bondurant zijn dikke maatjes, en Bondurant speelt ook een spelletje met ons.'

'Bondurant is de vader van het slachtoffer,' voegde Tippen eraantoe. 'Haar rijke vader.'

'Hij is haar rijke en máchtige vader,' bracht Yurek, meneer public relations, hen allemaal in herinnering.

Sam wierp hem een veelzeggende blik toe. 'Hij maakt deel uit van een moordonderzoek. Ik moet dit onderzoek even zorgvuldig uitvoeren als elk ander. Dat betekent dat iedereen onder de loep genomen moet worden. De familie wordt altijd extra zorgvuldig bekeken. Ik wil Brandt een beetje onder druk zetten, hem laten weten dat we niet een stelletje tamme honden zijn die Bondurant kan rondcommanderen. Als hij ons iets over Jillian Bondurant kan vertellen, dan wil ik dat horen. En ik wil hem ook onder druk zetten omdat hij een valse smiecht is.'

'Dit ruikt naar moeilijkheden,' jubelde Yurek.

'Dit is een moordonderzoek, Charm. Had je Lieve Lita willen schrijven?'

'Ik wil het overleven zonder dat ik mijn baan verlies.'

'Je baan is onderzoek te doen,' zei Sam. 'Brandt was Jillian Bondurants therapeut.'

'Ik weet dat je hem niet mag, maar heb je nog een andere reden om aan te nemen dat deze etter van een zielenknijper twee hoeren heeft vermoord en een patiënt heeft onthoofd?' vroeg Tippen.

'Ik zeg niet dat hij een verdachte is,' snauwde hij. 'Jillian Bondurant is vrijdag bij hem geweest. Ze kwam elke vrijdag. Hij weet alles wat ons van dit slachtoffer interesseert. Als hij informatie voor ons achterhoudt, dan hebben wij het recht hem een beetje onder druk te zetten.'

'Waarmee hij zich alleen maar op zijn beroepsgeheim zal beroepen.'

'Dat doet hij al. Probeer het te omzeilen. Blijf aan de buitenkant. Het zou al fantastisch zijn als we hem zo ver krijgen dat hij ons de naam van Jillians vriendje noemt. Zodra we zekerheid hebben dat we inderdaad met Jillian te maken hebben, hoeft hij haar gegevens niet langer geheim te houden en kunnen we wat extra druk op hem uitoefenen voor de details.'

'En dan is er nog iets dat me niet van hem bevalt,' vervolgde Sam. Hij liep langs de tafel heen en weer, en zijn brein werkte op volle toeren. 'Het bevalt me niets dat zijn naam geassocieerd wordt met de hemel weet hoeveel criminelen. Ik wil een lijst van elke zware crimineel tegen wie of vóór wie hij ooit getuigd heeft.'

'Daar zorg ik wel voor,' bood Tippen aan. 'Mijn ex werkt op het archief van de rechtbank. Ze kan me niet uitstaan, maar ik weet zeker dat haar haat voor deze moordenaar groter is. Bij hem vergeleken vindt ze mij een schatje.'

'Jee, man, dat is treurig,' merkte Adler hoofdschuddend op. 'Je scoort nauwelijks iets beter dan het uitschot.'

'Maar dat is al een hele verbetering ten aanzien van waar ze me voor uitmaakte toen ze de scheiding aanvroeg.'

'En Bondurant,' zei Sam, waarop iedereen kreunde. 'Bondurant weigert ons te woord te staan, en dat bevalt me niet. Tegen Quinn zei hij dat hij zich zorgen maakte om zijn privacy. Ik snap werkelijk niet waarom,' voegde hij er met een sluwe grijns aan toe, waarna hij de mini-cassetterecorder uit zijn jaszak haalde.

De aanwezige vijf leden van de speciale eenheid schoven eromheen om te kunnen luisteren. Liska en Moss waren nog bezig met het verzamelen van achtergrondinformatie over het slachtoffer. De agenten van de FBI waren teruggekeerd naar hun kantoor. Walsh was bezig met het doorwerken van een lijst van overeenkomstige moorden die in andere delen van het land hadden plaatsgevonden. Hij zou agenten van andere FBI-kantoren bellen, en contact opnemen met mensen die hij van verschillende politiebureaus had leren kennen via een door de FBI georganiseerde speciale opleiding voor niet tot de FBI behorend politiepersoneel. Quinn had zichzelf opgesloten in zijn kantoor om aan het profiel van Smokey Joe te werken.

De leden van de eenheid luisterden naar de opname van Quinns gesprek met Bondurant. De rechercheurs luisterden zó aandachtig dat ze amper ademhaalden. Sam probeerde zich Bondurant voor de geest te halen. Hij wilde zijn gezicht zien omdat hij behoefte had aan de uitdrukkingen die met de grotendeels emotieloze stem gepaard gingen. Hij had het gesprek met Quinn doorgenomen en was op de hoogte van Quinns indrukken. Maar iemand via derden verhoren was ongeveer hetzelfde als proberen met iemand te vrijen die zich in de kamer ernaast bevond – een hele hoop frustratie en nauwelijks enige bevrediging.

Het bandje was afgelopen. De recorder sloeg met een luide klik af. Sam keek van de een naar de ander. Gezichten van politiemensen: gezichten die strak stonden als gevolg van een diepgeworteld scepticisme.

'Die magere blanke jongen verzwijgt iets,' verbrak Adler de stilte, terwijl hij naar achteren leunde.

'Ik betwijfel of het iets met de moord te maken heeft,' zei Sam, 'maar ik heb ook heel sterk het gevoel dat hij iets verzwijgt dat op vrijdagavond gebeurd moet zijn. Ik wil de buurt opnieuw verhoren, en met de huishoudster praten.'

'Ze was die avond weg,' zei Elwood.

'Dat kan me niet schelen. Ze kende het meisje. Ze kent haar baas.'

Yurek kreunde en sloeg zijn handen voor zijn gezicht.

'Wat heb je, Charm?' vroeg Tippen. 'Het enige dat je hoeft te doen, is de pers vertellen dat we op dit moment geen commentaar hebben.'

'Ja, ja, op de landelijke televisie,' zei hij. 'De grote jongens roken stront en wisten niet hoe snel ze erbij moesten zijn. 'De telefoon staat roodgloeiend van mensen van de radio en de televisie. Bondurant is op zichzelf al nieuws. Bondurant plús een onthoofd en verbrand lijk dat misschien of misschien niet zijn dochter is, is goed voor vette koppen op de voorpagina en voor topomzetten binnen de sensatiepers. Als we ook maar een aarzelend vingertje in zijn richting wijzen en de pers op hem attenderen, dan knapt hij, dat voorspel ik jullie. Voor je het weet zitten we tot over onze oren in rechtszaken en schorsingen.'

'Ik neem Bondurant en Brandt wel voor mijn rekening,' zei Sam, in de wetenschap dat hij zich van nu af aan wel stukken beter zou moeten gedragen dan hij die ochtend had gedaan. 'Ik ontferm mij over hem, maar dat kan ik niet zonder jullie hulp. Ik wil dat jullie in de omtrek werken, dat jullie met vrienden en kennissen gaan praten, enzovoort. Chunk en Hamill, zijn jullie al bezig met Paragon? Hoe staat het met ontevreden werknemers?'

'We hebben er over een halfuur een afspraak.'

'Misschien kunnen we wel iemand vinden die het meisje in Frankrijk heeft gekend,' opperde Tippen. 'Misschien dat de FBI daar wel iemand kan vinden. Iemand die ons wat meer over haar achtergrond kan vertellen. Het kind had niet zomaar problemen. Daar was een reden voor. Misschien is daar wel iemand die weet of deze reden een naam heeft.'

'Bel Walsh en kijk wat hij kan doen. Vraag hem meteen of er al iets bekend is van die medische rapporten. Elwood, heb je al iets gehoord uit Wisconsin, over dat rijbewijs waar onze getuige mee rondloopt?'

'Geen opsporingsbevel, en ze wordt niet gezocht. Niets. Ik heb inlichtingen gebeld en naar een telefoonnummer geïnformeerd, maar dat heeft ze niet. Daarna heb ik contact opgenomen met het postkantoor, en daar zeggen ze dat ze verhuisd is en geen nieuw adres heeft achtergelaten.'

'Heeft ze ons al een tekening gegeven?' vroeg Yurek.

'Kate Conlan is vanmorgen met haar binnengekomen om haar weer met Oscar te laten werken,' zei Sam, terwijl hij ging staan. 'Ik ga nu kijken of ze al wat hebben. Ik hoop vurig dat het kind een fotografisch geheugen heeft. Een doorbraak op dit moment kan handig zijn voor het behoud van onze banen.'

'Ik heb er zo snel mogelijk kopieën van nodig voor de pers,' zei Yurek.

'Ik zal ervoor zorgen dat je die krijgt. Om hoe laat word je geacht te verschijnen in *America's Most Wanted?*'

'Om vijf uur.'

Kovac keek op zijn horloge. De tijd vloog, en ze hadden nog vrijwel niets gepresteerd. Dat was nu eenmaal het probleem bij het opzetten van een onderzoek van deze omvang. De tijd was van het allergrootste belang. Elke agent wist dat de kans om een moordzaak op te lossen na de eerste achtenveertig uur drastisch terugliep. Maar de hoeveelheid informatie die aan het begin van een meervoudig moordonderzoek was vergaard, vergeleken en geïnterpreteerd moest worden, was overweldigend. En er hoefde maar één brokje van die informatie over het hoofd te worden gezien om de dader te laten ontkomen.

Zijn pieper ging af. De display toonde het nummer van zijn inspecteur.

'Voor wie kan, om vier uur komen we hier weer bij elkaar,' zei hij, terwijl hij zijn jas van de rugleuning van de stoel griste. 'En als jullie op pad zijn, bel me dan even op de mobiele telefoon. Ik smeer 'm.'

'Ze maakte niet de indruk alsof ze echt zeker van zichzelf was, Sam,' zei Oscar. Hij ging hem voor naar een schuine tekentafel in een klein kantoor dat er door de enorme rommel die er stond en lag nog kleiner op werd gemaakt. Stapels papieren, boeken, tijdschriften namen alle beschikbare ruimte in beslag. 'Ik heb haar zo behoedzaam mogelijk proberen uit te horen, maar ze bleef zich verzetten.'

'Verzet in de vorm van liegen of als gevolg van angst?'

'Als gevolg van angst. Ik hoef je natuurlijk niet te vertellen dat angst onzekerheid in de hand kan werken.'

'Heb je weer in je psychologieboek gelezen, Oscar?'

Een brede glimlach brak door op het zwaarbehaarde gezicht. 'Vergaring van kennis is de bron waar de ziel zich aan laaft.'

'Ja, nou, jij zult er nog in verzuipen, Oscar,' zei Kovac ongeduldig, terwijl hij een Mylanta-pil, die vol zat met stofjes en pluisjes, uit zijn broekzak viste. 'Laat me dat meesterwerk dan maar eens zien.'

'Ik beschouw het als nog onaf.'

Hij nam het ondoorzichtige beschermende papier weg en onthulde de potloodschets die de burgemeester en benoemde hoogwaardigheidsbekleders de burgers van Twin Cities beloofd had. De verdachte droeg een donker, dik, opbollend jack – waardoor er niets van zijn lichaamsbouw gezegd kon worden – op een sweatshirt met een capuchon die hij op had, waardoor de kleur van zijn haar niet te zien was. Zijn ogen gingen schuil achter een pilotenbril, zodat de kleur ervan verborgen bleef. De neus was onopvallend, en het gezicht was niet smal en niet breed. De mond ging gedeeltelijk schuil achter een snor.

Kovacs maag balde zich samen. 'Dit kan, verdomme nog aan toe, iederéén wel zijn!' riep hij uit, terwijl hij zich met een ruk omdraaide naar Oscar. 'Wat móet ik hier ik vredesnaam mee?'

'Rustig maar, Sam. Ik zei toch al dat het nog niet af is,' zei Oscar zacht en langzaam.

'Hij draagt een zónnebril! Het was midden in de nacht, en volgens haar droeg hij een zonnebril!' tierde Sam. 'Godallemachtig nog aan toe. Dit kan iedereen zijn, en het kan net zogoed níemand zijn. Ik zou het zélf wel kunnen zijn, verdomme!'

'Ik hoop dat ik er met Angie nog wat verder aan kan werken,' zei de tekenaar, die zich door Sams uitval niet van de wijs liet brengen. 'Ze zegt dat ze niet gelooft de details in haar herinnering te hebben, maar volgens mij heeft ze dat wel. Ze hoeft zich alleen maar over haar angst heen te zetten, en dan komt alles vanzelf weer terug. Uiteindelijk.'

'Ik héb geen uiteindelijk, Oscar. Ik heb, verdomme nog aan toe, om vijf uur een persconferentie!'

Hij blies de lucht uit zijn longen, liep in een kringetje door het kleine, overvolle kantoor van de tekenaar en keek om zich heen alsof hij op zoek was naar iets om mee te gooien. Jezus, hij klonk als Sabin, die meteen bewijzen wilde hebben. Hij had zich de hele dag voorgehouden dat hij niet op dat leugenachtige, stelende grietje dat hij getuige moest noemen kon rekenen, maar onder al het cynisme had hij toch heimelijk gehoopt op een treffende, goed gelijkende compositietekening waar ze mee aan de slag konden. Achttien jaar in het vak, en hij was nog steeds een optimist. Niet te geloven!

'Ik ben bezig aan een versie zonder snor,' zei Oscar. 'Ze twijfelde een beetje aan de snor.'

'Hoe kan ze nu twijfelen aan een snór! Of hij had een snor, óf hij had er géén! Verdomme, verdomme, verdomme!'

'Hij wordt vandaag niet vrijgegeven, dat is alles,' zei hij, voornamelijk tegen zichzelf. 'We houden de boot nog even af, laten het meisje morgen terugkomen, en proberen dan nog wat meer details te krijgen.'

Vanuit zijn ooghoeken zag hij hoe Oscar zijn hoofd een beetje liet zakken. Het zag eruit alsof hij zich terugtrok in zijn baard. Sam hield op met ijsberen en keek hem recht aan.

'Dat moet toch wel lukken, hè, Oscar?'

'Ik ga morgen graag weer met Angie aan de gang. Ik zou niets liever willen dan haar helpen met het ontsluiten van haar herinneringen. De confrontatie met de herinnering is de eerste stap op weg naar het neutraliseren van de sterke negatieve uitwerking ervan. En dat andere, dat zul je met hoofdcommissaris Greer moeten bespreken. Hij was hier een uur geleden om een exemplaar te halen.'

'Ze heeft zijn gezicht maar twee minuten gezien, Sam, en dat in het licht van een brandend lijk,' zei Kate, terwijl ze, voor hem uit, haar kantoor binnenging. Ze vroeg zich af of de kleine ruimte niet te benauwd voor hem zou zijn. Wanneer Kovac opgewonden was, was hij één brok energie die voortdurend in beweging moest blijven.

'Er was meer dan voldoende licht en ze had onbelemmerd zicht op het gezicht van de moordenaar. Kom op, Red, denk je niet ook dat de details zich, om het zo maar eens te zeggen, op haar netvlies hebben gebrand?'

Kate leunde met haar rug tegen het bureau en sloeg haar enkels over elkaar, waarbij ze erop lette dat ze met haar tenen uit Kovacs buurt bleef. 'Ik denk dat een injectie contanten een positieve invloed op haar geheugen zal hebben,' zei ze op droge toon.

'Pardon?'

'Ze heeft er lucht van gekregen dat Bondurant een beloning heeft uitgeloofd, en daar wil ze een deel van hebben. Dat kun je haar toch niet echt kwalijk nemen, Sam? Ze heeft niemand. Ze leeft op straat en de hemel weet wat ze daar doet om het hoofd boven water te houden.'

'Heb je haar uitgelegd dat een beloning alleen maar wordt uitgekeerd wanneer de dader gegrepen en veróórdeeld is? We kunnen niet iemand veroordelen die we niet in handen hebben. En we kunnen niet iemand arresteren van wie we geen idee hebben hoe hij eruitziet.'

'Dat weet ik. Hé, je hoeft niet zo tegen míj tekeer te gaan. En – ik waarschuw je maar even – doe dat liever ook niet tegen Angie,' zei Kate. 'Ze is niemand iets verschuldigd. We kunnen haar zó verliezen. Letterlijk en figuurlijk. Je denkt dat je het nu moeilijk hebt, maar dit is nog niets vergeleken met wat je je op de hals haalt als ze door een preek van jou besluit er de brui aan te geven.'

'Wat wil je daar precies mee zeggen? Dat we haar moeten laten schaduwen?'

'Zo onopvallend mogelijk. Als je een geüniformeerde agent bij het opvangtehuis voor de deur zet, maak je het er alleen nog maar erger op. Ze vindt nu al dat we haar als een crimineel behandelen.'

'Geweldig, hoor,' zei Sam op een sarcastische toon. 'En wat verlangt hare koninklijke hoogheid verder nog?'

'Ik verzoek je om het niet voor mij te verpesten,' zei Kate. 'Ik sta aan jouw kant. En hou op met dat ijsberen. Je wordt nog duizelig. En ík word er ook duizelig van.'

Kovac haalde diep adem, bleef tegenover Kate staan en leunde tegen de muur.

'Je wist wat je van haar kon verwachten, Sam. Waarom ben je zo verbaasd? Of had je soms gehoopt dat de compositietekening het evenbeeld van een van je ex-vrouwen zou zijn?'

Hij trok met zijn mond, haalde zijn hand over zijn gezicht en wilde dat hij een sigaret op kon steken. 'Ik heb hier van begin af aan geen goed gevoel over gehad,' bekende hij. 'Ik hoopte waarschijnlijk dat de getuigenfee haar met haar toverstafje zou aanraken of haar er een flinke por mee zou geven. Of dat ze hem als een revolver op haar hoofd gericht zou houden. Ik had gehoopt dat ze zó bang zou zijn dat ze de waarheid zou vertellen. Oscar zegt dat angst ervoor zorgt dat mensen versneld iets opbiechten.'

'Heeft hij weer in zijn psychologieboekjes zitten lezen?'

'Zoiets.' Hij slaakte een diepe zucht. 'Waar het op neerkomt is dat ik iets nodig heb om dit onderzoek op een behoorlijke manier van de grond te krijgen, omdat ik anders in vuiligheid moet gaan spitten. Ik neem aan dat ik mijn hoop hierop had gevestigd.'

'Wacht nog een dag met het vrijgeven van de tekening. Ik laat het haar morgen nog een keer proberen. Kijken of Oscar die mystieke gaven van hem op haar kan uitspelen en iets van haar gedaan kan krijgen.'

'Ik vrees dat het me niet zal lukken om de tekening nog een dag vast te houden. Het grote opperhoofd heeft hem vóór mij in handen gekregen. Ik weet dat hij ermee aan de slag wil, en dat hij hem persoonlijk op de persconferentie aan het publiek wil presenteren.'

'Stelletje ellendelingen, die bobo's,' mopperde hij. 'Met zo'n zaak als deze zijn ze nog erger dan een stel kleine kinderen. Iedereen wil met de eer gaan strijken. Iedereen wil zijn gezicht op de televisie. Ze willen allemaal belangrijk lijken, en het enige wat ze doen is de echte politie voor de voeten lopen.'

'En dát is wat je in werkelijkheid dwarszit, Sam,' zei Kate. 'Het is niet de tekening, maar je aangeboren verzet om onder supervisie te moeten werken.'

Hij keek haar aan en trok een gezicht. 'Heb je ook in Oscars boekjes zitten lezen?'

'Ik ben afgestudeerd in psychologie,' bracht ze hem in herinnering. 'Wat is het ergste dat er kan gebeuren als de tekening wordt vrijgegeven en hij niet helemaal treffend is?'

'Geen idee, Kate. Onze dader verbrandt vrouwen en onthoofdt ze. Wat is het ergste dat er kan gebeuren?'

'Hij zal zich niet geraakt voelen door de tekening,' zei Kate. 'Hij zal er eerder om lachen, en denken dat hij ons opnieuw te slim af is geweest.'

'Ja, maar in dat geval zal hij zich ook nóg onoverwinnelijker gaan voelen en de behoefte hebben om er nóg eentje te grazen te nemen. Geweldig!'

'Niet zo negatief. Je kunt er je voordeel mee doen. Vraag maar aan Quinn. En als de tekening ook maar voor een paar procent klopt, dan komt er misschien wel een reactie op. Misschien is er wel iemand die zich herinnert dat hij iemand die op de man van de tekening leek in de buurt van een bestelbusje heeft gezien. Misschien herinnert diegene zich dan ook wel iets van het kenteken, of een deuk in de bumper, of dat die man mank liep. Je weet net zo goed als ik dat je het bij een onderzoek zoals dit in grote mate van het geluk moet hebben.'

'Ja, nou,' zei Sam, terwijl hij zich afzette tegen de muur. 'Daar kunnen we wel een vrachtwagen vol van gebruiken. En gauw ook. Waar is ons zonnetje in huis op dit moment?'

'Ik heb haar terug laten brengen naar het opvangtehuis. Ze is er niet echt over te spreken.'

'Dan heeft ze pech.'

'Jij zegt het,' zei Kate. 'Ze wil een hotelkamer of een flatje of iets dergelijks. Ik wil dat ze onder de mensen blijft, anders trekt ze zich nog meer in zichzelf terug. En daarbij wil ik dat ze in de gaten wordt gehouden. Heb je nog de kans gekregen om haar rugzak na te kijken?'

'Dat heeft Liska gedaan. Angie was woedend, maar we hebben haar gevonden toen ze van een onthoofd lijk vandaan kwam gehold. We konden niet riskeren dat ze van de tegenpartij zou blijken te zijn en ons met een mes te lijf zou gaan. De collega die haar gevonden heeft had het ter plekke moeten doen, maar hij had ze, bij de gedachte aan Smokey Joe, even niet allemaal op een rijtje. Hij heeft ook nog vrijwel geen ervaring. Hij heeft wel geboft, want als hij de verkeerde net zo behandeld zou hebben, had hij dat niet kunnen navertellen.'

'Heeft Nikki iets gevonden?'

Hij tuitte zijn lippen en schudde het hoofd. 'Waar denk je aan? Drugs?'

'Ik weet niet. Misschien. Er valt geen land met haar te bezeilen. Het ene moment is ze weer vrolijk, dan is ze depressief, vervolgens stelt ze zich keihard op en het volgende moment springen de tranen haar in de ogen. Net wanneer ik vermoed dat er iets niet aan haar klopt, roep ik mezelf tot de orde en denk: goeie God, besef toch eens wat ze allemaal heeft meegemaakt. Misschien is ze, wanneer je alles bij elkaar optelt, juist wel heel stabiel en nuchter.'

'Of misschien heeft ze wel behoefte aan een dosis,' suggereerde Sam, terwijl hij naar de deur liep. 'Misschien was ze daarom wel zo laat in het park, omdat ze iets wilde kopen. Ik ken een paar jongens van de afdeling die zich met de opsporing van drugs bezighoudt. Ik zal vragen of zij haar kennen. We hebben tot nu toe nog niets anders over haar kunnen vinden. Wisconsin had niets te melden.'

'Ik heb met een zekere Susan Frye van onze afdeling minderjarigen gesproken,' vertelde Kate. 'Ze doet het werk al jaren. Ze heeft een geweldig netwerk opgebouwd. Rob loopt zijn contacten in Wisconsin na. Maar ondertussen moet ik Angie iets bieden, Sam. Iets waaruit blijkt hoe dankbaar we haar zijn. Kun je niet iets van een beloninkje voor haar regelen?'

'Ik zal kijken wat ik kan doen.'

Nog een klus op zijn lijst die toch al veel te lang was. Arme man, dacht Kate. De plooien van zijn gezicht leken vandaag dieper dan anders. Het gewicht van de stad drukte zwaar op zijn schouders. Zijn colbertje hing slap en vormeloos om zijn lichaam, net alsof hij er op de een of andere manier het stijfsel uit had gezogen als aanvulling op zijn steeds minder wordende persoonlijke energie.

'Hé, maak je er maar geen zorgen over,' zei ze, terwijl ze de deur voor hem opentrok. 'Laat je baas maar aan mij over. Jij hebt wel wat anders aan je hoofd.'

Op de gang draaide hij zich naar haar om en schonk haar een scheef glimlachje. 'Hoe kom je daar zo bij?'

'Zomaar, een gevoel.'

'Bedankt. Weet je zeker dat je het niet te druk hebt met het overmeesteren van gewapende schutters?'

'O, heb je het ook al gehoord?' Kate trok een gezicht. Ze was helemaal niet blij met alle aandacht die ze had getrokken met het incident van de vorige dag. Ze had talloze aanvragen voor een interview moeten afwijzen en eindeloos vaak naar de wc moeten gaan om de blauwe plekken weg te schminken.

'Ik was gewoon op het verkeerde moment op de verkeerde plek, dat is alles. Dat overkomt me wel vaker,' zei ze op droge toon.

Kovac keek haar peinzend aan, alsof hij nog iets belangrijks wilde zeggen, maar toen schudde hij het hoofd. 'Je bent een wonder, Red.'

'Nauwelijks. Ik heb alleen maar een beschermengel met een verknipt gevoel voor humor. Zet 'm op, meneer de inspecteur. Laat de getuige maar aan mij over.'

12

Hij ergert zich aan het verkeer. Hij neemt de 35W in zuidelijke richting uit het centrum om de stoplichten en de irritante bochten en afslagen van de sluiproute te mijden. Het is voortdurend optrekken, stilstaan en optrekken, en hij bereikt het punt waarop hij zin krijgt uit te stappen, de vluchtstrook op te lopen, willekeurig mensen uit hun auto's te sleuren en ze met een moersleutel de hersens in te slaan. Hij vindt het een amusante gedachte dat andere automobilisten er waarschijnlijk overeenkomstige fantasieën op nahouden. Maar ze hebben er geen idee van dat de man die in de donkere auto achter, naast en voor hen zit, die fantasie moeiteloos in praktijk zou kunnen brengen.

Hij kijkt naar de vrouw in de rode Saturn naast hem. Ze is knap, met Scandinavische trekken en witblond haar dat met haarlak in een wijd uitstaand, quasi-ongekamd kapsel is gespoten. Ze ziet hem kijken, en hij glimlacht en zwaait. Ze glimlacht terug, waarna ze een gek gezicht trekt en wijst op het verkeer dat voor hen in de file staat. Hij haalt zijn schouders op, grinnikt en vormt met zijn lippen de woorden: 'Niets aan de doen.'

Hij probeert zich voor te stellen hoe haar gezicht eruit zou zien wanneer hij zich met een mes in de hand over haar heen zou buigen en ze van angst zou verstijven en bleek weg zou trekken. In gedachten ziet hij haar blote borst op het ritme van haar oppervlakkige ademhaling op en neer gaan. Hij hoort haar met bevende stem om haar leven smeken. Hij hoort haar schreeuwen terwijl hij haar borsten eraf snijdt.

In zijn kruis voelt hij het verlangen tot leven komen.

'Waarschijnlijk is de fantasie wel de meest doorslaggevende factor in de ontwikkeling van de seriemoordenaar of verkrachter.' – John Douglas, Mindhunter.

Hij had zijn fantasieën nooit schokkend gevonden. Niet als kind, toen hij zich probeerde voor te stellen hoe het zou zijn om te kijken hoe een levend wezen stierf, hoe het zou zijn om zijn handen om de hals van een kat of van het joch verderop in de straat te klemmen en de macht over het leven letterlijk in handen te hebben. Niet als puber, toen hij erover dacht de tepels van zijn moeders borsten te hakken, of om haar strottenhoofd eruit te kerven en het met een hamer te verpletteren, of om haar baarmoeder eruit te snijden en in het vuur in de open haard te gooien.

Hij weet dat dit soort gedachten voor moordenaars zoals hij een vast onderdeel vormt van de innerlijke verwerking en het cognitieve handelen. Ze zijn voor hem dan ook heel natuurlijk. Natuurlijk, en daarom ook normaal.

Hij neemt de afslag van 36th Avenue en rijdt via bomenrijke, brede straten in westelijke richting naar Lake Calhoun. De blondine is verdwenen, en daarmee ook de fantasie over haar. Zijn gedachten keren terug naar de persconferentie van die middag, die hij zowel amusant als frustrerend had gevonden. De politie had een tekening – dat vond hij amusant. Hij stond in de menigte terwijl hoofdcommissaris Greer de tekening ophield die geacht werd zo'n treffend portret van hem te zijn dat iedereen die hem zag hem meteen zou herkennen. En toen de persconferentie was afgelopen, waren alle verslaggevers en journalisten glad langs hem heen gelopen.

Zijn frustratie had te maken met John Quinn. Quinn had zich niet vertoond op de persconferentie, en hij had ook geen officiële verklaring afgelegd, en dat ervaart hij als een opzettelijke belediging. Quinn gaat te zeer op in zijn speculaties en deducties. Hij concentreert zich waarschijnlijk volledig op de slachtoffers. Op wie en wat ze waren, waarbij hij probeert te bepalen waarom de dader zijn keus juist op hén had laten vallen.

'Het slachtoffer is in zekere zin verantwoordelijk voor de vorming en de totstandkoming van de werkwijze van de moordenaar… Willen we hem leren kennen, dan moeten we ons verdiepen in het slachtoffer.' – Hans von Hentig.

Quinn dacht daar ook zo over. Quinns handboek over moord met verkrachting stond, te midden van talloze andere, bij hem in de kast. *Seductions of Crime* van Katz, *Inside the Criminal Mind* van Samenov, *Without Conscience* van Hare, *Sexual Homicide: Patterns and Motives* van Ressler, Burgess en Douglas. Hij heeft ze allemaal bestudeerd, en nog meer. In een poging meer over zichzelf te begrijpen.

Hij rijdt zijn straat in. Vanwege de grillige vormen van het meer aan deze kant van de stad, lopen de meeste straten in zijn buurt in bochten en kronkels. Zijn straat had een vreemde bocht, waardoor de percelen groter waren uitgevallen dan normaal. Dat betekende meer privacy. Hij zet de auto op de betonnen oprit voor de garage en stapt uit.

De nacht had het kleine beetje daglicht dat er kort geleden nog over was, verdrongen. De wind waait uit westelijke richting en voert de geur van verse hondenpoep mee. De stank raakt zijn neusgaten nét even iets eerder dan het moment waarop hij het schrille keffen van een klein hondje hoort.

Uit de duisternis van de tuin van de buren schiet mevrouw Vetters poedeltje op hem af. Het beest ziet eruit als een stel op goed geluk, losjes aan elkaar genaaide, witte pompons. Hij blijft op een meter of vijf van hem af staan blaffen en trekt zijn bovenlip op als een hondsdolle eekhoorn.

De herrie slaat hem onmiddellijk op de zenuwen. Hij kan dat beest niet uitstaan. En nu al helemaal niet, want door het gekef keert zijn eerdere pestbui van de file weer terug. Het liefst zou hij de hond een keiharde schop geven. In gedachten hoort hij het hoge piepblafje, en stelt hij zich voor hoe hij het slappe lijfje bij de keel oppakt en zijn luchtpijp dichtdrukt.

'Bitsy!' roept mevrouw Vetter vanaf de drempel van haar voordeur. 'Bitsy, kom hier!'

Yvonne Vetter is een weduwe van in de zestig. Ze is een onvriendelijke vrouw met een rond, zuur gezicht en een schrille stem. Hij haat haar vanuit het diepst van zijn hart. Telkens wanneer hij haar ziet denkt hij erover haar te vermoorden, maar altijd is er ook een even intens gevoel dat hem daarvan weerhoudt. Hij weigert nader stil te staan bij dat gevoel, en wordt nog bozer wanneer hij bedenkt wat John Quinn daarvan zou zeggen.

'Bitsy! Kom hier!'

De hond gromt met ontblote tanden, draait zich om, rent naar de hoek van de garage en blijft staan om ertegenaan te plassen.

'*Bit-sy!*'

In zijn voorhoofd begint een ader te kloppen, zijn hoofd voelt ineens warm aan en de warmte verspreidt zich door zijn hele lichaam. Als Yvonne Vetter nu over het gazon naar hem toe komt, vermoordt hij haar. Dan grijpt hij haar bij de keel en smoort hij haar geschreeuw met de kranten die hij in zijn hand heeft. Dan trekt hij haar snel de garage in, slaat haar hoofd tegen de muur tot ze bewusteloos is, waarna hij eerst de hond zou vermoorden om een eind te maken aan het helse gekef. En daarna zou hij zijn irritatie de vrije loop laten en Yvonne Vetter vermoorden op een manier die de boosaardige begeerte die diep in zijn binnenste huist, zou bevredigen.

Ze komt haar voordeur uit en daalt de treden van haar stoepje af.

Zijn schouders en rugspieren beginnen zich te spannen. Zijn hart gaat sneller slaan.

'*Bit-sy! Kom ogenblikkelijk hier!*'

Zijn longen vullen zich. Hij grijpt de kranten steviger beet.

De hond keft nog een laatste keer in zijn richting en schiet vervolgens terug naar zijn vrouwtje. Vijftien meter verderop bukt Vetter zich en tilt het hondje in haar armen alsof het een kind is.

De kans sterft als een ongezongen lied.

'Hij is erg opgewonden vanavond,' zegt hij glimlachend.

'Dat is hij altijd als hij te lang binnen heeft gezeten. En hij mag u ook niet,' verklaart mevrouw Vetter op een defensieve toon, waarna ze de poedel meeneemt naar haar huis.

'Vuil kreng,' fluistert hij. Het zal nog een hele tijd duren voor de woede in hem is weggezakt. Het is net als een stemvork die is aangeslagen en daarna nog een poos door blijft trillen. Keer op keer zal hij zich voorstellen hoe het zijn zal om Yvonne Vetter te vermoorden.

Hij loopt de garage in waar de Blazer en een rode Saab staan, en gaat het huis binnen via de zijdeur. Hij verheugt zich erop om in de twee kranten over de Cremator te lezen. Hij zal alle artikelen die over het onderzoek gaan uitknippen en er fotokopieën van maken, want krantenpapier is goedkoop en vergaat op den duur. Hij heeft het landelijke en het plaatselijke avondjournaal opgenomen, en zal de opnamen afspelen om te zien wat er over de Cremator is gezegd.

De Cremator. Hij vindt het een amusante naam. Het is net een naam uit een stripverhaal. Het roept beelden bij hem op van nazi-oorlogsmisdadigers of monsters uit een tweederangs film. Het is een naam voor nachtmerries.

Híj is iemand uit nachtmerries.

En net als de wezens uit kindernachtmerries, gaat hij naar de kelder. De kelder is zijn eigen ruimte, zijn ideale heiligdom. De centrale ruimte is ingericht als een amateur-geluidsstudio. De wanden en het plafond zijn voorzien van geluid absorberende, akoestische tegels. De gladde vloerbedekking is leigrijs. Hij houdt van het lage plafond, het ontbreken van natuurlijk licht en het gevoel van, met de dikke, betonnen muren om zich heen, onder de grond te zijn. Zijn eigen, veilige wereld. Net als toen hij nog een kind was.

Hij loopt de gang af naar de speelkamer en houdt de kranten voor zich omhoog om de koppen te kunnen bewonderen.

'Ja, ik ben beroemd,' zegt hij glimlachend. 'Maar je hoeft niet verdrietig te zijn. Nog even, en dan ben jij ook beroemd. Er gaat niets boven beroemd zijn.'

Hij loopt naar de biljarttafel en houdt de kranten zo, dat de naakte vrouw die er met gespreide benen op ligt vastgebonden, als ze dat wil de koppen kan zien. Maar in plaats daarvan kijkt ze met van angst en de tranen glazige, grote ogen naar hem op. De geluiden die ze maakt zijn geen woorden, maar de meest primitieve uitingen van dat meest primitieve gevoel – angst.

De geluiden raken hem als elektrische schokjes en geven hem energie. Door haar angst heeft hij haar in zijn macht. Controle is macht. En niets windt hem zo op als macht.

'Nog even, en dan sta jij ook in de krant,' zegt hij, terwijl hij zijn wijsvinger over de vette, zwarte letters van de voorpagina van de *Star Tribune* laat gaan. 'Tot as zult ge wederkeren.'

De dag maakte ongemerkt plaats voor de nacht. De enige manier waarop hij dat kon vaststellen, was door op zijn horloge te kijken, maar dat was iets dat hij zelden deed. Er waren geen ramen in het kantoortje dat hij toegewezen had gekregen. Er waren alleen maar muren waarop hij in de loop van de dag het ene briefje na het andere had geplakt, vaak met de hoorn van de telefoon tussen zijn kin en zijn schouder ingeklemd en adviezen verstrekkend in de Blacksburgzaak waarvan de verdachte eindelijk zo ver leek te zijn dat hij bereid was een verklaring af te leggen. Hij had erbij moeten zijn. Zijn behoefte om alle touwtjes in handen te houden gaf hem het ingebeelde idee dat hij in staat was om het maken van fouten te voorkomen, hoewel hij tegelijkertijd heel goed wist dat dat niet waar was.

Kovac had hem een kamer aangeboden in het bordeel dat van de speciale eenheid de bijnaam van Loving Touch of Death-bureau had gekregen. Hij had ervoor bedankt. Hij had behoefte aan afzondering en eenzaamheid. Hij kon niet werken op een plek waar een twaalftal agenten voortdurend nieuwe theorieën op tafel slingerde en aan de lopende band namen noemde van iedereen die volgens hen verdacht was. Hij had nú al het gevoel dat hij te veel beïnvloed was.

Het was intussen uitgelekt dat John Quinn bij de zaak van de Cremator was gehaald. Kovac had na de persconferentie gebeld om hem het slechte nieuws te vertellen. Nog even, en dan zou hij er niet meer onderuit kunnen om de pers persoonlijk te woord te staan.

Verdorie, hij had meer tijd willen hebben, maar nu zou hij het met de eerstkomende paar uur moeten doen. Hij had het zich gemakkelijk moeten maken en zich moeten concentreren, maar op de een of andere manier kreeg hij dat niet voor elkaar. Hij was verschrikkelijk moe. Zijn maagzweer brandde. Hij had honger en wist dat hij iets zou moeten eten om zijn brein aan de gang te houden, maar hij vond het zonde van de tijd om iets te gaan halen. Er was te veel informatie en hij voelde zich onrustig als gevolg van alle koffie die hij had gedronken. En verder was hij zich diep vanbinnen bewust van dat vertrouwde rusteloze gevoel – de innerlijke onrust die altijd gepaard ging met het werken op locatie, ditmaal nog versterkt door verzachtende omstandigheden en opdringerige brokjes herinneringen uit het verleden. En dát werd weer versterkt door het gevoel dat hij de laatste tijd steeds moeilijker wist te onderdrukken – angst. De angst dat hij de zaak niet snel genoeg tot een oplossing zou kunnen brengen. De angst dat hij het zou verpesten. De angst dat de enorme vermoeidheid die hij voelde hem uiteindelijk te veel zou worden. De angst dat hij in werkelijkheid niets anders zou willen dan opstappen en de boel de boel laten.

Hij stond op en begon, om de emoties de baas te blijven, heen en weer te lopen langs de muur vol aantekeningen. In het voorbijgaan las hij de notities waar zijn blik toevallig op viel. De gezichten van Bondurant en Brandt dwarrelden als blaadjes door zijn hoofd. Peter Bondurant wist meer dan hij hun verteld had. Lucas Brandt had officieel het recht om geheimen te bewaren. Quinn wou dat hij geen van beiden ooit had leren kennen. Hij had zich feller moeten verzetten tegen het idee om zich al zo vroeg in het onderzoek te mengen, dacht hij, terwijl hij de harde spieren van zijn rechterschouder masseerde. Alles draaide om controle. Als hij met een uitgestippelde strategie het toneel op kon, was hij de situatie meester. Dat gold niet alleen voor deze zaak. Het gold eigenlijk voor zijn hele leven – van het omgaan met de bureaucratie die deel uitmaakte van dit werk, tot het omgaan met de Chinezen van het kantoortje waar hij een postbus had, en het doen van zijn boodschappen. Bij alles wat hij deed streefde hij ernaar de boel onder controle te hebben.

Kate kroop zijn gedachten weer binnen, als om hem uit te dagen. Hoe vaak had hij, in de afgelopen jaren, de film van hetgeen er tussen hen was voorgevallen niet in gedachten afgespeeld, en zijn eigen acties en reacties bijgesteld om een andere afloop te bewerkstelligen? Vaker dan hij toe wilde geven. Controle en strategie, was zijn motto. Wat Kate betrof had hij geen van beide. Het ene moment waren ze oppervlakkige kennissen geweest, even later vrienden, en nog even later waren ze smoorverliefd geweest. Ze hadden geen tijd gehad om na te denken. Ze waren te zeer opgegaan in het moment om stil te staan bij de gevolgen. Ze waren overweldigd geweest door een hartstocht die ze geen van tweeën de baas hadden gekund. En toen was het voorbij en was zij weggegaan, en… toen niets meer. Niets dan spijt, waar hij verder niets mee had gedaan in de overtuiging dat ze uiteindelijk tot het inzicht zouden komen dat dit de beste oplossing was geweest.

Het wás ook de beste oplossing geweest. In ieder geval voor Kate. Zij had hier een nieuw bestaan opgebouwd. Ze had een nieuwe baan, vrienden, een huis. Hij zou zo verstandig moeten zijn om dat te respecteren en het erbij te laten, maar de verleiding van een nieuwe kans wenkte hem als een gekromd vingertje en een onweerstaanbaar glimlachje. En in zijn rug voelde hij het duwen van de spijt.

Hij nam aan dat vijf jaar een lange tijd was om spijt te hebben, maar er waren andere dingen waar hij nóg langer spijt van had. Zaken die onopgelost waren gebleven, rechtszaken die verloren waren, een kindermoordenaar die was ontkomen. Zijn huwelijk, de dood van zijn moeder en de drankzucht van zijn vader. Misschien hield hij alles wel vast. Misschien kwam het wel daardoor dat hij zich vanbinnen zo hol voelde: door het uitgedroogde bezinksel van zijn verleden was er geen plaats voor iets anders.

Hij walgde van zichzelf en onderdrukte een vloek. Hij werd geacht om in het brein van een misdadiger te graven, en niet in het zijne.

Hij kon zich niet herinneren dat hij aan het bureau was gaan zitten, en had er geen idee van hoeveel tijd hij had verspild. Hij wreef zijn grote handen over zijn gezicht, bevochtigde zijn lippen en proefde de vage nasmaak van whisky. Een oude psychologische afwijking, en een behoefte waaraan hij niet kon voldoen. Hij stond het zichzelf niet toe om te drinken. Hij stond het zichzelf niet toe om te roken. Er was maar weinig dat hij zichzelf toestond. En als hij spijt aan dat lijstje toevoegde, wat bleef er dan nog over?

Hij liep naar dat gedeelte van de muur waar hij de, met de hand en met gekleurde viltstiften geschreven, aantekeningen over de slachtoffers van de Cremator had opgeplakt. Alles in hoofdletters. Hoofdletters met harde hoeken die dicht op elkaar stonden. Het soort handschrift waar grafologen een bedenkelijk gezicht bij trokken, en dat hen met een wijde boog om hem heen deed lopen.

Boven zijn aantekeningen hingen foto's van alle drie de vrouwen. Een dossiermap met drie ringen lag opengeslagen op zijn bureau. Erin zaten talloze bladzijden keurig uitgetypte rapporten, tekeningen op schaal van de plaatsen waar de delicten hadden plaatsgevonden, foto's van de plaatsen van delict, autopsierapporten – zijn draagbare bijbel van de zaak. Maar afgezien daarvan werkte hij graag met een meer lineair opgesteld overzicht, en dat verklaarde de aantekeningen aan de muur en de foto's van de drie glimlachende vrouwen – die nu geen deel meer uitmaakten van deze wereld, wier leven als een kaarsvlam was gedoofd en aan wier menselijke waardigheid op gewelddadige wijze een einde was gemaakt.

Drie blanke vrouwen. Variërend in leeftijd van eenentwintig tot drieëntwintig. Lengte variërend van één meter zestig tot één meter vijfenzeventig. Lichaamsbouw uiteenlopend van de grofgebouwde Lila White tot de tengere Fawn Pierce en de nog niet geïdentificeerde vrouw met gemiddelde lichaamsbouw die waarschijnlijk Jillian Bondurant was.

Twee prostituees en een studente. Ze kwamen uit verschillende buurten van de stad. De hoeren werkten in twee verschillende buurten, buurten waar Jillian Bondurant niet kwam. Het kon zijn dat Lila en Fawn elkaar kenden, maar het was hoogst onwaarschijnlijk dat Jillian een klant was van dezelfde kroegen, restaurants of winkels.

Hij had gekeken naar de factor drugs als grootste gemene deler, maar er was tot nu toe niets om die theorie hard te maken. Lila White was ruim een jaar geleden afgekickt in een nationaal afkickprogramma en was sindsdien clean geweest. Van Fawn Pierce was niet bekend dat ze ooit iets had gebruikt, hoewel ze de neiging had gehad zich meerdere dagen achtereen te bezatten met goedkope wodka. En Jillian? Er waren bij haar thuis en in haar lichaam geen drugs aangetroffen. Ze had geen strafblad dat wees op het gebruik van verdovende middelen. En tot dusver waren daar ook geen verhalen over binnengekomen.

'Denkt u dat ze willen dat de mensen weten waarom hun dochters hoeren en drugsverslaafden zijn geworden?'
Hij kon de bittere klank van Peter Bondurants stem nog horen.
Waardoor werd die bitterheid veroorzaakt?
Jillian was het stukje dat niet paste in de puzzel van deze moorden. Zij was degene die het profiel op de helling zette. Er was een algemeen type moordenaar dat het op hoeren had voorzien. Prostituees vormden een risicogroep en waren gemakkelijke slachtoffers. Hun moordenaars waren in de regel contactgestoorde, werkloze blanke mannen die in het verleden door vrouwen vernederd waren en wraak wilden nemen op het geslacht via het afstraffen van wat ze beschouwden als het meest verdorven soort.

Tenzij Jillian een geheim dubbelleven als hoer had geleid... Dat was niet onmogelijk, maar tot dusver was er niets dat zelfs maar liet vermoeden dat Jillian één vriendje had gehad, laat staan een hele reeks van vriendjes.

'Jongens interesseerden haar niet. Ze hield niet van tijdelijke relaties. Ze had al zoveel meegemaakt...'
Wat had ze dan meegemaakt? De scheiding van haar ouders. De ziekte van haar moeder. Een stiefvader in een ander land. En verder? Iets diepers? Iets duisters? Iets waarvoor ze bij Lucas Brandt in therapie was gegaan.

'... Maar tegelijkertijd moet u zich realiseren dat het best kan zijn dat de problemen die Jillian aan mij toevertrouwde wel eens niets met haar dood te maken hoeven te hebben. Het kan best zijn dat haar moordenaar niets van haar af heeft geweten.'
'Maar ik durf er wat om te verwedden dat hij dat wel heeft gedaan, dr. Brandt,' zei hij zacht voor zich heen, terwijl hij naar een foto van het meisje keek. Hij voelde het gewoon. Jillian was de sleutel. Door iets in haar leven had ze de aandacht van deze moordenaar getrokken. En als het hen lukte erachter te komen wat dat iets was, bestond er een kans dat ze de schoft te pakken zouden kunnen krijgen.

Hij liep terug naar zijn bureau en bladerde in de map tot hij bij de pagina's met foto's was: kleurafdrukken van tien bij vijftien, met eronder keurig geschreven wat het was. De plaatsen waar het delict zich had afgespeeld: algemene foto's, foto's die toonden hoe de plek gelegen was, de positie van het lichaam vanuit verschillende invalshoeken, close-ups van de verbrande en gemartelde vrouwen. En foto's uit het lijkenhuis: algemene opnamen en close-ups van de slachtoffers voor en na de schoonmaakbeurt door de lijkschouwer, foto's van de autopsie, close-ups van de verwondingen. Verwondingen die vóór het intreden van de dood waren toegebracht en die getuigden van seksueel sadisme. Verwondingen die na het intreden van de dood waren toegebracht, en die eerder een fetisjistisch dan een sadistisch karakter hadden, en ontsproten waren aan de fantasie van de moordenaar.

Gecompliceerde fantasieën. Fantasieën die hij gedurende lange, lange jaren ontwikkeld had.

Hij bladerde langzaam door de close-ups van de wonden en keek aandachtig naar elk merkteken dat de moordenaar had toegebracht, vooral naar de steekwonden ter hoogte van het hart van de slachtoffers. Acht steekwonden in een groepje bij elkaar, langere en kortere wonden die elkaar afwisselden en een specifiek patroon vormden. Van alle weerzinwekkende aspecten van de moorden waren het vooral deze steekwonden die hem intrigeerden. Meer nog dan het feit dat de slachtoffers verbrand waren. Het verbranden leek eerder voor de show, de afronding van zijn relatie met het slachtoffer. Deze steekwonden wezen op iets persoonlijks en intiems. Maar wat?

Opeens hoorde Quinn allemaal stemmen in zijn hoofd, en was het alsof iedereen dwars door elkaar heen praatte: Bondurant, Brandt, de lijkschouwer, Kovac, agenten en andere lijkschouwers en deskundigen en agenten van honderden zaken die hij in het verleden had behandeld. En allemaal hadden ze iets op te merken, iets te vragen of iets recht te zetten. En ze maakten zoveel kabaal dat hij zichzelf niet langer kon horen denken. Zijn vermoeidheid leek het lawaai alleen nog maar te versterken, tot het zo erg werd dat hij iemand wilde smeken om het af te zetten.

The Mighty Quinn. Zo noemden ze hem in Quantico. Maar als ze hem nu eens konden zien... De angst dat hij iets over het hoofd zou kunnen zien, of het onderzoek de verkeerde kant op zou kunnen sturen, dreigde hem te verstikken.

Het systeem was overbelast, en hij was de man achter de knoppen – en dat gaf aanleiding tot de meest angstaanjagende gedachte van allemaal: dat hij de enige was die voor veranderingen kon zorgen, want hoe erg dit ook was, het alternatief was nog veel erger en joeg hem nog meer angst aan. Zonder deze baan was er geen John Quinn.

Het trillen begon diep binnenin hem, en kroop langzaam omhoog en door zijn armen. Hij haatte het en verzette zich ertegen door zijn biceps en triceps te spannen, in een poging het gevoel van zwakte terug te dringen. Hij kneep zijn ogen stijf dicht, ging languit op de vloer liggen en begon aan een lange reeks push-ups. Tien, twintig, dertig, en meer, net zo lang tot zijn armen aanvoelden alsof de gespannen spierbundels uit de huid van zijn armen zouden barsten, tot de pijn het stemmenlawaai in zijn hoofd overwonnen had en hij alleen nog maar het dreunen van zijn eigen hartslag kon horen. En toen dwong hij zichzelf om weer te gaan staan. Hij hapte naar lucht, had het warm en was vochtig van het zweet.

Hij concentreerde zich op de foto voor zich. Hij zag niet het ver-minkte vlees of het bloed of het lijk. Het enige dat hij zag was het pa-troon van de wond.

'Cross my heart, and hope to die,' fluisterde hij, terwijl hij zijn wijs-vinger over het kruis liet gaan. 'Op mijn woord van eer, ik zweer het op mijn leven.'

'De straten van Minneapolis worden onveilig gemaakt door een se-riemoordenaar. Vandaag heeft de politie van Minneapolis een com-positietekening vrijgegeven van de man die mogelijk drie vrouwen op wrede wijze om het leven heeft gebracht. Dát is voor vanavond ons belangrijkste onderwerp...'

De bewoonsters van het Phoenix House zaten op, naast en voor de lukraak bij elkaar gezochte verzameling stoelen en banken in de zit-kamer, en keken geboeid naar de knappe, breedgeschouderde pre-sentator van het journaal van Channel Eleven. Zijn beeltenis maak-te plaats voor een filmverslag van de korte persconferentie van die middag en toonde eerst de hoofdcommissaris van politie, die een te-kening van de Cremator ophield en vervolgens de tekening zelf.

Angie stond op de drempel van de kamer. Ze keek niet naar de te-levisie maar naar de vrouwen. Een stel van hen was niet veel ouder dan zij zelf. Vier van hen waren in de twintig. Eéntje was er ouder, en ze was dik en lelijk. De dikkerd droeg een mouwloos topje omdat de verwarmingsketel van slag was en het snikheet was in huis. Haar bo-venarmen waren slap en even wit als een vissenbuik. Wanneer ze zat, hing haar buik op haar knieën.

Angie wist dat de vrouw een hoer was geweest, maar ze kon zich niet voorstellen dat er mannen waren die haar verleidelijk genoeg vonden om het met haar te willen doen. Mannen hielden van knap-pe meisjes. Van jonge meisjes. Het maakte niet uit hoe oud en lelijk de man was, het enige wat ze wilden waren mooie meisjes. Dat wist Angie uit eigen ervaring. Misschien was dat wel de reden waarom Dikke Arlene hier was. Misschien kon ze wel geen man meer vinden die bereid was om voor haar te betalen, en was de Phoenix haar rust-huis.

Een vrouw met rood haar, met het bleke, magere, broze uiterlijk van een verslaafde, begon te huilen toen de foto's van de drie ver-moorde vrouwen in beeld kwamen. De andere vrouwen deden alsof ze er niets van merkten. Toni Urskine, de beheerster van het huis, ging bij haar op de armleuning van haar stoel zitten, boog zich naar haar toe en legde haar hand op haar schouder.

'Toe maar,' zei ze zacht. 'Huilen mag. Fawn was je vriendin, Rita.'

De vrouw met het rode haar trok haar magere blote voeten op en zette ze op de zitting van haar stoel, waarna ze haar gezicht tegen haar knieën drukte en snikte: 'Waarom moest hij haar op die manier vermoorden? Ze heeft geen mens iets aangedaan!'

'Niemand weet waarom hij het heeft gedaan,' zei een ander. 'Het had net zogoed iemand anders van ons kunnen zijn.'

Dat was iets waar ze het allemaal mee eens moesten zijn, zelfs degenen die het probeerden te ontkennen.

Dikke Arlene zei: 'Je moet goed uitkijken met wie je meegaat. Je moet je hersens gebruiken.'

Een zwarte vrouw met een slechte permanent van pijpenkrullen wierp haar een vijandige blik toe. 'Ja hoor, alsof je het voor het kiezen hebt. En wie zou die dikke reet van jou nou willen vastbinden? En al dat vet van je zien trillen wanneer hij je aan mootjes hakt?'

Arlene werd rood en ze perste haar lippen zó stijf op elkaar dat haar ogen wegzakten tussen de bolle welvingen van haar wangen en haar uitpuilende wenkbrauwen. Ze leek op een chow-chow die Angie ooit eens had gezien. 'Hou je kop, vuil kreng dat je bent!'

Toni Urskine werd zichtbaar boos. Ze liet de vrouw met het rode haar zitten, stond op, ging midden in de kamer staan en maakte een gebaar als van een scheidsrechter die om kalmte verzoekt. 'Hé, dat soort dingen willen we hier niet horen. We moeten leren respect voor elkaar te hebben. Denk eraan: respect voor de groep, respect voor je geslacht en respect voor jezélf.'

Dat kun jij makkelijk zeggen, dacht Angie, terwijl ze achteruit, de hal in stapte. Toni Urskine had nog nooit een smerige ouwe man hoeven pijpen om aan een beetje geld voor eten te komen. Ze was een keurige welzijnswerkster in sportieve mantelpakjes van Dayton's die naar Horst ging om haar haren te laten doen en daar honderd dollar voor neertelde. Ze kwam vanuit haar villa in Edina of Minnetonka in haar dure Ford Explorer naar dit armoedige tehuis gereden. Ze had er geen idee van wat het voor iemand betekende om erachter te komen dat ze maar vijfentwintig dollar waard was.

'We maken ons állemaal druk om deze vermoorde vrouwen,' vervolgde Urskine op hartstochtelijke toon. Haar donkere ogen gloeiden in haar scherp getekende gezicht. 'We zijn állemaal boos over het feit dat de politie tot nu toe zogoed als geen poot heeft uitgestoken. Het is een schandaal. Het is een klap in het gezicht. Het betekent zoveel als dat het gemeentebestuur van Minneapolis vindt dat vrouwen in wanhopige levensomstandigheden niets waard zijn. Dáár moeten we boos over zijn, in plaats van boos te worden op elkaar.'

De vrouwen luisterden naar haar, sommige geïnteresseerd, sommige met een half oor, en andere luisterden helemaal niet maar deden alsof.

'Waar het om gaat, is betrokkenheid. We moeten pro-actief zijn,' vervolgde Urskine. 'Morgen gaan we met z'n allen naar het stadhuis. We moeten de pers onze kant van het verhaal vertellen. We laten kopieën maken van die tekening en gaan daar dan zelf mee op pad...'

Angie liep geruisloos verder de gang in. Ze vond het niet prettig wanneer er over de Cremator werd gesproken. De vrouwen in het tehuis mochten niet weten wie ze was en dat ze iets met de zaak te maken had, maar Angie had altijd het akelige gevoel dat de andere vrouwen haar maar hoefden aan te kijken om meteen te beseffen dat ze de geheimzinnige getuige in de moordzaak was. Ze wilde niet dat iemand het wist.

Ze wilde dat het niet waar was.

De tranen sprongen haar onverwacht in de ogen en ze wreef ze weg. Ze wilde geen emoties tonen. Als ze liet zien wat ze voelde, zou iemand begrijpen dat ze zwak was en behoefte aan liefde had, en misschien ook wel beseffen dat ze door die gekte van haar in Het Gat werd gezogen en zichzelf verwondde. Niemand zou begrijpen dat het mesje juist diende om te voorkomen dat ze écht gek zou worden.

'Is alles goed met je?'

Angie schrok en draaide zich met een ruk om naar de man die op de drempel van de open kelderdeur stond. Hij was eind dertig, knap, en droeg een beige bandplooibroek en een poloshirt van Ralph Lauren om aan de verwarmingsketel te werken: hij moest familie van Toni Urskine zijn. Zijn gezicht was bezweet en zat onder de zwarte vegen. Hij veegde zijn handen af aan een vuile grijze lap waar vlekken op zaten in de kleur van bloed.

Hij zag Angie naar de lap kijken en keek er zelf ook naar, om vervolgens weer glimlachend op te kijken. 'Het is een heel oude ketel hier,' zei hij, bij wijze van verklaring. 'Maar met de nodige wilskracht en elastiekjes is het me tot nu toe gelukt hem aan de praat te houden.

'Greggory Urskine,' zei hij, zijn hand uitstekend.

'U hebt zich gesneden,' zei Angie. In plaats van de uitgestoken hand te accepteren, keek ze strak naar de streep bloed die dwars over de binnenkant van zijn hand liep.

Urskine keek ernaar, haalde de lap erover en grinnikte op de zenuwachtige manier van een onzeker iemand die een goede indruk probeert te maken. Angie bleef hem alleen maar aankijken. Hij leek een beetje op Kurt Russell, dacht ze: een brede kin en een kleine neus, en ongekamd zandkleurig haar. Hij droeg een brilletje met een dun, zilveren montuur. Hij had zichzelf die ochtend bij het scheren in de bovenlip gesneden.

'Heb je het niet warm met dat jack?' vroeg hij.

Angie zei niets. Ze zweette als een paard, maar de mouwen van haar trui waren te kort om alle littekens op haar armen te bedekken. Het jack was een noodzaak. Als het haar lukte om wat geld los te krijgen van Kate, zou ze nieuwe kleren kopen. Misschien wel iets echt nieuws en niet van het Leger des Heils of uit een tweedehandszaakje.

'Ik ben Toni's echtgenoot en de klusjesman,' zei Urskine. Hij kneep zijn ogen halfdicht. 'Ben jij Angie?'

Angie bleef hem alleen maar aankijken.

'Ik zal het aan niemand vertellen,' zei Urskine op een vertrouwelijke toon. 'Ik ben goed in het bewaren van geheimen.'

Ze had het gevoel alsof hij op de een of andere manier de spot met haar dreef. Angie besloot dat ze hem niet mocht, of hij nu knap was of niet. Er was iets in de manier waarop hij haar aankeek door dat dure brilletje, iets dat haar niet beviel. Alsof hij op haar neerkeek. Alsof ze een vies insect was of zo. Ze vroeg zich terloops af of hij ooit wel eens een vrouw betaald had om seks met haar te hebben. Zijn vrouw leek het type dat seks maar vies vond. Haar heilige taak in het leven was om vrouwen te redden, zodat ze het niet meer hoefden te doen.

'We trekken ons deze zaak allemaal heel erg aan,' vervolgde hij, en trok een ernstig gezicht. 'Het eerste slachtoffer, Lila White, heeft hier een tijdje in huis gewoond. Toni was er kapot van. Ze is stapelgek op dit tehuis. En op de vrouwen. En ze vecht met hart en ziel voor de zaak.'

Angie sloeg haar armen over elkaar. 'En wat doet u?'

Opnieuw dat flitsende glimlachje en dat nerveuze gegrinnik. 'Ik ben ingenieur bij Honeywell. Op dit moment heb ik een paar dagen vrij genomen om te kijken of het me lukt de oude verwarmingsketel te repareren voor de winter begint – en om mijn doctoraalscriptie eindelijk eens af te maken.'

Hij lachte alsof dat een goeie grap was. Hij vroeg Angie niet wat zij deed, hoewel niet alle vrouwen die hier woonden hoeren waren. Hij keek naar haar buik, naar de ring in haar navel en de tatoeages die te zien waren waar haar te kleine truitje was opgekropen. Ze duwde haar heup opzij, liet hem nog wat meer huid zien en vroeg zich af of hij zin in haar had.

Toen keek hij haar weer aan. 'Dus dankzij jou is er een grote kans dat ze die man te pakken krijgen,' zei hij, en het was niet duidelijk of het een vraag of een bevestigende opmerking was. 'Je hebt hem gezien.'

'Niemand wordt geacht dat te weten,' zei Angie bot. 'Ik mag er niet over praten.'

Einde van het gesprek. Ze negeerde de vriendelijke woorden ten afscheid, liep achteruit bij hem vandaan, en ging de trap op. Ze voelde dat Greggory Urskine haar nakeek.

'Eh, nou, welterusten dan maar,' riep hij haar na terwijl ze op de eerste etage in de donkere gang verdween.

Ze ging naar de kamer die ze deelde met een vrouw wier ex-vriendje haar vast had gehouden terwijl hij met een groot jachtmes al haar haren had afgesneden omdat ze geweigerd had hem het geld van haar uitkering te geven, waarvan hij drugs had willen kopen. De kinderen van de vrouw waren ondergebracht bij een pleeggezin. Het vriendje was ontsnapt naar Wisconsin. De vrouw had in een afkick-centrum gezeten en was eruit gekomen met de behoefte om alles op te biechten. Dat kregen sommige mensen wanneer ze in therapie waren gegaan. Angie was zo slim geweest dat te voorkomen. *Hou je geheimen voor je, Angel. Je geheimen maken je tot een bijzonder mens.* Bijzonder. Ze wilde bijzonder zijn. Ze wilde niet alleen zijn. Het maakte niet uit dat er andere mensen in dit huis woonden. Geen van de vrouwen die hier woonden was hier mét haar. Ze hoorde hier niet. Ze was hier gedumpt als een jong hondje dat niemand wilde hebben. Klotesmerissen. Ze wilden van alles van haar, maar ze weigerden haar er iets voor terug te geven. Ze kon hen geen barst schelen. Het kon hen geen barst schelen wat ze wel eens van hen zou willen hebben.

Kate viel gelukkig nog wel mee, dacht Angie, terwijl ze in de kamer op en neer liep. Maar hoewel Kate tot op zekere hoogte eerlijk was, moest ze er toch rekening mee blijven houden dat ze een van hén was. Het was Kate Conlans taak om door de muur heen te breken die ze rond zichzelf had opgetrokken, zodat de politie en de officier van justitie konden krijgen wat ze hebben wilden. En als dat eenmaal gebeurd was, dan was het afgelopen. Ze was niet echt een vriendin. Angie kon de echte vriendinnen die ze ooit had gehad op één hand tellen, en dan hield ze nog vingers over.

Vanavond zou ze dolgelukkig zijn geweest met een echte vriendin. Ze wilde hier niet zijn, in dit opvangtehuis. Wat ze wilde, dit was ergens thuishoren.

Ze dacht aan de vrouw die in het park verbrand was, dacht aan waar die vrouw had thuisgehoord, en vroeg zich bij wijze van fantasie af hoe het zijn zou als ze gewoon de plaats van die vrouw in zou kunnen nemen. Dan zou ze de dochter van een rijke man zijn. Dan zou ze een vader hebben, en een thuis en geld.

Ze dacht aan haar eigen vader, en aan de littekens die ze aan hem te danken had. Ze dacht aan haar ouderlijk huis. Ze kon de geur van verzuurd vet in de keuken nog steeds ruiken, en ze was de grote, donkere kasten met de deuren die van buiten konden worden afgesloten nog lang niet vergeten. Een vader en een ouderlijk huis had ze gehad, maar geld had ze nooit bezeten.

Ze ging met haar kleren aan naar bed en wachtte tot het stil was in huis en haar kamergenootje lag te snurken. Toen kroop ze onder de dekens uit, sloop de kamer uit en de trap af, en ging via de achterdeur naar buiten.

Het was donker en het waaide. De wolken trokken zo snel langs de lucht dat het leek alsof het afzonderlijke foto's waren die snel na elkaar vertoond werden. De straten waren verlaten, en het enige verkeer bestond uit een enkele auto op de doorgaande routes die in noordelijke of zuidelijke richting reed. Angie haastte zich zo onopvallend mogelijk in westelijke richting. Ze had voortdurend het gevoel dat ze gevolgd werd, maar hoe vaak ze ook achterom keek, ze kon niemand ontdekken.

Het Gat achtervolgde haar als een schaduw. Als ze maar door bleef lopen, als ze maar deed alsof ze ergens naartoe op weg was, misschien dat het haar dan niet in zou halen. De huizen in de straten waren donker. De kale takken van de bomen kraakten in de wind. Toen ze bij het meer kwam, was het even zwart en glanzend als olie. Ze bleef aan de donkere kant van de straat, en liep verder in noordelijke richting. De mensen in deze buurt zouden de politie bellen wanneer ze iemand op dit late uur over straat zagen lopen.

Ze herkende het huis van de beelden op de televisie – het was als een Engels huis met een groot, ijzeren hek eromheen. Ze sloeg van de doorgaande weg af en beklom, in de schaduw van de hoge bomen, de heuvel naar de achterzijde van het huis. Gedurende driekwart van het jaar werd het huis door de dikke, hoge hagen aan het zicht onttrokken, maar nu waren ze kaal en kon ze door de wirwar van takjes kijken.

In het huis, in een kamer met mooie glazen deuren die toegang gaven tot een terras, brandde licht. Angie stond achter het hek, paste goed op dat ze het niet aanraakte en keek in Peter Bondurants achtertuin. Ze keek naar het zwembad, de stenen banken, en de smeedijzeren tafels en stoelen die nog niet waren opgeslagen voor de winter. Ze keek naar de amberkleurige gloed achter het venster en naar de gestalte van een man die achter een bureau zat, en vroeg zich af of hij zich even eenzaam voelde als zij. Ze vroeg zich af of hij op momenten als deze troost kon putten uit zijn geld.

Peter stond op van zijn bureau en liep gespannen en rusteloos door zijn werkkamer. Hij kon niet slapen en weigerde de pillen te nemen die zijn huisarts hem had voorgeschreven en persoonlijk bezorgd had. De nachtmerrie had bezit genomen van zijn waakbewustzijn: de oranje, felle vlammen, de stank. Wanneer hij zijn ogen sloot, zag hij het vuur en kon hij de hitte ervan voelen. Dan zag hij Jillians gezicht: de schok, de schaamte, het intense verdriet. Hij zag haar gezicht dat wegzweefde, de grof doorgesneden, bloederige keel. Als hij dit soort dingen al zag wanneer hij wakker was, wat stond hem dan wel niet in zijn slaap te wachten?

Hij ging voor de terrasdeuren staan en keek naar buiten. De nacht was zwart en koud, en hij verbeeldde zich dat er naar hem werd gekeken. *Jillian.* Hij meende haar nabijheid te kunnen voelen. Het gewicht ervan drukte op zijn borst alsof ze haar armen om hem heen had geslagen. Zelfs in de dood wilde ze hem nog aanraken, zich aan hem vastklampen. Ze snakte naar liefde, naar liefde waar ze een verdraaid en verwrongen beeld van had.

Diep binnen in zich voelde hij een duister verlangen de kop op steken, een gevoel dat onmiddellijk gevolgd werd door een mengeling van walging, schaamte en schuld. Onder het slaken van een dierlijk geluid draaide hij zich met een ruk om naar zijn bureau en veegde alles in één gebaar van het keurig netjes geordende blad. Pennen, de Rolodex, presse-papiers, dossiermappen, zijn agenda. De telefoon liet een protesterend belletje horen. De lamp sloeg tegen de vloer, het peertje knalde met een luide *plop!* uit elkaar, en toen was het donker in de kamer.

De laatste lichtflits bleef op zijn pupillen staan – twee oranje lichtpuntjes die met hem mee bewogen. Vlammen waar hij niet aan kon ontsnappen. De emotie zat onbeweeglijk en rotsvast als een brok in zijn keel. Hij voelde de druk binnen zijn ogen. Het was alsof ze zouden exploderen, en hij vroeg zich koortsachtig af of hij, als dat gebeurde, de vlammen dan nog steeds zou zien.

Er kwam een hees, droog en verstikt geluid over zijn lippen toen hij door het donker heen, en struikelend over de voorwerpen die hij van het bureau had geveegd, bij een schemerlamp kwam. Hij deed het licht aan en voelde zich meteen een stuk rustiger. Hij begon de bende op te ruimen, raapte de dingen één voor één op en legde ze met grote nauwkeurigheid en precisie terug op zijn bureau. Dit was wat hij moest doen: hij moest zijn leven weer naadloos in elkaar zetten, de tranen aan de oppervlakte wegvegen en verdergaan met zijn leven, precies zoals hij had gedaan toen Sophie Jillian al die jaren geleden had meegenomen en hem verlaten had.

Als laatste raapte hij de agenda op en zag dat hij openlag op vrijdag. *Jillian komt eten,* stond er, in zijn eigen, keurige handschrift. Het klonk zo onschuldig, zo simpel. Maar met Jillie was niets ooit onschuldig of simpel. Hoe ze dat ook probeerde.

De telefoon ging en deed hem opschrikken uit zijn duistere herinneringen.

'Peter Bondurant,' zei hij, alsof het midden op de dag was. In zijn achterhoofd probeerde hij zich te herinneren of hij een gesprek uit het buitenland verwachtte.

'Lieve pappie,' klonk de zachte, melodieuze en verleidelijke stem. 'Ik ken al je geheimen.'

13

'Als we met een tweede tekening komen, staan we voor gek,' klaagde Sabin, vanachter zijn bureau. Zijn onderlip stak uit als bij een mokkend kind van twee, hetgeen een vreemd contrast vormde met zijn geslepen image van een man van de wereld. Voor zijn confrontatie met de pers had hij een loodgrijs kostuum met een net iets donkerder das en een lichtblauw overhemd aangetrokken. Een uiterst gesoigneerde verschijning.

'Ik zie niet in hoe júllie daarmee voor gek zouden komen te staan, Ted,' zei Kate. 'Het was hoofdcommissaris Greer die voorbarig gehandeld heeft.'

De rimpels op zijn voorhoofd werden dieper en hij wierp haar een veelbetekenende blik toe. 'Ik weet heus wel wiens schuld dit is.'

'De getuige kan er niets aan doen,' zei Kate, in het volle besef dat hij háár de schuld wilde geven.

'Ik heb gehoord dat ze niet erg meewerkt,' mengde Edwyn Noble zich op bezorgde toon in het gesprek. Hij zat op de stoel voor het bezoek, waar hij te lang voor was. Hij had de pijpen van zijn donkere broek opgetrokken tot boven zijn knokige enkels en nylon sokken.

Kate keek hem strak aan. Er lagen meerdere scherpe opmerkingen op het puntje van haar tong, waaronder ook de vraag: '*Wat heb jíj hier eigenlijk te zoeken?*' Maar ze wist natuurlijk best wat hij hier te zoeken had. Zijn aanwezigheid grensde aan de rand van het fatsoen, maar ze wilde er niets van zeggen omdat ze wist dat ze er toch niets mee op zou schieten. Het kantoor van de officier van justitie was verantwoordelijk voor de bescherming van slachtoffers en getuigen. Peter Bondurant was de vader van een slachtoffer – als de vermoorde vrouw inderdaad zijn dochter bleek te zijn – en op grond daarvan had hij er recht op om op te hoogte te worden gehouden van de vorderingen in de zaak. Edwyn Noble was Bondurants afgevaardigde. Enzovoort, enzovoort.

Ze keek naar Noble alsof hij iets was dat ze van haar schoenzool moest schrapen. 'Ja, nou, dat soort reacties komt wel vaker voor.'

De conclusie bleek een schot in de roos. Noble ging wat rechterop zitten in de te kleine stoel, en de blik in zijn ogen werd zichtbaar koeler.

Rob Marshall kwam als vredestichter tussen hen in staan, en zijn hielenlikkersglimlach gleed dwars over zijn vollemaansgezicht. 'Wat Kate bedoelt, is dat het wel vaker gebeurt dat een getuige van een dergelijke wrede misdaad moeite heeft met te vertellen wat hij of zij heeft gezien.'

Sabin maakte een geïrriteerd geluid. 'Ze is anders niet vies van het geld van de beloning.'

'De beloning wordt alleen maar uitgekeerd in geval van een veroordeling,' bracht Noble hen in herinnering, alsof zijn cliënt al die tijd nodig zou hebben om het geld bij elkaar te schrapen. Alsof Bondurant misschien wel heimelijk hoopte dat hij eronderuit zou kunnen komen.

'We hebben hier niet de gewoonte getuigen om te kopen,' verklaarde Sabin. 'Ik heb je toch duidelijk gezegd dat je haar onder druk moest zetten, Kate.'

Hij klonk alsof ze een huurmoordenaar was. 'Dat dóe ik ook.'

'Als dat zo is, waarom heeft ze de maandagnacht dan niet in de gevangenis doorgebracht? Ik heb tegen Kovac gezegd dat hij haar als een verdachte moest behandelen. Om haar een beetje bang te maken.'

'Maar je –' begon Kate verbaasd.

Rob wierp haar een waarschuwende blik toe. 'Die mogelijkheid hebben we nog altijd, Ted. Met het Phoenix House geven we haar het idee dat Kate aan haar kant staat. Was dat niet wat je gedacht hebt, Kate?'

Ze keek haar baas woedend en met open mond aan.

Sabin trok een pruilmondje. 'En nu zitten we dan met dit fiasco van de tekening.'

'Het is geen fiasco. De tekening had gisteren niet vrijgegeven mogen worden,' zei Kate, zich van Rob afwendend voor ze hem naar de keel zou vliegen. 'Ted, als je dit kind onder druk zet, dan smeert ze hem. En als ze hem níet smeert, dan krijgt ze plotseling wel een ernstige vorm van geheugenverlies. Dat geef ik je op een briefje. Jij weet net zogoed als ik dat we geen enkele grond hebben om haar vast te houden in verband met de moord. Je kon niet eens regelen dat ze werd aangeklaagd. Een rechter zou er niets van willen weten, en uiteindelijk sta jij dan niet alleen voor gek, maar ben je ook je getuige nog kwijt.'

Hij wreef zijn kin alsof hij de klap die dat zou betekenen nu al kon voelen. 'Ze is een zwerfster, en dat is in strijd met de wet.'

'O, ja hoor, dat doet het natuurlijk uitstekend op de voorpagina. *Minderjarige getuige in moordzaak aangeklaagd wegens zwerven.* Daarmee kun je de komende verkiezingen wel vergeten.'

'We hebben het hier niet over mijn politieke carrière, Kate,' snauwde hij opeens vijandig en met een keiharde blik in zijn ogen. 'Maar wel over de manier waarop jij omgaat met deze getuige.' Rob keek Kate aan alsof hij zich afvroeg of ze soms gek was geworden. Kate keek naar Edwyn Noble. *O, nee? Probeer dat de kat maar eens wijs te maken.* Ze had Sabin een extra zetje kunnen geven en daarmee voor elkaar kunnen krijgen dat hij haar van de zaak afhaalde. Ze had kunnen bekennen dat ze geen steek verder kwam met deze getuige, en dan zou ze van de zware last die Angie DiMarco voor haar betekende, af zijn geweest. Maar op hetzelfde moment dat ze het dacht, zag ze het meisje overgeleverd aan dit stelletje bloeddorstige honden, en wist ze dat ze het niet kon. De herinnering aan Angie, zoals ze daar in dat armoedige kamertje van het tehuis had gestaan, opeens tranen in haar ogen had gekregen en gevraagd had waarom ze niet met háár mee naar huis kon, lag haar nog te vers in het geheugen.

Ze stond op en streek in een onopvallend gebaar de plooien uit haar rok. 'Ik doe mijn best om dit meisje zo ver te krijgen dat ze ons de waarheid vertelt. Ik weet dat we daar allemaal op hopen. Geef me alsjeblieft de kans om op mijn manier met haar te werken, Ted.' Ze voelde zich niet te goed om hem daarbij hoopvol en smekend aan te kijken. Ze hoopte dat hij er gevoelig voor was, maar als dat niet zo mocht zijn, dan was dat ook niet erg. Het woordje *huurling* schoot haar door het hoofd, en liet een dun spoortje slijm achter.

'Ze is geen alledaags kind,' vervolgde ze. 'Ze heeft een hard en zwaar leven achter de rug, en dat heeft ervoor gezorgd dat ze niet gemakkelijk is, maar ik heb het gevoel dat ze ons graag wil helpen. Niemand heeft er iets aan als we op dit punt het geduld verliezen. Als je wilt weten of mijn opvatting de juiste is, dan kunnen jullie het aan Quinn vragen. Hij weet evenveel van het omgaan met getuigen in zaken zoals deze als ik,' zei Kate, die er niet tegenop zag om Quinn uit te spelen. Hij stond bij haar in het krijt. En niet zo'n beetje ook.

Noble schraapte beschaafd zijn keel. 'Wat vindt u van hypnose? Bent u bereid dat te proberen?'

Kate schudde het hoofd. 'Dat zal ze nooit willen. Hypnose vereist vertrouwen. En dat is iets wat ze absoluut niet heeft. Oscar met al zijn mystieke gedoe is de grens – verder kunnen we niet gaan.'

'Ik speel niet graag voor advocaat van de duivel,' zei de advocaat, terwijl hij uit de kleine stoel kwam, 'maar hoe kunnen we er zeker van zijn dat ze echt iets heeft gezien? Zo te horen is ze het type dat voor een beetje geld tot alles in staat is. Misschien gaat het haar alleen maar om de beloning.'

'In het begin wist ze helemaal niets van een beloning,' zei Kate. 'En als ze dat wel deed, dan is ze nu nog interessanter voor ons, want dan moet ze helderziende zijn. Bij de eerste twee moorden was er geen beloning.'

Ze keek op haar horloge en onderdrukte een vloek. 'Ik vrees dat jullie me zullen moeten excuseren. Ik moet over een paar minuten op een hoorzitting zijn en mijn slachtoffer is waarschijnlijk al in alle staten omdat ik er nog niet ben.'

Sabin was achter zijn bureau vandaan gekomen en leunde er nu met zijn rug tegenaan, terwijl hij zijn armen over elkaar sloeg en een streng gezicht trok. Kate herkende de pose van het artikel dat een jaar geleden over hem in de *Minnesota Monthly* had gestaan. Niet dat ze eraan twijfelde dat het wel eens menens zou kunnen zijn. Ted Sabin had het niet zo ver geschopt door een lieverdje en een doetje te zijn.

'Ik ben bereid om je nog wat tijd te gunnen met dit meisje, Kate.' Hij klonk alsof hij dat met tegenzin deed, hoewel de hele opzet zijn idee was geweest. 'Maar we zitten te springen om resultaten. Ik ga ervan uit dat niemand dat zo goed begrijpt als jij.'

'Ze heeft vanmiddag weer een sessie met Oscar,' zei ze, terwijl ze naar de deur liep.

Sabin zette zich af tegen het bureau en legde zijn hand tussen haar schouderbladen op haar rug. 'Denk je dat je tijdig klaar bent op de rechtbank om daarbij te kunnen zijn?'

'Ja.'

'Want ik weet zeker dat Rob wel iets zal kunnen regelen en een ander naar deze hoorzitting kan sturen.'

'Nee, nee, dat is niet nodig. De hoorzitting duurt niet lang,' beloofde ze met een geforceerd glimlachje. 'En daarbij, deze cliënt is niet iemand die ik mijn collega's toewens. Ze weten waar ik woon.'

'Misschien moeten we agent Quinn vragen of hij bereid is om in plaats van jou de sessie van Oscar en het meisje bij te wonen,' stelde hij voor.

Opeens lag er een mes in de hand op haar rug.

'Ik zie niet in wat we daarmee zouden opschieten.'

'Ik wel, want je had gelijk, Kate,' zei hij. 'Dit is geen doorsnee getuige. En zoals je zelf al zei, Quinn heeft een grote dosis ervaring. Misschien dat hem iets opvalt, of dat hij een andere strategie kan suggereren. Ik zal hem bellen.'

Kate stapte de gang op en bleef staan terwijl de deur achter haar dichtviel. 'Waarom kon ik mijn mond niet houden?'

'Kate –' begon Rob Marshall zacht. Kate draaide zich met een ruk naar hem om terwijl hij haar geruisloos de gang op volgde.

'Dat was wel héél gemeen,' fluisterde ze hem fel toe. Het liefste had ze hem bij de oren gepakt en flink door elkaar geschud. 'Jij hebt me het groene licht gegeven om Angie naar het Phoenix House te brengen. En nu sta je daar en geef je Sabin de indruk dat het allemaal míjn idee was! Ik dacht dat je het met hem had besproken. Dat heb ik ook tegen Kovac gezegd. En ik heb Kovac uitgemaakt voor paranoïde omdat hij het niet geloofde.'

'Ik heb hem voorgesteld om haar naar het Phoenix House over te brengen –'

'Maar daar wilde hij niets van weten.'

'Hij heeft geen nee gezegd.'

'Nou, maar hij heeft ook geen já gezegd!'

'Hij was er met zijn gedachten niet bij. Maar ik wist dat jij haar daar graag wilde laten overnachten, Kate.'

'Hé, probeer dit niet op mij af te schuiven. Je hebt voor de verandering eens een initiatief genomen. En daar hoort ook een portie verantwoordelijkheid bij.'

Hij ademde zwaar door zijn te korte neus en kreeg een kleur. 'Kate, sta je er ooit wel eens bij stil dat ik je superieur ben?'

Ze onderdrukte de reactie die haar als eerste te binnen schoot en schraapte al het respect bij elkaar dat ze maar kon opbrengen. 'Het spijt me. Ik ben boos.'

'En ik ben je baas. Ík heb de leiding,' zei hij. De klank van zijn stem getuigde van zijn frustratie.

'Daar benijd ik je niet om,' zei ze op droge toon. 'Ik zou je juist goed tegen de haren in moeten strijken. Jij bent immers degene die me van deze explosieve zaak kan halen. Maar ik wil er niet van af,' bekende ze. 'Dat zal de Zweedse masochiste in mij wel zijn.'

'Jij bent precies degene die ik voor deze getuige wil, Kate,' zei hij. Hij duwde zijn bril hoger op zijn neus en glimlachte als een boer met kiespijn. 'Ik vraag me af wie hier masochistisch is.'

'Het spijt me. Ik hou alleen niet van het gevoel dat er met me gespeeld wordt, dat is alles.'

Zijn relatie met Sabin was intact. Haar schijnbaar overschrijden van de grenzen zou worden toegeschreven aan haar overbekende arrogantie. Sabin zou haar vergeven omdat hij een oogje op haar had, en Rob kwam ervan af met de aura van een diplomaat, zo niet als een leider. Opnieuw een geval van het doel dat de middelen heiligt. Het enige wat pijn deed was haar trots.

'Ik heb persoonlijk niets tegen samenzweringen, weet je,' zei ze, nog steeds gekwetst. Ze was voor honderd procent van plan geweest om Angie uit Sabins klauwen te bevrijden, maar ze had Rob Marshall buiten haar plan moeten houden. Dat was het wat haar in werkelijkheid dwarszat – dat Rob haar te slim af was geweest. Ze hield er niet van te moeten erkennen dat hij slimmer of sluwer was dan zij, of haar op welke andere manier dan ook de baas was. Wát een houding om tegenover je baas te hebben.

'Heb je al iets gehoord van je vriendjes in Wisconsin?' vroeg ze.

'Nog niet.'

'Het zou een hele opluchting zijn om te weten wie dit kind is. Ik heb het gevoel alsof ik met een blinddoek voor sta te werken.'

'Ik heb de video-opnamen van Angie's verhoor,' zei hij, terwijl hij zijn handen in zijn zij zette. 'Het lijkt me zinvol dat we die samen bekijken. Misschien zou Quinn er ook bij moeten zijn. Ik zou graag horen wat hij ervan vindt.'

'Best, waarom niet?' reageerde Kate, en ze legde zich erbij neer. 'Je zegt maar wanneer. Nu moet ik naar de rechtbank.'

Er waren dagen waarop het verleidelijker leek om thuis te blijven en met de hamer op je duim te slaan. Dat was tenminste een soort pijn waar je snel overheen was. John Quinn was een heel ander verhaal.

'Ik was al bang dat u niet zou komen,' zei David Willis op zwaar verwijtende toon. Hij was op een holletje naar haar toe gekomen, toen hij zag dat ze probeerde zich een weg te banen tussen de groepjes advocaten door die op de gang van de rechtbank met elkaar stonden te praten.

'Het spijt me, meneer Willis. Ik had een bespreking met de officier van justitie.'

'Ging het over míjn zaak?'

'Nee. Voor uw zaak is alles gereed.'

'Ik hoef toch niet te getuigen, hè?'

'Niet vandaag, nee.' Kate stuurde haar cliënt in de richting van de rechtszaal. 'Dit is alleen maar een hoorzitting. De openbare aanklager komt met een hoeveelheid bewijsmateriaal die voldoende is om meneer Zubek tot aan de rechtszitting in de gevangenis te kunnen houden.'

'Maar hij zal me niet toch naar het getuigenbankje roepen?' Hij keek half angstig en half hoopvol bij dat vooruitzicht.

Kate was er zeker van dat hij er precies zo had uitgezien in het jaarboek van zijn eindexamenklas uit de jaren zeventig: een ouderwets gemillimeterd kapsel, een bril met een zwaar montuur en dikke glazen en een broek met een hoogwatertaille in de verkeerde kleur groen. Het zou haar niets verbazen als hij in de loop van zijn leven regelmatig beledigd was.

Ter gelegenheid van de hoorzitting droeg hij de bril met het dikke, zwarte montuur dat het tijdens de aanval die er op hem was gepleegd had moeten ontgelden. Het werd op twee plaatsen met plakband bij elkaar gehouden. Zijn linkerpols zat in plasticgips, en om zijn nek droeg hij een orthopedische kraag.

'Dat soort dingen gebeurt alleen maar in *Matlock*,' zei Kate.

'Maar zo snel kan ik dat niet. Daar moet ik mij eerst echt op voorbereiden, weet u.'

'Ja, dat weten we allemaal, meneer Willis.' Omdat hij hen – Kate, Ken Merced, Kens secretaresse en de receptioniste van hun afdeling – tijdens de afgelopen week dagelijks gebeld had om hun dat te vertellen.

163

'En ik loop ook geen enkel risico op lichamelijk letsel, hè? Hij heeft toch zeker hand- en enkelboeien om zijn enkels, hè?'

'U hoeft nergens bang voor te zijn.'

'Want, weet u, uit de situatie voortvloeiende stress kan mensen helemaal doen doorslaan. Ik heb er van alles over gelezen. Ik ben braaf elke week naar de slachtofferhulpgroep gegaan waar u mij naartoe hebt gestuurd, mevrouw Conlan, en heb alles gelezen wat ik maar te pakken kon krijgen over criminele denkpatronen, over slachtofferpsychologie en posttraumatische stress – precies zoals u gezegd hebt dat ik moest doen.'

Kate adviseerde haar cliënten meestal om bepaalde dingen te lezen opdat ze voorbereid zouden zijn op eventuele reacties en emoties als gevolg van een misdaad. Op die manier konden ze alles beter begrijpen en waren ze die reacties in zekere mate de baas. Maar ze adviseerde het niet als een tijdrovende hobby.

In de wetenschap dat Willis het prettig zou vinden om zo dicht mogelijk bij de actie te zitten, koos ze voor de eerste rij van de tribune achter de tafel van de officier van justitie, waar Ken Merced bezig was zijn aantekeningen door te kijken. Willis botste tegen haar op toen ze bleef staan om hem de rij te wijzen, en struikelde vervolgens over zijn eigen voeten toen hij een stapje opzij wilde doen om Kate beleefd voor te laten gaan.

Kate schoof hoofdschuddend de rij in en ging zitten. Willis scharrelde aan de sluiting van de goedkope aktetas die hij bij zich had. Erin zaten krantenknipsels van zijn zaak, polaroidfoto's van hem die waren genomen toen hij na de overval op de eerstehulppost was binnengebracht, folders van slachtofferhulpgroepen en therapeuten, en een gebonden exemplaar van *Coping After the Crime*. Hij haalde er een blocnote uit en bereidde zich voor op het maken van aantekeningen over de gang van zaken – zoals hij dat bij elke ontmoeting had gedaan die Kate met hem had gehad.

Merced draaide zich met een vriendelijk pokergezicht naar hen om. 'We zijn er helemaal klaar voor, meneer Willis. Het zal niet lang duren.'

'Weet u zeker dat u niet wilt dat ik een verklaring voor u afleg?'

'Niet vandaag.'

Hij slaakt een huiverende zucht. 'Want zo snel kan ik dat niet.'

'Nee.' Merced draaide zich weer naar voren. 'Maar dat hoeft ook niet.'

Kate leunde naar achteren en probeerde zich te ontspannen, terwijl Willis volledig opging in het maken van voorbereidende aantekeningen.

'Je hebt altijd al een zwak gehad voor zielepoten.'

De zachte fluisterstem rolde over haar rechterschouder, en de adem streelde de tere huid van haar hals. Kate draaide zich met een ruk om en trok een boos gezicht. Quinn zat, met zijn ellebogen op zijn knieën, naar voren gebogen in zijn stoel, en keek haar met stralende ogen aan. Ze herkende zijn glimlachje, het glimlachje van de kleine jongen die met zijn hand in de koekjestrommel is betrapt.

'Ik moet met je praten,' zei hij zacht.

'Je hebt het nummer van mijn kantoor.'

'Ja, dat heb ik,' gaf hij toe. 'Maar het schijnt dat je er niets voor voelt om mij terug te bellen.'

'Ik heb het heel druk.'

'Dat zie ik.'

'Dat spottende toontje kun je je besparen,' snauwde ze.

David Willis pakte haar graaiend bij de arm, en ze draaide zich weer naar voren. De zijdeur was opengegaan en O.T. Zubek, de verdachte, kwam binnen met zijn advocaat. Ze werden gevolgd door een agent van het parket. Zubek was klein en gedrongen, met stevige ledematen en een uitpuilende buik. Hij droeg een goedkoop donkerblauw pak met vlokjes roos op de schouders. Eronder had hij een lichtblauw gebreid truitje, dat hij niet had ingestopt en dat te strak om zijn buik spande. Hij keek Willis recht aan en trok een smoel, waarbij zijn gezicht deed denken aan de karikatuur van een echte bink met stoppelbaard uit een stripverhaal.

Willis keek even met grote, uitpuilende ogen terug, en draaide zich toen opzij naar Kate. 'Zag u dat? Hij heeft me bedreigd! Dat was dreigend oogcontact! Dat kwam op mij over als een dreigement. Waarom heeft hij geen handboeien meer om?'

'Probeert u nu maar kalm te blijven, meneer Willis, want anders laat de rechter u uit de rechtszaal verwijderen.'

'Alsof ík hier de misdadiger zou zijn!'

'Iedereen weet dat u dat niet bent.'

De rechter kwam binnen, en iedereen stond op en ging weer zitten. Het rolnummer werd opgelezen, de advocaten noemden hun naam en de hoorzitting ging van start.

Merced riep zijn eerste getuige, een peervormige man die onderhoudsmonteur was van de Slurpee-frisdrankenautomaten in het centrum van Twin Cities. Hij verklaarde dat hij Zubek met Willis had horen ruziemaken over de toestand van een levering Hostess Twinkies en gemengde koekjes aan de zaak waarvan Willis bedrijfsleider was, en dat hij het tweetal had zien vechten voor de stelling met chips. Hij vertelde hoe hij had gezien dat Zubek Willis er herhaaldelijk van langs had gegeven.

'En hebt u ook gehoord wie deze veronderstelde ruzie begonnen is?' vroeg Zubeks advocaat tijdens het kruisverhoor.

'Nee.'

'Dus dan kan het zijn dat het meneer Willis was die de ruzie heeft uitgelokt?'

'Bezwaar wegens uitlokken van speculatie.'

'Nieuwe vraag. Hebt u gezien wie er bij deze zogenáámde aanval de eerste klap heeft uitgedeeld?'

'Nee.'

'Kan dat meneer Willis zijn geweest?'

Kate voelde Willis trillen en schokkerige beweginkjes maken. 'Ik ben niet begonnen!'

'Ssst!'

Merced zuchtte. 'Edelachtbare...'

De rechter wierp de advocaat van de verdediging, die eruitzag als een tweederangs verkoper van tweedehands auto's, een bedenkelijke blik toe. Hij zag er even slonzig uit als Zubek, en had een neef van hem kunnen zijn. 'Meneer Krupke, dit is een hoorzitting, geen rechtszitting. De rechtbank wil op de eerste plaats horen wat de getuige gezien heeft, en niet wat hij níet heeft gezien.'

'Wel even wat anders dan de zaak van de Richmond Ripper, hè?' fluisterde Quinn in Kate's oor. Ze keek woedend achterom. Het stijve gevoel van haar kin was afgezakt naar haar nek.

Merceds tweede getuige bevestigde het verhaal van de monteur. Krupke stelde hem dezelfde vragen, waar Merced dezelfde bezwaren tegen maakte, terwijl de rechter steeds humeuriger werd. Willis schoof zenuwachtig heen en weer en maakte uitvoerig aantekeningen in een handschrift van kleine hoofdletters dat angstaanjagende dingen deed vermoeden over het functioneren van zijn brein. Merced kwam met de video van de bewakingsdienst waarop veel meer te zien was van het gevecht, en zei dat hij verder niets in te brengen had.

Krupke had geen getuigen en liet het er verder ook bij.

'We proberen niet te ontkennen dat er een vechtpartij heeft plaatsgevonden, edelachtbare.'

'Waarom verdoet u mijn tijd dan met deze hoorzitting, meneer Krupke?'

'Omdat we wilden vaststellen dat het gebeuren misschien wel niet helemáál zo is gegaan als meneer Willis beweert.'

'Dat is een leugen!' riep Willis.

De rechter sloeg met zijn hamer. De parkeerwacht keek Willis berispend aan maar week niet van zijn post. Kate greep de arm van haar cliënt stevig beet en fluisterde vurig: 'U moet uw mond houden, meneer Willis!'

'Ik raad u aan om naar uw maatschappelijk werkster te luisteren, meneer Willis,' zei de rechter. 'U krijgt nog alle kans om uw eigen verhaal te doen.'

'Vandaag?'

'Nee!' De rechter snoof, en keek nijdig naar Merced, die zijn handen spreidde en zijn schouders ophaalde. Hij wendde zich opnieuw tot de verdediging. 'Meneer Krupke, ik wil een cheque van tweehonderd dollar van u hebben voor het verspillen van mijn tijd. Als u niet van plan was om de aanklacht aan te vechten, had u uw vragen moeten opschorten tot aan de feitelijke rechtszitting.'

Er werd een datum vastgesteld voor de rechtszitting, en daarmee was het afgelopen. Kate slaakte een zucht van verlichting. Merced stond op van tafel en vergaarde zijn papieren. Kate boog zich over het hekje naar hem toe en fluisterde: 'Kun je die man niet gewoon laten bekennen, Ken? Ik krab mezelf nog liever de ogen uit dan met die man een rechtszitting te moeten doorstaan.'

'Jezus, ik zou Zubek nog geld toe geven als ik hem daarmee kon laten bekennen, en het mij geen schorsing zou opleveren.'

Krupke vroeg of iemand hem een pen kon lenen om de gevraagde cheque uit te schrijven. Willis keek om zich heen alsof hij zojuist ontwaakt was uit een dutje en er geen idee van had waar hij was.

'Is dat alles?'

'Ja, meneer Willis, dat is alles,' zei Kate, terwijl ze ging staan. 'Ik heb u toch gezegd dat het niet lang zou duren.'

'Maar – maar –' Hij zwaaide zijn in gips verpakte arm in Zubeks richting. 'Ze hebben me een leugenaar genoemd! Krijg ik dan geen kans om mijzelf te verdedigen?'

Zubek boog zich met een honende grijns over het hekje. 'Iedereen kan zo zien, Willis, dat je er geen idee van hebt hoe dat moet.'

'Ik vind dat we nu moeten gaan,' zei Kate, terwijl ze Willis zijn aktetas in de hand drukte. Het ding woog een ton.

Hij scharrelde met zijn tas, zijn blocnote en zijn pen, terwijl ze hem meetrok naar het gangpad. Kate maakte zich vooral zorgen over wat ze met Quinn moest beginnen. Hij was zelf al opgestaan en naar het gangpad gelopen, en liep nu achteruit, en naar haar kijkend, naar de deur. Hij wilde dat ze naar hem keek. Ze vermoedde dat Sabin hem meteen had gebeld nadat ze het kantoor uit was gegaan.

'Maar ik snap het niet,' jammerde Willis. 'Dit kan toch nooit alles zijn geweest! Hij heeft me gekwetst! Hij heeft me uitgemaakt voor leugenaar!'

Zubek draaide als een bokser met zijn schouders en trok een dreigend gezicht. 'Aansteller.'

Kate zag Quinns reactie op het moment waarop de strijdkreet over David Willis' lippen kwam. Ze draaide zich met een ruk om terwijl Willis uithaalde en op Zubek af dook. Zijn aktetas trof Zubek tegen de zijkant van zijn hoofd, en hij viel naar achteren, tegen de tafel van de verdediging. De sloten sprongen open en alle papieren vlogen eruit en dwarrelden in het rond.

Kate stortte zich op Willis, die opnieuw uithaalde om voor de tweede keer toe te slaan. Ze greep hem bij zijn schouders, en samen doken ze voorover over het hekje in een zee van tafelpoten en stoelen en toesnellende mensen. Zubek krijste als een speenvarken. De rechter ging tekeer tegen de deurwaarder, de deurwaarder ging tekeer tegen Krupke, die weer tegen Willis tekeerging en hem probeerde te schoppen. Zijn schoen maakte contact met Kate's dij, en ze vloekte en schopte terug, terwijl ze Willis ondertussen vast bleef houden.

Het leek een eeuwigheid te duren voor de orde was hersteld en voor iemand haar van Willis verlost had. Kate ging langzaam zitten en slaakte een reeks fluisterzachte vloeken.

Quinn hurkte voor haar op de grond, stak zijn hand uit en streek een lok van haar dikke, roodgouden haar achter haar oor. 'Je zou toch echt weer bij de FBI terug moeten komen, Kate. Deze baan wordt nog je dood.'

'Waag het niet mij uit te lachen,' snauwde Kate, terwijl ze de schade aan zichzelf en aan haar kleren opnam. Quinn stond tegen haar bureau geleund en keek naar haar terwijl ze plukte aan een knoert van een gat in haar kous. 'Dit is het tweede paar dure kousen in één week. De maat is vol. Van nu af aan draag ik geen rokken meer.'

'De mannen in het gebouw zullen zwarte armbanden moeten dragen,' zei Quinn. Toen ze hem nog een dodelijke blik toewierp, hief hij zijn handen op in een gebaar van overgave. 'Hé, je hebt nu eenmaal een fantastisch stel benen, Kate. Dat kun je me niet tegenspreken.'

'Dat slaat nergens op.'

Hij trok een onschuldig gezicht. 'Is het soms niet meer toegestaan dat oude vrienden elkaar een complimentje maken?'

Ze was haar kapotte kousen vergeten en ging langzaam rechtop zitten. 'Zijn we dat?' vroeg ze zacht. 'Oude vrienden?'

Die vraag ontnuchterde hem. Hij kon haar niet in de ogen kijken en doen alsof het verleden dat tussen hen in lag hem onverschillig liet. Het was een voelbaar pijnlijk moment.

'Dat is niet bepaald de manier waarop we afscheid van elkaar hebben genomen,' zei ze.

'Nee.' Hij zette zich af tegen het bureau, stak zijn handen in zijn broekzakken en keek quasi geïnteresseerd naar de aantekeningen en cartoons die ze op haar memobord had geprikt. 'Maar dat is lang geleden.'

Ze vroeg zich af wat hij daarmee wilde zeggen. Dat het voorbij en vergeten was? Hoewel ze dat aan de ene kant wilde beamen, was ze aan de andere kant nog niet zo ver dat ze die bittere herinneringen los kon laten. Ze was nog niets vergeten. Het idee dat hij dat wel had gedaan, zat haar meer dwars dan ze wilde erkennen. Het bezorgde haar een gevoel van zwakte, en dat was een woord dat ze niet met zichzelf wenste te associëren.

Quinn keek haar vanuit zijn ooghoeken aan. 'Vijf jaar is een lange tijd om boos te blijven.'

'Ik ben niet boos op je.'

Hij lachte. 'Maak dat de kat maar wijs. Je belt me niet terug. Je wilt niet met me praten. Telkens wanneer je me ziet, zet je een hoge rug op.'

'Ik heb je sinds je hier bent, wat, twee keer gezien? De eerste keer heb je me gebruikt om je zin te krijgen, en de tweede keer heb je de spot gedreven met mijn baan –'

'Ik heb niet de spot gedreven met je baan,' protesteerde hij. 'Ik heb de spot gedreven met je cliënt.'

'O, ja, dat is héél iets anders,' zei ze op een sarcastisch toontje, waarbij ze voor het gemak maar even vergat dat iedereen, met inbegrip van haarzelf, de spot dreef met David Willis. Ze bleef staan om te voorkomen dat hij nog meer op haar neer zou kijken dan hij, met zijn superieure lengte, toch al deed. 'Wat ik hier doe is belangrijk, John. Misschien niet op dezelfde manier als het werk wat jíj doet, maar het ís belangrijk.'

'Dat hoor je mij helemaal niet ontkennen, Kate.'

'Nee? Als ik me goed herinner dan heb je me, toen ik indertijd weg ben gegaan bij de FBI, duidelijk gezegd dat ik mijn leven vergooide.'

De herinnering raakte een gevoelige plek, en er kroop een gefrustreerde blik in zijn ogen. 'Je had een uitstekende baan met fantastische carrièremogelijkheden, en die heb je weggegooid, ja. Hoelang werkte je al bij ons? Veertien, vijftien jaar? Je werd alom gerespecteerd, op je eigen afdeling, en daarbuiten. Je was een geweldige agent, Kate, en –'

'En ik ben een betere maatschappelijk werkster. Nu heb ik te maken met mensen die nog leven. Ik kan ze persoonlijk helpen een moeilijke periode door te komen. Ik kan ze helpen om sterker te worden en kan ze laten zien hoe ze door moeilijkheden kunnen groeien. Hoe kun je ook maar denken dat dat niet waardevol zou zijn?'

'Ik heb niets tegen op het feit dat je nu maatschappelijk werkster bent,' zei Quinn meteen. 'Waar ik op tegen was, was dat je wegging bij de FBI. Dat zijn twee verschillende dingen. Je hebt je er door Steve uit laten werken –'

'Dat is niet waar!'

'Dat is wél waar. Hij wilde je straffen –'

'En dat is hem niet gelukt.'

'Je bent 'm gesmeerd. Je hebt hem laten winnen.'

'Hij heeft niet gewonnen,' zei Kate. 'Wat hij wilde, was mij beetje bij beetje de nek omdraaien tot ik uiteindelijk carrièredood zou zijn. Moest ik soms blijven om hem te laten zien hoe sterk ik was? Had je dat gewild? Had je echt gewild dat ik door hem en zijn vriendjes van hot naar her was overgeplaatst en weggepromoveerd, net zolang tot ik uiteindelijk op het kantoor van Gallup in New Mexico terecht zou zijn gekomen, waar ik niets anders te doen zou hebben gehad dan het tellen van overstekende vogelspinnen en slangen?'

'Je had terug kunnen vechten, Kate,' hield hij vol. 'En ik zou je daarbij hebben geholpen.'

Ze sloeg haar armen over elkaar en trok haar wenkbrauwen op. 'O, ja? Als ik me goed herinner, wilde je niet zo heel veel meer met me te maken hebben nadat je door personeelszaken op het matje was geroepen.'

'Dat had niets met jou te maken,' zei hij nijdig. 'Personeelszaken liet me koud. Ik was echt niet bang voor Steven en zijn zielige bureaucratische spelletjes. Ik zat muurvast. Ik was op dat moment met pakweg vijfenzeventig zaken tegelijk bezig, waaronder ook die van de Kannibaal van Cleveland –'

'Hou maar op, John, dat liedje ken ik,' viel ze hem op sarcastische toon in de rede. 'De Mighty Quinn, die de volledige last van de criminele wereld op zijn schouders torst.'

'Wat wil je daarmee zeggen?' vroeg hij. 'Ik heb een baan en doe mijn werk.'

En de rest van de wereld kan de pot op, dacht Kate, *met inbegrip van mij.* Maar ze zei het niet. Wat had ze eraan? Ze kon er de geschiedenis zoals ze zich die herinnerde niet mee veranderen. En ze schoot er ook niets mee op om hem erop te wijzen dat het hem natuurlijk wél iets kon schelen wat er door personeelszaken in zijn dossier werd gezet. Quinn leefde voor zijn werk, en dat was een feit waar niet aan te tornen viel.

Om een lang verhaal kort te maken: ze had een verhouding gehad die de doodklap had betekend voor een huwelijk dat toch al op de klippen was gelopen. Haar man had zich gewroken door ervoor te zorgen dat ze ontslag had moeten nemen. En Quinn had het wrak de rug toegekeerd en zich op zijn eerste liefde – zijn werk – gestort. Toen puntje bij paaltje was gekomen, had hij zich teruggetrokken en haar laten vallen. Toen ze op het punt van vertrek had gestaan, had hij haar niet gevraagd om te blijven.

In de vijf jaren die sindsdien waren verstreken, had hij niet één keer gebeld.

Niet dat ze dat gewild had.

Tijdens de woordenwisseling hadden ze elk enkele stapjes naar de ander toe gedaan. Intussen stond hij zo dichtbij dat ze de vage geur van zijn aftershave kon ruiken. Ze zag aan zijn houding hoe gespannen hij was. En brokstukjes van duizenden weggestopte herinneringen kwamen boven. Zijn sterke armen, zijn warme lichaam, de troost die hij haar had geboden, en die ze als een droge spons in zich had opgezogen.

Haar fout had gelegen in het feit dat ze behoeften had gehad. Maar nu had ze hem niet meer nodig.

Ze draaide zich om, ging op het bureau zitten en probeerde zich ervan te overtuigen dat het feit dat ze met het grootste gemak in deze woordenwisseling verzeild waren geraakt, helemaal niets te betekenen had.

'Ik moet aan het werk,' zei ze, met een nadrukkelijke blik op haar horloge. 'Ik neem aan dat je daarom bent gekomen. Heeft Sabin je gebeld?'

Quinn liet de ingehouden adem uit zijn longen ontsnappen. Hij liet zijn schouders zakken. Hij had er niet op gerekend dat de emoties er zo gemakkelijk uit zouden floepen. Het was helemaal niets voor hem om dit te laten gebeuren. Zoals het ook niets voor hem was om een ruzie op te geven voordat hij gewonnen had. De opluchting die hij daarbij voelde was zo groot dat hij zich ervoor schaamde.

Hij deed een stapje naar achteren. 'Hij wil dat ik erbij kom zitten als je getuige terugkomt om verder te werken aan de tekening.'

'Het interesseert me niet wat hij wil,' zei Kate koppig. 'Ik wil je er niet bij hebben. Mijn verhouding met dat meisje hangt aan een zijden draadje. Als ze de letters FBI hoort, gaat ze er in vliegende vaart vandoor.'

'Dan zullen we die afkorting niet noemen.'

'Ze heeft een scherpe neus voor leugens.'

'Ze zal niets aan me merken. Ik zal muisstil in een hoekje zitten.'

Kate moest bijna lachen. Ja, hoor, Quinn en onopvallend doen. Een donkere, knappe en uiterst viriele man van één meter vijfentachtig in een Italiaans pak. Nee, een meisje zoals Angie zou nooit merken dat hij er was.

'Ik zou me graag een beeld van haar willen vormen,' zei hij. 'Wat vind jij van haar? Denk je dat ze een betrouwbare getuige is?'

'Ze is een grofgebekt, leugenachtig, achterbaks klein kreng,' zei Kate botweg. 'Ze is van huis weggelopen en is waarschijnlijk zestien, maar zou net zogoed veertig kunnen zijn. Ze heeft een paar flinke dreunen gehad, heeft niemand en doet het in haar broek van de angst.'

'Het doorsnee Amerikaanse kind,' zei Quinn op droge toon. 'En heeft ze Smokey Joe gezien?'

Kate antwoordde niet meteen, maar dacht in plaats daarvan zorgvuldig na over wat Angie wel en niet was. Wat ze ook in de vorm van een beloning in de wacht hoopte te slepen, en wat voor leugens ze ook verteld mocht hebben, dat ze het gezicht van het kwaad had gezien, was maar al te waar. Kate voelde dat het echt was. Angie was verschrikkelijk gespannen, telkens wanneer ze haar verhaal moest vertellen, en dat was iets wat je niet kon veinzen. 'Ja, ik geloof van wel.'

Quinn knikte. 'Maar ze vertelt niet alles?'

'Ze is bang voor represailles van de moordenaar – en van de politie, vermoed ik. Ze weigert te vertellen wat ze midden in de nacht in het park te zoeken had.'

'Heb je een idee?'

'Misschien was ze er om verdovende middelen te kopen. Of misschien had ze in de buurt iets uitgevreten en was ze door het park terug op weg naar de steeg waar ze in sliep.'

'Maar ze heeft geen strafblad?'

'Niet voor zover we dat hebben kunnen nagaan. We zoeken op het gebied van seksuele misdrijven, verdovende middelen en jeugdcriminaliteit. Maar tot dusver hebben we alleen maar bot gevangen.'

'Een mysterieuze tante.'

'Jij zegt het.'

'Jammer dat je geen vingerafdrukken van haar kunt krijgen.'

Kate trok een gezicht. 'Als ik Sabin zijn gang had laten gaan, zouden we die intussen hebben gehad. Als het aan hem had gelegen had Kovac haar op maandagavond gearresteerd, zodat ze de nacht in de cel had moeten doorbrengen en doodsbang was geworden.'

'Misschien was dat nog wel niet zo'n heel slecht idee.'

'Over mijn lijk.'

Quinn glimlachte onwillekeurig om de vastberaden klank van haar stem en de felle blik in haar ogen. Het was duidelijk dat ze het gevoel had dat ze haar cliënte moest beschermen, of ze nu een grofgebekt, leugenachtig, achterbaks klein kreng was of niet. Kovac had hem verteld dat Kate de gewoonte had om, hoewel ze uiterst professioneel was, haar slachtoffers en getuigen te beschermen alsof ze familie van haar waren. Een interessante woordkeuze.

Ze was in de afgelopen vijf jaar niet hertrouwd. Op de planken boven haar bureau stond geen foto van een vriendje. Maar in een teer, filigrein, zilveren fotolijstje zat een kiekje van de dochter die ze verloren had. Opzij, weggestopt in een hoekje, ver uit de buurt van stapels dossiers, en niet makkelijk te zien voor de oppervlakkige blik van de gemiddelde bezoeker, en zelfs niet voor de hare, straalde het engelachtige gezichtje van het kind wier dood als een loodzware steen op haar geweten drukte.

Het verdriet over Emily's dood was haar bijna noodlottig geworden. De altijd zo serieuze en onverstoorbare Kate Conlan. Verdriet en schuld hadden haar omver gehaald met de kracht van een bulldozer, hadden haar overdonderd en verpletterd. Ze had niet geweten hoe ze de emoties moest verwerken. Ze had geen steun kunnen zoeken bij haar man, omdat Steven Waterston geen moment had geaarzeld om zijn eigen schuldgevoel op Kate af te schuiven. En dus had ze steun gezocht bij een vriend...

'En als je tegen Sabin durft te zeggen dat het misschien nog niet zo'n slecht idee zou zijn geweest, dan is het lijk in kwestie voor jou.'

172

Ik heb hem gezegd dat je in deze zaak achter me stond, John, dus waag het niet ertegenin te gaan. Je bent me er iets verschuldigd.'

'Ja,' zei hij zacht, terwijl hij zich bewust was van de oude herinneringen die nog steeds te dicht aan de oppervlakte lagen. 'Minstens.'

14

Het koffiehuis, D'Cup, lag in de Lowry Hill buurt, even ten zuiden van de wirwar van snelwegen die het centrum van Minneapolis omsluiten. Het was het soort gelegenheid dat aan de ene kant net funky genoeg was om kunstenaars aan te trekken, maar aan de andere kant ook weer voldoende acceptabel was voor bezoekers van het vlakbij gelegen Guthrie Theater en het Walker Art Center. Liska ging er binnen en snoof het volle, rijke aroma van exotische, geïmporteerde koffiebonen in zich op.

Zij en Moss hadden, omdat ze in een zo kort mogelijke tijd zoveel mogelijk werk wilden verzetten, de taken voor die dag verdeeld. Moeder Mary had, met haar minstens twintig jaar ervaring als moeder, de bepaald niet benijdenswaardige taak op zich genomen van het bezoeken van de nabestaanden van de eerste twee slachtoffers. Ze zou proberen de oude wonden zo voorzichtig mogelijk open te rijten. Liska had toegestemd in een gesprek met de enige bekende vriendin van Jillian Bondurant, Michele Fine.

Fine werkte als serveerster in de D'Cup, waar ze soms ook zong en gitaar speelde op het kleine podium in de hoek achter het venster aan de straatzijde. De drie klanten van het koffiehuis zaten aan kleine tafeltjes bij het raam en koesterden zich in het zwakke zonlicht dat na drie sombere novemberdagen door het venster naar binnen viel. Twee oudere mannen – de een lang en slank en met een grijs sikje, de ander kleiner en breder en met een zwarte alpinopet – nipten van hun espresso en spraken over de landelijke subsidieregeling voor kunstenaars. Een jongere blonde man in een zwarte coltrui en met een bolle zonnebril op zijn neus, dronk van de een of andere *grande*, en was bezig aan een kruiswoordpuzzel uit de krant. In de asbak naast zijn kopje smeulde een sigaret. Hij had het magere, ietwat sjofele uiterlijk van een beginnend acteur die op zijn grote doorbraak wacht.

Liska liep door naar de bar, waar een Italiaans uitziende, knappe jongen met een zwarte paardenstaart, bezig was om gemalen koffie in het bakje van een espressoapparaat te persen. Hij keek op, en zijn

174

ogen hadden de kleur van bittere chocolade van Godiva. Ze moest zich beheersen om niet flauw te vallen. Het lukte haar maar net. Nog meer moeite had ze met het onderdrukken van de automatische impuls om in gedachten na te gaan hoeveel weken het inmiddels geleden was sinds ze met een man naar bed was geweest. Moss zou gezegd hebben dat een moeder van een zoontje van negen en een van zeven, niet geacht werd seks te hebben.

'Ik ben op zoek naar Michele.'

Hij knikte, drukte het filterbakje in het apparaat en gaf een ruk aan het hendel. 'Chell!'

Fine kwam te voorschijn uit de boogdoorgang die toegang gaf tot een ruimte achter de bar. Ze droeg een dienblad met schone, grote, Fiestaware-koffiekoppen. Ze was lang en mager en had een smal, scherp gezicht met meerdere littekens, die Liska deden vermoeden dat ze lang geleden een auto-ongeluk had gehad. Eén ervan beschreef een halve boog bij haar linker mondhoek. Een andere liep als een korte, platte worm over een van haar jukbeenderen. Haar donkere haren hadden een onnatuurlijke rode gloed, en ze droeg ze strak achterover gekamd in een lange, dikke staart.

Liska liet haar op discrete wijze haar schildje zien. 'Fijn dat je zo snel een afspraak met me wilde maken, Michele. Kunnen we ergens zitten?'

Fine zette het dienblad neer en haalde haar tas onder de bar vandaan. 'Hebt u er bezwaar tegen als ik rook?'

'Nee.'

'Ik kan er maar niet mee stoppen,' zei ze, met een stem die even roestig klonk als het scharnier van een oud hek. Ze ging Liska voor naar het rookgedeelte, naar een tafeltje zo ver mogelijk uit de buurt van de blonde man. 'Deze hele toestand met Jillie... ik ben op van de zenuwen.'

Met bevende vingers haalde ze een lange, dunne sigaret uit een goedkoop, plastic doosje. De huid van haar hand was rimpelig en kleurloos. Rond het litteken op haar pols was een schitterend getekende, sierlijke slang getatoeëerd, waarvan de kop, met een rode appel in de bek, op de rug van haar hand lag.

'Dat moet een lelijke brandwond zijn geweest,' zei Liska, terwijl ze, onder het openslaan van haar aantekenboekje, met haar pen op het litteken wees.

Fine stak haar hand uit als om hem te bewonderen. 'Een pan met brandend vet,' zei ze op emotieloze toon. 'Toen ik acht was.'

Ze ontstak haar aansteker, keek strak naar de vlam en fronste even haar wenkbrauwen. 'Het deed ontzettend pijn.'

'Dat geloof ik zo.'

'Dus,' zei ze, alsof ze uit haar herinneringen ontwaakte, 'wat is er nu precies aan de hand? Niemand wil met zekerheid zeggen dat Jillie dood is, maar dat is ze wel, hè? Op de radio en de televisie hebben ze het alleen maar over "speculatie" en "waarschijnlijkheid", maar ik heb ook gehoord dat Peter Bondurant een beloning heeft uitgeloofd. Waarom zou hij zoiets doen als het niet om Jillie ging? Waarom wordt er niet gewoon toegegeven dat zij het is?'

'Ik vrees dat ik daar geen antwoord op kan geven. Hoelang kende je Jillian?'

'Sinds ongeveer een jaar. Ze komt hier elke vrijdag, vóór of ná haar bezoek aan de psychiater. We hebben elkaar in die tijd goed leren kennen.'

Ze inhaleerde diep van haar sigaret en blies de rook tussen haar ver uiteenstaande tanden weer uit. Ze had te kleine, en te zwaar met zwart potlood opgemaakte, lichtbruine ogen. De wimpers zaten onder een dikke laag mascara. Vanlees had haar beschreven als gemeen. Nikki vond *keihard* een betere typering.

'En wanneer heb je Jillian voor het laatst gezien?'

'Vrijdag. Ze is langsgekomen vóór de sessie met die geestelijke vampier van haar.'

'Was je het er niet mee eens dat ze naar dr. Brandt ging? Ken je hem?'

Ze blies de rook uit en kneep haar ogen halfdicht. 'Ik weet dat hij een op geld beluste bloedzuiger is die alleen maar om zichzelf geeft. Ik heb haar keer op keer aangeraden om een vrouwelijke therapeut te nemen. Hij was wel het laatste waar ze behoefte aan had. Het enige wat voor hem telde, was dat hij zijn hand in pappies broekzak kon houden.'

'Weet je ook waarom ze in therapie was?'

Ze keek over Liska's schouder naar buiten. 'Ze was depressief. Er lag nog van alles van de scheiding van haar ouders en van haar moeder en stiefvader. De gebruikelijke familieproblemen, u weet wel.'

'Gelukkig weet ik dat niet. Heeft ze je daar wat naders over verteld?'

'Nee.'

Je liegt, dacht Liska. 'Gebruikte ze verdovende middelen, voor zover je weet?'

'Niet op serieuze schaal.'

'Wat bedoel je daar precies mee?'

'Zo af en toe eens een joint, als ze erg gespannen was.'

'Van wie kocht ze het spul?'

Fine's gezicht verstrakte, waarbij de littekens donkerder en glanzender leken. 'Een kennis.'

Waarmee ze waarschijnlijk zichzelf bedoelde, vermoedde Liska. Ze spreidde haar handen. 'Hé, ik ben er heus niet op uit om iemand te arresteren voor een beetje spul. Ik wil alleen maar weten of het mogelijk is dat Jillian in die hoek een vijand zou kunnen hebben.'

176

'Nee. En ze rookte ook bijna nooit. Lang niet zoveel als toen ze nog in Europa woonde. Daar deed ze aan van alles – seks, drugs, drank. Maar toen ze hier kwam is ze ermee opgehouden.'

'Zomaar? Ze komt hier en verandert van het ene op het andere moment in een non?'

Fine haalde haar schouders op en tikte de as van haar sigaret. 'Ze heeft geprobeerd om zelfmoord te plegen. Ik denk dat je daar wel door verandert.'

'In Frankrijk? Heeft ze dat gedaan toen ze in Frankrijk woonde?'

'Dat heeft ze me verteld. Haar stiefvader heeft haar een poosje opgesloten in een psychiatrische inrichting. En dat was nogal ironisch, aangezien het aan hém te danken was dat ze het niet meer zag zitten.'

'Hoezo?'

'Hij neukte haar. Gedurende een tijdje verbeeldde ze zich dat hij verliefd op haar was. Ze wilde dat hij zich van haar moeder liet scheiden om met haar te trouwen.' Ze sprak op een achteloze toon, net alsof dergelijk gedrag normaal was binnen haar wereld. 'Uiteindelijk slikte ze een overdosis pillen. Stiefpappie liet haar opsluiten. Toen ze er weer uit mocht, is ze hierheen gekomen.'

Liska noteerde alles in een persoonlijke vorm van steno die niemand anders kon lezen behalve zij zelf. De opwinding die ze voelde maakte het extra onleesbaar. Ze was op de vuile was gestoten. Kovac zou zijn vingers aflikken. 'Heeft haar stiefvader haar hier ooit opgezocht?'

'Nee. Ik denk dat hij zich wild is geschrokken van die zelfmoordpoging. Jillie zei dat hij haar zelfs nooit bezocht heeft toen ze in het gekkenhuis zat.' Ze zuchtte een wolk rook en keek naar een onduidelijk punt achter de blonde jongen. 'Het is triest wat doorgaat voor liefde, niet?'

'Wat voor soort bui had ze op vrijdag?'

Ze haalde haar magere schouders op. 'Ik weet niet. Gespannen, denk ik. Het was druk hier. We hadden geen tijd om te praten. Ik zei haar dat ik haar zaterdag wel zou bellen.'

'En heb je dat gedaan?'

'Ja. Ik kreeg het antwoordapparaat. Ik heb een boodschap ingesproken, maar ze heeft niet teruggebeld.'

Ze keek weer naar buiten, maar het was duidelijk dat ze niets zag van wat er zich op straat afspeelde. Ze was met haar gedachten bij het weekend en vroeg zich af of ze, door anders te reageren, Jillians dood voorkomen zou kunnen hebben. Nikki kende die gezichtsuitdrukking. Michele Fine kreeg tranen in de ogen en perste haar lippen op elkaar.

'Ik dacht dat ze bij haar vader was gebleven,' bracht ze met moeite uit. 'Ik besloot toen om het zondag nog maar eens te proberen, maar toen... Ik heb het uiteindelijk niet gedaan...'

'Wat heb je dan wel gedaan op zondag?'

Ze schudde zachtjes met haar hoofd. 'Niets. Uitgeslapen. Rond het meer gewandeld. Niets.'

Ze drukte haar vrije hand tegen haar mond en kneep haar ogen stijf dicht, terwijl ze haar kalmte trachtte te herwinnen. Ze kreeg een kleur toen ze haar adem inhield in een poging niet te huilen. Liska wachtte even.

De oudere mannen hadden het over performance art.

'Hoe kun je het piesen in een fles vol kruisbeeldjes nu kunst noemen?' vroeg de man met de alpinopet.

De man met het sikje spreidde zijn handen. 'Daar zet je een uitspraak mee neer. Je doet er een uitspraak mee!'

De blonde jongen sloeg de pagina van de krant om naar de personeelsadvertenties, en wierp een heimelijke blik op Michele. Liska schonk hem de 'smerisblik' en hij ging verder met lezen.

'En de rest van het weekend?' vroeg ze, zich opnieuw tot Fine wendend. 'Wat heb je vrijdagavond na het werk gedaan?'

'Hoezo?' Onmiddellijk de achterdocht, vermengd met een tikje belediging en ook iets van paniek.

'Het is maar een routinevraag. We moeten vaststellen waar Jillians familie en vrienden waren voor het geval ze misschien geprobeerd heeft om hen te bereiken.'

'Dat heeft ze niet gedaan.'

'Was je dan thuis?'

'Ik ben naar een nachtfilm geweest, maar ik heb een antwoordapparaat. Ze zou een boodschap hebben ingesproken.'

'Bleef je wel eens bij Jillian slapen?'

Fine snoof, haalde de rug van haar hand over haar ogen en langs haar neus, en nam nog een trekje van haar sigaret. Haar hand beefde. 'Ja, soms. We schreven samen muziek. Jillian wil niet optreden, maar ze is goed.'

Afwisselend de tegenwoordige en de verleden tijd, wanneer ze het over haar vriendin had. Dat was altijd iets waar de mensen, zo kort na iemands dood, moeite mee hadden.

'We hebben in de kast van de kleine slaapkamer kleren gevonden die er niet uitzien alsof ze van haar waren.'

'Die zijn van mij. Ze woont helemaal bij de rivier. Soms werkten we tot laat in de nacht aan een nummer, en dan bleef ik bij haar slapen.'

'Heb je een sleutel van haar huis?'

'Nee. Waarom zou ik? Ik woonde daar niet.'

'Hoe is ze als huisvrouw?'

'Maakt dat wat uit?'

'Netjes? Slordig?'

Fine schoof heen en weer, en reageerde ongeduldig op de vraag die ze niet begreep. 'Slordig. Ze liet altijd alles slingeren – kleren, borden, asbakken. Wat maakt dat nu uit? Ze is dood.'

Ze liet haar hoofd zakken en kreeg opnieuw een kleur, terwijl ze worstelde om de golf van emoties die op die woorden volgde te onderdrukken. 'Ze is dood. Hij heeft haar verbrand. O, God.' Twee tranen sijpelden door haar wimpers heen en vielen op de papieren placemat.

'Het staat nog steeds niet vast dat haar iets is overkomen, Michele.'

Fine legde haar sigaret in de asbak en sloeg haar handen voor haar gezicht. Ze snikte niet, maar probeerde nog steeds haar emoties te onderdrukken.

'Misschien is ze wel voor een paar dagen de stad uit,' zei Liska. 'Dat weten we niet. En jij?'

'Nee.'

'Ken je iemand, of weet je van iemand die Jillian iets zou willen aandoen?'

Ze schudde het hoofd.

'Had ze een vriend? Een ex-vriend? Was er een man die een oogje op haar had?'

'Nee.'

'En jij? Heb jij een vriend?'

'Nee,' antwoordde ze, terwijl ze naar de smeulende peuk in de asbak keek. 'Wat moet ik met een vriend?'

'Heeft Jillian ooit iets gezegd over een man die haar lastigviel? Iemand die haar beloerde, misschien? Die ze voortdurend tegen het lijf liep?'

Haar lachje was bitter. 'U weet toch hoe mannen zijn. Alle mannen kijken. Ze denken allemaal dat ze een kansje maken. Maar wie is er nu geïnteresseerd in verliezers?'

Ze snoof, haalde diep adem, ademde langzaam weer uit en pakte een nieuwe sigaret. Haar nagels waren helemaal afgekloven.

'Wat weet je van haar relatie met haar vader? Konden ze goed met elkaar overweg?'

Fine trok met haar mond. 'Ze is gek op hem. Ik weet niet waarom.'

'Mag jij hem dan niet?'

'Ik ken hem niet. Maar ze is afhankelijk van hem, nietwaar? Het huis is van hem, hij betaalt haar studie, kiest een therapeut voor haar uit en betaalt voor de therapie. Elke vrijdagavond gaat ze bij hem eten. Een auto.'

Liska zou er wel wat voor voelen. Misschien wilde Bondurant haar wel adopteren. Ze ging er niet verder op door. Het onderwerp begon te klinken alsof het een penis had, en dat beviel Michele niet.

'Michele, weet jij of Jillian opvallende lichaamskenmerken had, zoals moedervlekken, littekens, of tatoeages?'

Fine wierp haar een geïrriteerde blik toe. 'Hoe zou ik dat moeten weten? We hadden geen verhouding.'

'Dus niets opvallends, dan. Geen litteken op haar arm. Geen getatoeëerde slang rond haar pols.'

'Er is me niets opgevallen.'

'Als je bij Jillian thuis was, zou je dan kunnen zeggen of er dingen ontbreken? Bijvoorbeeld, alsof ze kleren had gepakt om ergens een paar dagen te gaan logeren?'

Ze haalde haar schouders op. 'Ik denk van wel.'

'Goed. Laten we daar dan maar eens gaan kijken.'

Terwijl Michele haar baas, de Italiaanse fokhengst, vroeg of ze een uurtje weg kon, ging Liska naar buiten, haalde haar mobiele telefoon uit haar zak en draaide het nummer van Kovac.

Het was een typische, kille, winderige novemberdag. Het kon stukken slechter. Een bleke imitatie van het schitterende weer van de laatste week van september en begin oktober, waarom Minnesota in de rest van het land werd benijd. Haar jongens zouden na schooltijd gaan fietsen, zolang dat nog kon voor het begon te sneeuwen en de slee uit het vet gehaald moest worden. Ze boften dat ze nog zo lang van het fietsen konden genieten.

'Moose Lodge,' blafte de onvriendelijke stem in haar oor.

'Kan ik Bullwinkle spreken? Ik heb gehoord dat hij een ontzettend grote lul heeft.'

'Jezus, Liska. Kun je nou echt nooit eens ergens anders aan denken?'

'Dat, en het saldo van mijn bankrekening. Van seks en geld krijg ik maar niet genoeg.'

'Moet je mij vertellen. Heb je wat voor me?'

'Afgezien van het oogje dat ik op je heb? Een vraag. Toen je maandag bij Jillian thuis was, heb je toen een bandje uit het antwoordapparaat gehaald?'

'Ze heeft een digitaal antwoordapparaat. En er stonden geen boodschappen op.'

'Haar vriendin zegt dat ze haar zaterdagavond heeft gebeld en een boodschap heeft ingesproken. Dus, wie heeft hem uitgewist?'

'Ooo, een mysterie! Ik haat mysteries. Heb je verder nog iets?'

'O, ja.' Ze keek door het raam het koffiehuis binnen. 'Een verhaal waar Shakespeare niets bij is!'

'Ze was bezig om haar leven weer op poten te krijgen,' vertelde de moeder van Lila White. Op haar gezicht lag de harde uitdrukking van iemand die koppig volhield een leugen telkens opnieuw te vertellen. Een leugen die ze zelf dolgraag wilde geloven, maar dat diep in haar hart niet kon.

Mary Moss had met de vrouw te doen.

De White's woonden in Glencoe, een dorpje in een agrarische streek. Het was het soort dorp waar roddelen de algemene hobby was en geruchten even vlijmscherp waren als gebroken glas. Meneer White was monteur bij een bedrijf voor landbouwapparatuur. Ze woonden aan de rand van het dorp in een keurig huis met een stel betonnen hertjes in de voortuin en een schommel in de achtertuin. De schommel was voor het kleinkind dat door hen werd opgevoed. Lila's dochter, Kylie. Het meisje van vier had vlasblond haar en wist vooralsnog niets over de wijze waarop haar moeder om het leven was gekomen.

'Ze heeft ons die donderdagavond nog gebeld. Ze was van de drugs af, weet u. Het kwam door de drugs dat ze aan lager wal was geraakt.' Mevrouw White's onregelmatige gezicht betrok, alsof de bitterheid van haar gevoelens haar een nare smaak in de mond bezorgde. 'Het is allemaal de schuld van die jongen van Ostertag. Door hem is ze aan de drugs gegaan.'

'Kom, kom, Jeannie,' zei meneer White, op de vermoeide toon van iemand die dezelfde woorden al duizendmaal heeft gezegd en weet dat ze geen enkel verschil uitmaken. Hij was een lange, grofgebouwde man met ogen in de kleur van gebleekte spijkerstof. Zijn gezicht vertoonde de diepe groeven van iemand die jarenlang in de felle zon heeft gewerkt.

'Hou toch op met je "kom, kom, Jeannie",' snauwde zijn vrouw. 'Iedereen hier weet dat hij in die rommel handelt, en zijn ouders lopen rond alsof er geen vuiltje aan de lucht is. Het is om van te kotsen.'

'Allan Ostertag?' vroeg Moss, haar aantekeningen raadplegend. 'Heeft uw dochter met hem op de middelbare school gezeten?'

Meneer White knikte met een zucht. Het was duidelijk dat hij uitkeek naar de dag waarop deze hele nachtmerrie achter de rug zou zijn en ze aan het proces van helen zouden kunnen beginnen, en dat hij hoopte dat dit de laatste keer was dat de wonden weer opengereten werden. Zijn vrouw spuwde haar gal over de Ostertags. Moss liet haar geduldig uitpraten. Ze wist dat Allan Ostertag nooit in aanmerking was gekomen als verdachte van de moord op Lila White, en dat hij daarom niet interessant voor haar was.

'Was er de afgelopen zomer iemand in haar leven die belangrijk voor haar was?' vroeg ze, toen de vrouw was uitgesproken. 'Een vaste vriend? Iemand die het haar lastig maakte?'

'We hebben al deze vragen al beantwoord,' zei Jeannie White op ongeduldige toon. 'Het lijkt wel alsof jullie niet de moeite nemen om dingen op te schrijven. Maar natuurlijk was het allemaal niet belangrijk toen het alleen nog maar om onze dochter ging,' zei ze op een vlijmscherpe, sarcastische toon. 'Toen het alleen nog maar om onze Lila ging, heb ík geen speciale eenheid op de televisie gezien. Het heeft de politie nooit iets kunnen schelen dat –'

'Dat is niet waar, mevrouw White.'

'Het heeft ze ook nooit iets kunnen schelen dat ze afgelopen herfst door die drugshandelaar in elkaar is geslagen. Het is zelfs nooit voor de rechter gekomen. Het was alsof ons meisje niet telde.' De tranen sprongen haar in de ogen en haar stem brak. 'De enigen voor wie ze telde, dat waren wij.'

Moss bood haar verontschuldigingen aan, in het besef dat ze niet geaccepteerd zouden worden. De pijn, de vermeende belediging en de woede waren te groot. Het kon de White's niet schelen dat een op zichzelf staande moord anders behandeld werd dan een reeks aan elkaar gerelateerde moorden. Wat voor hen telde, was dat het kind van wie ze hadden gehouden op een van de duistere paden van het leven was beland. Wat voor hen telde was dat ze als prostituee was gestorven. Dat was zoals de wereld haar zou herinneren, áls ze al herinnerd werd. Slachtoffer nummer één: prostituee met een strafblad en drugsverslaafde.

Het zou haar niets verbazen als de White's van de krantenkoppen droomden. De hoop die ze hadden gekoesterd dat het met hun dochter alsnog de goede kant op zou gaan, was onvervuld gebleven, en het kon niemand anders ter wereld schelen dat Lila maatschappelijk werkster had willen worden, een prachtig eindexamenrapport had gehad of dat ze vaak tranen met tuiten had gehuild om het feit dat ze niet in staat was haar eigen kind op te voeden.

In de dossiermap die naast Moss op de voorbank lag, zaten foto's van Lila en Kylie in de achtertuin van de White's. Moeder en dochter, lachend, en met feesthoedjes op voor Kylie's vierde verjaardag. Moeder en dochter, spetterend in een groen plastic zwembadje. Drie weken later had iemand Lila White doodgemarteld, verkracht en haar lichaam als een berg afval in brand gestoken.

Slachtoffer nummer één: prostituee met een strafblad en drugsverslaafde.

Moss probeerde haar geweten te sussen. De politie kon onmogelijk een speciale eenheid samenstellen voor elke moord die er in de stad werd gepleegd. Er was uitgebreid onderzoek verricht inzake de moord op Lila White. Sam Kovac was ermee belast geweest, en Kovac stond erom bekend dat hij voor elk slachtoffer, ongeacht wie en wat ze in hun leven waren geweest, evenzeer zijn best deed.

Toch kon ze niet nalaten om zich, net als Jeannie White, af te vragen hoe anders alles zou zijn gelopen als Jillian Bondurant het eerste slachtoffer was geweest.

Er zat een nieuw slot op de voordeur van Jillian Bondurants huis in Edgewater, en de nieuwe sleutel was op het politiebureau bezorgd. Liska stak de glanzende nieuwe sleutel in het slot en draaide het open. Ze nam Michele Fine mee naar de slaapkamers en observeerde haar terwijl ze in de kasten keek, en af en toe even aarzelde bij iets dat een herinnering bij haar opriep.

'Het is gewoon eng,' zei ze, om zich heen kijkend. 'Zo schoon en opgeruimd als het hier is.'

'Had Jillian geen werkster?'

'Nee. Haar vader heeft ooit eens geprobeerd om haar er een te bezorgen. De man is een echte schoonmaakfreak. Jillie heeft geweigerd. Ze hield er niet van dat andere mensen aan haar spullen kwamen.

'Volgens mij ontbreekt er niets,' besloot ze.

Ze stond voor Jillians commode, en haar blik ging over de voorwerpen die erop stonden: een mahoniehouten juwelendoosje, een paar geurkaarsen in verschillende kandelaars, een klein porseleinen beeldje van een elegant geklede vrouw in een wapperende blauwe jurk. Ze liet haar hand even over het beeldje gaan terwijl er een treurige blik over haar gezicht gleed.

Terwijl Fine haar kleren uit de logeerkamer haalde, liep Liska de trap af naar de zitkamer en keek om zich heen. Ze bekeek het huis nu met andere ogen dan eerst, vóór ze Jillians vriendin had leren kennen. Het zou er een bende moeten zijn, maar dat was het niet. Ze had nog nooit gehoord van een moordenaar die de gewoonte had om achter zijn slachtoffer op te ruimen, maar dát er iemand geweest was om dat te doen, was duidelijk. Er was grondig schoongemaakt, véél meer dan even ergens een stofdoek overheen halen om vingerafdrukken uit te wissen. Er was schoongemaakt, opgeruimd, kleren waren opgevouwen en opgeborgen, en de afwas was gedaan.

Haar gedachten keerden terug naar Michele Fine en Jillian Bondurant als vriendinnen. Ze moesten een onwaarschijnlijk stel zijn geweest: de dochter van een miljardair en de eenvoudige serveerster. Had Peter Bondurant een verzoek om losgeld gekregen, dan zou die vriendschap onmiddellijk vraagtekens hebben opgeroepen. Maar ook zonder dat was Liska uit gewoonte achterdochtig.

Ze wist evenwel dat ze daar geen enkele reden toe had. Michele Fine was tot volledige medewerking bereid. Ze had niets vreemds gezegd of gedaan. Haar verdriet leek oprecht en werd gekleurd door de vlagen van woede, opluchting en schuldgevoel die Liska keer op keer was tegengekomen bij de nabestaanden van een slachtoffer dat vermoord was.

Dat nam echter niet weg dat ze de naam van Michele Fine in de computer zou stoppen om na te trekken.

Ze liep door de zitkamer naar het keyboard. Jillian Bondurant had muziek geschreven, maar ze was te verlegen om op te treden. Dat was het soort detail dat haar, in tegenstelling tot de wetenschap dat ze Peter Bondurants dochter was, tot een echt mens maakte. De bladmuziek die in een keurig stapeltje op het klepje stond, was klassiek. Nog iets dat in strijd was met het image dat ze tot nu toe van Jillian hadden. Liska tilde de klep van de pianokruk op en keek naar de verzameling muziek die erin lag opgeborgen: folk, rock, alternatief, new age –

'Blijf staan! Handen omhoog!'

Haar eerste impuls was om haar revolver te trekken, maar ze bleef over de pianokruk gebogen staan en ademde door haar mond. Toen draaide ze zich heel langzaam om, en haalde opgelucht adem. Het volgende moment moest ze zich beheersen om niet verschrikkelijk boos te worden.

'Ik ben het maar, Vanlees. Rechercheur Liska,' zei ze, terwijl ze rechtop ging staan. 'Doe je wapen maar weg.'

Vanlees stond, in zijn bewakersuniform en met een Colt Python in zijn handen, op de drempel van de voordeur. Liska had hem het wapen het liefst uit handen gerukt en de man ermee op het hoofd gemept.

Hij knipperde met zijn ogen, liet het wapen zakken en schonk haar een schaapachtige glimlach. 'O, jee, rechercheur Liska, neem me niet kwalijk. Ik wist niet dat jullie zouden komen. Toen ik hier iets zag bewegen, dacht ik meteen het ergste. Er is al een aantal verslaggevers van schandaalblaadjes geweest die hier hebben rondgesnuffeld, en zo. Ik heb gehoord dat ze alles stelen wat niet is vastgespijkerd.'

'Had je mijn auto dan niet herkend?' vroeg Liska op een net iets te scherpe toon.

'Eh, nee, ik ben bang van niet. Sorry.'

Maak dat de kat maar wijs, dacht ze. Types als Vanlees, die droomden van een carrière bij de politie, registreerden álles van de agenten die ze waar dan ook tegenkwamen. Het zou haar niets verbazen als hij het nummer van haar dienstauto ergens had opgeschreven. En ze was ervan overtuigd dat hij haar auto – het merk én het model – wel degelijk had herkend. Deze hele vertoning was alleen maar opgevoerd om indruk op haar te maken. Gil Vanlees: man van actie. Altijd op zijn hoede. Altijd alert. Altijd oplettend. *De hemel sta ons bij.*

Liska schudde het hoofd. 'Dat is geen misselijk wapen dat je daar hebt, Gil,' zei ze, terwijl ze naar hem toe liep. 'Ik hoef je zeker niet te vragen of je daar een vergunning voor hebt?'

De blik in zijn ogen werd zichtbaar killer, en zijn gezicht betrok. Hij vond het niet prettig door haar op zijn nummer te worden gezet. Hij wilde er niet aan herinnerd worden dat zijn uniform niet het échte uniform was. Hij stopte de loop van de Python in zijn riem en schoof de revolver op zijn plekje naast zijn buik. 'Ja, hoor, die heb ik.'

Liska forceerde een glimlach. 'Fraai stukje gereedschap. Niet echt handig om iemand daar van achteren mee te benaderen, Gil. Je weet maar nooit wat er kan gebeuren. Je reflexen hoeven maar nét even iets te scherp te zijn, en voor je het weet heb je iemand naar de eeu-

wige jachtvelden geholpen. En daar heeft niemand wat aan, weet je.'
Hij keek haar niet langer aan. Hij was als een kind dat een standje
kreeg omdat hij in de gereedschapskist van zijn vader had gezeten.
'Zei je dat er verslaggevers zijn geweest? Maar er is niemand binnen geweest, hoop ik?'
Hij wendde zijn blik nog verder af, en de rimpels op zijn voorhoofd
werden dieper. Liska keek over haar schouder. Michele Fine stond
onder aan de trap met een slordige stapel kleren tegen haar borst gedrukt. Ze maakte de indruk alsof de aanwezigheid van Vanlees haar
stoorde.
'Gil?' drong Liska aan, zich opnieuw tot hem wendend toen Michele doorliep naar de keuken. 'Voor zover je weet is er niemand
hier in huis geweest, wel?'
'Nee.' Hij deed een stapje terug naar de deur en liet zijn hand op
de kolf van de Python liggen. Hij bleef naar Michele kijken, hoe ze de
kleren op de eetbar liet vallen die de eethoek van de keuken scheidde. 'Ik moet weg,' zei hij somber. 'Ik hield alleen maar een oogje in
het zeil, dat is alles.'
Liska volgde hem naar buiten. 'Hé, Gil. Neem me niet kwalijk dat
ik zo tegen je ben uitgevallen. Je hebt me goed laten schrikken, weet
je.'
Deze keer trapte hij er niet in. Ze had zijn eer in twijfel getrokken,
zijn status als een gelijke betwist en zijn ego gekwetst. De goede verstandhouding die ze twee dagen eerder met hem had opgebouwd,
stond zwaar onder druk. Ze had verwacht dat de band sterker zou
zijn en vond de broosheid ervan veelzeggend. Nog iets om aan
Quinn voor te leggen: het zelfbeeld dat Vanlees van zichzelf had.
Hij pruilde en keurde haar amper een blik waardig. 'Het geeft
niet.'
'Ik ben blij dat je een oogje in het zeil houdt,' zei ze. 'Heb je gehoord van de bijeenkomst in het buurthuis vanavond? Misschien is
het een goed idee als je er even gaat kijken, als je tijd hebt.'
Hij liep weg en Liska keek hem peinzend na. Vanaf een afstandje
leek Vanlees in zijn blauw-met-zwarte uniform op een agent van de
gemeentepolitie. Het was voor een man in uniform niet moeilijk om
een vrouw staande te houden en een praatje met haar te maken. Alle
drie de slachtoffers van Smokey Joe waren op geruisloze wijze verdwenen, en zonder verdachte omstandigheden in de buurt. Aan de
andere kant had ook niemand een man in uniform gesignaleerd.
'Ik ben klaar.'
Ze schrok even van Michele Fine's stem. Ze draaide zich om en
zag het meisje op de drempel staan. Ze had haar kleren in een plastic draagtasje van Rainbow Foods gepropt.
'Mooi. Goed. Dan breng ik je terug.'
Ze sloot het huis af. Fine wachtte op haar bij de auto. Vanlees was

het kronkelige pad af gelopen en uit het zicht verdwenen, maar Liska was hem niet vergeten.

'Ken je die man?' vroeg ze, toen ze weer in de auto zaten.

'Niet persoonlijk,' antwoordde Fine. Ze hield de tas tegen zich aan gedrukt alsof het een zuigeling was. 'Ik zei het al, wie let er nu op verliezers?'

Niemand, dacht Liska, terwijl ze schakelde. En omdat er niemand op de verliezers lette, hadden ze alle kans en gelegenheid om te piekeren en te fantaseren over het nemen van wraak op alle vrouwen die niet in hen geïnteresseerd waren en nooit van hen zouden houden.

15

'Nou, wat denk je, John?' vroeg Sabin. 'Houdt het meisje iets achter?'
Ze zaten in de conferentiekamer van het kantoor van de officier
van justitie: Quinn, Sabin, Kate en Marshall. Quinn keek naar Kate,
die met een strak gezicht en een vurige blik in haar ogen tegenover
hem zat. Hij begreep dat hij moeilijkheden van haar kon verwachten
als hij haar afviel. Het zoveelste mijnenveld. Hij bleef haar strak aankijken.

'Ja.' De vurige blik werd nog vuriger. 'Omdat ze bang is. Ze heeft
waarschijnlijk het gevoel dat de moordenaar weet wat ze doet, dat hij
mee zit te kijken wanneer ze met de politie praat of hem aan jullie tekenaar beschrijft. Dat is een heel normaal verschijnsel. Dat ben je
toch met me eens, hè, Kate?'

'Ja.' Het vuur doofde wat. Onder voorbehoud van het recht om
hem later te verbranden. Het besef dat ze nog steeds zulke heftige gevoelens voor hem bleek te kunnen koesteren, deed hem goed. Negatieve emotie was en bleef emotie. Onverschilligheid was veel erger.

'Een gevoel van het alomtegenwoordige kwaad,' zei Kate's baas
met een wijs knikje. 'Dat ben ik al zo vaak tegengekomen. Ik vind het
fascinerend. Je ziet het zelfs bij de meest logische en nuchtere slachtoffers.'

Hij speelde met de afstandsbediening van de video, en spoelde de
band terug naar het begin van het eerste gesprek met Angie DiMarco, dat binnen het uur dat ze was opgepikt plaats had gevonden. Ze
hadden hem al bekeken. Marshall liet de band op veelzeggende momenten stoppen, waarbij hij en Sabin Quinn afwachtend aankeken
als discipelen die, aan Jezus' voeten gezeten, wachtten op een open-
baring.

'Hier is ze heel duidelijk doodsbang,' zei Marshall, waarbij hij op
autoritaire toon herhaalde wat Quinn al had gezegd toen ze de band
voor de eerste keer bekeken. 'Je kunt zien dat ze beeft. Je hoort het
aan haar stem. Ja, John, dat heb je heel goed gezien.'

John, mijn vriend, mijn maat, mijn collega. De familiaire toon
streek Quinn tegen de haren in, ondanks het feit dat het precies dat-

gene was wat hij heel bewust probeerde te cultiveren. Hij had zijn buik vol van mensen die deden alsof ze hem kenden, en hij had nóg meer genoeg van mensen die op overdreven wijze van hem onder de indruk waren. Hij vroeg zich af in hoeverre Rob Marshall nog van hem onder de indruk zou zijn als hij wist dat hij 's nachts vaak niet kon slapen en beefde en misselijk was omdat het hem allemaal te veel was geworden.

Marshall draaide het volume wat hoger op het moment waarop het meisje haar zelfbeheersing verloor en met onvaste stem uitriep: 'Ik wéét niet wie hij is! Hij heeft verdomme een líjk in brand gestoken! Hij is gestoord! Hij is een griezel!'

'Dat meent ze, wat ze daar roept,' zei hij zacht, waarbij hij met half dichtgeknepen ogen naar het scherm tuurde, alsof zijn bijziende ogen daar beter van zouden worden en hij daarmee in staat zou zijn om de gedachten van het meisje te lezen.

Sabin maakte een ontevreden indruk, alsof hij gehoopt had op een excuus om het meisje de duimschroeven aan te leggen. 'Misschien voelt ze zich achter tralies wel véiliger.'

'Angie heeft niets misdaan,' snauwde Kate. 'Ze had niet eens hoeven vertellen dat ze die griezel heeft gezien. Wat ze nodig heeft, is onze hulp, en níet onze dreigementen.'

De officier van justitie kreeg een kleur.

'We willen niet dat de situatie zich tegen ons keert, Ted,' zei Quinn op kalme toon. Meneer Altijd Kalm. Meneer Maakt-zich-niet-druk.

'Het meisje heeft zichzelf in de nesten gewerkt,' vond Sabin. 'Ik heb van begin af aan een slecht gevoel omtrent haar gehad. We hadden meteen moeten roepen dat we harde bewijzen van haar wilden, om haar duidelijk te maken dat ze met ons geen spelletjes moet spelen.'

'Jullie hebben haar uitstekend behandeld,' zei Quinn. 'Angie behoort tot de groep die het systeem per definitie wantrouwt. Je moet haar een vriend geven, en Kate was in dat opzicht de ideale keuze. Ze is eerlijk, ze is recht door zee en ze slijmt niet. Laat haar nu maar rustig over aan Kate. Met haar te dreigen schieten we geen barst op. Ze verwácht dreigementen, en die laten haar ijskoud.'

'Als ze ons niet iets geeft waar we wat aan hebben, dan hebben wij niets aan haar,' zei Sabin. 'En dan hoeven we verder ook geen belastinggeld aan haar te spenderen.'

'Het is echt geen weggegooid geld,' hield Kate vol.

'Een vraagje, John,' zei Marshall, terwijl hij met de afstandsbediening op het scherm wees. Hij had de band nog wat verder teruggespoeld. 'Wat vind je van haar manier van uitdrukken? Ik wéét niet wie hij is. Hij is gestoord! Hij is een griezel! Denk je dat we daar iets achter moeten zoeken?'

Quinn ademde hoorbaar uit. Hij begon zijn geduld te verliezen.

'Hoe had ze die man anders moeten omschrijven? Of had ze hem soms "het" moeten noemen?'

Kate vertrok een mondhoek.

Marshall pruilde. 'Ik heb een speciale opleiding psycholinguïstiek gedaan. Het taalgebruik kan op alle mogelijke dingen wijzen.'

'Dat ben ik met je eens,' zei Quinn, de vrede herstellend. 'Maar er bestaat ook zoiets als over-analyseren. Het beste wat jullie volgens mij met dit meisje kunnen doen, is je er verder niet meer mee bemoeien en het aan Kate overlaten.'

'Verdomme, een doorbraak is wat we nodig hebben,' zei Sabin, meer tegen zichzelf dan in het algemeen. 'Ze heeft vandaag nauwelijks iets aan die tekening toegevoegd. Ze was vlak bij die man en heeft hem gezien, maar de tekening die ze Oscar laat maken kan in principe van iedereen zijn.'

'Het zou best kunnen dat haar brein haar niet toestaat meer te zien,' zei Kate. 'Heb je soms liever dat ze iets verzint om jou het gevoel te geven dat ze meer haar best doet?'

'Het lijkt me duidelijk dat Ted dat niet bedoelt, Kate,' kwam Marshall er op een afkeurende toon tussen.

'Ik overdreef alleen maar een beetje om duidelijk te maken wat ik bedoelde, Rob.'

'Ze is hoe dan ook van waarde voor het onderzoek,' zei Quinn. 'We kunnen spelen met het feit dat we haar hebben, het gebruiken als een dreiging. We kunnen kleine dingetjes laten uitlekken naar de pers. De indruk geven dat ze ons meer verteld heeft dan we officieel prijsgeven. We kunnen haar op meerdere manieren gebruiken. Op dit moment hoeft ze geen padvinder te zijn en hoeft ze zich niet alles precies te herinneren.'

'Ik ben alleen maar bang dat ze alles verzonnen heeft,' bekende Sabin, en het was duidelijk dat de sceptische houding van Edwyn Noble aanstekelijk had gewerkt.

Kate probeerde om niet met haar ogen te rollen. 'Daar hebben we het al over gehad. Het slaat nergens op. Als het haar alleen maar om geld te doen was geweest, zou ze zondagavond geruisloos uit het park verdwenen zijn en zich pas gemeld hebben nadat de beloning was uitgeloofd.'

'En als ze alleen maar aan geld had gedacht,' voegde Quinn eraan toe, 'zou ze zich hebben uitgeput in details. Ik spreek uit ervaring als ik zeg dat angst zwaarder weegt dan hebzucht.'

'Stel dat ze er op de een of andere manier bij betrokken is?' opperde Marshall. 'En dat ze probeert ons van het juiste spoor te houden...'

Kate wierp hem een woedende blik toe. 'Dat is bespottelijk. Als ze iets met die griezel te maken had, zou ze ons een gedetailleerde tekening hebben laten maken van heel iemand anders. En ze weet niets meer van het onderzoek dan wat de Cremator zelf in de krant kan lezen.'

Marshall liet zijn blik zakken. De randjes van zijn oren werden knalrood.

'Ze is een doodsbang kind met ernstige psychologische problemen,' zei Kate, terwijl ze opstond. 'En ik moet nu naar haar terug, voor ze mijn kantoor in brand steekt.'

'Zijn we dan klaar?' vroeg Marshall nadrukkelijk. 'Ach ja, ik denk van wel. Kate heeft gesproken.'

De blik die ze hem toewierp alvorens het kantoor te verlaten, getuigde openlijk van de onvervalste hekel die ze aan hem had.

Sabin keek haar na – hij keek naar haar billen, dacht Quinn – en toen de deur achter haar was dichtgevallen, vroeg hij: 'Was ze ook al zo koppig toen ze nog bij jullie werkte?'

'Zo niet erger,' antwoordde Quinn, en hij haastte zich achter haar aan.

'Hou je het ook voor gezien?' vroeg ze, toen hij haar had ingehaald. 'Had je dan geen zin te blijven om naar Robs geslijm te luisteren? Hij is nergens zo goed in als in slijmen.'

Hij grinnikte. 'Je hebt duidelijk geen hoge pet op van je baas. Niet dat dat iets nieuws is.'

'Jij hebt anders óók geen hoge dunk van hem.' Kate keek voor de zekerheid even achterom. 'Rob Marshall is een kruiperige, pietluttige, hielenlikkende kwal. Maar de eerlijkheid gebiedt me om eraan toe te voegen dat hij een hart heeft voor het werk dat we doen, en hij doet zijn best.'

'Ja, nou, hij hééft dan ook een speciale cursus psycholinguïstiek gedaan.'

'Hij heeft je boek gelezen.'

Quinn trok zijn wenkbrauwen op. 'Zijn er dan nog mensen die dat níet hebben gedaan?'

De receptiebalie achter de beveiligde ingang van het hart van de kantoren van de officier van justitie, was onbezet. De receptioniste zat niet in haar hokje van kogelvrij glas. Op de grond lagen stapels nieuwe Gele Gidsen. Het nieuwste nummer van *Truth & Justice* lag, samen met een zestal oude en niet meer actuele nieuwsbladen, op een laag tafeltje.

Kate liet de lucht uit haar longen ontsnappen en draaide zich naar hem om. 'Dank je voor je steun.'

Quinn trok een gezicht. 'Was dat echt zo moeilijk? God, Kate.'

'Het spijt me. Ik ben niet zoals jij, John. Ik heb een bloedhekel aan het spelen van spelletjes dat bij dit soort zaken schijnt te moeten horen. Ik had helemaal niet om je hulp willen vragen. Maar het minste dat ik terug kan doen is, denk ik, je zeggen dat ik je er oprecht dankbaar voor ben.'

'Dat is niet nodig. Ik hoefde alleen maar de waarheid te zeggen. Sabin wilde mijn mening horen, en die heb ik hem gegeven. Je had ge-

lijk. Dat zou je toch plezier moeten doen,' zei hij op droge toon.
'Ik hoef niet van jou te horen dat ik gelijk had. En wat betreft dat
het me plezier zou moeten doen: er is aan deze zaak maar weinig
waar plezier aan te ontlenen valt.'

'Met inbegrip van het feit dat ik hier ben.'

'Dit gesprek vindt niet plaats,' zei ze op effen toon.

Ze liep de gang in, en sloeg linksaf in de richting van de galerij. Er
was geen mens te bekennen. Tweeëntwintig etages vol mensen, en er
was er niet één in de buurt die haar als handig excuus zou kunnen dienen. Ze wist dat Quinn haar op de voet volgde. En toen was hij opeens naast haar en legde hij zijn hand op haar arm alsof hij nog steeds
het recht had om haar aan te raken.

'Kate, het spijt me,' zei hij zacht. 'Ik wil geen ruzie met je, echt niet.'

Hij stond te dichtbij, zijn donkere ogen waren te groot, zijn wimpers waren te lang en te mooi – een bijna vrouwelijk trekje in een gezicht dat op en top krachtig en mannelijk was. Het soort gezicht dat
het gemiddelde vrouwenhart sneller deed slaan. Toen Kate ademhaalde voelde ze iets spannen in haar borst. De knokkel van zijn
duim drukte tegen buitenkant van haar borst. Ze werden zich op hetzelfde moment bewust van het contact.

'Kate, ik –'

Zijn pieper ging af. Hij onderdrukte een vloek en liet haar los. Kate
deed een stapje opzij en leunde met haar heup tegen het hek van de
galerij, terwijl ze haar armen over elkaar sloeg en probeerde om de
emoties die zijn aanraking bij haar had opgeroepen, te negeren. Ze
observeerde hem terwijl hij op de display keek om te zien wie er gebeld had, de pieper wegstopte en een kleine, mobiele telefoon uit de
zak van zijn colbertje haalde.

Het daglicht dat door de zuidzijde van het atrium naar binnen viel,
benadrukte het grijs in zijn kortgeknipte haar. Ze vroeg zich ongewild af of er in Virginia een vrouw was die zich zorgen maakte over
zijn gezondheid en de mate van stress die hij dag in dag uit te verwerken kreeg.

'Verdomme, McCleary, kun je die zaak nog geen twéé uur achter
elkaar aan zonder alwéér een crisis?' blafte hij in de telefoon, waarna
hij even luisterde. 'Er is een advocaat bij betrokken. Verdomme…
Nou, daar kunnen we dan niets meer aan doen. We kunnen het verhoor dan wel vergeten… Trek je terug en duik opnieuw in datgene
wat je aan bewijzen verzameld hebt. Kijk of er iets bij is dat opgebla-
zen kan worden. Ik denk bijvoorbeeld aan die labuitslagen van die
blocnote… Nou, hij weet niet dat je die hebt. Verdomme, maak daar
dan gebruik van!… Nee, ik kom níet naar jullie toe. Ik zit hier vast. Je
zult het zelf moeten doen.'

Hij klapte de telefoon dicht, slaakte een zucht en wreef afwezig
over zijn maag.

'Ik had gedacht dat je intussen wel afdelingshoofd zou zijn,' zei ze.
'Dat hebben ze me aangeboden, maar ik heb bedankt. Een bestuurlijke functie is niets voor mij.'
Dat nam niet weg dat hij toch de aangewezen leider van de afdeling kidnapping en seriemoordenaars was. Hij was de spil, de deskundige, bij wie anderen aanklopten om steun. Hij was de controlfreak die ervan overtuigd was dat een zaak alleen maar naar behoren opgelost kon worden als hij er de leiding over had. Nee, Quinn zou zijn functie niet willen opgeven voor de baan van afdelingshoofd. In plaats daarvan zou hij, zo goed en zo kwaad als het ging, beide taken vervullen. De ideale oplossing voor een man die geobsedeerd werd door zijn werk en door zijn behoefte om de mensheid te beschermen tegen de duistere kant van het leven.
'Hoeveel zaken heb je op dit moment in behandeling?' vroeg Kate.
Hij haalde zijn schouders op alsof het niets voorstelde. 'Net zoveel als anders.'
En dat was meer dan wie ook op de afdeling. Het was meer dan iemand menselijkerwijs aankon, tenzij hij er geen ander leven naast had. Er was een tijd geweest waarin ze gemeend had dat zijn obsessie ambitie was, net zogoed als er momenten waren geweest waarop ze verder had gekeken dan wat uiterlijk zichtbaar was, en ze gezien had hoe hij balanceerde op het randje van een diepe, duistere innerlijke afgrond. Dat waren gevaarlijke gedachten, want haar natuurlijke reactie was om hem weg te trekken bij die rand. Het was zijn leven. Ze wilde niet eens dat hij hier was.
'Ik moet terug naar Angie,' zei ze. 'Ze zal het niet prettig vinden dat ik haar in de steek heb gelaten. Ik snap werkelijk niet waarom ik mij zo druk om haar maak,' mopperde ze.
'Je was altijd al gevoelig voor uitdagingen,' zei hij, hetgeen hem een vaag glimlachje opleverde.
'Ik zou me moeten laten nakijken.'
'Daar kan ik je niet bij helpen. Maar wat zou je ervan zeggen om vanavond ergens te gaan eten?'
Kate moest bijna lachen – van ongeloof, niet omdat ze het amusant vond. Zómaar – *ga je mee ergens iets eten?* Twee minuten geleden hadden ze nog naar elkaar staan katten. Vijf lange jaren en bergen emotionele bagage lagen tussen hen in en...*en wat? Hij is eroverheen en ik niet?'*
'Dat lijkt me geen goed idee. Maar toch bedankt.'
'Dan kunnen we het over de zaak hebben,' krabbelde hij terug. 'Ik heb een paar ideeën die ik graag met je zou willen bespreken,'
'Dat is niet mijn taak. Ik werk niet langer bij de op gedragswetenschappen,' zei ze, terwijl ze naar de deur van haar afdeling liep. Haar behoefte om te ontsnappen was zo groot, dat het bijna pijnlijk was.

'Bij het bureau aanhoudingen werkt een agent die een cursus gedragswetenschappen heeft gedaan, en –'

'– en hij is momenteel in Quantico voor een achtweekse cursus op de National Academy.'

'Als je wilt kun je er iemand anders bij halen. Je hebt de hele afdeling kidnapping en seriemoordenaars achter je waar je mensen vandaan kunt halen, om nog maar te zwijgen over elke willekeurige deskundige en pionier in het veld. Je hebt mij niet nodig.'

Snel toetste ze de code in het paneeltje naast de deur.

'Jíj was een deskundige in het veld,' bracht hij haar in herinnering. 'Het gaat om slachtofferanalyse –'

'Bedankt voor je steun tegenover Sabin,' zei ze, terwijl de deur opensprong en ze de knop omdraaide. 'Ik moet terug naar mijn kantoor vóór mijn getuige al mijn goede pennen gapt.'

Angie liep rusteloos, nieuwsgierig en zenuwachtig door Kate's kantoor. Kate was boos vanwege de schets. Ze had amper één woord gezegd, op weg terug van het politiebureau.

Ze voelde zich schuldig. Kate probeerde haar te helpen, maar ze moest om haar eigen zaakjes denken. Die twee dingen kwamen niet noodzakelijkerwijze op hetzelfde neer. Hoe moest ze weten wat verstandig was? Hoe moest ze weten wat goed was?

Je bent niets anders dan een lastpost! Je kunt nóóit eens iets goed doen!

'Maar ik probeer het toch,' fluisterde ze.

Stomme trut. Kun je nou nóóit eens luisteren?

'Ik probeer het écht.'

Ze was bang, maar ze zou dat woord nooit hardop uitspreken, ze wilde het zelfs niet denken. De Stem zou zich voeden aan haar angst. De angst zou zich voeden aan de Stem. Ze voelde hoe beide krachten binnenin haar sterker werden.

Ik geef je wel iets om bang voor te zijn.

Ze bracht haar handen omhoog en drukte haar oren stijf dicht, alsof het haar zo zou lukken het stemmetje dat alleen maar door haar hoofd galmde, het zwijgen op te leggen. Ze wiegde zichzelf een poosje heen en weer, en hield haar ogen daarbij wijd opengesperd omdat ze, als ze die zou sluiten, dingen zou zien die ze niet meer wilde zien. Haar verleden was als een slechte film die zich keer op keer in haar gedachten afspeelde. Hij was er altijd, lag altijd vlak onder de oppervlakte, met zijn beelden die emoties opriepen die beter ver onderdrukt konden blijven. Haat en liefde, gewelddadige woede, gewelddadige begeerte. Haat en liefde, haat en liefde, *haatenliefde* – voor haar was het één woord. Gevoelens die zo met elkaar verstrengeld waren dat ze niet meer van elkaar gescheiden konden worden, als poten van twee dieren die met elkaar vochten.

De angst nam nog wat toe. Het Gat werd voelbaar.

Je bent overal bang voor, hè, achterlijke stomme trut?

Bevend keek ze naar de folders die Kate op haar prikbord had hangen. Ze las de woorden in een poging zich ergens op te concentreren voor Het Gat haar zou kunnen opslokken en verstikken. *Gemeentegeld voor misdaadslachtoffers, Crisiscentrum voor zedenmisdrijven, De Phoenix: opvangtehuis voor vrouwen.* Toen begonnen te woorden te vervagen en moest ze gaan zitten. Haar ademhaling was hijgend.

Waar bleef Kate zo lang, verdomme? Ze was weggegaan zonder te zeggen waar ze naartoe moest. Ze had alleen maar gezegd dat ze zo weer terug zou zijn, en dat was inmiddels – hoelang geleden? Angie keek om zich heen, zocht een klok, vond er een, maar kon zich toen niet meer herinneren hoe laat het was geweest toen Kate was weggegaan. Had ze toen dan niet op de klok gekeken? Waarom kon ze zich dat niet herinneren?

Omdat je stom bent, daarom. Stom en achterlijk.

Ze begon te beven. Het voelde aan alsof haar keel werd dichtgeknepen. Er was geen lucht in dit stomme kamertje. De muren kwamen op haar af. Ze probeerde te slikken terwijl de tranen haar in de ogen sprongen. Het Gat leek onontkoombaar. Ze voelde het steeds dichterbij komen, en voelde hoe de luchtdruk om haar heen veranderde. Ze wilde vluchten, maar er was geen ontkomen aan Het Gat en aan De Stem.

Doe dan iets. Laat het dan ophouden, Angel. Je weet wat je moet doen om het te laten ophouden.

Met koortsachtige gebaren schoof ze de mouw van haar jack en haar trui omhoog, en krabde met de stompe nagel van haar duim over de dunne witte lijntjes van de littekens, die roze werden. Ze probeerde bij de snee te komen die ze de vorige dag had gemaakt, wilde hem weer laten bloeden, maar haar mouw wilde niet verder omhoog en ze durfde haar jack niet uit te trekken uit angst dat er iemand binnen zou komen en ze betrapt zou worden. Kate had gezegd dat ze hier moest wachten en dat ze zo weer terug zou zijn. De minuten kropen om.

Dan weet ze meteen hoe gestoord je bent, Angel.

Het Gat kwam dichterbij…

Je weet toch wat je moet doen.

Maar Kate kon elk moment terug zijn.

Schiet op, dan.

Ze begon te beven.

Vooruit.

Het Gat was nog dichterbij gekomen…

Schiet dan op!

Ze durfde de cutter niet uit haar rugzak te halen. Wat voor verklaring zou ze ervoor moeten geven? Ze zou hem in haar zak kunnen stoppen –

De paniek begon zich van haar meester te maken. Ze voelde hoe haar brein in talloze kleine brokstukjes uiteenviel, maar juist op dat moment viel haar wanhopige blik op een bakje met paperclips op Kate's bureau.

Ze griste er eentje uit, boog hem recht en testte het uiteinde met de top van haar wijsvinger. De cutter was veel scherper. Dit zou meer pijn doen.

Lafaard. Waar wacht je nog op?

'Ik haat je,' fluisterde ze, terwijl ze wanhopig slikte om de tranen de baas te blijven. 'Ik haat je. Ik haat je.'

'Vooruit! Vooruit!'

'Hou je kop! Hou je kop! Hou je kop!' siste ze. De druk in haar hoofd werd groter en groter, en ze was bang dat het zou barsten.

Ze trok het stukje metaaldraad over een oud litteken op haar pols, waar de huid even wit en dun was als papier. Ze sneed parallel aan een dun blauw adertje en wachtte tot ze er, door de tranen heen, bloed uit zag komen. Vol en rood, een dun streepje bloed.

De pijn was scherp en zoet. De opluchting liet niet op zich wachten. De druk zakte weg. Ze kon weer ademhalen. Ze kon weer denken.

Ze bleef even naar het rode lijntje kijken. Ergens heel diep vanbinnen wilde ze het liefste huilen. Maar dat verlangen werd bij verre overschaduwd door een gevoel van enorme opluchting. Ze legde de paperclip terug en veegde het bloed weg met de zoom van haar trui. Het bloed welde weer naar de oppervlakte, en weer voelde ze zich wat kalmer.

Ze trok haar duim langs de snee, en keek toen naar de manier waarop het bloed zich in de gleufjes van haar huid had genesteld. Haar vingerafdruk, haar bloed, haar misdaad. Ze bleef er lange tijd naar kijken, waarna ze haar duim naar haar mond bracht en het bloed er langzaam van aflikte. De opluchting die ze voelde was bijna seksueel. Ze had de duvel overwonnen en opgeslokt. Ze haalde haar tong langs de snee en likte de laatste paar bloeddruppels op.

Met nog wat knikkende knieën en een licht gevoel in het hoofd trok ze haar mouw weer af, waarna ze opstond en door het kantoor begon te lopen. Ze nam elk detail aandachtig op en prentte het in haar geheugen.

Kate's dikke wollen jas hing, samen met een funky, zachte, zwartfluwelen hoed aan een kapstok. Kate had een te gekke smaak voor een vrouw van haar leeftijd. Angie wilde de hoed passen, maar er was geen spiegel om het resultaat in te bekijken.

Op het prikbord hing een kleine cartoon van een advocaat die een getuige, een aardvarken, onder druk zette. '*Dus, meneer Aardvarken, u beweert dat u die dag uw schaduw hebt gezien. Maar is het niet waar dat u een alcoholprobleem hebt?'*

De bureauladen zaten op slot. Er was geen tas te zien. Ze probeerde de archiefkast, in de hoop dat ze er haar eigen dossier in zou vinden, maar die zat ook op slot.

Terwijl ze bezig was met het doorkijken van de papieren op het bureau, vroeg ze zich met verbazing af hoe het mogelijk was dat ze nog maar enkele minuten eerder totaal in paniek was geweest, terwijl ze zich nu weer heel sterk voelde en ze de situatie weer volkomen in de hand had. Datzelfde gevoel had ze gehad toen het haar gelukt was ongezien het Phoenix House in en uit te komen. Ze haatte dat deel van zichzelf dat toegaf aan Het Gat. Ze kon het niet uitstaan van zichzelf dat ze in dat opzicht zo verschrikkelijk zwak was. Ze wist dat ze sterk kon zijn.

Ik maak je sterk, Angel. Je hebt me nodig. Je houdt van me. Je haat me.

De nieuwe kracht in haar stelde haar in staat De Stem te negeren.

Ze bladerde door de Rolodex en stopte bij de naam *Conlan.* Kate had natuurlijk een normaal stel ouders. Een vader die in zijn pak naar zijn werk ging. Een moeder die stooflapjes maakte en koekjes bakte. Niet het soort moeder dat aan drugs verslaafd was en altijd met andere mannen naar bed ging. Niet het soort vader dat zich geen bal voor zijn kinderen interesseerde, die hen in de steek had gelaten en hen had overgelaten aan de etters die haar moeder mee naar huis bracht. De ouders van Kate Conlan hielden van Kate zoals normale ouders van hun kinderen hielden. Kate Conlan was nog nooit opgesloten in een kast of met een metalen kleerhanger geslagen. En haar moeder had haar nog nooit gedwongen haar stiefvader te pijpen.

Angie haalde de kaart uit de Rolodex, scheurde hem in stukjes en stopte de snippers in de zak van haar jack.

In het in-mandje lag een stapel ongeopende post. In het uit-mandje lag ook een stapel. Angie haalde de enveloppen eruit en keek ze door. Drie officiële, gele enveloppen van de gemeente Hennepin. Een lichtgele envelop die iemand met de hand geadresseerd had aan Maggie Hartman, en in de linker bovenhoek zat een goudkleurig stickertje met als afzender Kate Conlan.

Ze prentte zich het adres in het geheugen en legde de enveloppen terug. Haar blik dwaalde af naar de verzameling van kleine engelbeeldjes die haar bij het binnenkomen van het kantoor al waren opgevallen. Ze stonden op een plank boven het bureau. Allemaal waren ze anders, van glas, van geelkoper, van zilver, van tin, en van beschilderd aardewerk. Geen was er groter dan drie centimeter. Angie koos een exemplaar uit van beschilderd aardewerk. Ze had zwart haar en turquoise stipjes op haar gewaad. Haar vleugeltjes en de aura om haar hoofdje waren van goud.

Angie hield het beeldje voor zich en keek naar het ronde gezichtje met zwarte puntjes in plaats van ogen, en het ondeugende glimlachje. De uitstraling van het beeldje was gelukkig en onschuldig, eenvoudig en lief.

Alles wat jij niet bent, Angel.

Ze wist wel beter dan toe te geven aan het intense verdriet dat een gapende leegte in haar hart was. Ze draaide zich om en liet het engeltje in haar zak glijden op het moment dat de deurknop rammelde. Kate kwam binnen.

'Waar was je zo lang, verdomme?' viel Angie naar haar uit.

Kate keek haar aan, en slikte het antwoord in dat op het puntje van haar tong lag. 'Ik kon echt niet eerder weg,' was het beste wat haar te binnen schoot. 'Het spijt me dat het zo lang heeft geduurd.'

Angie's bravoure was op slag verdwenen. 'Ik heb mijn best gedaan!'

Dat betwijfelde Kate, maar met dat te zeggen schoot ze niets op. Wat ze doen moest, was een manier verzinnen hoe ze dit kind zo ver zou kunnen krijgen dat ze het hele verhaal vertelde. Ze ging achter haar bureau zitten, deed de laden open en haalde een potje aspirine uit de bovenste la. Ze schudde er twee uit, slikte ze door met koude koffie en een vies gezicht, en realiseerde zich toen opeens dat er een kans was dat haar charmante cliënte misschien wel eens geprobeerd zou kunnen hebben haar te vergiftigen.

'Maak je over die tekening maar geen zorgen,' zei ze, de spanning in haar nek masserend. De pezen waren keihard gespannen. Ze liet haar blik onopvallend over het bureau gaan. Een automatische controle die ze altijd uitvoerde wanneer ze een cliënt alleen in haar kantoor had gelaten. Ze miste een engeltje.

Angie ging op de stoel voor het bezoek zitten en steunde haar arm op het bureau. 'Wat gaat er gebeuren?'

'Niets. Sabin is gefrustreerd. Hij wacht met smart op de grote doorbraak en had gehoopt dat jij dat zou zijn. Hij wilde je wegsturen, maar ik heb hem daarvan weerhouden. Voorlopig. Als hij tot de conclusie komt dat je een bedriegster bent die alleen maar uit is op de beloning, dan stuurt hij je weg en kan ik je niet meer helpen. Als je naar een schandaalblaadje gaat en hun meer vertelt dan je de politie hebt gedaan, zet Sabin je in de gevangenis, en zal niemand je nog kunnen helpen.

'Je zit klem tussen de wal en het schip, Angie. En ik weet dat je eerste impuls is om alles binnen te houden en de rest van de wereld buiten te sluiten, maar je moet één ding niet vergeten: het geheim dat je bewaart, deel je met één ander mens – en hij zal je erom vermoorden.'

'Begin jij nu niet ook met me bang te maken.'

'Dat is niet mijn bedoeling. De man die je hebt gezien, is een man die vrouwen kwelt, martelt, mishandelt en vermoordt, en daarna steekt hij ze in brand. Dat zou je veel banger moeten maken dan alles wat ik je kan zeggen.'

'Je weet helemaal niet wat bang is,' zei Angie op beschuldigende toon. Haar stem was bitter door de herinneringen. Ze sprong op en begon, heftig op de nagel van haar duim knagend, door de kamer op en neer te lopen.

'Waarom vertel je me er dan niet over, Angie? Het maakt niet uit wat precies. Zolang het maar iets is waarmee ik Sabin en de politie nog een poosje zoet kan houden. Wat deed je die avond zo laat in het park?'

'Dat heb ik je al verteld.'

'Je was ergens naartoe op weg, via een doorsteekje. Waar ging je naartoe? Als je met een man bent geweest, realiseer je je dan niet dat hij die moordenaar ook wel eens gezien kan hebben? Misschien heeft hij wel een glimp opgevangen van een auto. Hij zou jouw verhaal op z'n minst kunnen bevestigen, en als het even meezit, zou hij ons kunnen helpen dit monster in de kraag te vatten.'

'Wat denk je?' vroeg Angie. Kate vroeg zich af waar ze die verontwaardigde toon vandaan haalde. 'Denk je dat ik een hoer ben? Dacht je soms dat ik daar met de een of andere kerel heb liggen wippen voor wat zakgeld? Ik heb je toch gezegd wat ik daar deed! Dus dat betekent dat je denkt dat ik een hoer, én een leugenaar ben. Krijg de kelere.'

Ze schoot de deur uit, maar Kate vloog haar achterna.

'Hé, hou op met die onzin,' beval Kate, terwijl ze het meisje bij de arm pakte. De arm was zó dun en mager dat ze er bijna van schrok.

Angie's gezicht hield het midden tussen verrassing en woede. Ze had het zich heel anders voorgesteld. Dit was niet zoals de talloze maatschappelijk werksters met wie ze in haar jonge jaren te maken had gehad, gereageerd zouden hebben.

'Waarom kijk je zo?' vroeg Kate. 'Had je soms verwacht dat ik spijt zou hebben en je om vergiffenis zou vragen? "O, jee, ik heb Angie beledigd! Natuurlijk heeft ze, om op straat te overleven, nog nooit iets gedaan dat niet helemaal door de beugel kan!" ' Ze zette grote ogen op van gespeelde schrik en legde haar rechterhand op haar wang. Het volgende moment was ze weer helemaal zichzelf. 'Dacht je soms dat ik van gisteren ben? Ik weet heus wel hoe het eraan toe gaat in de grote, slechte wereld, Angie. Ik weet echt wel wat een vrouw zonder huis en baan moet doen om aan de kost te komen.

'Ja, ik geloof inderdáád dat je in het park was om voor wat zakgeld met een man te wippen. En ik weet ook verdomd goed dat je liegt. En een dief ben je ook. Maar wat ik je duidelijk probeer te maken, is dat het mij niet kan schélen. Ik zit hier niet om over je te oordelen. Ik kan niets veranderen aan wat je is overkomen voordat je in mijn leven

198

bent gekomen, Angie. Ik kan je alleen maar helpen met wat er nu gebeurt en wat er hierna gaat gebeuren. Je verzuipt in de ellende, en *ik wil je helpen.* Kun je dat begrijpen, en kun je dan ook ophouden met je tegen mij te verzetten, alsjeblieft?'

Even was het doodstil, zoals ze elkaar daar op de gang stonden aan te staren – de een boos, de ander wantrouwend. Ergens ging een telefoon, en Kate zag dat Rob vanuit de deuropening van zijn kantoor verderop in de gang, naar hen stond te kijken. Ze hield haar aandacht op Angie gericht en hoopte vurig dat Rob zich erbuiten zou houden. De doffe blik in de ogen van het meisje ging haar door merg en been.

'Waarom zou het jou iets kunnen schelen wat er met mij gebeurt?' vroeg Angie zacht. De keiharde façade was verdwenen, en ineens was heel duidelijk te zien dat ze in werkelijkheid maar een zielig, bang en kwetsbaar kind was.

'Omdat het niemand anders iets kan schelen,' zei Kate eerlijk.

De tranen sprongen Angie in de ogen. Kate had de spijker op de kop geslagen. Niemand had zich ooit ook maar iets aangetrokken van Angie DiMarco, en ze kon zich niet voorstellen dat er nu opeens iemand was die dat wel zou doen.

'Het enige wat ik er wijzer van kan worden, is een tik op mijn billen bij wijze van felicitatie van Ted Sabin,' zei Kate, in de hoop dat een beetje humor de spanning zou kunnen breken. 'Maar je kunt rustig van me aannemen dat ik het echt niet dáárom doe.'

Angie bleef haar nog even met grote ogen aanstaren terwijl ze alle voors en tegens tegen elkaar afwoog. Er rolde een enkele traan over haar wang. Ze haalde haperend adem.

'Ik vind het afschuwelijk om het te moeten doen,' fluisterde ze met een kinderstemmetje en een bevende onderlip.

Langzaam en voorzichtig sloeg Kate een arm om Angie's schouders, waarna ze het meisje naar zich toe trok. Haar behoefte om te troosten was zo intens dat ze er bang van werd. Iemand had dit kind op de wereld gezet, en niets anders gewild dan haar voor haar fouten te straffen. De onrechtvaardigheid bezorgde Kate een brandend gevoel in haar borst. *Dit is waarom ik niet met kinderen wil werken,* dacht ze. *Kinderen maken me veel te emotioneel.*

Het meisje schokte over haar hele lichaam terwijl ze nog wat van de emotie losliet die haar dreigde te verpletteren. 'Het spijt me,' fluisterde ze. 'Het spijt me zo.'

'Dat weet ik, kind,' mompelde Kate met schorre stem, terwijl ze Angie op de rug klopte. 'Mij spijt het ook. Kom, laten we gaan zitten, dan kunnen we er rustig over praten. Deze verrekte hakken. Ik kan amper nog op mijn benen staan.'

16

'Je kunt je niet voorstellen wat voor telefoontjes er binnenkomen op het speciale nummer,' zei Gary Yurek, terwijl hij, gewapend met een dik dossier en een blocnote, in het crisiscentrum van de Loving Touch of Death aan tafel ging zitten. 'Er heeft zelfs een vrouw gebeld die zegt dat ze denkt dat haar buurman de Cremator is omdat haar hónd hem niet mag!'

'Wat voor soort hond?' vroeg Tippen.

'Een Amerikaanse vuilnisbakken-spaniël,' zei Elwood, terwijl hij zijn stoel naar achteren schoof. 'Een allercharmantst ras dat bekend-staat om hun voorkeur voor het opgraven van lijken en het vrolijk stoeien met kadaverdelen.'

'Die beschrijving is jou op het lijf geschreven, Elwood.' Liska gaf hem in het voorbijgaan een zet tegen zijn arm.

'Hé, mijn hobby's gaan niemand iets aan.'

'Zijn er nog meer mensen die Jillian Bondurant hebben gezien?' wilde Hamill weten.

Yurek trok een vies gezicht. 'Ja, een monteur van Jiffy Lube in Brooklyn Park, die het om de twee woorden over de beloning had.'

Quinn ging aan tafel zitten. Hij had een barstende hoofdpijn. Zijn gedachten schoten alle kanten op, en hij had moeite met zich te con-centreren. Kate, Kate's getuige, Bondurant. Het profiel dat hij nog steeds op papier probeerde te krijgen. De zaak in Atlanta. De zaak in Blacksburg. De telefoontjes op zijn voicemail over nog zeker tien an-dere zaken. Kate. Kate…

Zijn brein snakte naar een kop koffie, maar zijn pijnlijke maag sprak dat tegen. Hij viste een Tagamet uit zijn zak en spoelde hem weg met een slok suikervrije cola. Mary Moss gaf hem een stapeltje foto's aan.

'Die heb ik van de ouders van Lila White gekregen. Ik zou niet we-ten wat we eraan hebben, maar voor hen waren ze belangrijk. De fo-to's zijn een paar dagen voor haar dood genomen.'

'Wie brengt er verslag uit?' riep Kovac, terwijl hij zijn overjas uit-trok zonder de drie dossiers die hij in zijn hand had te laten vallen. 'Is er iets bekend over de plantsoenendienst?'

'Ik heb een veroordeelde kinderlokker gevonden die dat bij zijn sollicitatie had verzwegen,' meldde Tippen. 'Maar wat de vaste ploeg betreft verder niets. De vaste ploeg wordt echter ondersteund door lieden die als alternatieve straf bij de plantsoenendienst gaan. Ik wacht nog op een lijst.'

'Er is niets ongewoons aan de telefoongesprekken die Jillian heeft gevoerd,' zei Elwood. 'Telefoontjes met haar vader, de psychiater, en met de vriendin met wie Tinks heeft gesproken. Niets ongewoons in de afgelopen twee weken. Ik heb ook gegevens opgevraagd van het bedrijf van haar mobiele telefoon, maar hun computers hadden een probleem, dus die heb ik nog niet.'

'We hebben een lijst van mensen die in de loop van de afgelopen anderhalf jaar bij Paragon zijn ontslagen,' zei Adler. 'Er is niemand bij die bekendstond als bijzonder haatdragend naar Bondurant toe. We hebben de namen door het systeem gehaald, en de uitkomst is nul.'

'Eén man was veroordeeld wegens het aanklampen van een prostituee,' zei Hamill. 'Maar dat was een op zichzelf staand feit dat voortvloeide uit een vrijgezellenfeest. Hij is intussen getrouwd. Heeft het afgelopen weekend bij zijn schoonouders doorgebracht.'

'Dat zou míj tot moord kunnen drijven,' merkte Tippen op.

'Eén man met een die was aangeklaagd wegens mishandeling. Hij is zijn afdelingschef te lijf gegaan toen hij hoorde dat Paragon hem ontslagen had,' zei Adler. 'Dat was negen maanden geleden. Hij is verhuisd naar een andere stad. Hij woont tegenwoordig in Cannon Falls en werkt in Rochester.'

'Hoe ver is dat?' vroeg Quinn.

'Cannon Falls? Een halfuur à drie kwartier.'

'Dat is niet ver. We houden zijn naam nog even op de lijst.'

'Onze agent in Rochester is met hem bezig.'

'Het schijnt in het algemeen zo te zijn,' ging Adler verder, 'dat niemand die voor Bondurant werkt bepaald op hem gesteld is, maar aan de andere kant had ook niemand iets echt slechts over hem te zeggen – behalve één uitzondering. Bondurant is in de jaren zeventig met Paragon begonnen, samen met zijn toenmalige partner, Donald Thorton. Hij heeft Thorton in zesentachtig uitgekocht.'

'Dat moet ten tijde van zijn scheiding zijn geweest,' zei Kovac.

'Precies in dezelfde tijd. Hij heeft Thornton een berg geld betaald – en nog meer, volgens sommigen. Thornton kreeg ernstige problemen met gokken en raakte aan de drank, en is in negenentachtig met zijn auto Lake Minnesota ingereden. De politie heeft hem eruit gevist voor hij verdronken was, maar hij had wel ernstig hersenletsel en rugletsel opgelopen. Zijn vrouw legt de schuld bij Bondurant.'

'Hoezo?'

'Dat wilde ze over de telefoon niet zeggen. Ze wil een persoonlijk gesprek.'

'Dat doe ik wel,' zei Kovac. 'Iedereen die iets lelijks over meneer Miljardair te zeggen heeft, is mijn vriend.'

Walsh stak een hand op, terwijl hij zijn andere hand voor de mond sloeg en een deel van zijn longen ophoestte. Toen hij ten slotte ademhaalde om wat te zeggen, zag hij paars. 'Ik heb met de ambassade in Parijs gesproken,' kwam het moeizaam over zijn lippen. 'Ze zijn de stiefvader – Serge LeBlanc – aan het natrekken met Interpol en de Franse autoriteiten. Maar volgens mij is hij niet interessant. Ik kan me niet voorstellen dat hij helemaal hier naartoe komt om twee hoeren en zijn stiefdochter om zeep te helpen.'

'Hij heeft er iemand voor kunnen inhuren,' opperde Tippen.

'Nee,' zei Quinn. 'Dit is een klassiek geval van een sadistisch zedenmisdrijf. De moordenaar heeft zijn eigen ideeën. Hij doet dit niet voor geld. Hij doet het omdat hij ervan klaarkomt.'

Walsh trok een smerig uitziende zakdoek uit zijn zak, tuurde erin en overwoog te niezen. 'LeBlanc is behoorlijk pissig over het onderzoek, en echt meewerken doet hij niet. Hij heeft gezegd dat hij de gegevens van Jillians tandarts zal opsturen – waar we niets aan hebben. En hij zal alle röntgenfoto's opsturen die ooit van haar zijn gemaakt, maar dat is alles. Meer wil hij niet kwijt.'

Kovac begon te stralen. 'Waarom niet? Wat probeert hij te verbergen?'

'Misschien wel het feit dat hij met haar heeft geslapen, haar tot een zelfmoordpoging heeft gedreven, en haar toen heeft laten opnemen in een inrichting,' opperde Liska met een voldaan gezicht, omdat ze de jongens te slim af was geweest. Ze vertelde hun wat ze van Michele Fine had gehoord.

'Het minicassettebandje uit het antwoordapparaat in Jillians huis gaat naar het lab van het bureau aanhoudingen, in de hoop dat de technofreaks er iets mee kunnen. Ik heb Fine ook gevraagd om langs te komen voor vingerafdrukken, zodat we de hare kunnen schrappen van het stel dat we bij Jillian gevonden hebben. En, tussen haakjes, er is in de loop van het weekend inderdaad schoongemaakt. Fine zegt dat Jillian een slons was. Het huis is veel te schoon, en de vriendin zegt dat ze geen werkster had.'

'Misschien is de moordenaar die avond wel bij haar thuis geweest,' speculeerde Adler. 'En wilde hij geen sporen nalaten.'

'Ik kan me voorstellen dat iemand zijn vingerafdrukken zou willen wissen,' zei Elwood, 'maar dat hij het hele huis zou schoonmaken en opruimen, lijkt me sterk.'

Quinn schudde het hoofd. 'Nee, áls hij bij haar thuis is geweest, dan heeft hij niet opgeruimd. Integendeel, hij zou eerder een nog grotere troep hebben gemaakt, als teken van minachting voor het slachtoffer. Hij zou alles overhoop hebben gehaald, en misschien ook nog op een opvallende plek geplast of gepoept hebben.'

'Dus dan zitten we met het zoveelste raadsel,' zei Kovac. Hij wendde zich opnieuw tot Liska. 'Heb je Fine door het systeem gehaald?'

'Niets. Geen strafblad, geen aanhoudingsbevel, niets. Geen vaste vriend, zegt ze, en dat geloof ik. Ze zegt dat zij en Jillian geen stel waren. Ze hebben wel iets van drugs met elkaar gemeen, denk ik. Maar op heel kleine schaal, en dan softdrugs.'

'Maar het is misschien toch de moeite waard om het nader uit te zoeken,' zei Moss. 'Lila White gebruikte ook drugs. Afgelopen herfst is ze door een dealer in elkaar geslagen.'

'Willy Parrish,' zei Kovac. 'Hij was ten tijde van de moord op White een gast van de county. Er was geen connectie tussen hem en Fawn Pierce.'

'Ik heb ook nog even gekeken naar de man die er volgens White's ouders voor heeft gezorgd dat hun dochter aan de drugs is gegaan,' zei Moss. 'Hij heet Allan Ostertag en woont in Glencoe. Geen veroordelingen. Gebruikt drugs, maar uitsluitend op zeer kleine schaal. Werkt als vertegenwoordiger voor zijn vader, die autodealer is. Hij heeft een alibi voor het afgelopen weekend.'

'Jillian en Fine schreven samen muziek,' zei Quinn, terwijl hij voor zichzelf een aantekening maakte. 'Wat voor soort muziek?'

'Folky, alternatief,' antwoordde Liska. 'En te oordelen naar Fine, moet het bol staan van de feministische, mannenhatende teksten. Ze is me er eentje. Alanis Morissette met PMS.'

'En waar is de muziek?' vroeg Quinn. 'Daar zou ik wel eens wat van willen zien.'

'Super-agent en talentenjager in zijn vrije tijd,' merkte Tippen spottend op.

Quinn legde hem met een blik het zwijgen op. 'Muziek is persoonlijk, intiem. Het zegt een heleboel over de mens die het geschreven heeft.'

Liska fronste haar voorhoofd en dacht na. 'Ik heb bladmuziek gezien, gedrukt, zoals je die in de winkel kunt kopen. Maar ik heb niets gezien dat met de hand is geschreven.'

'Vraag die vriendin of ze wat heeft,' stelde Kovac voor.

'Dat zal ik doen, maar ik heb zo het gevoel dat we ons wat meer in die Vanlees moeten verdiepen. De man heeft ze niet allemaal op een rijtje, en hij beantwoordt uitstekend aan Johns voorlopige profiel.'

'Criminele achtergrond?' vroeg Quinn.

'Niets ernstigs. Een aantal bekeuringen wegens fout parkeren en een paar lichte misdrijven drie of vier haar geleden. Het illegaal betreden van andermans huis en een geval van lastigvallen, begluren, om precies te zijn. En dan hebben we het over een periode van ruim anderhalf jaar.'

'Illegaal betreden en begluren?' herhaalde Quinn, die daar onmiddellijk mogelijkheden in zag. 'Was dat de oorspronkelijke aanklacht, of was hij aangeklaagd wegens iets ernstigers en was dat de uiteindelijke conclusie?'

'Dat was de uiteindelijke conclusie.'

'Probeer daar wat meer over te achterhalen. Heel wat gluurders komen er de eerste paar keren redelijk goed vanaf. Ze maken doorgaans een zielige indruk en worden vaak milder bestraft dan ze in feite verdienen. En bekijk zijn bekeuringen. Kijk of er een verband is tussen de plaatsen waar hij die heeft opgelopen en het adres waar hij betrapt is op illegaal betreden.'

Tippen boog zich naar Adler toe. 'Je weet maar nooit, voor hetzelfde geld hebben we hier te maken met een serierukker.'

'Ze zijn allemaal ergens begonnen, Tippen,' zei Quinn. 'De Wurger van Boston is begonnen met het door ramen naar binnen gluren en zich af te trekken, en daar is aanvankelijk ook geen aandacht aan geschonken.'

De rechercheur maakte aanstalten om op te staan. 'Hé, wat –'

'Vooruit, jongens, stop hem nu maar weer terug in je broek,' zei Kovac. 'We hebben nu geen tijd om de meetlat te voorschijn te halen. Tinks, ga na of hij een alternatieve straf bij de plantsoenendienst heeft gehad.'

'En zoek uit in welke auto hij rijdt,' voegde Quinn eraan toe.

'Komt voor mekaar. Ik heb hem expres verteld over de bijeenkomst in het buurthuis vanavond. Ik durf er wat om te verwedden dat hij komt.'

'En nu we het daar toch over hebben,' zei Kovac. 'Ik wil dat iedereen daar om halfacht is. We hebben assistentie van het bureau aanhoudingen en van de drugsbestrijding, die de kentekens van alle auto's op het parkeerterrein zullen controleren. Yurek is onze ceremoniemeester. En jullie wil ik onder de menigte, en probeer er vooral niet uit te zien als een smeris.'

'Met uitzondering van onze ster van de voorpagina,' zei Tippen, terwijl hij een exemplaar omhooghield van de *Star Tribune* van die dag. De vette kop op de voorpagina luidde: *Speciale eenheid uitgebreid met super-agent van de FBI.* 'Met een beetje geluk sta je morgen opnieuw op de voorpagina.' Hij wierp Quinn een jaloerse blik toe.

Quinn fronste zijn voorhoofd en probeerde niet boos te worden, maar het liefst had hij Tippen een keiharde kaakstoot verkocht. Jezus, hij wist wel beter dan zich door types als Tippen te laten opnaaien. Alleen al in het afgelopen jaar had hij met zeker honderd van dat soort etters te maken gehad. 'Ik wil niet op de voorpagina. Ik wil zelfs helemaal niet in de krant. Ik zal een paar woorden zeggen, maar ik hou het kort en vaag.'

'Net zoals je tegenover ons doet?'

'Wat wil je van me horen, Tippen? Dat de moordenaar één rode en één zwarte schoen draagt?'

'Dat zou in ieder geval iets zijn. Wat heb je ons tot dusver voor ons belastinggeld gegeven? Een mogelijke leeftijdsgroep, en een mogelijke beschrijving van twee voertuigen die hij misschien wel, of misschien niet bestuurt. Dat hij met zijn moeder heeft geslapen en zich heeft afgetrokken met pornoblaadjes? Nou, ik ben diep onder de indruk.'

'Dat zul je zeker zijn wanneer je de verdachte eenmaal te pakken hebt. En ik kan me niet herinneren dat ik ooit gezegd heb dat hij met zijn moeder heeft geslapen.'

'Tip denkt met heimwee terug aan zijn eigen jeugd.'

'Krijg wat, Chunk.'

'Misschien,' zei Quinn, waarbij hij de onaantrekkelijke rechercheur van het bureau van de sheriff net zo lang aankeek tot hij zenuwachtig heen en weer begon te schuiven. 'Wat de onbekende dader betreft, bedoel ik. Het is waarschijnlijk dat er in zijn jeugd sprake is geweest van ontoelaatbaar seksueel gedrag in het algemeen, en jegens hem in het bijzonder. We kunnen aannemen dat zijn moeder meerdere mannen in haar leven heeft gehad, of dat ze een prostituee was. Zijn vader was een zwakke figuur, of er was geen vader. Discipline schommelde heen en weer tussen extreem en helemaal niet.

'Hij was een intelligent kind, maar op school had hij het moeilijk. Hij had geen vriendjes. Hij fantaseerde volop over manieren hoe hij zijn klasgenoten de baas zou kunnen. Hij was wreed voor dieren en tegen andere kinderen. Hij stichtte kleine brandjes en gapte. Hij was al op jeugdige leeftijd een pathologische leugenaar.

'Op de middelbare school kon hij zich moeilijk concentreren omdat hij verslaafd was aan seksuele fantasieën, die tegen die tijd al een gewelddadig tintje begonnen te krijgen. Hij kwam in aanraking met de overheid, mogelijk ook al met de politie. Zijn moeder nam het voor hem op, deed een goed woordje voor hem en zorgde ervoor dat hij niet bestraft werd, en versterkte daarmee het idee dat hij niet verantwoordelijk was voor zijn destructieve gedrag jegens anderen. Dit leidde ertoe dat hij nog verder ging. En ook dat hij nog minder respect voor zijn moeder had.'

Tippen hief zijn handen op. 'En tenzij de man die vanavond naast me zit zich naar me toe draait en zegt: "Hallo, ik ben Harry. Mijn moeder heeft met me geneukt toen ik een kind was," is dit gewoon een grote dosis lulkoek allemaal.'

'Ik vind jóu een lul, Tippen,' zei Liska. 'Als ik bezig ben met verder te speuren naar Vanlees en dit soort dingen tegenkom, kán ik daar wat mee.'

'De analyse is een gereedschap,' zei Quinn. 'Je kunt het gebruiken of je kunt het in de gereedschapskist laten liggen.

'Wanneer jullie vanavond onder het publiek zijn, kijk dan uit naar iemand die een opgefokte indruk maakt – opgewonden of zenuwachtig, of zich ál te bewust is van de mensen om hem heen. Let op iemand die opvallend goed op de hoogte is van de feiten van deze zaak, of die ongewoon vertrouwd is met het werk van de politie. Of anders kun je ook doen wat Tippen doet – wachten tot iemand je vertelt dat hij met zijn moeder heeft gewipt.'

'Hé, weet je wat je doen kunt met die scherpe mond van je?' vroeg Tippen, terwijl hij opnieuw uit zijn stoel kwam.

Kovac kwam tussenbeide. 'Neem die van jou mee naar Patrick en stop er een broodje in, Tippen. Ga nú, voordat ik genoeg van je heb en ik je niet meer terug wil zien.'

Tippen trok een zuur gezicht. 'O, krijg de kerele,' mompelde hij, terwijl hij zijn jas pakte en wegliep.

Kovac keek Quinn van terzijde aan. In een van de kamers verderop in de gang ging de telefoon. De rest van de speciale eenheid stond op en maakte aanstalten om weg te gaan. Iedereen wilde voor het begin van de bijeenkomst vanavond nog snel even iets eten en drinken.

'Ook al ben je nog zo'n goede smeris, wil dat nog niet zeggen dat je geen zak zou kunnen zijn,' zei Liska, terwijl ze haar jas aantrok.

'Bedoel je mij of hem?' vroeg Quinn zuur.

'Hé, Sam!' riep Elwood. 'Kom eens even kijken!'

'Tippen is een lul, maar hij is goed in zijn werk,' zei Liska.

'Rustig maar.' Quinn schonk haar een afwezig glimlachje en trok zijn trenchcoat aan. 'Het pleit voor een goede rechercheur wanneer hij niet zomaar alles voor zoete koek slikt.'

'Vind je?' Ze kneep haar ogen halfdicht en keek hem van terzijde aan. Toen lachte ze en gaf hem een zet tegen zijn arm. 'Politiehumor, anders niet. We hebben intussen dus wat meer achtergrondinfo over Jillian en de twee hoeren. Heb je zin om wat met me te gaan eten en er nader op in te gaan? Of anders zouden we na afloop van vanavond samen wat kunnen gaan drinken…'

'Hé, Tinks,' blafte Kovac, terwijl hij met een handvol faxpapier de kamer weer binnenkwam. 'Laat onze FBI-er met rust.'

Liska kreeg een kleur. 'Krijg het heen en weer, Kojak.'

'Dat zou je wel eens willen zien.'

'Dacht je dat werkelijk?'

Ze liep weg en hij keek haar grijnzend na. Toen wendde hij zich met een zuur gezicht tot Quinn. 'Ze is stapelgek op me.'

Liska zwaaide over haar schouder.

Kovac haalde zijn schouders op en werd weer zakelijk. 'Kan ik je een lift geven, GQ? Ik heb dringend behoefte aan een extra hamer in mijn gereedschapskist.'

'Ter ere van wat?'

Hij zette grote ogen op en hield de fax omhoog. 'De gegevens van Jillian Bondurants mobiele telefoon. Ze heeft in de nacht van vrijdag op zaterdag twee telefoontjes gepleegd – nádat ze bij haar vader was weggegaan. Eén gesprek was met haar psychiater, en het andere was met haar lieve pappie.'

Hij zag ze aankomen. Hij stond in de smetteloze muziekkamer bij de kleine vleugel waarop een aantal jeugdfoto's van Jillian stond, en zag hun auto stoppen voor het hek. Een vaalbruine, oeroude rammelkast. Kovac. De intercom zoemde. Helen was nog niet naar huis. Ze was in de keuken bezig met zijn avondeten. Ze zou de bel horen en Kovac binnenlaten omdat hij van de politie was, en zoals dat bij elke Amerikaanse middenstander het geval was, kwam het geen moment bij haar op om de politie op wat voor manier dan ook tegen te werken.

Voor de zoveelste keer bedacht hij dat het een goed idee zou zijn om zijn persoonlijke assistent van Paragon hierheen te laten komen voor de letterlijke en figuurlijke bewaking van zijn poort. Maar hij wilde op dit moment niemand om zich heen. Het was al erg genoeg dat Edwyn Noble voortdurend in de buurt was. Hij had zijn public relationsman weggestuurd met de opdracht zich te ontfermen over de nieuwsjagers en sensatiezoekers, die zich voor de hekken bleven verdringen.

Autoportieren. Quinn stapte uit aan de passagierskant en liep om de auto heen – een elegante gestalte met opgeheven hoofd en rechte schouders. Kovac, een slonzige verschijning met ongekamd haar, nam een laatste trekje van zijn sigaret en gooide de peuk weg op de oprit. Zijn trenchcoat fladderde open in de wind.

Peter bleef nog even naar de foto's kijken. Jillian, met een te ernstig gezicht achter de toetsen. Er had altijd iets donkers en verdrietigs in haar blik gelegen. Haar eerste recital. En haar tweede, en derde. Opgetut in de mooie jurken die haar nooit hadden gestaan – te onschuldig en kuis, en kenmerkend voor het soort van zorgeloze kinderlijkheid dat zijn dochter nooit had bezeten.

Toen er aan de voordeur werd gebeld, verliet hij de kamer. Hij trok de deur achter zich dicht op het moment dat hij stemmen hoorde in de hal.

'Is hij thuis?' Quinn.

Helen: 'Ik zal even kijken of hij u kan ontvangen. Zijn er nieuwe ontwikkelingen in het onderzoek?'

'We zijn met een aantal dingen bezig.' Kovac.

'Hebt u Jillian goed gekend?' Quinn.

'O, nou –'

'U weet toch dat ik alleen via mijn advocaat te bereiken ben?' zei Peter bij wijze van begroeting.

'Het spijt me, meneer Bondurant,' zei Kovac, die allesbehalve een spijtige indruk maakte. 'John en ik waren juist op weg naar de bijeenkomst in het buurthuis die we voor vanavond hebben georgani-seerd om te proberen de moordenaar van uw dochter te vinden, toen we spontaan besloten even bij u langs te gaan om nog een paar din-gen met u door te nemen. Ik hoop dat het niet al te ongelegen komt.' Bondurant keek hem veelzeggend aan en wendde zich toen tot zijn huishoudster. 'Dank je, Helen. Als je klaar bent in de keuken, kun je gaan.'

De huishoudster trok een gezicht alsof ze bang was dat ze iets ver-keerds had gedaan of gezegd. Quinn observeerde Bondurant terwijl de vrouw terugliep naar de keuken. De stress van de afgelopen da-gen begon hem een beetje te veel te worden. Hij zag eruit alsof hij niet had gegeten en geslapen. Hij had donkere kringen onder zijn ogen, en de intense bleekheid die typerend was voor mensen die ex-treem onder druk stonden.

'Ik kan u niets bruikbaars vertellen,' verklaarde hij op een onge-duldige toon. 'Mijn dochter is dood. Daar kan ik niets aan veran-deren. Ik kan haar niet eens begraven. Ik kan zelfs niets voor de be-grafenis regelen. De patholoog wil haar stoffelijke resten niet vrijgeven.'

'Ze kunnen het lichaam pas vrijgeven wanneer het geïdentificeerd is, meneer Bondurant,' zei Quinn. 'U zou toch niet per vergissing een onbekende willen begraven, wel?'

'Mijn dochter was een onbekende voor mij,' zei hij op een ver-moeide, en raadselachtige toon.

'Werkelijk?' vroeg Kovac. Hij liep langzaam door de hal als een haai die zijn prooi omcirkelde. 'En ik maar denken dat ze u alles ver-teld had over wie ze in werkelijkheid was, toen ze u die avond had ge-beld – nádat ze hier was weggaan. Nadat u had gezegd dat u niets meer van haar had gehoord.'

Bondurant keek hem met grote ogen aan. Hij ontkende het niet. En bood ook niet zijn excuses aan.

'Wat had u dan gedacht?' vroeg Kovac. 'Dacht u werkelijk dat ik daar niet achter zou komen? Dacht u echt dat ik zo stom ben? Dacht u soms dat je over een FBI-schildje moet beschikken om een be-hoorlijk stel hersens te hebben?'

'Het leek me niet relevant.'

Kovac keek hem stomverbaasd aan. 'Niet relevant? Misschien heeft ze wel gezegd waar ze was toen ze u belde. Dat zou ons een idee geven waar we naar getuigen moeten zoeken. Misschien was er wel een stem op de achtergrond, of een speciaal geluid waar wat uit af te leiden was. En misschien werd het gesprek wel onderbroken.'

'Nee op alle vragen.'

'Waarom heeft ze gebeld?'

'Om me welterusten te wensen.'

'En dat is dezelfde reden waarom ze haar psychiater midden in de nacht heeft gebeld?'

Geen reactie. Geen verbazing. Geen woede. 'Ik zou niet weten waarom ze Lucas heeft gebeld. Hun relatie van patiënt-arts ging mij niets aan.'

'Ze was uw dochter,' zei Kovac. Zijn frustratie nam toe en hij versnelde zijn pas. 'Vond u soms ook dat het u niets aanging toen ze door haar stiefvader werd geneukt?'

Dat was raak. Eindelijk, dacht Quinn, terwijl hij Bondurants magere gezicht zag vertrekken van woede. 'Ik heb mijn buik vol van je, Kovac.'

'O, ja? Denkt u dat LeBlanc dat ook tegen Jillian heeft gezegd, waarna ze, in Frankrijk, geprobeerd heeft zelfmoord te plegen?' vroeg Kovac op uitdagende toon. Hij wist dat hij zich op dun ijs begaf, maar het kon hem niet schelen.

'Schoft.' Bondurant ging niet op hem af, maar bleef stokstijf staan. Quinn zag hem beven.

'Noemt u míj een schoft?' Kovac lachte. 'De kans is groot dat uw dochter dood is, en u vindt het niet nodig om ons ook maar iets over haar te vertellen, en dan noemt u míj een schoft? Dat is een goeie. John, kun jíj dit vatten?'

Quinn slaakte teleurgesteld een zucht. 'We stellen dit soort vragen niet zomaar, meneer Bondurant. We stellen ze niet om de herinnering aan uw dochter kapot te maken of om u te kwetsen. We stellen ze omdat we een zo volledig mogelijk beeld willen hebben.'

'Ik heb u al lang gezegd,' zei Bondurant zacht, maar op woedende toon, 'dat Jillians verleden hier niets mee te maken heeft.' De blik in zijn ogen was puur ijs.

'Ik vrees van wel, al kan ik op dit moment nog niet precies zeggen hoe. Het verleden van uw dochter hoorde bij wie ze was – of hoort bij wie ze ís.'

'Ja, Lucas zei al dat u daar maar op blijft hameren. Het is bespottelijk om te denken dat Jillian dit zelf heeft aangehaald. Het ging juist zo goed met haar –'

'Het is niet aan jou om te proberen dit te ontleden, Peter,' zei Quinn, die opeens persoonlijk werd. *Ik ben je vriend. Je kunt het me rustig vertellen.* Hij gaf hem toestemming om zijn zelfbeheersing langzaam maar zeker te laten varen. Quinn zag hoe het logische gedeelte van Bondurants brein worstelde met de emoties die hij zo lang onderdrukt had. Hij was zó gespannen, dat als Kovac hem even te hard duwde en hij knapte, het zou zijn als het plotseling loslaten van een hoogspanningskabel – zonder ook maar enige controle. Bondurant was slim genoeg om dat te beseffen, en bang genoeg om die mogelijkheid te vrezen.

'We zeggen niet dat het Jillians schuld was, Peter. Ze heeft hier niet om gevraagd. Ze heeft dit ook niet verdiend.'

Bondurants ogen werden glazig van de tranen.

'Ik besef hoe moeilijk dit voor je is,' zei Quinn zacht. 'Toen je vrouw je heeft verlaten, heeft ze je dochter meegenomen naar een man die haar misbruikt heeft. Ik kan me voorstellen hoe wóedend je geweest moest zijn toen je dat hoorde.'

'Nee, dat kun je niet.' Bondurant draaide zich om. Hij was op zoek naar een mogelijkheid om te ontsnappen, maar was niet bereid om de hal te verlaten.

'Jillian zat aan de andere kant van de oceaan. Ze had het verschrikkelijk moeilijk. Maar tegen de tijd dat jij ervan hoorde, was het allemaal al voorbij, dus wat kon je eraan doen? Niets. Ik kan me de woede, de frustratie en het gevoel van machteloosheid heel goed voorstellen. En het schuldgevoel.'

'Ik kon niets doen,' mompelde hij. Hij stond naast een tafeltje met een marmeren blad, tuurde naar een sculptuur van bronzen lelies, en staarde in een verleden dat hij liever achter slot en grendel had gehouden. 'Ik wist het niet. Ze heeft het me pas verteld nadat ze weer hier was komen wonen. Ik hoorde het pas toen het te laat was.'

Hij streelde met een bevende hand over een van de lelies en sloot zijn ogen.

Quinn stond naast hem, binnen zijn persoonlijke ruimte. Dichtbij genoeg om door hem in vertrouwen te worden genomen, om de suggestie te geven dat hij aan zijn kant stond. 'Het is nog niet te laat, Peter. Je kunt nog steeds helpen. We streven hetzelfde doel na als jij – het vinden en tegenhouden van Jillians moordenaar. Wat is er die nacht gebeurd?'

Hij schudde het hoofd. Wat ontkende hij? Hij straalde iets uit – schuld, schaamte – en het was zó sterk dat je het bijna kon ruiken. 'Niets,' zei hij. 'Niets.'

'Jullie hebben samen gegeten, en daarna is ze om twaalf uur weggegaan. Wat is er gebeurd dat haar heeft doen besluiten om Brandt te bellen? Ze moet ergens over van streek zijn geweest.'

Hij bleef zijn hoofd schudden. Wat ontkende hij toch? Haar emotionele toestand, of was het alleen maar dat hij geen antwoord wilde geven? Schudde hij de vragen van zich af als onaanvaardbaar omdat de antwoorden een deur zouden openen waar hij niet doorheen wilde? De dochter die na al die jaren bij hem was teruggekeerd was niet teruggekomen als het onschuldige kind dat ze geweest was. Ze was anders teruggekomen. Beschadigd. Hoe zou een vader zich voelen? Gekwetst, teleurgesteld, beschaamd. Schuldig omdat hij er niet bij was geweest om datgene te voorkomen dat zijn dochter ertoe had gedreven te trachten een eind aan haar leven te maken. Schuldig vanwege de schaamte die hij voelde wanneer hij aan haar dacht als beschadigd, als niet meer volmaakt. Verwarde, duistere emoties draaiden zich in een knoop die alleen maar door de vaardige hand van een chirurg ontward zou kunnen worden. Hij dacht aan de foto in Bondurants werkkamer: Jillian, diep ongelukkig in een jurk die voor een ander soort meisje bestemd was.

Kovac ging aan Bondurants rechterzijde staan. 'We willen Jillian geen kwaad doen. En u ook niet, mener Bondurant. We proberen alleen maar om de waarheid te achterhalen.' Quinn hield zijn adem in en bleef Bondurant onafgebroken aankijken. Er verstreken enkele seconden. Het besluit werd genomen. Quinn zag het gebeuren. Hij zag het aan Bondurants hand die van de bronzen lelie gleed, en aan de manier waarop hij zich weer volledig in zichzelf terugtrok en de deur van zijn emoties, die even op een kiertje open was gegaan, stevig op slot deed.

'Nee,' zei Bondurant, en er gleed een lege uitdrukking over zijn gezicht. Hij pakte de hoorn van een glimmende, zwarte telefoon die naast de sculptuur op het haltafeltje stond. 'Die kans gun ik u niet. Ik wil niet dat de naam van mijn dochter door het slijk wordt gehaald. Als ik ook maar íets in de kranten lees over wat Jillian in Frankrijk is overkomen, dan maak ik jullie beiden kapot.'

Kovac blies de lucht uit zijn longen en stapte bij het tafeltje vandaan. 'Ik probeer alleen maar om deze moorden op te lossen, meneer Bondurant. Dat is het enige waarin ik geïnteresseerd ben. Ik ben een eenvoudige man met eenvoudige behoeften – zoals de waarheid. U kunt mij in een oogwenk breken als u dat zou willen. Allemachtig, alles van waarde wat ik ooit heb bezeten, is naar mijn ex-vrouwen gegaan. U kunt me vertrappen als een smerig insect. En zal ik u eens wat zeggen? Zelfs al zóu u dat doen, dan zou ik nog steeds maar één ding willen, en dat is de waarheid, want zo ben ik nu eenmaal. U zou het ons allemaal een stuk gemakkelijker maken als u mij die liever vroeg dan laat zou willen vertellen.'

Bondurant keek hem met een strak gezicht alleen maar aan. Sam schudde het hoofd en liep weg.

Quinn bleef nog even onbeweeglijk staan en observeerde Bondurant. Hij probeerde in te schatten wat hij voelde, probeerde zijn gedachten te doorgronden. Ze hadden hem bíjna zo ver gehad dat hij hun alles vertelde... 'Je hebt me niet zomaar hier laten komen,' zei hij zacht, van man tegen man. 'Daar moet je een reden voor hebben gehad.' Hij haalde een visitekaartje uit zijn zak en legde het op het tafeltje. 'Bel me wanneer je erover wilt praten.'

Bondurant drukte een toets van de telefoon in en wachtte.

'Nog een laatste vraag,' zei Quinn. 'Jillian schreef muziek. Heb je haar ooit horen optreden? Heb je ooit iets van haar werk gezien?'

'Nee. Dat heeft ze niet met mij gedeeld.'

Hij wendde zijn blik af toen er aan de andere kant van de lijn door iemand werd opgenomen.

'Ja, met Peter Bondurant. Mag ik Edwyn Noble van u?'

Hij stond in de gang en wachtte tot het onbeschofte geratel van Kovacs auto was weggestorven. En ook daarna bleef hij nog staan. Hij bleef staan in het schaarse licht en in de stilte om hem heen. De tijd verstreek. Hij wist niet hoe lang hij daar stond. En toen liep hij de gang af naar zijn werkkamer. Het was alsof zijn lichaam en zijn hersenen onafhankelijk van elkaar functioneerden. In een hoek brandde een enkele schemerlamp. Hij deed geen andere lichten aan. De late namiddag had plaatsgemaakt voor de avond, en het licht dat eerder op de dag door de terrasdeuren naar binnen was gevallen, was verdwenen. De sombere sfeer in het vertrek paste bij zijn stemming.

Hij deed zijn bureau van het slot, haalde er een vel bladmuziek uit en ging ermee bij het raam staan om het te kunnen lezen. Het was alsof de woorden, wat verder bij het licht vandaan, wat minder kwetsend waren dan hun werkelijkheid.

Onecht kind
Ik ben je onechte kind
Kleine meid
Naar niets verlang ik zozeer als naar jou
Neem me mee naar dat plekje dat ik ken
Neem me met je mee
Ik wil dat je van me houdt
En er is maar één manier
Pappie, hou toch van me
Hou van me, nu
Pappie, ik ben je onechte kind
Neem me voor wat ik ben
– JB

17

De bijeenkomst is, om het zo maar eens te zeggen, ter ere van hem. Hij zit in de zaal en kijkt en luistert. Hij is gefascineerd, en vindt het ook amusant. De mensen om hem heen, onder wie een groot aantal vertegenwoordigers van de pers, zijn hier naartoe gekomen omdat ze bang voor hem zijn of omdat ze door hem gefascineerd worden. Ze hebben er geen idee van dat het monster naast en achter hen zit, en het hoofd schudt wanneer ze opmerkingen maken over hoe erg het toch met de wereld gesteld is tegenwoordig, en ze zich afvragen hoe iemand zo wreed kan zijn als de Cremator.

Hij is ervan overtuigd dat er mensen in de zaal zitten die bewondering voor hem hebben – hoewel ze het nooit zullen toegeven, hebben ze er bewondering voor hoe ver hij durft te gaan. Geen van de mensen hier heeft de moed of het inzicht om zijn fantasieën uit te leven en de duistere machten in hun binnenste vrij te laten.

Er wordt om stilte gevraagd. De woordvoerder van de speciale eenheid vertelt wat de reden voor deze bijeenkomst is, maar wat hij zegt, is een leugen. De bijeenkomst is niet belegd om informatie te verstrekken of om de burgers te laten zien wat er gedaan wordt. Het doel van de bijeenkomst is het doel van Quinn.

'Belangrijker nog in deze aanhoudende reeks van moorden, heb ik hen gezegd, is dat er een begin gemaakt moet worden met een pro-actieve benadering, waarbij de politie en de media samen moeten proberen de man in de val te lokken. In die zin heb ik de politie, onder andere, voorgesteld om een aantal buurtbijeenkomsten te beleggen om de misdaden met de burgers te "bespreken". Dat deed ik, omdat ik er zogoed als zeker van was dat de moordenaar bij één of meerdere van deze bijeenkomsten aanwezig zou zijn.' – John Douglas, Mindhunter.

Het doel van de bijeenkomst is om hem in de val te lokken. En ondertussen zit hij hier doodkalm in de zaal als de zoveelste bezorgde burger. Quinn observeert de menigte in een poging hem te ontdekken. Hij is op zoek naar hem, naar iets wat de meeste mensen niet zomaar herkennen: het gezicht van het kwaad.

'De mensen verwachten dat het kwaad een lelijk gezicht heeft, en hoorns draagt. Het kwaad kan heel knap zijn. Het kwaad kan heel gewoontjes zijn. De lelijkheid zit vanbinnen. Het is een zwart, kankerachtig gezwel dat zich voedt met morele principes en de controlemechanismen die bepalend zijn voor beschaafd gedrag. Het beest gaat schuil achter een normaal uiterlijk.' – John Quinn in een interview met People Magazine, *januari 1997.*

Quinn onderscheidt zich dankzij zijn dure, op maat gemaakte grijze pak van de plaatselijke politiemensen. Hij heeft de verveelde, superieure uitstraling van een model van *GQ.* Dit steekt – het feit dat Quinn zich uiteindelijk verwaardigd heeft hem in het openbaar te erkennen, maar dat hij er daarbij uitziet alsof het hem allemaal geen bal kan schelen.

Omdat je denkt dat je me kent, Quinn. Je beschouwt me als het zoveelste geval. Niets bijzonders. Maar dat is omdat je de Cremator niet kent. De Engel van het Kwaad. En ik ken jou zo goed.

Hij is vertrouwd met alle zaken die Quinn op zijn naam heeft staan, met zijn reputatie, zijn theorieën en zijn methoden. Uiteindelijk zal het hem lukken Quinns respect te winnen, hetgeen meer voor Quinn zal betekenen dan voor hem. Zijn duistere, ware ik staat boven de noodzaak tot persoonlijke erkenning. Het nastreven van erkenning is zwak en reactief, leidt tot kwetsbaarheid, en kan iemand belachelijk maken, hetgeen weer tot teleurstelling kan leiden. Kortom, het is niet aanvaardbaar. Het is niet toegestaan aan de duistere kant.

In gedachten reciteert hij zijn motto: *Domineren. Manipuleren. Beheersen.*

Quinn bestijgt het podium. Camera's flitsen en beginnen te zoemen. De vrouw naast hem begint te hoesten. Hij biedt haar een zuurtje aan en fantaseert over het doorsnijden van haar keel omdat ze hem uit zijn concentratie heeft gehaald.

Hij fantaseert erover om het hier te doen. Nu. In gedachten grijpt hij haar bij haar blonde haar en rukt haar hoofd naar achteren, om vervolgens, in één beweging, haar strottenhoofd en halsslagader door te snijden. De snee is diep, tot op de nekwervels. Het bloed spuit in een dikke golf uit haar lichaam, terwijl hij zich onopvallend terugtrekt in de hysterische menigte en ontsnapt. Hij glimlacht bij het idee, en neemt zelf ook een zuurtje uit het rolletje. Kersensmaak – die vindt hij het lekkerst.

Quinn geeft de toehoorders de verzekering dat de speciale eenheid kan rekenen op de volledige medewerking van de FBI. Hij vertelt over de vele manieren waarop de afzonderlijke afdelingen van de FBI hulp kunnen bieden. Wat hij doet, is de mensen geruststellen door een grote, verwarrende hoeveelheid informatie te geven. Hij noemt de verschillende afdelingen bij hun afgekorte naam – de VICAP, de NCIC, de NCAVC, de ISU en de CASKU. De meeste mensen hebben er geen flauw idee van waar al die letters voor staan. De meeste mensen weten niet eens wat het verschil is tussen de politie en het bureau van de sheriff. Het enige wat ze weten is dat afkortingen belangrijk en officieel klinken. De mensen in de zaal luisteren geboeid en werpen zo nu en dan een onopvallende blik naar degenen die naast hen zitten.

Quinn is heel zuinig met het verstrekken van details van het profiel waar hij aan werkt. Door zijn ruime ervaring is hij in staat de indruk te geven dat die paar details een schat aan informatie inhouden. Hij spreekt over de doorsnee moordenaar van prostituees: de onbeholpen verliezer die vrouwen haat, die hoeren – naar zijn idee de minsten van allemaal – uitkiest om de wraakzucht jegens de zonden van zijn moeder op los te laten. Quinn spreekt het vermoeden uit dat dit niet helemáál voor de Cremator geldt, en zegt dat het hier om een heel bijzondere moordenaar gaat – een die uiterst begaafd, georganiseerd en intelligent is – en die alleen maar gevonden kan worden wanneer alle afdelingen van de politie én de burgers daaraan werken.

Quinn heeft in één opzicht gelijk: er is niets doorsnee aan de Cremator. Hij is eerder superieur dan onbeholpen. Hij geeft zo weinig om de vrouw die hem het leven heeft geschonken dat hij het niet de moeite vindt zich op haar herinnering te wreken.

Dat neemt echter niet weg dat hij, in zijn achterhoofd, haar stem nog kan horen. Hij hoort hoe ze hem uitscheldt, bekritiseert en hem uitdaagt. En de woede, die eigenlijk altijd op een laag pitje pruttelt, begint op te laaien. Die verrekte Quinn en zijn freudiaanse onzin ook. Hij heeft er geen idee van hoe euforisch het aanvoelt om een leven te nemen. Of hoe het voelt om de macht over een ander leven te hebben. Hij heeft nooit stilgestaan bij de heerlijke muziek van pijn en angst, of hoe die muziek de musicus verheft. Het doden heeft niets te maken met gevoelens van ontoereikendheid of met zijn normale zelf, maar heeft alles te maken met macht.

Aan de andere kant van het zaaltje roept de afvaardiging van het Phoenix House in koor: 'Ons leven telt ook!'

Toni Urskine stelt zichzelf voor en neemt het woord. 'Lila White en Fawn Pierce waren door omstandigheden gedwongen om de prostitutie in te gaan. Wilt u soms zeggen dat zij het verdiend hebben wat hen overkomen is?'

'Dat zou ik zelfs niet eens willen suggereren,' zegt Quinn. 'Maar het is gewoon een feit dat de prostitutie, vergeleken met beroepen als advocaat of leraar, riskanter is.'

215

'En dat betekent dat prostituees onbelangrijk zijn? De moord op Lila White was niet belangrijk genoeg voor een speciale eenheid. Lila White heeft voor haar dood een tijdje in het Phoenix House gewoond. Er is nooit iemand van de politie bij ons langsgekomen om onderzoek te doen naar haar dood. Toen Fawn Pierce was vermoord, heeft de FBI niemand naar Minneapolis gestuurd. Een van onze huidige bewoonsters was een goede vriendin van Fawn. Ze is nóóit benaderd door iemand van de politie die met haar wilde spreken. Maar nu wordt Peter Bondurants dochter vermist, en ineens zijn er buurtvergaderingen en maakt de pers overuren.

'Meneer Greer, kunt u, als hoofdcommissaris van politie, in alle eerlijkheid zeggen dat deze stad zich iets aantrekt van vrouwen die in moeilijke omstandigheden leven?'

Greer beklimt het podium. Hij maakt een ernstige en sterke indruk. 'Mevrouw Urskine, ik kan u verzekeren dat ál het mogelijke is ondernomen om de moorden op de eerste twee slachtoffers op te helderen. Nu verdúbbelen we onze krachten om dit mónster te vinden. En we zúllen niet rusten voor het monster achter slot en grendel zit!'

'Ik wil u er graag op wijzen dat hoofdcommissaris Greer de term "monster" niet letterlijk bedoelt,' zegt Quinn. 'We zijn niet op zoek naar een wezen dat gillend en schuimbekkend door de straten rent. De man die we zoeken heeft het voorkomen van een doodnormale man. Het monster zit in zijn hoofd.'

Monster. Een woord dat gewone mensen ten onrechte gebruiken voor wezens die ze niet begrijpen. Een haai wordt een monster genoemd terwijl het in feite om een efficiënt en nuttig dier gaat dat naar zijn idee helemaal niets slechts doet. En dat geldt evenzeer voor de Cremator. Hij is efficiënt en nuttig, en doet naar zijn idee niets slechts. Hij doet wat hij doen moet, en doet dat zonder aarzelen. Hij voelt wat hij moet doen en stelt daar geen vraagtekens bij. Hij geeft zich met hart en ziel over aan de behoeften van zijn Donkere Ik, en stijgt, bij de volledige overgave daaraan, boven zijn gewone zelf uit.

'Op dit moment, het moment waarop het slachtoffer onder hun handen sterft, ervaren de meeste seriemoordenaars volgens hun zeggen een moment van intens begrip en inzicht, een verblindende onthulling van de waarheid.' – Joel Norris, Seriemoordenaars.

'Speciaal agent Quinn, hoe luidt uw theorie ten aanzien van het verbranden van de slachtoffers?'

De vraag was afkomstig van een journalist. Bij dit soort buurtbijeenkomsten liep je altijd het risico dat het uitdraaide op een persconferentie, en een persconferentie was wel het laatste wat Quinn wilde. Hij had, zowel ten behoeve van de zaak als voor zichzelf, behoefte aan een gecontroleerde situatie. Waar het om ging, was dat hij juist voldoende informatie verstrekte, maar zeker niet te veel. Een beetje speculatie was best, maar niets wat de moordenaar zou kunnen opvatten als arrogantie. Hij moest duidelijk afwijzend tegenover de dader staan, maar erop letten dat die afwijzing eveneens getuigde van een zekere mate van respect.

Een rechtstreekse uitdaging zou nog meer slachtoffers tot gevolg kunnen hebben. Maar was hij te slap en toonde hij te weinig initiatief, dan zou Smokey Joe zich eveneens geroepen kunnen voelen om te laten zien waartoe hij in staat was. Nog meer slachtoffers. Een verkeerd woord, een achteloze klemtoon – nog een lijk. Het gewicht van die verantwoordelijkheid drukte als een loodzware last op zijn schouders.

'Agent Quinn?'

De stem trof hem alsof hij gestoken werd, en deed hem uit zijn overpeinzingen ontwaken. 'Het verbranden is als de handtekening van de moordenaar,' antwoordde hij, zijn voorhoofd masserend. Hij had het warm. Het was benauwd in het zaaltje. Zijn hoofd bonkte als een hamer op een aanbeeld. Het gat in zijn maag schroeide en werd groter. 'Hij doet het om gehoor te geven aan de een of andere innerlijke behoefte. Maar wat die behoefte precies inhoudt, weet niemand behalve hijzelf.'

Kies een gezicht, het maakt niet uit welk, dacht hij, terwijl hij om zich heen keek. Na alle jaren en alle zaken en alle moordenaars, dacht hij soms wel eens dat hij in staat zou moeten zijn de dwangmatige behoefte om te doden te herkennen, dat hij het zou moeten kunnen zien als een goddeloze aura, maar zo werkte het niet. Men hechtte over het algemeen veel waarde aan de ogen van seriemoordenaars – de vlakke, effen leegte erin, waarbij het was alsof je, in plaats van de ziel erin te zien, in een lange, zwarte tunnel keek. Maar een moordenaar van het soort dat ze zochten was slim en flexibel, en totdat hij voor de politiefotograaf stond, zou niemand behalve zijn slachtoffers die blik in zijn ogen te zien krijgen.

Elk, letterlijk élk gezicht in de zaal kon het masker van de moordenaar zijn. Het was mogelijk dat er één mens in de zaal zat die, bij het luisteren naar de beschrijvingen van de moorden, de angst in het zaaltje zou ruiken en daarvan uitgelaten en opgewonden raakte. Meer dan eens had hij gezien hoe seriemoordenaars, wanneer hun monstrueuze daden werden verteld aan een onthutste en walgende jury, een erectie kregen.

Als de moordenaar in het zaaltje zat, dan zat hij hier om andere redenen dan de andere mensen. Dan zat hij hier om plannen te smeden voor zijn volgende zet. Om te genieten van alle drukte die er om hem werd gemaakt. Misschien dat hij het woord zou nemen en de rol van bezorgde burger zou spelen. Misschien ging het hem ook alleen maar om de spanning van het feit dat hij zo dicht in hun buurt kon zijn, en zo weer weg kon lopen. Of misschien koos hij één van de aanwezige vrouwen uit als zijn volgende slachtoffer. Quinns blik ging als vanzelf naar Kate, die naar binnen glipte door de deur achter in het zaaltje. Hij keek naar haar gezicht, maar bleef er niet naar kijken, ook al wilde hij dat nog zo graag. Hij wilde het té graag, en zij wilde niets van hem weten. Daar had hij zich in het verleden bij neergelegd. En hij zou zo slim moeten zijn om dat nu ook te doen. Hij zat met een zaak waarop hij zich moest concentreren. Tachtig of negentig zaken.

'En wat denkt u van de religieuze overtuigingen?'

'Het is nog maar de vraag of daar naar zijn idee ook sprake van is. Meer dan speculeren kunnen we niet. Misschien zegt hij wel: "Alle zondaren moeten branden in de hel." Maar voor hetzelfde geld gaat hem om een zuiveringsceremonie om hun ziel te redden. Of misschien doet hij het alleen maar om zijn totale gebrek aan respect en zijn minachting duidelijk te maken.'

'Is het niet uw taak om te bepalen om welke van die mogelijkheden het gaat?' vroeg een andere verslaggever. Quinn stelde vast dat die vraag net zogoed van Tippen had kunnen komen.

'Het profiel is nog niet voltooid,' zei hij. *Je hoeft me niet te vertellen wat mijn taak is. Ik weet wat mijn taak is, idioot.*

'Is het waar dat u van de kidnappingszaak in Bennet bent gehaald om aan deze zaak te werken?'

'Hoe staat het met het onderzoek naar de moorden op de homoseksuelen in South Beach?'

'Ik ben altijd met meerdere zaken tegelijk bezig.'

'Maar u bent hier omdat Peter Bondurant bij deze zaak betrokken is,' verklaarde een ander. 'Riekt dat niet en beetje naar elitairisme?'

'Ik ga naar díe plaatsen waar ik naartoe word gestuurd,' antwoordde hij op effen toon. 'Het gaat mij om de zaak, niet waar die vandaan komt of waarom.'

'Waarom is Peter Bondurant niet officieel verhoord?'

Hoofdcommissaris Greer stapte het podium op om die lijn van vragen de kop in te drukken, en om, tegenover Edwyn Noble en de pr-chef van Paragon die namens Bondurant aanwezig waren, uit te weiden over alle goede eigenschappen van de industrieel.

Quinn deed een stapje naar achteren, ging naast Kovac staan en probeerde weer adem te halen. Kovac had zijn politiemasker op. Hoewel hij een schijnbaar ongeïnteresseerde indruk maakte, zag hij veel meer dan iemand in de zaal zich kon voorstellen.

'Zie je dat joch van Liska naast haar zitten?' zei hij zacht. 'Hoe is het mogelijk, hij is in uniform gekomen.'

'Dat is handig, als je wilt dat je slachtoffer probleemloos met je meegaat,' zei Quinn. 'Hij heeft een strafblad van kleine dingen waar wel eens wat meer achter zou kunnen zitten.'

'Hij kent Jillian Bondurant,' zei Kovac.

'Laat Liska hem vragen of hij naar het bureau wil komen.' Quinn hoopte op die warme golf van intuïtie die hem zei dat dit de man was die ze zochten, maar dat gevoel had hem in de steek gelaten en hij voelde niets. 'Laat ze doen alsof het om een gedachtewisseling gaat. We vragen hem om hulp, we willen graag horen hoe hij erover denkt en hechten waarde aan zijn mening als ervaren waarnemer. Zoiets.'

'Wat een geslijm! Jezus.' Kovacs snor krulde van de walging die hij voelde. 'Weet je, hij lijkt eigenlijk wel op die waardeloze tekening die we hebben.'

'Ja, en jij ook. Maak een foto van hem en laat hem aan de getuige zien. Misschien herkent ze hem wel.'

Greer besloot zijn praatje met nog een laatste keer op dramatische wijze een beroep op de medewerking van het publiek te doen. Hij wees Liska en Yurek aan als de rechercheurs bij wie de mensen terecht konden voor informatie. Op het moment dat hij verklaarde dat de bijeenkomst was afgelopen, kwamen de verslaggevers als een meute blaffende honden naar voren. De menigte veranderde op slag in een bewegende mensenzee, waarbij sommigen zich naar de deuren achter in het zaaltje begaven, en anderen naar de andere kant van de ruimte liepen, waar Toni Urskine van het Phoenix House probeerde zoveel mogelijk mensen op haar hand te krijgen.

Kate wurmde zich tegen de stroom in naar voren, naar Kovac. Toen Kovac haar tegemoet kwam, schoot Edwyn Noble met een strak gezicht op Quinn af. Lucas Brandt stond naast hem, met de handen in de zakken van zijn camel winterjas.

'Agent, kunnen we u even onder vier ogen spreken?'

'Natuurlijk.'

Hij nam ze mee, weg van het podium en weg van de pers, naar de keuken van het buurthuis waar, op het aanrecht van rood formica, reusachtige koffiepotten stonden en, boven de gootsteen, een met de hand geschreven boodschap hing met de tekst: IEDEREEN ZIJN EIGEN KOPJE AFWASSEN, S.V.P.

'Peter was erg van streek na uw bezoek vanavond,' begon Noble.

Quinn trok zijn wenkbrauwen op. 'Ja, dat weet ik. Ik was erbij.' Hij stak zijn handen in zijn zakken en leunde met zijn rug tegen het aanrecht. Meneer Ontspannen. Alle tijd van de wereld. Hij schonk ze een zuinig glimlachje. 'Bent u alleen maar gekomen om me dat te zeggen? En ik maar denken dat u een stel bezorgde burgers was.'

'Ik ben hier in het belang van Peter,' zei Noble. 'Ik vind dat u moet weten dat hij erover denkt Bob Brewster te bellen. Hij is helemaal niet te spreken over het feit dat u kostbare tijd schijnt te verdoen –'

'Neemt u me niet kwalijk, meneer Noble, maar ik weet heus wel wat ik doe,' zei Quinn op kalme toon. 'En niemand zegt dat Peter blij moet zijn met de manier waarop ik dat doe. Ik werk niet voor hem.'

Maar als Peter ontevreden is, laat hem dan gerust naar de directeur bellen. Dat verandert niets aan het feit dat Jillian, nadat ze die avond bij hem is weggegaan, twee telefoontjes heeft gepleegd, en dat hij noch u, dr. Brandt, het nodig hebt gevonden dat aan de politie te vertellen. Er was die nacht iets aan de hand met Jillian Bondurant, en nu is de kans groot dat ze niet meer leeft. Het zal u duidelijk zijn dat er een aantal vragen is gerezen die op wat voor manier dan ook beantwoord zullen moeten worden.'

Brandt trok met zijn kaakspieren. 'Jillian had problemen. Peter hield van zijn dochter. Hij zou het meer dan verschrikkelijk vinden als haar verleden en alle moeilijkheden die ze had uitvoerig in de schandaalblaadjes kwamen en uitgebreid in het nationale avondjournaal besproken werden.'

Quinn zette zich met een ruk af tegen het aanrecht, ging vlak voor Brandt staan en keek hem recht in de ogen. 'Het is niet mijn vak om zaken aan de media door te verkopen.'

Noble spreidde zijn handen. De vredestichter. De diplomaat. 'Natuurlijk niet. We proberen alleen maar om deze zaak zo discreet mogelijk te behandelen. Daarom praten we ook met u in plaats van met de politie. Peter, Lucas en ik hebben het besproken, en we zijn van mening dat we u het roer van de zaak in handen moeten geven, om het zo maar eens te zeggen. Dat we, met uw nieuwsgierigheid naar de telefoontjes die Jillian die avond heeft gepleegd, te bevredigen, de zaak verder kunnen laten rusten.'

'Hoe staat het met je beroepsgeheim?' vroeg Quinn, die Brandt strak aan bleef kijken.

'Een klein offer waar heel veel tegenover staat.'

Dat zijn eigenbelang diende, vermoedde Quinn.

'Ik luister.'

Brandt haalde adem en zette zich schrap voor het feit dat hij het vertrouwen schond dat een patiënt hem had geschonken. Op de een of andere manier had Quinn sterk het gevoel dat hij hier niet half zoveel moeite mee had, als hij in maatschappelijk en financieel opzicht zou hebben wanneer hij iets deed dat in strijd was met Peter Bondurants wensen.

'Jillian was in de afgelopen paar weken een aantal malen benaderd door haar stiefvader, die voorgaf hun relatie te willen herstellen. Jillian gevoelens voor deze man waren uitermate gecompliceerd en ingewikkeld.'

'Was ze geïnteresseerd in het hervatten van een bepaald soort relatie met hem?' vroeg Quinn. 'Haar vriendin heeft geïmpliceerd dat Jillian verliefd op hem was, en dat ze wilde dat hij zich voor haar van haar moeder zou laten scheiden.'

'Jillian was, toen ze een relatie met Serge had, een uitermate ongelukkig en verward kind. Haar moeder was altijd jaloers op haar geweest, al van haar eerste kinderjaren af. Ze snakte naar liefde. Ik hoef u waarschijnlijk niet te vertellen dat er mensen zijn die van alles over hebben voor het verkrijgen van liefde, of liever, van wat in hun ogen doorgaat voor liefde.'

'Ja. Het resultaat daarvan is mij bekend van foto's die gemaakt zijn van de plaats waar zich een misdaad heeft afgespeeld. Waarom is de stiefvader nooit vervolgd?'

'Omdat hij nooit is aangeklaagd. LeBlanc had haar gehersenspoeld,' zei Noble vol walging. 'Jillian weigerde zelfs om het aan de politie te vertellen.'

'Peter hoopte dat ze, doordat ze weer in Minnesota was komen wonen en in therapie was gegaan, alles te boven was,' zei Brandt.

'En was dat ook zo?'

'Therapie is een langdurig en aanhoudend proces.'

'En toen begon LeBlanc haar weer te bellen.'

'Vrijdagavond had ze besloten het allemaal aan Peter te vertellen. U begrijpt dat hij van streek was. Hij hield zijn hart vast voor haar. Het ging juist zo goed met haar.' Opnieuw een strategisch geplaatste zucht. 'Peter heeft moeite met het uiten van emoties. Zijn bezorgdheid manifesteerde zich als woede. Ze kregen ruzie. Jillie was van streek toen ze wegging. Ze heeft me vanuit haar auto gebeld.'

'Waar was ze op dat moment?'

'Ergens op een parkeerplaats. Ze heeft het niet gezegd. Ik raadde haar aan om terug te gaan naar Peter en het uit te praten, maar ze voelde zich gekwetst, en uiteindelijk volstond ze met hem op te bellen,' zei Brandt. 'Dat is het hele verhaal. Doodsimpel.'

Quinn geloofde hem niet. Wat Lucas Brandt hem zojuist had verteld was zeer zeker niet het volledige verhaal, en er was niets aan Jillian Bondurants leven of dood dat simpel was.

'En dit alles kon Peter Bondurant niet gewoon aan rechercheur Kovac en mij vertellen toen we vier uur geleden bij hem waren en in de hal met hem hebben gesproken.'

Noble keek zenuwachtig achterom naar de gesloten deur aan de andere kant van de ruimte, alsof hij verwachtte dat er elk moment een meute journalisten met microfoons in de aanslag binnen zou stormen.

'Het is voor Peter niet gemakkelijk om over dit soort dingen te praten. Hij is erg op zichzelf.'

'Dat begrijp ik, meneer Noble,' zei Quinn, terwijl hij achteloos een pepermuntje uit zijn broekzak viste. Hij sprak verder onder het uitpakken ervan. 'De moeilijkheid daarbij is alleen dat het hier om een moordonderzoek gaat. En in een moordonderzoek zijn dingen als privacy nu eenmaal niet mogelijk.' Hij legde het papiertje op het aanrecht en stopte het lekkers in zijn mond. 'Zelfs niet wanneer je Peter Bondurant heet en je bevriend bent met de directeur van de FBI – niet zolang het mijn zaak is.'

221

'Nou,' zei Edwyn Noble, terwijl zijn gezicht verstrakte en hij een stapje achteruit deed, 'in dat geval vraag ik me af hoelang dit nog uw zaak zal blijven.'

Ze gingen weg als twee verwende kinderen die zo snel mogelijk naar huis zouden gaan om te klikken. Peter Bondurant zou alles van hen horen. Bondurant zou Brewster bellen. Brewster zou hem bellen en hem op het matje roepen, vermoedde Quinn. Of hij zou hem zonder meer van de zaak halen en hem naar een andere berg lijken sturen. Er was altijd een andere zaak. En nog een... en nog een... En wat moest hij trouwens anders met zijn leven?

Hij keek Noble en Brandt na, die zich, op de voet gevolgd door de verslaggevers, een weg naar de uitgang baanden.

'Waar was dat goed voor?' vroeg Kovac.

'Ik ben bang dat ze zullen proberen ons de pas af te snijden.'

'Kate zegt dat onze getuige haar alles heeft opgebiecht. Ons zonnetje in huis heeft verteld dat ze die avond in het park was om met de een of andere kerel te doen wat nodig was om een zakcentje te verdienen.'

'Heeft die een of andere kerel ook een naam?'

Kovac snoof. 'Hubert Humphrey, heeft hij tegen haar gezegd. Maar dat is natuurlijk verzonnen.'

'Daar schieten we echt veel mee op,' zei Quinn op droge toon.

De televisieploegen waren bezig met het opruimen van hun lampen en camera's. De laatste mensen verlieten de zaal. Het feest was afgelopen, en dat betekende ook een einde van de adrenaline die zijn hart een versneld ritme had laten slaan en zijn zenuwen onder druk had gezet. Hij gaf zowaar de voorkeur aan de spanning, want het hield het depressieve gevoel, de oververmoeidheid en de verwarring op een welkome afstand. Hij was liever bezig, want als hij dat niet was, betekende dat, dat hij op zijn hotelkamer moest zitten met alleen zijn angst als gezelschap. De angst dat hij niet voldoende deed, dat hij iets over het hoofd zag, dat hij, ondanks de kennis opgedaan met meer dan duizend zaken, hij de intuïtie kwijt was die bij het werk hoorde en als een blinde in het duister om zich heen tastte.

'Ze heeft natuurlijk zijn kenteken niet opgeschreven,' vervolgde Kovac. 'Ze heeft zijn adres niet gevraagd en heeft geen reçuutje van zijn creditcard.'

'Kan ze hem beschrijven?'

'Ja, dat kan ze. Hij was ongeveer twintig centimeter lang en maakte een raspend geluid toen hij klaarkwam.'

'Dat wordt interessant, wanneer we ze allemaal op een rij hebben staan.'

'Ja. De zoveelste zielige yup met een terreinwagen en een vrouw die niet bereid is om hem te pijpen.'

Quinn keek hem scherp aan. 'Een wat?'

'Een vrouw die –'

'Nee, wat je daarvoor zei. Wat voor soort auto had hij?'

'Een terreinwa–' Kovac zette grote ogen op en gooide de sigaret weg die hij op had willen steken. 'O, Jezus.'

Hij verlaat als een van de laatsten de zaal van het buurthuis, en luistert naar flarden van gesprekken om zich heen. De gesprekken gaan over hem.

'Ik wou dat ze wat meer over dat in brand steken hadden verteld.'

'Ik bedoel, die man van de FBI zei dat de dader er net zo uitziet en zich net zo gedraagt als iedereen. Maar dat kan toch niet? Lijken in brand steken, dat is gestoord. Die man moet gestoord zijn.'

'Ja, of heel slim. Het vuur vernietigt al het bewijsmateriaal.'

'Ja, maar iemand de kop afhakken is geschift.'

'Denkt u niet dat het vuur symbolisch is?' vraagt hij. 'Volgens mij hebben we te maken met de een of andere geloofsmaniak. U weet wel, van: tot as zult ge wederkeren, en zo.'

'Misschien.'

'Ik weet zeker dat als ze hem te pakken hebben, zal blijken dat hij een stiefvader of zo heeft gehad die fanatiek religieus was. Een begrafenisondernemer, of zo,' zegt hij, denkend aan de man met wie zijn moeder een verhouding had toen hij een kind was. De man die meende dat hij van God de opdracht had gekregen om haar via seksuele onderwerping en afranselingen op het rechte pad te brengen.

'De man is ziek. Het is ziekelijk om vrouwen te martelen en te vermoorden omdat je zelf ergens tekort zou schieten. Ze hadden hem bij zijn geboorte moeten verzuipen.'

'En die gekken schuiven altijd alles af op hun moeder. Alsof ze niet in staat zijn zélf na te denken.'

Het liefste zou hij de twee vrouwen die dat zeggen bij de strot grijpen, hen in hun paars aangelopen gezicht kijken, uitschreeuwen wie hij was, en dan, met zijn blote handen, hun strottenhoofd dichtknijpen. De woede is intussen opgelaaid tot een felle, vurige vlam.

'Ik heb over die Quinn gelezen. Hij is een genie. Hij heeft die kindermoordenaar in Colorado ook ontmaskerd.'

'Nou, van mij mag hij me verhoren wanneer hij maar wil,' zegt de andere vrouw. 'George Clooney is niets bij hem vergeleken.'

Ze lachen, en hij droomt van een klauwhamer om hun schedel mee in te slaan. Hij voelt de hete gloed van het vuur in zijn borst. Zijn hoofd dreunt. Het verlangen zorgt voor een koortsachtig gevoel vlak onder zijn huid.

Het verkeer op de parkeerplaats voor het buurtcentrum zit muurvast. Hij loopt naar zijn auto, leunt ertegenaan en slaat zijn armen over elkaar.

'Hou daar maar mee op, het heeft toch geen enkele zin!' roept hij naar een van de geüniformeerde agenten die het verkeer probeert te regelen.

'Ik wacht wel tot de boel weer in beweging is gekomen.'

De idioot. Wie is hier de domme? Niet de Cremator, maar degenen die naar hem op zoek zijn en hem aankijken en een doodnormale man in hem zien.

Hij ziet nog een paar mensen het gebouw uit komen en de stoep op lopen. Ze lopen in het gele licht van de schijnwerpers. Sommigen zijn burgers. Sommigen zijn agenten van de speciale eenheid. Hij herkent er een paar.

Quinn komt naar buiten via een zijdeur aan de achterzijde van het gebouw – een uitgang die de media ontgaan was. Hij heeft geen jas aan. Hij staat in de schaduw bij de deur, zet zijn handen in zijn zij en recht zijn schouders. Zijn adem maakt wolkjes in de koude lucht. Hij kijkt om zich heen, is op zoek naar iets.

Ben je soms op zoek naar mij, agent Quinn? Naar de onbeholpen verliezer met een moedercomplex? Naar het mentale monster? Nog even, en dan zul je ontdekken wat een echt monster is.

De Cremator heeft een plan. De Cremator wordt een legende. De moordenaar die het voor elkaar kreeg om John Quinn te breken. De ultieme overwinning van de ultieme moordenaar op de ultieme speurneus van zijn soort.

Hij kruipt achter het stuur van de auto waarin hij is gekomen, start de motor, stelt de verwarming in en vervloekt de kou. Hij heeft behoefte aan een jachtgebied dat warmer is. Hij rijdt achteruit zijn parkeerplaatsje uit en volgt een zilveren Toyota 4Runner van de parkeerplaats af de weg op.

18

Kate reed de 4Runner voorzichtig de smalle, oude garage in die in het steegje achter haar huis lag. Tijdens de wintermaanden droomde ze vaak van een aangebouwde garage, maar als het dan weer voorjaar werd en de tuin in bloei kwam, was ze het gedoe van door de sneeuw te moeten baggeren, en het gevaar van door een donker steegje te moeten lopen in een stad met een verontrustend aantal zedenmisdrijven, al snel weer vergeten.

De wind blies de dorre blaadjes in de geul naast de garage van de buren op een hoop en uit elkaar. Kate onderdrukte een huivering, en ze bleef even staan om in het donker achter zich te kijken – voor het geval dat. Maar het was alleen maar haar aangeboren paranoia, verstrekt door de wetenschap dat de bijeenkomst waar ze zojuist geweest was, uitsluitend was opgezet om een seriemoordenaar in de val te lokken.

Het oude gevoel van haar tijd bij de FBI stak de kop weer op. Ze herinnerde zich hoe er bij de frisdrankenautomaat heel nonchalant over de meest onvoorstelbare misdrijven werd gesproken. Seriemoorden behoorden tot de dagelijkse kost, en het was pas op het einde van haar loopbaan – na Emily's dood – geweest dat ze vraagtekens was gaan zetten bij de terloopse manier waarop ermee werd omgegaan. Met de dood van haar dochter had de dood opeens een veel persoonlijker tintje gekregen, en ineens kon ze die afstandelijke houding die nodig was voor het soort werk dat ze deed, niet meer opbrengen. Uiteindelijk had ze er niet meer tegen gekund.

Ze vroeg zich af hoe John het nog steeds kon opbrengen... áls hij dat al deed. Hij zag er vanavond bleek uit – mager, grauw en grijs in het felle licht van de lampen. Vroeger was overwerken zijn remedie geweest. Hij hoefde zijn emoties niet onder ogen te zien zolang hij er maar voor zorgde dat hij het daar te druk voor had. Waarschijnlijk hanteerde hij die techniek nog steeds. En wat kon het haar trouwens schelen?

Ze stak haar sleutel in het beveiligde slot van de achterdeur. Ze voelde haar nekharen overeind komen, en aarzelde alvorens hem om te draaien. Ze draaide zich opnieuw langzaam om en probeerde voorbij het schijnsel te kijken van de lamp die automatisch aansprong wanneer er iets bewoog. Ze tuurde naar de donkere hoekjes van de achtertuin. Ze realiseerde zich dat ze haar mobiele telefoon in de auto had laten liggen. In de auto, achter de tuin en aan het einde van het enge steegje. Laat maar liggen. Ze kon via de telefoon in huis nagaan of er boodschappen waren ingesproken. Als God werkelijk bestond, dan zou geen van haar cliënten vanavond een crisis hebben. En zou ze met een glas van haar favoriete ontspanningsdrankje een lekker heet bad kunnen nemen. Deze zaak zou haar dood kunnen worden, maar als ze toch moest sterven, dan zou ze tenminste schoon en prettig verdoofd zijn.

Er was geen maniak die zich langs haar heen naar binnen probeerde te werken, en in de keuken zat ook geen maniak met een slagersmes op haar te wachten. Thor kwam op haar af en protesteerde luidkeels over het feit dat hij zo lang op zijn eten had moeten wachten. Kate legde haar tas op het aanrecht en zette de kleine televisie aan voor het journaal. Terwijl ze met haar linkerhand haar jas open-knoopte, haalde ze met haar rechter het kattenvoer en de fles Sapphire uit de koelkast.

Het belangrijkste onderdeel van het journaal van tien uur was de bijeenkomst in het buurthuis. Er waren beelden van het publiek – Tony Urskine en de Phoenix-vrouwen sprongen eruit – van hoofdcommissaris Greer die aan het woord was, en van John, die met een ernstig gezicht vertelde over de rol die de FBI bij het onderzoek speelde.

Ernstig en knap. De camera was altijd al dol geweest op zijn gezicht. Zijn gezicht was met het verstrijken van de jaren harder geworden, en zelfs dát stond hem goed – de uitwaaierende rimpeltjes bij zijn ooghoeken, het grijs in zijn dikke haar. Zijn fysieke, seksuele uitstraling trof haar op een primitieve manier die ze niet kon tegenhouden, maar slechts kon proberen te negeren.

Daarna kwam de presentator weer in beeld, die de feiten van de zaak nog eens op een rijtje zette, terwijl een hoekje van het scherm in beslag werd genomen door de foto's van Jillian en Peter Bondurant. Vervolgens kwam het bedrag van de uitgeloofde beloning in beeld, samen met het nummer dat de mensen die informatie hadden konden bellen, en daarna was het volgende onderwerp aan de beurt: wijkagenten die zich in dit koude jaargetijde warmden in de stripteasetenten in het centrum.

Kate liet het nieuws aanstaan voor Thor en liep door naar de eetkamer, terwijl ze de oude kroonluchter – die ze gered had en zelf van nieuwe bedrading had voorzien – aandeed en aan Bondurant dacht, en hoe Jillian wel of niet beantwoordde aan het slachtofferprofiel.

'Verdomme, John,' mompelde ze.
'*Dan kunnen we het over de zaak hebben. Ik heb een aantal ideeën die ik graag met je zou willen bespreken.*'
'Dat is niet mijn taak. Ik werk niet meer bij gedragswetenschappen.'
'*Je was een deskundige op het gebied...*'
En hij had de beschikking over alle deskundigen op het gebied. Hij had haar niet nodig.

Ze hing haar jas over een stoel en ging aan de eikenhouten tafel zitten die ze de eerste zomer nadat ze bij de FBI was weggegaan zelf had opgeknapt. Ze had het moeilijk gehad met de verwerking van Emily's dood en het mislukken van zowel haar huwelijk als haar relatie met Quinn. Het leven zoals ze het gekend had was afgelopen, en ze had opnieuw moeten beginnen. Alleen, maar met alle herinneringen.

Ze had geen van haar naasten over Quinn verteld. Haar zus en haar ouders wisten van niets. Ze hadden niet geweten dat haar ontslag bij de FBI het gevolg was geweest van een schandaal. Ze zou dan ook niet in staat zijn geweest een verklaring te geven voor het feit dat ze zich, terwijl Steven gedreven door verdriet en woede zich meer en meer van haar had afgezonderd, zo tot Quinn aangetrokken had gevoeld. En zelfs nadat hun relatie voorbij was, was de band die ze met hem had gehad nog te kostbaar geweest om te kunnen delen met mensen die het toch niet zouden kunnen begrijpen. En haar ouders zouden het net zomin kunnen begrijpen als haar collega's in Quantico dat hadden gekund.

Ze had een verhouding gehad, had haar echtgenoot bedrogen. Zij was de slechterik. Dat was zoals de mensen het wilden zien – als slecht en smerig. Niemand wilde horen hoe eenzaam ze zich had gevoeld, en hoe groot haar behoefte aan troost en steun was geweest. Ze waren niet geïnteresseerd in de aantrekkingskracht – die veel verder ging dan alleen het fysieke alleen – die haar en Quinn als een magneet naar elkaar toe had getrokken. De mensen hielden ervan het ergste te geloven, omdat dat het minst bedreigend was.

En dus had Kate haar geheim met niemand gedeeld – en het schuldgevoel, de spijt en haar gebroken hart waren daar onlosmakelijk mee verbonden. En ze was erin geslaagd om, steentje voor steentje, een nieuw bestaan op te bouwen. Ze had veel aandacht geschonken aan een stevige fundering en evenwicht. Haar baan was een baan van vijf dagen per week van in de regel acht tot vijf. Cliënten kwamen en gingen. Ze hielp hen zoals ze kon, en gedurende een bepaalde periode waren hun levens met elkaar verbonden. Haar relatie met anderen was eindig en hanteerbaar.

Terwijl ze dat dacht, flitste haar een beeld van Angie door het hoofd. Ze nam een flinke slok van haar drankje. Ze dacht aan de tranen van het meisje, het keiharde kind, het kind dat op straat leefde, maar dat helemaal overhoop lag met haar emoties en dat huilde als het kind dat ze niet wilde toegeven te zijn. Bang en verlegen en beschaamd – en ook dát zou ze nooit willen toegeven.

Kate had aan Angie's voeten geknield en met één hand contact gehouden door haar hand aan te raken of haar knie, of door haar over het hoofd te strelen toen ze zich ver naar voren had gebogen om haar gezicht te verbergen. En de hele tijd had Kate rondgedraaid in dezelfde cirkel van emoties en gedachten – dat ze niemands moeder was, dat deze band die ze met het meisje probeerde te smeden veel meer was dan ze zelf wel wilde en dan waar Angie op zat te wachten.

Maar de nuchtere waarheid was dat Kate alles was dat ze had. De bal lag op haar helft en er was niemand anders om hem aan toe te spelen. Geen van haar collega's durfde het op te nemen tegen Ted Sabin. En het was nog maar de vraag wie het tegen Angie op zou durven nemen.

Angie's verhaal was kort, verdrietig en smerig. Ze was opgepikt op Lake Street en als een wegwerp-seksartikel, in het park uit de auto gezet door een man die haar zelfs niet eens gevraagd had hoe ze heette. Hij had haar twintig dollar betaald, hoewel het standaardtarief vijfendertig bedroeg, en had gezegd dat ze, als ze dat onvoldoende vond, maar naar de politie moest gaan. Daarna had hij haar uit de auto geduwd en was weggereden. Hij had haar als een katje dat hij niet wilde hebben midden in de nacht in het park uit zijn auto gezet.

In gedachten zag Kate haar voor zich zoals ze daar gestaan moest hebben: eenzaam, verkreukeld, met een briefje van twintig dollar in haar hand en ruikend naar seks. Eenzaam, in de steek gelaten en alleen. Met haar leven dat zich voor haar uitstrekte als honderd kilometer slecht wegdek. Ze was beslist niet ouder dan vijftien of zestien. Niet zo veel ouder dan Emily als ze nog geleefd zou hebben.

De tranen sprongen haar in de ogen. Kate nam nog een slok gin en probeerde er de prop in haar keel mee weg te slikken. Er was geen tijd om te huilen, en bovendien was het zinloos om te huilen. Emily leefde niet meer en Angie kon haar plaats niet innemen. Het plotselinge gevoel van eenzaamheid liet zich omzeilen of verdoven. Daar had ze ruimschoots ervaring in. Stop het verdriet terug in zijn hokje. Hou de deur van dat hokje potdicht op slot, om te voorkomen dat iemand, met inbegrip van haarzelf, er naar binnen zou kunnen gluren.

Ze voelde de uitwerking van haar vermoeidheid en de alcohol toen ze opstond en naar haar werkkamer liep. Ze moest kijken of er gebeld was. En ze wilde het Phoenix House bellen om voor de laatste keer vandaag nog even contact te hebben met Angie – om de band die er die middag tussen hen ontstaan was nog even aan te halen.

Ze weigerde om zich voor te stellen hoe het meisje eenzaam op haar kamertje in het opvangtehuis zou zitten. Ze weigerde te denken aan hoe kwetsbaar ze zich zou voelen, en bang en teleurgesteld in zichzelf omdat ze zich door een ander had laten troosten. Ze weigerde eraan te denken dat ze nog meer haar best had moeten doen en dat ze die band tussen hen nog dieper had moeten maken.

De hal werd verlicht door een straatlantaarn van enkele huizen verderop. Het schijnsel viel zilverachtig naar binnen door de beide raampjes aan weerszijden van de deur. Kate liep al tijden met het idee om die raampjes dicht te laten maken. Je kon ze gemakkelijk inslaan, en dan was je zó binnen. Die gedachte had ze elke avond voor ze naar boven en naar bed ging.

In de werkkamer annex bibliotheek brandde een kleine schemerlamp. Ze had de kamer in grote lijnen zo gelaten als ze hem zich uit haar jeugd herinnerde, toen haar vader een middenkaderfunctie bij Honeywell had bekleed. Overvol en mannelijk, met een stoer en stevig eikenhouten bureau en uitpuilende boekenkasten. Het rook er naar de leren meubels en vagelijk nog naar de geur van sigarenrook. Het lampje van het antwoordapparaat lichtte op als een vlammetje in het halfduister, maar voor ze de afspeelknop had kunnen indrukken, ging de telefoon.

'Kate Conlan.'

'Kovac. Red, kom als de sodemieter naar het Phoenix House. Onze getuige is verdwenen. Ik zie je daar.'

'Ik had moeten blijven,' zei Kate, terwijl ze, met de handen in haar zij, door de sjofele zitkamer van het opvangtehuis op en neer liep. 'Verdomme, ik had moeten blijven.'

'Je kunt ze niet dag en nacht in de gaten blijven houden, Red,' zei Sam, terwijl hij een sigaret opstak.

'Nee,' mompelde ze, terwijl ze zich omdraaide en de man van de narcoticabrigade, die Sam had geleend om een oogje op Angie te houden zolang ze in het tehuis was, een woedende blik toewierp. Hij was een vervuild uitziend, mager joch in een legerjack met de naam Iverson op de zak gestencild. 'Dat was jóuw taak.'

'Hé!' Hij hief zijn handen op als om haar af te weren. 'Ik ben geen moment weg geweest, maar men had me gezegd dat ú niet wilde dat ik er al te dicht bovenop zou zitten. Ik denk dat ze via de achteruitdeur is ontsnapt.'

'Nee, maar. Hoe had je anders gedacht dat ze zou ontsnappen? Ontsnappen houdt op zich al in dat dat niet via de voordeur kan zijn, denk je ook niet?'

De agent stak zijn kin in de lucht en liep langzaam en half dreigend op Kate toe. Ze twijfelde er niet aan dat hij met die houding indruk moest maken op dealers en gebruikers. 'Ik heb niet om deze stomme klus gevraagd, en ik hoef me ook niets te laten vertellen door de eerste de beste godvergeten maatschappelijk werkster.'

'Hé!' blafte Quinn.

Kate bracht Iverson met een blik tot stilstand en overbrugde de afstand die hen scheidde zélf. 'Je bent de enige getuige kwijtgeraakt die we hebben, idioot dat bent. Je zegt dat je niet voor mij werkt? Dat is best. Maar dan werk je altijd nog wel voor de hoofdcommissaris. En voor de officier van justitie. Waarom bel je de burgemeester niet op om haar te vertellen dat je het voor elkaar hebt gekregen om het meisje uit het oog te verliezen dat als enige getuige is geweest van de verbranding van het lijk van de dochter van Peter Bondurant, omdat je zo'n geweldige agent van de drugsbestrijding bent en je het beneden je waarde vindt om op een kind te passen?'

Iverson werd knalrood. 'Krijg de kelere,' zei hij, terwijl hij naar achteren liep. 'Ik ga.'

Kovac liet hem gaan. De voordeur ging piepend open en sloeg hard dicht. De doffe dreun weergalmde voor de grote hal.

'Elke superieur zal hem op zijn lazer geven,' verzuchtte hij. 'Hij zal van de blaren niet eens op het straatvegerskarretje kunnen zitten waar hij met ingang van morgen op wordt geplaatst.'

Kate begon weer te ijsberen. 'Is ze uit zichzelf weggegaan of is ze ontvoerd?'

'Iverson zegt dat haar spullen niet meer op haar kamer staan en dat de achterdeur geen sporen van braak vertoont. Er was nog een andere bewoonster in huis. Ze heeft hem verteld dat ze niets heeft gehoord of gezien. Quinn en ik zijn hier ook nog maar net. We hebben zelfs nog niet de kans gehad om rond te kijken.'

Kate schudde haar hoofd om haar eigen stommiteit. 'Ik was juist vandaag een heel stuk verder met haar gekomen. Ik had bij haar moeten blijven.'

'Hoe laat heb je haar afgezet?'

'Dat weet ik niet precies. Het zal na achten zijn geweest. Ze heeft me vanmiddag verteld over de man die haar had meegenomen naar het park, maar ze was daarvan zó over haar toeren en ze schaamde zich zo, dat ik haar niet nog meer onder druk wilde zetten. Ik ben met haar naar City Center gegaan, waar we wat hebben gegeten, en ik heb haar een paar dingetjes laten kopen.'

'Heeft hoofdinspecteur Fowler je wat geld voor haar gegeven?'

Kate trok een gezicht en wuifde de vraag weg. Het geld was uit haar eigen zak gekomen, maar dat gaf niet. 'En toen heb ik haar hier afgezet.'

Angie was steeds stiller geworden naarmate ze dichter in de buurt van het Phoenix House waren gekomen. Ze was weer in haar schulp gekropen. *En ik heb haar laten begaan,* dacht Kate.

'Ik heb haar afgezet en ben doorgereden naar de bijeenkomst om je te vertellen dat – o, verdomme. Ik had moeten blijven.'

'Wie waren er verder nog hier toen je haar afzette?'

'Gregg Urskine – maar hij zou ook naar de bijenkomst gaan – en nog een andere vrouw. Ik weet niet wie. Ik heb haar niet gezien. Gregg vertelde me dat ze er was. Ik wilde niet dat Angie alleen zou zijn.'

Het kostte haar geen enkele moeite om zich Angie nagenoeg alleen in dit grote huis voor te stellen. Als Smokey Joe wist waar ze was... Zijn drie slachtoffers waren zonder ook maar een spoor van geweld verdwenen. Het ene moment waren ze er nog geweest, en het volgende waren ze verdwenen. Doodsimpel. Heel eenvoudig. En Angie DiMarco beweerde dat ze hem kon identificeren.

Zo snel en zo gemakkelijk was ze verdwenen. Eén achteloze beslissing...

'Ik heb het verknald, en nu zijn we haar kwijt.'

Kate wist dat de emoties die haar plotseling te veel dreigden te worden overdreven waren, maar het lukte haar niet ze de baas te blijven. Ze voelde zich misselijk en duizelig. De nasmaak van gin lag als metaal op haar tong.

Ze voelde dat Quinn achter haar kwam staan. Ze hoefde niet om te kijken om te weten dat hij het was. Haar lichaam was nog steeds op het zijne afgestemd. Dat was een verontrustende gedachte: dat de fysieke aantrekkingskracht er in al die jaren niet minder op was geworden.

'Jij kunt er niets aan doen, Kate,' zei hij zacht.

Hij legde zijn hand op haar schouder en vond het harde, gespannen plekje dat hij op de oude, vertrouwde manier begon te masseren. Te vertrouwd. Te troostend.

'Het maakt nu niet meer uit,' zei ze, zich met stijve bewegingen van hem af wendend. 'Waar het om gaat, is dat we haar terug moeten vinden. Dus ik stel voor om zo snel mogelijk met zoeken te beginnen.'

Ze gingen naar boven, naar de kamer die Angie met een andere bewoonster van het tehuis had gedeeld. De muren hadden een lelijke kleur geel, het oude houtwerk was donker van ouderdom en vele lagen lak. Ook hier bestond het meubilair, net als in de rest van het huis, uit losse stukken die op goed geluk bij elkaar waren gezet.

Angie's bed was een prop van onopgemaakte lakens. Het plastic draagtasje van hun uitje naar City Center lag in het midden, met het vloeipapier er half uitstekend, bovenop. De spijkerbroek en de trui die ze had gekocht vielen nergens te bekennen. Omdat ook de vervuilde rugzak er niet stond, lag het voor de hand om aan te nemen dat het meisje uit eigen vrije wil vertrokken was.

Op het nachtkastje, naast het goedkope lampje, stond een klein beeldje van een engel.

Kate pakte het op en keek ernaar: een aardewerken beeldje van ruim twee centimeter hoog dat ze in Santa Fe voor vijf dollar van een

Navajo-vrouw had gekocht. Ze had het vijfjarige kleindochtertje van de vrouw een extra dollar toegestopt omdat ze het beeldje met zoveel zorg, en met een rimpel op haar voorhoofd van de concentratie, in vloeipapier had gepakt. Ze had naar het meisje gekeken en aan Emily moeten denken, en tot haar intense schaamte was ze bijna in snikken uitgebarsten.

'Weet je daar iets van af?' vroeg Quinn, die alweer te dicht bij haar was komen staan.

'Ja. Ze heeft hem vandaag van mijn bureau gestolen.' Haar vingers gingen over de goudgeschilderde aura rond het donkere hoofdje van de engel. 'Ik verzamel beschermengeltjes. Ironisch, niet? Ik geloof er niet echt in. Als beschermengelen daadwerkelijk bestonden, zouden jij en ik geen baan hebben, zou mijn dochter nog leven en zouden er geen kinderen zijn zoals Angie.'

'Stom,' zei ze, de vleugeltjes strelend. 'Ik wou dat ze hem had meegenomen.'

Het beeldje gleed uit haar vingers en viel op het oude kleed naast het bed. Kate knielde om het op te rapen, waarbij ze, om niet te vallen, met haar linkerhand op de vloer steunde. Haar hart dreunde in haar borst en ze ging op haar hielen zitten, terwijl ze haar linkerhand, met de handpalm naar boven, ophief.

'O, Jezus,' kwam het ademloos over haar lippen, terwijl ze met grote ogen naar de veeg bloed keek.

Quinn vloekte, greep haar hand stevig beet en trok hem naar het licht.

Kate rukte haar hand los, draaide zich om, boog zich opnieuw voorover en probeerde iets te onderscheiden op het donkere hout van de oude vloer. De hoek moest precies goed zijn. Het licht moet er recht op vallen... Inverson had het niet gezien omdat hij niet goed had gekeken.

'Nee,' stamelde ze, toen ze nog een druppel vond, en toen een veeg waar iemand getracht had het bloed haastig weg te vegen. *Ik had bij haar moeten blijven.*

Het spoor liep naar de gang. En vandaar naar de badkamer.

De paniek viel als een loodzware steen op Kate's maag. 'O, God, nee.'

Ik had bij haar moeten blijven.

Ze kwam overeind en strompelde de gang af. Al haar zintuigen stonden op scherp, en het kloppen van haar hart dreunde als een sloophamer in haar oren.

'Niets aanraken!' riep Kovac, die haar gevolgd was.

Kate bleef staan voor de deur van de badkamer, die op een kier stond. Sam duwde hem open met zijn schouder, haalde een balpen uit de zak van zijn jas en deed het licht aan.

Het vertrek was een zee van fel roze, oranje en zilverfolie behang uit de jaren zeventig. Het sanitair was ouder, en de vloertegels waren al lang niet wit meer. En zaten onder de bloedspetters. Hier en daar een dikkere druppel. En een veeg.

Waarom ben ik niet bij haar gebleven?

'Blijf op de gang, schat,' zei Quinn. Hij legde zijn handen op haar schouders terwijl Kovac het douchegordijn opentrok.

'Nee.'

Ze bleef staan waar ze stond, trilde over haar hele lichaam en hield haar adem in. Quinn sloeg een arm om haar heen, klaar om haar weg te trekken op het moment waarop Kovac het gordijn openrukte.

Er was geen lijk. Angie lag niet dood in het bad. Desondanks draaide Kate's maag zich om en kreeg ze het ineens ijskoud. Quinn trok haar tegen zich aan en ze liet hem begaan.

De muurtegels zaten onder de vegen bloed. Het was alsof er iemand met vingerverf had gespeeld. Een dun lijntje roodachtig, met bloed verdund water liep van het midden van het bad naar de afvoer.

Kate drukte een hand tegen haar mond, waarbij ze het bloed op de binnenkant van haar hand over haar kin smeerde.

'Verdomme,' kwam het zacht over Kovacs lippen, terwijl hij wegstapte bij het bad.

Hij liep naar de plastic wasmand naast de wastafel en tilde het deksel op met de pen die hij eerder gebruikt had om het licht mee aan te doen.

'Hé, Kojac,' zei Elwood, terwijl hij zijn dikke kop om het hoekje van de deur stak. 'Wat is er?'

'Bel de jongens van zedenmisdrijven.' Hij haalde na elkaar twee handdoeken uit de mand – beide waren nat en zaten onder het bloed. 'Zo te zien is hier het nodige gebeurd.'

19

Toni Urskine kwam de voorkamer binnen. Ze was nog steeds gekleed om indruk te maken in een nauwsluitende zwarte broek en een rode blazer op een witte blouse met een opvallende sjaal. Het vuur van verontwaardiging gloeide nog in haar ogen.

'Ik ben helemaal niet blij met die politieauto's voor de deur. Zouden ze hun lichten niet uit kunnen doen? Dat zou al wat helpen. Dit is een fatsoenlijke buurt, agent, en de mensen hier zijn toch al niet zo blij met ons.'

'Het spijt me dat we hier zomaar binnen zijn komen vallen, mevrouw Urskine,' zei Kovac op droge toon. 'Ontvoeringen, moorden, het is allemaal even lastig, ik weet het.'

Een roodharige vrouw met het broze uiterlijk van een crackverslaafde, kwam achter Toni Urskine de kamer binnen. Zij werd, op haar beurt, gevolgd door Gregg Urskine, die er in afgetrapte werklaarzen, spijkerbroek, een flanellen overhemd met openstaande boord met daaronder een wit T-shirt, uitzag als een model voor Eddie Bauer. Hij legde zijn hand op de rug van de magere vrouw en duwde haar voor zich uit verder de kamer in.

'Dit is Rita Renner. Rita was thuis met Angie toen wij weg waren.'

'We waren niet echt samen,' zei Renner met een klein stemmetje. 'Ik zat tv te kijken. Ik heb haar naar boven zien gaan. Ze is lang in de badkamer geweest – ik heb het water horen lopen. We mogen niet lang onder de douche staan.'

'En hoe laat was het toen het water ophield met lopen?'

'Dat weet ik niet. Ik ben op de bank in slaap gevallen en ben pas weer wakker geworden van het nieuws.'

'En toen je wakker was, heb je toen, afgezien van Angie, iemand anders in huis gehoord of gezien?'

'Niet nadat Greg was weggegaan.'

'Geen deuren die open en dicht zijn gegaan? Geen voetstappen? Helemaal niets?'

Renner staarde naar haar voeten en schudde het hoofd.

'Ze hééft toch al gezegd dat ze niets gehoord en gezien heeft!' merkte Toni Urskine ongeduldig op.

234

Kovac negeerde haar. 'Waarom ben je niet met de anderen naar het buurthuis gegaan?'

Toni Urskine verstijfde. 'Wordt Rita soms ergens van verdacht, agent?'

'Ik ben alleen maar nieuwsgierig.'

Renner keek zenuwachtig van de ene Urskine naar de andere, alsof ze het een of andere onzichtbare teken verwachtte dat voor haar het signaal was dat ze iets zou mogen zeggen. 'Ik hou niet van grote groepen mensen,' zei ze op een verontschuldigende toon. 'En het is voor mij ook moeilijk, weet u. Vanwege Fawn.'

'Rita en Fawn Pierce – of slachtoffer twee, zoals u haar noemt – waren goede vriendinnen.' Toni sloeg een beschermende arm om Renners schouders. 'Niet dat dit iemand van uw onderzoeksteam iets kan schelen.'

Kovac hield zijn gezicht in de plooi. 'Het spijt me dat we dat over het hoofd hebben gezien. Ik zal morgen iemand langs sturen voor een gesprek met haar. Maar vanavond gaat het mij in de eerste plaats om Angie DiMarco. We moeten haar vinden.'

'U denkt toch zeker niet dat die moordenaar hier binnen is gekomen en haar heeft meegenomen, wel?' vroeg Toni ineens op geschrokken toon.

'Doe niet zo belachelijk,' zei Gregg, en hij probeerde zijn scherpe toon met een glimlach te verzachten. 'Er is niet ingebroken.'

Zijn vrouw wierp hem een giftige blik toe. 'Het is helemaal niet belachelijk wat ik zeg. Iedereen kan hier binnenkomen. Ik vraag je al maanden om nieuwe sloten op de deuren te zetten en die oude kelderdeur dicht te timmeren.'

Urskine bloosde van schaamte. 'De kelderdeur valt van binnenuit in het slot.'

Kovac keek Elwood aan. 'Ga kijken.'

'Ik wijs u wel de weg,' bood Urskine aan. Hij had zo'n haast om weg te komen bij zijn vrouw, dat hij in twee grote stappen bij de deur was.

Kate hield hem staande met een vraag. 'Gregg, heeft Angie nog iets tegen je gezegd voordat je naar het buurthuis bent gegaan?'

Hij produceerde een kort, zenuwachtig lachje. Ze vond het een irritante gewoonte, vergelijkbaar met Rob Marshalls hielenlikkersglimlachje.

'Angie zegt nooit iets tegen me. Ze mijdt me als de pest.'

'Hoe laat zijn jullie naar de bijeenkomst gegaan?' vroeg Kovac.

Urskine trok zijn wenkbrauwen op tot boven de rand van zijn bril. 'Sta ík nu onder verdenking, of zo?' vroeg hij op een toon alsof dat een goeie grap was.

Toni keek naar Kovac. 'We worden gestraft, Gregg. Snap je dat dan niet? De politie houdt er niet van op haar tekortkomingen te worden gewezen.'

Kovac schonk haar zijn strenge smerisblik. 'Ik probeer alleen maar om de tijd op een rijtje te krijgen, dat is alles.'

'Ik ben kort na Kate vertrokken,' zei Gregg. 'Ik was om – hoe laat zeg jij, schat? – halfnegen, kwart voor negen in het buurthuis.'

'Ja, zoiets,' zei zijn vrouw met een pruillip. 'Je was laat.'

'Ik heb aan de verwarming gewerkt.' Hij trok met zijn kaakspieren, en wendde zich toen weer tot Elwood. 'Gaat u mee naar de kelderdeur kijken?'

'Kunnen we gaan, agent?' vroeg Toni Urskine. 'Het is een hele lange avond geweest.'

'Dat moet je míj vertellen,' mompelde Kovac, en hij wuifde ze weg.

Kate volgde ze de kamer uit, maar sloeg rechtsaf naar de voordeur. Ze liet Toni naar haar publiek van bewoonsters gaan, die in de zitkamer bij elkaar waren gekropen.

ONS LEVEN TELT OOK. Het spandoek hing boven de voordeur van de Phoenix. De wind speelde met het oliedoek en liet het kraken.

'Het gaat sneeuwen,' zei ze. Ze stak haar handen diep in haar jaszakken en trok haar schouders op – niet tegen het weer, maar tegen de innerlijke kou. Ze liep naar het verste hoekje van de stoep, tot bijna buiten het bereik van de gele insectenlamp die niet verwijderd was aan het einde van de zomer, uit de buurt van de drukte bij de voordeur.

Als Toni Urskine al moeite had met de twee politieauto's die voor de deur stonden, dan zou ze weldra uit haar vel barsten, dacht Kate, toen de specialisten hun busje op het gazon van de voortuin parkeerden. Verschillende agenten waren intussen al begonnen met het ondervragen van de buren. Ze belden overal aan om te vragen of iemand misschien een onbekende auto had gezien, of een man te voet, of een man die iets droeg, of een man en een vrouw samen – iets dat hun een idee van de verstreken tijd zou kunnen geven of hen op het juiste spoor zou kunnen zetten. Hoewel het al laat was, brandde er in de meeste huizen nog licht, en hier en daar stonden mensen voor het raam, of werden de gordijnen opengetrokken.

'Kate, we wéten niet wat er is gebeurd,' zei Quinn.

'Nou, ik denk dat we rustig kunnen stellen dat Angie zich niet gesneden heeft tijdens het scheren van haar benen.'

In gedachten zag ze het bloed weer voor zich, en ze rilde. Het bloed op de vloer, de vegen bloed op de tegels, de bloederige handdoeken. Ze zette zich schrap tegen het misselijkmakende verzwakkende gevoel dat bezit dreigde te nemen van haar spieren.

Je moet sterk zijn, Kate. Stop die gevoelens terug in hun hokje. Doe het hokje stevig op slot. En zorg dat er niemand bij de sleutel kan.

'Volgens mij is het zo gegaan,' bracht ze met moeite uit. Ze had een prop in de keel, en dat zat haar in de weg. 'Hij is binnengekomen via de achterdeur. Hij is naar boven geslopen. Er vond een worsteling plaats, te oordelen naar de bloederige handafdrukken op de rand van het bad – ik neem voor het gemak maar even aan dat die van Angie zijn. Misschien vermoordt hij haar, of misschien maakt hij daar alleen maar een begin mee – ik hou het op het eerste. Daarna laat hij haar leegbloeden in het bad, want anders zou er nog veel meer bloed zijn geweest. Hij wil de indruk wekken dat ze gewoon is weggegaan, dus probeert hij het schoon te maken, maar hij heeft haast en hij is slordig. Maar zelfs met dat slordige opruimen van hem zou hij nog de nodige tijd gewonnen hebben als wij niet vanavond waren langsgekomen.'

'Hoe wist hij waar ze was?'

'Geen idee. Ze had het gevoel dat hij haar in de gaten hield. Misschien was dat wel waar.'

'En hoe valt dit te verenigen met het feit dat niemand iets gehoord of gezien heeft?'

'Hij heeft tot dusver al drie vrouwen ontvoerd, gemarteld en vermoord zonder dat iemand iets gehoord of gezien heeft. Rita Renner lag beneden te slapen voor de televisie, die aan stond. Het is een groot huis.'

Quinn schudde het hoofd. 'Nee, dat voelt niet goed.'

'Waarom niet? Omdat jij ervan uitgaat dat hij in het buurthuis was?'

Hij leunde met zijn rug tegen de reling en trok zijn schouders op. 'Het een sluit het ander niet uit. Het buurthuis is vlakbij, en toen Kovac en ik hiernaartoe gingen, was de bijeenkomst al een halfuur afgelopen. Ik vraag me alleen af waarom hij zo veel risico zou nemen. Het meisje heeft de politie niets gegeven waar ze wat aan hebben – geen naam, geen bruikbare tekening, en van de fotoboeken heeft ze ook niemand herkend. Waarom zou hij zo'n groot risico willen nemen?'

'Om ons te laten zien waartoe hij in staat is,' zei Kate. 'Om ons voor schut te zetten. Op de avond die bedoeld is om hem in de val te laten lokken, dringt hij een huis binnen en ontvoert de enige getuige van de misdaad die hij heeft begaan. Te oordelen naar zijn werkwijze, moet hij hier een meter lange erectie van hebben gekregen.'

Quinn keek opzij naar een van de jongens van de sporendienst, die een stofzuiger naar binnen bracht.

'Waarom ben jíj hier eigenlijk vanavond?' vroeg Kate. 'Kovac had daar helemaal niets van gezegd.'

'Toen je hem vertelde over Angie en dat type met wie ze op zondagavond in het park was, zei je ook dat hij een terreinwagen had. Volgens mij bestaat er een grote kans dat Smokey Joe iets van een truck of zo gebruikt om zijn slachtoffers in te vervoeren. Iets dat lijkt op de auto's die door de plantsoenendienst worden gebruikt. Een terreinwagen, bijvoorbeeld.'

Kate voelde hoe haar maag zich samenbalde, terwijl ze van top tot teen kippenvel kreeg. 'O, God, John. Je denkt toch niet dat híj haar klant was?'

'Dat is heel goed mogelijk. Hij haat vrouwen, en met name de vrouwen die het met de zedelijke moraal niet zo heel erg nauw nemen. Hij heeft een dooie achter in zijn auto. Hij pikt een andere op en neemt haar mee om seks met haar te hebben op de plek waar hij zijn vrachtje wil dumpen. Dat windt hem op. Die opwinding herinnert hem aan de spanning en de prikkeling van de moord. Tegelijkertijd heeft hij in gedachten totale macht over de vrouw die hij heeft opgepikt. Het feit dat hij zich ervan bewust is dat hij zijn huidige partner hetzelfde kan aandoen wat hij zijn slachtoffer heeft aangedaan, maar zich ook kan beheersen, geeft hem een besef van controle over haar en over zijn neurotische behoefte om te doden.'

'Het besluit om niet te doden geeft hem een gevoel van bijna grenzeloze macht. En alles draagt bij tot de vervolmaking van de ceremonie van het verbranden – en daarmee is de cirkel rond,' besloot Kate.

'Op papier is dat een theorie waar weinig tegenin te brengen valt.'

'Angie zei dat hij haar uit zijn auto had gegooid en dat ze hem heeft nakeken tot hij was weggereden. Vanwaar hij haar heeft laten staan, betekent dat, dat hij snel gekeerd moet zijn en moet zijn teruggereden naar die parkeerplaats, want anders kan ze het lijk niet hebben zien branden.'

Quinn draaide met zijn schouders. 'Voorlopig is het alleen nog maar een theorie.'

Een theorie van een man die als geen ander alles af wist van zedenmisdrijven met een sadistisch tintje. Kate tuurde in het duister voor zich uit en keek naar het wolkje van haar adem dat in lucht oploste.

'Maar als het inderdaad dezelfde man was, waarom heeft ze me dat dan niet verteld? En waarom heeft ze ons dan geen betere tekening gegeven? Ze heeft die man van heel dichtbij en op een persoonlijke manier meegemaakt.'

'Dat zijn vragen die alleen zij maar kan beantwoorden.'

'Maar dat kan ze nu niet,' zei Kate zacht. 'Het heeft haar zo veel moeite gekost om me alles te vertellen. Ze heeft zich van begin af aan heel stoer en flink opgesteld, maar toen ze me ten slotte over die man vertelde, was het alsof ze zich ontzettend schaamde. Ze bleef maar zeggen dat ze het verschrikkelijk vond om dit te moeten doen, en dat het haar zo speet. En ze hield maar niet op met huilen.'

Bij de herinnering aan haar gesprek met Angie dreigden haar eigen emoties weer naar de oppervlakte te komen, precies zoals ze die middag hadden gedaan.

'Je mag haar,' verklaarde Quinn.

Ze maakte een honend geluid. 'Alsof er iets te mogen valt. Ze liegt, ze gapt en ze gebruikt de meest gore taal.'

'En ze heeft je nodig,' zei hij.

'Ja, nou, moet je kijken hoe ver ze daarmee is opgeschoten.'

'Dit is niet jouw schuld, Kate.'

'Ik had bij haar moeten blijven.'

'Je had niet kunnen weten dat dit zou gebeuren.'

'Ze was op een kwetsbaar moment,' redeneerde ze. 'Ik had bij haar moeten blijven, al was het alleen maar om nog meer uit haar te krijgen. Maar dat heb ik niet gedaan omdat –'

Ze zweeg omdat ze het niet wilde toegeven. Niet hier. Niet tegenover Quinn. Hij kende haar te goed – of had dat ooit eens gedaan. Hij kende al haar gevoelige plekjes. Hij had haar ontelbare keren in zijn armen gehouden wanneer ze zó kapot was van verdriet en schuldgevoelens over Emily's dood, dat ze geen geluid meer had kunnen uitbrengen. Hij had haar met zijn aanraking getroost en haar zijn kracht geboden. Dat kon ze hem nu niet laten doen, en aan de andere kant wilde ze er ook niet achter hoeven komen dat hij het niet eens wilde proberen.

'Ze is Emily niet, Kate.'

Kate's adem stokte alsof hij haar een klap in het gezicht had gegeven, en ze draaide zich met een ruk naar hem om. 'Dat weet ik ook wel. Mijn dochter is dood.'

'En daarvan geef je jezelf nog steeds de schuld. Na al die tijd.'

'Voor zover ik weet is dat niet in strijd met de wet.'

'Je kon er niets aan doen, en hier kun je ook niets aan doen.'

'Emily was mijn dochter. Ze was mijn verantwoordelijkheid. Angie is mijn cliënt, en ze is mijn verantwoordelijkheid,' verklaarde ze koppig.

'Hoeveel cliënten heb je tot nu toe mee naar huis genomen?' vroeg Quinn. Hij zette zich af tegen de leuning en kwam naar haar toe.

'Niet een, maar –'

'Hoe vaak ben je vierentwintig uur achtereen bij je cliënten gebleven?'

'Nog nooit, maar –'

'Dan is er ook geen enkele reden om te denken dat je dat in haar geval wel had moeten doen.'

'Ze had me nodig en ik was er niet.'

'Maar elke keer wanneer je de kans krijgt jezelf te straffen, dan doe je dat,' zei Quinn, die de oude woede weer in alle hevigheid naar boven voelde komen. Hij kon zich nog maar al te goed herinneren hoe gefrustreerd hij zich had gevoeld bij zijn pogingen om Kate haar schuldgevoelens over Emily's dood uit het hoofd te praten. Hij kon zich het verlangen om haar tegelijkertijd door elkaar te rammelen en in zijn armen te nemen nog maar al te goed herinneren, want dat was precies wat hij op dit moment ook weer voelde.

Ze stond voor hem als een vurig toonbeeld van defensieve woede. En ze was mooi. En kwetsbaar. Hij wilde haar in bescherming nemen tegen de pijn die ze zichzelf wilde aandoen. En ze zou zich daar met hand en tand tegen verzetten.

'Ik neem de verantwoordelijkheid op me, alsof jij niet zou weten wat verantwoordelijkheid betekent,' zei ze op bittere toon. Ze stonden vlak tegenover elkaar. 'De Mighty Quinn, die de kanker van onze moderne maatschappij kan uitroeien. Die in staat is eigenhandig al het kwaad te overwinnen. Je torst de wereld op je schouders alsof jij daar als enige verantwoordelijk voor bent, en je hebt het lef kritiek op míj te hebben? Goeie God, hoe is het mogelijk!'

Hoofdschuddend liep ze langs hem heen, op weg naar de treden van de stoep.

'Waar ga je naartoe?' Hij stak zijn hand naar haar uit alsof hij nog steeds het recht had om haar aan te raken. Ze ontweek hem en wierp hem een ijzige blik toe.

'Ik ga iets doen. Ik ben niet van plan hier de hele avond op mijn nagels te blijven bijten. Hoewel de kans dat Angie uit eigen beweging vertrokken is gering is, kan ik op z'n minst mee helpen om haar te zoeken.'

Ze stak haar handen in haar jaszakken, haalde de sleutels eruit en liep op hoge poten naar haar auto. Quinn wierp een blik op de voordeur van het Phoenix House. Hij kon hier niets doen. En de aanblik van Kate die wegliep, bracht hem in paniek. Dwaze gedachte. Ze wilde hem niet hier. Of liever, ze wilde hem niet. Punt. En ze was ongetwijfeld beter af zonder hem. Als hij sterker was geweest, zou hij het daarbij hebben gelaten.

Maar hij voelde zich niet sterk, en hij zou hier maar een paar dagen, hooguit een week, blijven. Wat kon het voor kwaad een beetje tijd met haar door te brengen? Hij zou het al fijn vinden in haar buurt te kunnen zijn. Een verse herinnering om weg te stoppen bij de oude, om te voorschijn te halen wanneer de eenzaamheid van zijn bestaan hem in zijn geheel dreigde op te slokken. Hun wegen kruisten elkaar maar zo kort...

'Kate!' riep hij, terwijl hij haar op een holletje achternaging. 'Wacht, ik ga met je mee!'

Ze trok haar wenkbrauwen op en keek hem vanuit de hoogte aan. 'Heb ik je gevraagd om mee te komen?'

'Twee paar ogen zien meer dan één,' verklaarde hij.

Kate wilde nee zeggen. Ze zat er niet op te wachten dat hij die oude wonden weer zou openrijten. Daar was ze zelf al goed genoeg in. Toen dacht ze aan de manier waarop hij, boven, zijn armen om haar heen had geslagen, klaar om haar weg te trekken bij de verschrikkingen die ze niet achter het douchegordijn hadden aangetroffen. Hij had klaargestaan om haar te ondersteunen voor het geval dat nodig zou zijn geweest. Ze dacht eraan hoe ze zich geen moment verzet had, terwijl ze wist dat ze nee zou moeten zeggen. Hij keek haar, met zijn donkere ogen doordringend aan. Zijn gezicht stond ernstig, en toen glimlachte hij opeens en voelde ze iets trekken in haar borst, precies zoals ze dat al die jaren geleden ook had gevoeld. 'Ik beloof je dat ik me zal gedragen. En jij mag rijden.'

Ze zuchtte, draaide zich om naar de 4Runner en drukte op de afstandsbediening voor de centrale deurvergrendeling. 'Nou, dat geloof ik maar voor de helft.'

Ze bezochten de gelegenheden aan Lake Street waar de nachtelijke wezens de uren tussen zonsondergang en zonsopgang plachten door te brengen. Biljartzalen, bars en eethuizen die de hele nacht open waren. Een tehuis voor daklozen dat vol zat met vrouwen en kinderen. Een wasserette waar een alcoholist met een dikke bos van smerig grijs haar op een van de plastic kuipstoeltjes door de ramen naar buiten zat te turen tot de iets fortuinlijker nachtbediende hem weer de straat op joeg.

Niemand had Angie gezien. De meesten keurden de foto amper een blik waardig. Kate weigerde stil te staan bij het uitblijven van enig resultaat. Ze had dan ook geen resultaat verwacht. Het was haar alleen maar te doen om de tijd door te komen. Ze wist niet wat erger zou zijn: de nacht doorbrengen met zoeken in deze achterbuurt, of thuis gin zitten drinken tot ze de bloedvlekken in haar hoofd niet meer zou kunnen zien.

'Ik moet iets drinken,' zei ze, toen ze een bar binnen waren gegaan die Eight Balls heette. Het interieur werd verduisterd door een dikke mist van sigarettenrook. Het korte klikken van de biljartballen die tegen elkaar stootten werd afgewisseld door Jonny Lang's blues die uit de jukebox klonk – *Lie to Me.*

'We zijn eigenlijk al aan het sluiten, schoonheid,' zei de barkeeper. Hij had de afmetingen van een minicamper, een kaalgeschoren hoofd en een ruige Fu-Manchu-snor. 'Ik ben Tiny Marvin. Wat zou je denken van iets sterks en zwarts als ik?'

Quinn toonde hem zijn legitimatie en wierp hem zijn 'Geen gezeik, G-man'-blik toe.

'Wel heb je ooit! Het zijn Scully en Mulder,' zei Marvin, die totaal niet onder de indruk was, terwijl hij een koffiekan van het warmteplaatje pakte.

Kate ging op een barkruk zitten. 'Ja, koffie is best, dank je.'

Er was een twaalftal serieuze biljarters aan het werk. Een paar hoeren zorgden voor de decoratie. Ze maakten een verveelde indruk en wierpen ongeduldige blikken op de klok. Een van hen liet haar blik geïnteresseerd over Quinn gaan, waarna ze haar buurvrouw een zetje gaf, maar geen van beiden maakte aanstalten om dichterbij te komen.

Tiny Marvin keek Quinn onderzoekend aan. 'Hé, heb ik jou niet op de tv gezien? In het echt dan, bedoel ik.'

'We zijn op zoek naar een meisje,' zei Quinn.

Kate schoof de polaroid over de bar, in de verwachting dat Marvin er net zo weinig interesse voor zou tonen als de andere barkeepers tot dusver hadden gedaan. Hij pakte hem op met zijn korte, dikke vingers en bekeek de foto aandachtig.

'Ja, ze is hier geweest.'

Kate ging meteen rechtop zitten. 'Vanavond?'

'Nee. Zondag. Pakweg halfelf, elf uur. Ze kwam binnen om warm te worden, zei ze. Veel te jong. Ik heb haar meteen weer de straat op gejaagd. Ik bedoel, dat je volwassenen toelaat is nog tot daar aan toe, als je snapt wat ik bedoel. Dat kind betekent moeilijkheden. En daar zit ik echt niet op te wachten.'

'Is ze alleen weggegaan, of samen met iemand?' vroeg Quinn.

'Alleen. Ze is de straat weer op gegaan en heeft een poosje op en neer gelopen. Toen begon ik spijt te krijgen – ik bedoel, stel dat ze mijn nichtje was geweest of zo, en ik hoorde dat de een of andere klootzak haar op straat had gegooid? Man, ik zou hem een goed pak rammel geven. Dus ik ga naar haar toe om te zeggen dat ze een kop koffie van me kan krijgen als ze dat wil, maar dan heeft iemand haar net een lift gegeven en zie ik ze de straat uit rijden.'

'Wat voor soort auto?' vroeg Kate.

'Een soort terreinwagen.'

Haar hart begon een sneller ritme te slaan, en ze draaide zich opzij naar Quinn, maar die zat nog naar Tiny Marvin te kijken.

'Je hebt het kenteken zeker niet onthouden, hé?'

'Hé, man ik ben geen buurtbewaker.'

'Het kon je niets schelen dat de man iets deed dat in strijd was met de wet,' zei Kate.

Tiny Marvin keek haar aan en fronste zijn voorhoofd. 'Luister, Scully, ik zorg voor wat er zich hierbinnen afspeelt. De rest van de wereld gaat me niets aan. Het meisje gedroeg zich als een tippelaarster. Dat was haar zaak.'

'En als ze je nichtje was geweest?'

Quinn wierp haar een waarschuwende blik toe en wendde zich opnieuw tot de barkeeper. 'Heb je gezien wie er achter het stuur zat?'

'Daar heb ik niet op gelet. Ik dacht alleen maar: wat een stakker, dat hij zo'n kind moet oppikken. De wereld is een kille, zieke plek – als je snapt wat ik bedoel.'

'Ja,' zei Kate zacht, terwijl ze Angie's foto weer oppakte van de bar. Ze keek naar haar mooie, exotische gezichtje, de bedenkelijke mond en de boze ogen die te veel hadden gezien. 'Ja, ik snap precies wat je bedoelt.'

Kate trok de kraag van haar jas strak om haar keel en keek naar de bank aan de overkant van de verlaten straat. Achter de van tralies voorziene etalage brandden de neonletters die zeiden: WISSELKAN-TOOR VOOR CHEQUES.

'Timing is alles,' zei ze. 'Als Angie niet hier had gestaan op het moment waarop de auto door deze straat was gereden, dan zou ik nu thuis in bed liggen en zou jij ergens anders aan een andere zaak aan het werk zijn.'

Ze lachte voor zich heen en schudde het hoofd. De wind kreeg greep op haar haren en sloeg ze in haar gezicht. 'Ik doe dit werk nu al zo lang, en ik verbaas me nog steeds over wat we het toeval noemen. Is dat stom of niet?'

'Je was altijd al de koppigste mens die ik ken.' Quinn stak zijn hand automatisch uit om haar haren weer naar achteren te duwen. Zijn vingertoppen streelden haar wang. 'Een cynicus is niets anders dan een teleurgestelde idealist, wist je dat?'

'Spreek je uit ervaring?' reageerde ze.

'Ik heb het leven nooit als ideaal beschouwd.'

Dat wist ze natuurlijk best. Ze wist alles van zijn leven. Hij had haar verteld over zijn vader die alcoholist was, en over zijn moeilijke jeugd binnen het arbeidersmilieu van Cincinnatti. Ze was een van de weinige mensen die dat van hem wisten.

'Maar dat heeft je nooit voor teleurstellingen kunnen behoeden,' zei ze zacht.

'Hopeloosheid is het enige dat je voor teleurstellingen kan behoeden. Maar als je geen hoop hebt, heeft het leven geen zin.'

'En wat is dan het verschil tussen hoop en wanhoop?' vroeg ze. Ze dacht aan Angie, en vroeg zich af of ze durfde te hopen.

'Tijd.'

En het was niet ondenkbaar dat Angie DiMarco die niet meer had. Zelf hadden ze die al sinds jaren niet meer. Kate merkte hoe een gevoel van intense teleurstelling bezit van haar nam. Ze wilde haar hoofd tegen Quinns schouder leggen en wilde zijn armen om zich heen voelen. In plaats daarvan zette ze zich af tegen de muur en ging op weg terug naar de 4Runner die bij de wasserette stond geparkeerd. De zwerver keek door de achterruit naar binnen alsof hij zich afvroeg of de auto een goed plekje zou zijn om de rest van de nacht in door te brengen.

'Ik zet je af bij je hotel,' zei ze tegen Quinn.

'Nee, ik rij met je mee naar huis en bel een taxi. Ik weet dat je echt wel tegen een stootje kunt, Kate, maar ik wil niet dat je alleen naar huis gaat. Dat is geen goed idee. Niet vanavond.'

Had ze zich wat sterker gevoeld, dan zou ze zich tegen dat idee verzet hebben, maar ze voelde zich niet sterk, en ze kon zich nog maar al te goed herinneren hoe ze, toen ze enkele uren tevoren thuis was gekomen, het gevoel had gehad dat er vanuit de achtertuin naar haar werd gekeken.

'Goed.' Ze drukte op het knopje van de automatische ontgrendeling. Het alarm ging af en de zwerver schoot achteruit, terug in het portiek van de wasserette. 'Maar doe geen gekke dingen, want anders laat ik mijn kat op je los.'

20

'Is er al iets bekend van het huis-aan-huis-onderzoek?' vroeg Kovac, terwijl hij een sigaret opstak.

Tippen haalde zijn schouders op. 'De meeste mensen waren nijdig over het feit dat ze midden in de nacht politie aan de deur kregen.' Ze stonden voor het Phoenix House, onder het vrolijke gele licht van de insectenlamp. De auto van de sporendienst stond nog in de voortuin, die inmiddels was afgezet om de media op een afstand te houden.

De pers was, toegestroomd als een zwerm aasgieren, hoewel de snelheid waarmee dat gepaard ging bijna verdacht was. Sam tuurde door de rook en de vallende sneeuw naar de hoek van de stoep, waar Toni Urskine geïnterviewd werd in de onwerkelijke gloed van de draagbare lampen.

'Het zou me niets verbazen als blijkt dat dat mens de pers zelf heeft gebeld,' mompelde Sam.

'Ze doet alles voor publiciteit,' zei Elwood, terwijl hij zijn vilten hoedje wat dieper over zijn voorhoofd trok. 'Dat is toch typisch Amerikaans. Al deze publiciteit moet haar heel wat schenkingen in het laatje brengen.'

'Als ze ook maar laat doorschemeren dat alles wat zich op dit moment hier afspeelt te maken heeft met onze getuige, kan ik het wel schudden,' zei Kovac.

'Als ik jou was, Sam, zou ik maar aardig tegen haar zijn,' zei Liska, die kleine sprongetjes maakte om warm te blijven. 'Als je wilt, leen ik je mijn tubetje K-Y Jelly wel.'

'Getsie, Tinks.' Kovac trok een vies gezicht. Hij wendde zich tot Elwood. 'Wat hebben we in de kelder? Hoe zit het met dat verhaal van de kelderdeur?'

'De deur valt van binnenuit in het slot. Er zitten vlekken op de vloer die bloedsporen zouden kunnen zijn. Niet veel. Urskine zegt dat het niets te betekenen heeft, dat hij zichzelf gesneden heeft toen hij een paar dagen geleden aan de verwarmingsketel werkte.'

Kovac liet vanuit diep in zijn keel een grommend geluid horen, en wendde zich opnieuw tot Liska. 'En hoe staat het met dat stuk van jou, die Vanlees?'

'Ik kan hem niet vinden. Ik had hem vanaf het buurthuis willen volgen, maar ben hem in het gedrang en de verkeerschaos buiten uit het oog verloren.'

'Werkt hij dan niet vanavond? Hij had zijn uniform aan toen hij in het buurthuis was.'

'Het zou me niets verbazen als hij daarin sliep,' zei ze. 'Hij staat voortdurend klaar om het grote publiek te beschermen tegen onstuimige korfbalfans en kaartjesspeculanten. Hij heeft een goedkope flat in Lyndale, maar woont daar niet. Ik heb met zijn aanstaande ex-vrouw gesproken. Ze zegt dat hij voor iemand op een huis past. Ze weet niet van wie, en het kan haar ook geen barst schelen.'

'Als hij zo graag bij de politie wil, kan hij net zogoed beginnen met een scheiding achter de kiezen,' zei Tippen.

'Heeft ze laten doorschemeren dat hij perverse neigingen heeft?' vroeg Sam.

'O, dit vind je vast schitterend,' zei ze, en haar ogen begonnen te stralen. 'Ik vroeg haar naar die veroordeling van hem, van anderhalf jaar geleden. Quinn had gelijk. Gil had het te pakken van een collegaatje van zijn vrouw. Hij is betrapt toen hij naar haar probeerde te gluren terwijl ze zich aan het verkleden was.'

'En hij zit nog steeds bij de beveiliging?' vroeg Kovac.

'Hij heeft het heel stil gehouden, en niemand heeft er enige aandacht aan besteed. Hij beweerde dat het één groot misverstand was.'

'Ja,' voegde Tippen er op een honende toon aan toe. 'Het was één grote vergissing, edelachtbare. Ik zat gewoon in de auto, bemoeide me met niets en niemand, en opeens kreeg ik een ontzettend verlangen om iemand een lekker pak op de billen te geven.'

'Ik zie wel wat in hem, Sam,' zei Liska. 'Zijn vrouw heeft geen goed woord voor hem over. Ze liet doorschemeren dat hun seksleven, toen ze nog samen waren, niets om het lijf had. Als dat zo is, beantwoordt hij nog beter aan Quinns profiel. Een groot aantal van dit soort types schiet tekort tegenover hun partner.'

'Spreek je uit ervaring?' vroeg Tippen vals.

'Nou, ik heb nog geen verhouding met jou gehad, dus ik denk van niet.'

'Krijg de kelere, Tinker Bell.'

'Je snapt het nog steeds niet, hè?'

'Ik zet een auto voor zijn flat,' zei Kovac. 'Ik wil hem zo snel mogelijk op het bureau. Kijk of je erachter kunt komen waar dat huis is waar hij op past. Iemand zal toch moeten weten waar het is. Bel zijn baas, of probeer het anders nog eens bij zijn vrouw. Vanavond nog. Vraag wie zijn vrienden zijn, en bel ze op.'

'Daar wil ik wel bij helpen,' zei Moss.

'Val iedereen lastig die hem kent,' vervolgde Kovac. 'Daar moet hij lucht van krijgen, en dat zal hem irriteren. Zijn jullie er al achter wat voor auto hij heeft?'

'Een bruine GMC Jimmy.'

Sam had het gevoel alsof iemand hem in de maag had gestompt. 'Een barkeeper uit Lake Street heeft onze getuige zondagavond in een donkere terreinwagen zien stappen. Dit was de man die ze bewerkt heeft voor ze slachtoffer drie tegen het lijf is gelopen.'

'Heeft ze gezegd hoe de man heette?' wilde Adler weten.

'Nee.'

'Kon Vanlees geweten hebben dat het meisje hier was ondergebracht?' vroeg Moss.

Liska schudde het hoofd. 'Ik zou niet weten hoe, tenzij hij het op de een of andere manier voor elkaar heeft gekregen haar vanaf het bureau hier naartoe te volgen. Maar dat lijkt me niet waarschijnlijk.'

'Wie waren er wél van op de hoogte dat ze hier zat?' vroeg Adler.

'Wij, Sabin, de getuige/slachtoffer mensen, de vrouw van hier en haar man. De burgemeester, de mensen van Bondurant –'

'En de rest van de wereld,' besloot Elwood.

'Een van de eerdere slachtoffers heeft hier ook gewoond,' merkte Moss op.

'En toen we haar geblakerd en wel gevonden hadden, hebben we iedereen hier aan de tand gevoeld. We zijn iedereen nagegaan op alibi, strafblad, kennissen, enzovoort, enzovoort,' zei Kovac.. 'Ik weet nog dat ze op een vrijdag is gevonden. Ze was hier al zes maanden of langer weg. Ik ben hier op zondag langsgegaan om te kijken of ze nog bevriend was met mensen van hier. De Urskine's waren ergens naar het noorden, naar een vakantiehuisje, dus aan hen kon ik niets vragen. Maandagochtend daarop belt Toni Urskine diep verontwaardigd naar de hoofdinspecteur met de vraag waarom ik haar nog niet had gebeld.'

'En nu kunnen we weer helemaal van voren af aan beginnen met een nieuw stel hoeren,' kreunde Tippen. 'Alsof we tijd hebben voor het maken van nog meer processen-verbaal.'

'Kom op, dat is toch zeker de reden waarom ze je een slavenloon betalen en je als oud vuil behandelen?' zei Kovac.

'En ik maar denken dat het persoonlijk bedoeld was.'

'Goed. Wie heeft er zin om naar Lake Street te gaan?' vroeg Sam. 'Misschien is er wel iemand geweest die dat meisje zondagavond in die terreinwagen heeft zien stappen. En als het je lukt om een kenteken te krijgen, krijg je van mij een tongzoen.'

'Alsof dat een uitdaging zou moeten zijn,' zei Adler.

'Laat Tippen het maar doen,' zei Liska. 'Misschien vindt hij wel een vriendinnetje.'

'Nee, stuur Charm er maar heen,' zei Tippen. 'De hoeren zullen hem geld tóe geven.'

'Jullie tweeën,' zei Kovac, op Yurek en Tippen wijzend. 'Jullie zijn het ideale stel.'

'Gods gave en de Genadewip,' grinnikte Liska.

Tippen trok aan het uiteinde van de das die ze om haar hals had.

'Vandaag of morgen zul je hiervoor moeten boeten, Liska.'

'Niet als ik meer dan tien centimeter uit je buurt blijf.'

'Vooruit, jongens, opgeduveld,' beval Kovac. 'De tijd verstrijkt, en hoe langer we wachten, des te moeilijker het allemaal wordt. We moeten de dader te pakken zien te krijgen voor er nog meer slacht-offers vallen.'

'Dat noem ik nog eens een kat,' zei Quinn, met een blik op Thor, die hem vanaf het gangtafeltje strak aan zat te kijken. 'Maar ik denk dat ik hem wel aan zou kunnen.'

De kat woog zeker tien kilo, en er groeiden dikke plukken haar uit zijn oren. Zijn snorharen leken zeker dertig centimeter lang. Hij drukte zijn kin weg in zijn dichte vacht en maakte een geluid dat leek op 'hmm'. Vervolgens strekte hij zijn achterpoot, in een soort van yogahouding uit achter zijn oor, en begon zijn achterwerk te likken.

Quinn trok een gezicht. 'Het is duidelijk wat hij van me vindt.'

'Je moet het niet persoonlijk opvatten,' zei Kate. 'Thor staat ver boven kleinzielige opvattingen van ons simpele mensen.'

Ze hing haar jas in de gangkast op, en beheerste zich toen ze een tweede, leeg hangertje wilde pakken.

'Bedankt voor al je hulp vanavond,' zei ze, terwijl ze de deur dichtdeed en ertegenaan leunde. 'Ik reageerde niet zo heel aardig op je aanbod, maar ik weet dat onderzoeken niet tot je taken behoort.'

'Het behoort ook niet tot jouw werk.'

'Dat klopt, maar ik wilde iets doen, iets pro-actiefs. Je weet best dat ik niet in staat ben om de dingen rustig op hun beloop te laten. En jij? Jij had ook helemaal niet met Kovac mee hoeven gaan naar het Phoenix House.'

'Niets aan deze zaak is normaal en volgens het boekje.'

'Vanwege Peter Bondurant, ja, dat weet ik.' Ze aaide Thor over zijn kop. De kat wierp haar een beledigde blik toe, sprong op de grond en sloop weg met een buik die bijna over de vloer sleepte.

'Geld leidt tot nieuwe regels,' zei Kate. 'Er is in de Cities niet één politicus die zich niet uit zou sloven om Peter Bondurants reet te lik-ken om hem vervolgens te zeggen dat hij heerlijk ruikt. Omdat hij geld heeft en zij willen dat dat geld hier blijft. En het is daarom dat Sabin het goedvindt dat zijn advocaat bij alle besprekingen aanwezig is, en dat de burgemeester bereid is naar hem te luisteren, om nog maar te zwijgen over de directeur van de FBI. Ik weet zeker dat het de ouders van Lila White niet is gelukt verder te komen dan Brew-sters secretaresse, zo ze al op het idee zijn gekomen om het te probe-ren.'

'Je klinkt al net zo als Toni Urskine, met te beweren dat iedereen alleen op papíer maar gelijk is.'

'Gelijkheid is een prachtig ideaal, maar jij weet net zo goed als ik dat het in de realiteit niet functioneert. Wie geld heeft kan daarmee waar en wanneer hij maar wil gelijkheid, maar ook óngelijkheid kopen.

'Maar ik kan het Bondurant nog steeds niet kwalijk nemen. Welke ouder zou niet alles doen wat in zijn vermogen ligt om een kind terug te krijgen?' vroeg ze, en er verscheen een sombere uitdrukking op haar gezicht. 'Ik zou bereid zijn geweest mijn ziel aan de duivel te verkopen toen Em ziek was. Ik geloof zelfs dat ik dat geprobeerd heb,' bekende ze met een vreugdeloos glimlachje. 'Maar er werd niet op gereageerd. Sindsdien geloof ik niet meer in de duivel.'

Haar verdriet was nog steeds een voelbaar iets, en Quinn wilde niets liever dan haar in zijn armen nemen en haar uitnodigen om het, net als vroeger, met hem te delen.

'Maar al Bondurants geld heeft er ook niet voor kunnen zorgen dat zijn dochter nog leeft,' zei hij. 'Als het stoffelijk overschot inderdaad dat van Jillian Bondurant is. Hij is er in ieder geval van overtuigd.'

'Hoe zou het komen dat hij daar zo zeker van is?' vroeg Kate verbaasd. Zelf had ze zich zó verzet tegen het nieuws van Emily's dood dat ze, zelfs nadat de verpleegster haar had meegenomen naar de kamer waar haar dochtertje lag, en ze het koude handje had gevoeld, en met eigen ogen had gezien dat er geen pols meer was en ze geen adem meer haalde, nóg geweigerd had te geloven dat haar kind niet meer leefde.

'Wat een vreemde man toch,' zei ze. 'Ik had niet verwacht dat hij er vanavond bij zou zijn. Hij heeft zich tot dusver zo op de achtergrond gehouden.'

Haar achteloze opmerking trof Quinn als een maagstoot. 'Heb je Bondurant in het buurthuis gezien? Weet je het zeker?'

'Nou, als hij het niet was, dan was het zijn dubbelganger,' zei Kate. 'Ik zag hem bij het weggaan. Ik vond het vreemd dat hij niet bij zijn volgelingen was, maar het was duidelijk dat hij niet wilde opvallen. Hij liep erbij als Jan en Alleman in een jack en met een oud petje op. Hij deed zijn best om anoniem te blijven en is net als het gewone publiek via de achteruitgang vertrokken.'

Er verschenen rimpels op Quinns voorhoofd. 'Ik kan hem maar niet peilen. Zo op het eerste gezicht werkt hij het onderzoek eerder tegen dan dat hij eraan meewerkt, maar toch is híj het geweest die me erbij heeft gehaald. Maar als ik hem bepaalde vragen stel, weigert hij die te beantwoorden. Hij is de ene tegenstelling na de andere.

'Jezus, ik kan gewoon niet geloven dat ik hem niet heb gezien vanavond.'

'Je hebt niet naar hem uitgekeken,' redeneerde Kate. 'Je was niet op zoek naar hem, maar naar een moordenaar.'

En heb ik die dan ook over het hoofd gezien? Quinn masseerde de plotseling opgekomen pijn in zijn maag. Wat had hij verder nog over het hoofd gezien? Het een of andere subtiele teken: een blik, een knipoog, een vaag glimlachje. En als hij het wél had gezien, zou Angie DiMarco op dit moment dan in haar bed in het Phoenix House hebben liggen slapen? Nee, was een logisch antwoord op die vraag. Maar wie een moordenaar van dit kaliber wilde ontmaskeren, had aan logica alleen niet genoeg. Intuïtie, dat was waar het om ging, en de afgelopen dagen leek het wel alsof zijn intuïtie hem in de steek had gelaten.

'Ik raak het gevoel maar niet kwijt dat zijn dochter de sleutel van dit alles is,' zei hij. 'Vooropgesteld dat ze inderdaad het derde slacht-offer is. Smokey Joe is voor haar van zijn vaste patroon afgeweken. Waarom? De eerste twee slachtoffers zijn verbrand, maar hij heeft bij hen niet geprobeerd om ze op een andere manier onherkenbaar te maken. Bij nummer drie verminkt hij de vingertoppen en de voet-zolen. En hij laat haar hoofd verdwijnen. Hij maakt het ons nage-noeg onmogelijk om haar te identificeren.'

'Maar hij laat haar rijbewijs achter.'

'Waarom zou hij beide dingen doen?'

'Het eerste kan een onderdeel van de marteling zijn geweest,' sug-gereerde Kate. 'Het kan samenhangen met de depersonalisatie. Door haar te onthoofden was ze ineens niemand meer. Maar het kan hem niet schelen dat wij ná haar dood weten wie ze is, en dus laat hij haar rijbewijs achter als om te zeggen: "Hé, kijk eens wie ik nu ver-moord heb?" Misschien was het hem erom te doen dat dit slacht-offer zich in de laatste minuten van haar leven niemand zou voelen, en wilde hij dat ze zou sterven met de gedachte dat niemand in staat zou zijn om haar te identificeren of zich over haar lichaam te ontfer-men of haar zou te kunnen treuren.'

'Misschien,' zei Quinn. 'Maar misschien wijkt hij met deze extre-me vorm van depersonalisatie wel van zijn vaste patroon af omdat hij Jillian kende. Als we, bijvoorbeeld, even stilstaan bij die bewaker die bij Jillian in de straat woonde, dan zouden we kunnen speculeren dat hij de twee prostituees bij wijze van oefening heeft vermoord en zijn gevoelens voor Jillian op hen geprojecteerd heeft. Maar dat be-vredigde hem niet in zijn behoefte, en dus gaat hij verder en vergrijpt zich aan Jillian zelf, waarbij hij haar hoofd houdt omdat hij haar wil bezitten.

'Of misschien houdt de moordenaar haar hoofd wel omdat het lijk níet Jillian Bondurant is en hij ons alleen maar in de waan wil laten. Maar het is zeker, dat het haar rijbewijs is, en als het lichaam niet van haar is, hoe is Smokey Joe er dan aan gekomen?' vroeg hij. 'We weten dat het geen ontvoering was. Er is tot op dit moment geen telefoontje binnengekomen, en voor zover we weten heeft niemand om losgeld gevraagd. Bondurant wilde niet dat we zijn telefoon afluisterden – hetgeen het zoveelste vreemde aspect aan zijn gedrag is.'

'En als Jillian nog leeft,' zei Kate, 'waar is ze dan, en wat is haar rol in deze hele toestand?'

'Geen idee. En voor zover we weten is er niemand die Jillian kende, die bereid of in staat is het ons te vertellen. Deze zaak bezorgt me een bijzonder akelig gevoel, Kate.'

'Het soort waar je eigenlijk voor naar de dokter zou moeten?' vroeg ze, met een nadrukkelijke blik op de hand waarmee hij zijn buik masseerde. 'Dat doe je nu al de hele tijd.'

Hij liet zijn hand vallen. 'Het is niets.'

Kate schudde haar hoofd. 'Het zou me niets verbazen als je een knoert van een gat in je maag hebt. Maar zul je dat ooit toegeven? Natuurlijk niet. Stel je toch eens voor wat dat voor Quinns mystieke aura zou betekenen. Daarmee zou je je verlagen tot het niveau van Superman met zijn zwakke plek voor kryptoniet. Nee, dat kunnen we echt niet hebben.'

Ze wilde hem vragen of hij gesproken had met iemand van de psychologische dienst, maar ze wist dat ze zich die moeite net zogoed zou kunnen besparen. Elke andere agent van zijn groep kon bij de psycholoog aankloppen en niemand zou daar iets vreemds achter zoeken. Problemen als gevolg van stress waren aan de orde van de dag. Iedereen had daar begrip voor. Ze zagen te veel, en moesten geval na geval in het hoofd van slachtoffers en de meest onmenselijke daders kruipen. Ze werden dagelijks geconfronteerd met de meest negatieve kant die de wereld te bieden had, en namen beslissingen op leven en dood die slechts gebaseerd waren op hun eigen kennis van het menselijk gedrag. Maar John Quinn zou nooit willen toegeven dat hij onder die enorme druk te lijden had. Hij was een levende legende, en kwetsbaarheid paste nu eenmaal niet in het plaatje dat daarbij hoorde.

'Je bent niet onschendbaar, John,' zei ze zacht.

Hij glimlachte alsof ze iets amusants had gezegd, maar weigerde haar aan te kijken. 'Het is niets.'

'Best.' Als hij niet voor zichzelf wilde zorgen, dan was dat zijn probleem – of het probleem van de een of andere anonieme vrouw in Virginia, maar zij had er niets mee te maken. 'Het is nu tijd voor die borrel. Wil jij nog iets hebben voor je gaat? Een aspirientje? Iets tegen de maagpijn? Een rol pepermuntjes om tijdens je taxirit op te kunnen zuigen?'

Ze liep naar de keuken en kon het niet uitstaan van zichzelf dat ze hem de kans had gegeven nog wat langer te blijven, maar stelde zich vervolgens gerust met de gedachte dat ze dat had gedaan omdat ze hem iets verschuldigd was geweest. En daarbij, hij zag eruit alsof hij wel een borrel kon gebruiken.

Ze wist natuurlijk dat hij niets zou willen drinken. Hij was zich meer dan bewust van het feit dat er zowel binnen zijn familie als binnen zijn vak sprake was van drankproblemen. Hoezeer hij ook de behoefte mocht hebben de frustratie en de spanning die bij het werk hoorden te verdoven, het risico van het verdrinken daarvan was te groot.

'Mooi huis,' zei hij, terwijl hij haar volgde.

'Ik heb het van mijn ouders gekocht toen ze hun verstand waren verloren en naar Las Vegas zijn verhuisd.'

'Dus dan ben je echt thuisgekomen.'

Van de puinhopen van haar leven in Virginia naar een huis vol warme herinneringen en een geborgen gevoel. Hij nam aan dat het huis haar in plaats van de troost van de troost van haar familie, de troost had gegeven waar ze behoefte aan had, hoewel hij zich niet kon voorstellen dat ze alles aan haar ouders had verteld. Toen haar leven in Quantico voor haar was ingestort, had ze zich diep beschaamd gevoeld. De gedachte eraan deed hem nog steeds pijn. Hij had nog nooit met iemand zo'n diepe band gehad als met haar, maar toch was het niet diep genoeg geweest om de stress van de ontdekking en de afkeuring, en Kate's neiging om zich schuldig te voelen, te overleven.

Hij keek naar haar terwijl ze bezig was in de keuken. Ze haalde een kopje uit de kast en een doosje met zakjes kruidenthee, en haar lange haren vielen in een roodgouden golf over haar rug. Hij wilde zijn hand eroverheen laten gaan en hem onder op haar rug laten rusten.

Quinn was zich altijd bewust geweest van haar vrouwelijkheid, van haar kwetsbaarheid. Er waren waarschijnlijk maar weinig mensen die, wanneer ze Kate zagen, dachten dat ze behoefte had aan bescherming. Haar kracht en vasthoudendheid waren de eigenschappen die anderen in haar zagen. Maar achter die muur bevond zich een vrouw die niet altijd zo zelfverzekerd was als ze wel voorgaf.

'Hoe is het met je, Kate?'

'Hmm? Wat?' Ze draaide zich van de magnetron naar hem toe en keek hem verward aan. 'Ik ben moe. Ik ben van streek. Ik ben een getuige kwijt...'

Quinn deed een stapje naar haar toe en legde een vinger op haar lippen. 'Ik had het niet over de zaak. Het is vijf jaar geleden. Hoe is het nu echt met je?'

Kate's hart begon als een wilde te slaan. Antwoorden kwamen klem te zitten in haar keel. Vijf jaar. Ze herinnerde zich het eerste met zo'n felle pijn dat haar adem ervan stokte. Het tweede jaar was geweest als het opnieuw leren lopen en praten na een beroerte. Daarna kwamen het derde en het vierde en het vijfde jaar. In die tijd had ze carrière gemaakt, had ze zich thuis leren voelen in het huis van haar ouders, had ze gereisd en een veilig hoekje in de wereld gevonden. Maar de antwoorden die haar te binnen schoten waren andere woorden. *Hoe is het met je? Leeg. Eenzaam. Afgeschermd.* 'Laten we dat spelletje niet spelen,' zei ze zacht. 'Als je werkelijk geïnteresseerd was, had je niet vijf jaar met het stellen van die vraag gewacht.'

Ze hoorde de spijtige klank van haar stem en had spijt van wat ze gezegd had. Wat had het voor zin, ze hadden immers maar een paar dagen? Ze konden beter doen alsof er nooit een vuur was geweest, in plaats van de as op te poken en het stof van herinneringen op te rakelen. De wekker van de magnetron ging af, en ze draaide zich met haar rug naar hem toe om de thee te zetten.

'Je had gezegd dat je het zo wilde,' zei hij. 'Jij wilde weg. Jij wilde ermee stoppen. Je wilde alles vergeten en opnieuw beginnen. Wat had je dan gewild dat ik deed, Kate?'

Dat je me had gevraagd om niet te gaan. Dat je met me mee was gegaan. De antwoorden schoten haar nog even gemakkelijk te binnen als toen, en waren nog steeds even zinloos. Tegen de tijd dat ze uit Virginia was vertrokken, waren de woede en de pijn zo heftig geweest dat hij niet meer in staat was geweest haar te vragen om niet te gaan. En ze wist zonder dat ze het hem ernaar hoefde te vragen, dat hij zijn werk bij de Investigative Support nooit op zou geven om met haar mee te gaan. John Quinn was de verpersoonlijking van zijn werk. Hij was met zijn werk getrouwd zoals hij dat nooit met een vrouw zou kunnen zijn. En het deed nog steeds pijn daaraan te denken.

'Wat had je dan moeten doen? Niets,' fluisterde ze. 'Wat je hebt gedaan was goed.'

Quinn ging vlak achter haar staan. Hij wilde haar aanraken alsof hij daarmee als bij toverslag alle tijd en problemen die tussen hen in lagen zou kunnen uitwissen. Hij wilde zeggen dat zij hem toch ook had kunnen opbellen, maar hij wist dat ze daar te trots en ook veel te onzeker voor was. Aan de ene kant was hij opgelucht geweest over het feit dat ze nooit had gebeld, want daarmee zou ze hem gedwongen hebben in de grote spiegel van het leven te kijken en antwoord te geven op de vraag of hij nog voldoende innerlijke kracht over had om een blijvende relatie aan te gaan. Zijn angst voor het antwoord had ervoor gezorgd dat hij die vraag lange tijd ontvlucht was.

En nu stond hij op luttele centimeters van het beste gedeelte van zijn verleden en wist dat hij het zou moeten laten rusten. Als hij vijf jaar geleden niet voldoende innerlijke kracht had gehad voor een relatie, dan had hij dat nu zeker niet.

Hij hief zijn hand op om haar haren te strelen, om de herinnering aan het gevoel ervan te toetsen aan de zijdezachte realiteit. Hij legde zijn hand op haar schouder, op de vertrouwde harde zenuwknoop daar.

'Heb je er spijt van, Kate? Niet van de manier waarop we uit elkaar zijn gegaan, maar van óns?'

Kate kneep haar ogen stijf dicht. Ze had bergen spijt, bergen waar ze elke ochtend eerst overheen moest om aan haar dag te kunnen beginnen. Maar haar spijt was nooit groot genoeg geweest om zich opnieuw tot hem te wenden. Wat haar speet, was dat ze naar meer had verlangd. Wat haar speet was dat hij niet meer te geven had gehad. Maar wanneer ze aan zijn aanrakingen en kussen en de nachten in zijn armen dacht, dan had ze daar geen grammetje spijt van. Wat hij haar had gegeven waren liefde en begrip, hartstocht en medeleven, tederheid en troost in een tijd waarin ze daar zo'n waanzinnige behoefte aan had gehad en haar verdriet en innerlijke eenzaamheid onbeschrijfelijk groot waren geweest. Hoe kon ze daar spijt van hebben?

'Nee,' zei ze. Ze draaide zich naar hem om en hield de dampende kop thee tussen hen in. 'Hier. Tegen de pijn in je maag.'

Hij bleef haar aankijken – keek naar haar ogen, die donker en vurig en doordrongen van emotie waren – terwijl hij de kop van haar aannam en op het aanrecht zette.

'Ik heb geen spijt van ons,' zei hij. 'Er zijn momenten geweest waarop ik meende dat ik dat wel had moeten hebben, maar dat had en heb ik niet.'

Zijn vingertoppen gingen strelend over haar wangen en gleden terug in haar haren. Hij boog zich naar haar toe en bracht zijn mond naar de hare. Scherp, bitter en zoet verlangen maakten zich op slag van haar meester. Haar lippen bewogen zich tegen de zijne uit herinnering en verlangen. Ze sloten op volmaakte wijze op elkaar aan. Het volmaakte evenwicht tussen druk en hartstocht. Hun tongen verstrengelden zich om elkaar heen en zochten, proefden, streelden en verdiepten de kus en de emoties die ermee werden opgeroepen. Haar hart sloeg hard tegen haar borstkas en de zijne. Ze was zich op slag bewust van de gevoeligheid in haar borsten, een verlangen naar de aanraking van zijn hand, zijn mond, een verlangen naar een band die dieper ging dan dit. Hij drukte haar dichter tegen zich aan. Ze voelde zijn harde erectie tegen haar buik.

Over een paar dagen was hij weer weg, schoot het vagelijk door haar achterhoofd. Hij was hier in verband met een zaak, niet omdat hij haar nodig had of miste of wilde uitzoeken of het terecht was geweest dat ze het hadden uitgemaakt. Al die dingen waren bijkomstigheden.

'Nee,' zei ze zachtjes, toen hij zijn hoofd ophief. 'Ik heb er geen spijt van. Maar dat wil niet zeggen dat ik het nog eens zou willen doen, John. Ik ben niet hier om jou een plezier te doen.'

'Dacht je dat ik dat verwachtte?' vroeg hij gekwetst. 'Dacht je dat ik van je verwacht dat je met me naar bed zou gaan omdat je toevallig in de buurt bent en je weet wat ik fijn vind? Ik dacht dat je me beter kende, Kate.' Zijn stem kreeg een zachte, hese klank en schuurde als een eeltige hand over haar hart. 'Goeie God, er is niemand die mij kent zoals jij.'

'Laat ik zeggen dat ik dacht dat dat zo was,' fluisterde Kate. 'Uiteindelijk bleek dat we elkaar toch niet zo goed kenden als we wel dachten.'

Hij zuchtte en deed een stapje naar achteren.

'Laten we het er maar op houden dat we vroeger goeie vrienden zijn geweest, oké?' zei ze, rond het brok in haar keel. 'Je bent hier niet omdat je mij wilde zien, John. Als je dat gewild had, was je al jaren geleden gekomen. Ik ga een taxi voor je bellen.'

21

Het huis was donker. De buurt was donker. De mensen die rond het Lake of the Isles woonden, hielden er een beschaafd dagritme op na. In de buurt waar Sam woonde, brandde altijd wel ergens licht – mensen die laat thuiskwamen, die vroeg naar het werk gingen en naar de televisie keken.

Kovac parkeerde aan de rand van Bondurants terrein en liep er, door de verse sneeuw, een keer helemaal omheen. Verse wítte sneeuw. Zwaar en plakkerig. Het spul kleefde aan zijn broekspijpen en kwam in zijn schoenen. Maar hij negeerde het, want hij was een en al aandacht voor het grote huis, dat in het donker nóg groter leek. Lampjes van de alarminstallatie gaven de achteringangen aan. In het huis zelf leek geen licht te branden. Als Peter Bondurant televisie zat te kijken, bevond hij zich in een vensterloos vertrek in het hart van zijn huis.

En wát voor een huis. Het had in de Middeleeuwen in Engeland gebouwd kunnen zijn. Het was het soort huis waarin je een martelkamer in de kelder zou kunnen verwachten. Wist híj veel, misschien wás die er ook wel.

Jezus, dat ontbrak er nog maar aan. Híj was degene die de wereld zou moeten vertellen dat miljardair Peter Bondurant een gestoorde gek en een moordenaar was. De burgemeester zou hem vermoorden. De hoge pieten wilden dat de moordenaar gegrepen zou worden, en deze moordenaar moest bij voorkeur een kwijlende ex-veroordeelde met uitpuilende ogen uit Wisconsin zijn.

Hij liep terug naar zijn auto, stampte de sneeuw van zijn benen en voeten, kroop achter het stuur en startte de motor. De ventilator kwam moeizaam op gang. De botten van zijn voeten en enkels en schenen waren tot op het merg bevroren, en hij voelde de kou door de rest van zijn lichaam opstijgen.

Hij grabbelde in de troep op de stoel naast zich tot hij zijn mobiele telefoon had gevonden en draaide Bondurants privé-nummer. Quinn had gebeld om hem te vertellen dat Kate Bondurant tijdens de bijeenkomst in het buurthuis tussen de gewone mensen achter in het zaaltje had zien staan. Sam mocht de man niet. Hij verzweeg dingen over zijn laatste avond met Jillian, en de hemel weet wat nog meer.

De telefoon ging over.

Hij kon het niet uitstaan dat Bondurant een speciale behandeling kreeg, recht had op informatie en niet naar het bureau hoefde te komen om een verklaring af te leggen. Dat was verkeerd. Ze zouden hem net zogoed het vuur aan de schenen moeten kunnen leggen als iedereen.

Toen de telefoon vijf keer was overgegaan, werd er opgenomen door het antwoordapparaat. Een emotieloze stem gaf instructies. Kovac sprak zijn naam en nummer in op de band, en verzocht Bondurant om hem terug te bellen.

Hij schakelde, reed naar de intercom in de poort van de hoofdingang en drukte op de bel. Geen reactie. Hij bleef staan en belde nog eens, en na een poosje nog eens. Dat hield hij zeker zo'n vijf minuten vol. Niemand hoefde hem nog te vertellen wat hij moest uithalen om iemands aandacht te trekken. Maar er kwam geen enkele reactie.

Er stopte een auto van een particulier bewakingsbedrijf. Een gewichtheffer in een fraai uniform vroeg hem om zijn identificatie. Toen was hij weer alleen. Hij zat in zijn auto en tuurde naar het grote huis, terwijl hij zich afvroeg wat voor geheimen erin verborgen lagen.

Er waren mensen die, wanneer ze na middernacht gebeld werden, hun telefoon niet meer opnamen. Maar dat gold niet voor ouders van vermiste kinderen. Misschien had Peter Bondurant wel de gewoonte niet op de deurbel te reageren, en hield hij zich op dit moment schuil in zijn bed, in afwachting van een menigte wanhopige arme mensen die zijn huis kwamen overvallen en leegplunderen. Maar hij was niet degene geweest die de bewakingsdienst had gewaarschuwd. Ze waren langsgekomen omdat ze dat altijd deden rond deze tijd, had de gewichtheffer gezegd.

Sam tuurde naar het huis en liet zich door zijn zeventien jaar ervaring influisteren dat er niemand thuis was. Peter Bondurant was niet thuis in de kleine uurtjes van deze nacht waarop hun getuige was verdwenen. Peter Bondurant die antwoorden eiste maar weigerde om ze zelf te geven. Peter Bondurant die op de avond waarop zijn dochter was verdwenen ruzie met haar had gehad, en daarover had gelogen. Peter Bondurant, die voldoende macht had om ervoor te zorgen dat een rechercheur ontslagen zou kunnen worden.

Ik ben waarschijnlijk ontzettend stom om hier zo te zitten, dacht hij. Vanlees was degene op wie ze zich zouden moeten concentreren. Zo te zien voldeed Vanlees aan Quinns profiel. Hij had een verleden. Hij had Jillian gekend en had een sleutel van haar huis. En zelfs zijn auto klopte met het soort auto dat ze zochten.

Maar toch was er ook iets aan Peter Bondurant dat niet klopte. Sam voelde het aan het trekken vlak onder zijn huid, en het kon hem niet schelen wat de gevolgen waren, hij zóu erachter komen wat het was.

Hij zuchtte, ging verzitten in een andere ongemakkelijke houding, leunde naar achteren en stak een sigaret op. Wat had hij feitelijk aan een pensioen?

De lijken dreven boven hem als stukken boomstam. Naakte, rottende lichamen. Uiteengereten, in stukken gehakt en mottig van de gaten. Gapende wonden en daaromheen vlees in uiteenlopende staat van ontbinding. Visvoer. Palingen zwommen door de gaten de lijken in en uit.

Quinn keek van onderen tegen de lichamen op en probeerde ze in het zwakke, blauwe en waterige licht te identificeren. Hij had geen zuurstof meer. Zijn longen stonden in brand. Maar hij kon pas naar de oppervlakte gaan als hij elk lijk geïdentificeerd en elke moordenaar die erbij hoorde benoemd had.

De lichamen dobberden op en neer en schoven langs elkaar heen. Half weggerotte ledematen vielen van hun romp en zakten naar hem toe. Onder hem bevond zich een veld van weelderig groeiend zeewier, dat zich als de tentakels van een inktvis rond zijn voeten probeerde te slingeren.

Hij moest zich beter concentreren. Namen. Data. Feiten. Maar hij kon zich niet alle namen herinneren. Hij kende niet alle moordenaars. Willekeurige feiten schoten hem door het hoofd. De lichamen leken zich te vermeerderen, en ze bleven dobberen en langs elkaar heen schuiven. Hij had nu echt bijna geen lucht meer.

Hij kon niet ademhalen en hij kon niet denken.

Hij zwaaide wild met zijn armen en probeerde iets te pakken te krijgen waaraan hij zich zou kunnen optrekken. Maar de handen die hij vastpakte waren koud en dood, en hielden hem onder water. De lijken en zijn verantwoordelijkheid daaromtrent hielden hem onder water. Hij moest beter nadenken. De puzzels waren vast wel op te lossen, maar dan moesten de stukjes ophouden met voortdurend te bewegen. En zijn gedachten moesten ook wat kalmer worden, en hij had lucht nodig.

Opnieuw verschoven de lichamen boven hem heen en weer, en hij zag Kate's gezicht aan de andere kant van de oppervlakte. Ze keek op hem neer. Maar toen verschoven de lijken opnieuw, en was ze verdwenen.

Net toen hij het gevoel had dat zijn longen zouden exploderen, trapte hij nog een laatste keer flink van zich af en kwam hij boven water. Hij hapte naar lucht, ontwaakte uit de droom en ging recht overeind in bed zitten. Het zweet liep in stralen van hem af, droop van zijn neus en langs zijn ruggengraat.

Hij strompelde met knikkende knieën van het bed naar de stoel bij het bureau en liet zich er zwaar op neer vallen. De koele lucht streek langs zijn bezwete huid en hij rilde. Naakt, rillend, zwetend, misselijk en op zijn tong de bittere smaak van bloed en gal. Hij hing boven de prullenbak en was met zijn concentratie maar voor een deel bij het kronkelende vuur in zijn buik. Zoals altijd hoorde hij dat innerlijke stemmetje dat nooit aarzelde om hem, wanneer hij zich toch al zo ellendig voelde, nog een trap na te geven. Het zei hem dat hij geen tijd had zich zo te laten gaan. Er waren zaken die op hem wachtten, mensen die van hem afhankelijk waren. Als hij niet voortdurend en voor honderd procent bij de les bleef, zou dat mensenlevens kunnen kosten. En als hij er écht een puinzooi van maakte, als iemand er ooit achter kwam wat voor een kermis het in zijn hoofd was, dat hij lang niet meer zo scherp was als voorheen en dat hij ook bang was, zou hij eruit vliegen. En als hij zijn werk niet meer had, dan had hij niets meer, want het was niet alleen wat hij deed, het was alles wat hij was, alles wat hij had.

De droom was niets nieuws, niets om zo van ondersteboven te zijn en niets om zijn energie aan te spenderen. De droom kwam in talloze variaties. Ze waren allemaal doodgemakkelijk te interpreteren, en hij schaamde zich er altijd een beetje voor dat hij ze had. Hij had er ook geen tijd voor.

Hij wist precies wat Kate ervan zou zeggen. Ze zou hem opnieuw kennis laten maken met haar scherpe tongetje, hem onderhouden over Superman en hem een kopje kruidenthee te drinken geven. Ze zou proberen om haar bezorgdheid en moederinstinct te verbergen achter bijtend sarcasme, dat een stuk veiliger en vertrouwder leek en veel beter paste bij het beeld dat anderen van haar hadden. Ze zou doen alsof hij haar niet beter kende.

En dan zou ze een taxi voor hem bellen en hem wegsturen.

'*Laten we het er maar op houden dat we vroeger goede vrienden zijn geweest, oké? Je bent hier niet omdat je mij wilde zien, John. Als je dat gewild had, was je al jaren geleden gekomen.*'

Dat had ze gedacht. Dat hij niet was gekomen omdat hij niet in haar geïnteresseerd was. Misschien dacht ze dat wel omdat ze het wilde denken. Zij was degene geweest die was weggegaan. Op die manier was haar vertrek voor haar gevoel gerechtvaardigd.

Nog steeds met een slap gevoel in zijn knieën, ging hij voor het raam staan dat uitkeek op een stukje van het centrum van Minneapolis en een verlaten straat waarin de sneeuw zich ophoopte.

Wat hij wilde. Hij wist zelfs niet eens meer wat dat was. Hij stond het zichzelf niet toe verder te denken dan zijn werk. Een spoor, een bewijs, een nieuw inzicht dat kon helpen een beter idee te krijgen van de manier van denken van de moordenaar. Dat waren dingen die hij wilde. Maar wat had het voor zin om dingen te willen die je niet kon krijgen?

Waar het om ging, was of hij zichzelf wel of niet moest toestaan hoop te koesteren.

'Hopeloosheid is het enige dat je voor teleurstellingen kan behoeden. Maar als je geen hoop hebt, dan heeft het leven geen zin.'

Dat waren zijn eigen woorden. Zijn eigen stem. Zijn eigen wijsheid. En nu werd hij er ineens mee geconfronteerd.

Hij vroeg niet wat de zin van zijn leven was. Hij leefde om te werken en werkte om te leven. Zo simpel en zo pathetisch was dat. Dat was de Quinn-machine die voortdurend in beweging was. Maar hij had steeds meer het gevoel dat de wielen los begonnen te raken. Wat zou er gebeuren als er eentje helemaal afviel?

Hij sloot zijn ogen, zag de lijken weer voor zich en voelde hoe de paniek als een ijzige, inwendige zure regen door hem heen trok. Hij hoorde zijn afdelingschef om antwoorden en uitleg vragen, en hem aan zijn kop zeuren wanneer de resultaten te lang op zich lieten wachten. *'De directeur heeft een halfuur lang tegen me lopen razen. Bondurant is niet iemand om tegen je te hebben, John. Wat héb je toch, man?'*

De tranen sprongen hem in de ogen toen het antwoord opwelde vanuit de holte in het midden van zijn borst. *'Ik ben mijn intuïtie kwijt.'* Zijn intuïtie, zijn felheid, zijn lef en zijn scherpe neus. Hij voelde hoe hij ze stukje bij beetje was kwijtgeraakt. Hij had geen tijd om de stukjes weer bij elkaar te zoeken. Hij kon alleen maar doen alsof hij nog de oude was, en hopen dat het niet op zou vallen.

'Schiet je al een beetje op met het onderzoek? Hebben ze al een verdachte op het oog? Je weet toch waar ze naar uit moeten kijken, niet? Zo gecompliceerd is de zaak toch niet, hè?'

Nee, dat was het niet echt. Als je naar de moorden op de twee prostituees keek, en het feit negeerde dat Peter Bondurants dochter wel of niet het derde slachtoffer zou kunnen zijn. Als je deed alsof Peter Bondurants gedrag normaal was. Als je niet rondliep met honderdduizend onbeantwoorde vragen over het raadsel dat Jillian Bondurant heette.

Als het hier uitsluitend om de moord op de twee prostituees ging, zou hij er niet bij zijn gehaald.

Hij besloot te proberen niet weer in slaap te vallen, maar om op te staan. Hij poetste zijn tanden, nam een douche en trok een joggingbroek en een sweatshirt van de academie aan. Hij ging achter het bureau zitten met het dossier van de zaak en een middeltje tegen brandend maagzuur dat hij, onder het doorbladeren van de rapporten, regelrecht uit het flesje dronk.

Tussen de pagina's geklemd zat het stapeltje foto's dat Mary Moss van Lila White's ouders had gekregen. Foto's van een levende en gelukkig Lila White, genomen op de verjaardag van haar dochtertje. Door haar manier van leven zag ze er ouder uit dan ze was, maar hij kon goed zien dat ze, vóór haar verslaving en de klappen die het leven haar had uitgedeeld, een knap meisje was geweest. Haar dochtertje was een snoepje met blonde vlechtjes en een lief gezichtje. Op een van de foto's zaten moeder en dochter samen in een opblaasbaar kinderbadje. Beiden droegen een badpak. Lila zat op haar knieën en had haar armen om haar dochtertje dat voor haar zat geslagen. Moeder en dochter hadden hetzelfde guitige glimlachje.

Het moest verschrikkelijk voor Lila's ouders zijn om deze foto's te bekijken, dacht Quinn. In het kind zagen ze hun dochter zoals ze geweest was toen haar wereld nog simpel en zonnig en vol mogelijkheden was geweest. En in Lila's gezicht zagen ze de sporen van harde levenslessen, teleurstelling en falen. En de hoop op een betere toekomst. Maar in plaats daarvan was ze, niet lang nadat deze foto's waren genomen, op wrede wijze om het leven gebracht.

Quinn hield de foto's in het licht van de lamp en zuchtte. Hij nam het gezicht van Lila White aandachtig in zich op: de manier waarop ze haar haren droeg, de guitige glimlach, het knobbeltje op haar neusbrug, het holletje van haar schouder. Ze zou zich voegen bij de anderen die hem in zijn slaap vervolgden.

Toen hij de foto terug wilde leggen, was er iets dat zijn aandacht trok, en hij hield hem opnieuw in het licht. Half overschaduwd door het bandje van haar badpak zag hij, rechtsboven op haar borst, een kleine tatoeage. Quinn pakte zijn vergrootglas en bekeek de tatoeage wat beter.

Een bloem. Een lelie, dacht hij.

Met zijn rechterhand bladerde hij in het dossier verder naar de foto's van de lijkschouwing. Ongeveer eenderde van de foto's in dat hoofdstuk waren opnamen van het slachtoffer van wie men aannam dat het Jillian Bondurant was. Maar hij vond wat hij zocht: een foto waarop duidelijk te zien was dat er een stukje huid was weggesneden uit de rechterkant van Lila White's borst – en er was geen tatoeage te zien.

Kate zat met haar benen onder zich in het hoekje van de oude groenleren bank in haar werkkamer. Op het tafeltje naast haar stond een nieuw glas Sapphire. Ze wist niet hoeveel ze er al op had – ze was de tel kwijt. Het kon haar niet schelen. Het haalde de scherpe kantjes van de pijn die van verschillende kanten op haar af kwam. Dat was het enige wat vanavond telde.

Hoe was het mogelijk dat er opeens van alles mis leek te gaan in haar leven? Alles was zo soepel gelopen, toen opeens, *wham!* Negentig graden koerswending, en alles tuimelde uit de keurige vakjes, en vormde een slordige puinhoop waar ze nog maar net bovenuit kon kijken. Ze kon het gevoel niet uitstaan dat ze de macht over haar leven kwijt was. Evenmin als het besef dat haar verleden haar dreigde in te halen. Het ging juist zo goed met haar. Kijk vooruit, concentreer je op wat er vóór je lag. Ze probeerde niet al te veel stil te staan bij het verleden. Ze probeerde om nooit aan Quinn te denken. En waar ze zéker nooit aan dacht, was de herinnering van zijn lippen op de hare.

Ze hief een hand op en voelde aan haar lippen. Ze verbeeldde zich dat ze zijn warmte daar nog kon voelen. Ze nam nog een slok, en verbeeldde zich dat ze hem nog kon proeven.

Er waren belangrijker dingen om aan te denken. De vraag of Angie nog leefde of niet. En de vraag in hoeverre ze nog konden hopen dat ze haar weer zouden vinden. Ze had, hoewel ze er verschrikkelijk tegenop had gezien, Rob Marshall gebeld om hem van de situatie op de hoogte te brengen. Aan hem de niet benijdenswaardige taak het aan de officier van justitie te melden. Sabin zou de rest van de nacht besteden aan het verzinnen van de meest afschuwelijke martelmethoden. Kate ging ervan uit dat ze morgen op de brandstapel zou komen.

Maar een confrontatie met Ted Sabin was nog wel het minst erge van al haar problemen. Wat hij ook zou doen, zijn straf zou niet erger zijn dan de emoties waar ze nu al onder leed.

Telkens wanneer ze haar ogen sloot, zag ze het bloed.

Ik had bij haar moeten blijven. Als ik bij haar was gebleven, zou ze nu nog geleefd hebben.

En telkens wanneer ze dat dacht, vervormde Angie's gezicht zich tot dat van Emily, en werd de pijn nog intenser. Quinn verweet haar dat ze een martelaar was, maar een martelaar leed zonder een zonde begaan te hebben, en zij was bereid de schuld op zich te nemen. Voor Emily. Voor Angie.

Was ze nu maar met het meisje mee naar binnen gegaan… Had ze nu maar wat meer aangedrongen op een intiemer contact… Maar ze had zich op een afstandje gehouden omdat een bepaald deel van haar niet zo dichtbij had willen komen, en ze niet zoveel om het meisje had willen geven. Jezus, dit was nu precies de reden waarom ze geen kinderzaken deed: ze hadden te veel nodig en ze was te bang voor de potentiële pijn om het hun te kunnen geven.

'En ik dacht nog wel dat het zo goed met me ging.'

Ze stond alleen maar op van de bank om te zien of ze nog zonder hulp overeind kon komen, en liep naar het massieve eikenhouten bureau dat van haar vader was geweest. Ze nam de telefoon op en draaide het nummer van haar voice-mail. Vlak voordat ze de code voor het ontvangen van haar boodschappen moest intoetsen, voelde ze een prop in haar keel. Ze had ze al drie keer afgeluisterd. Ze sloeg de boodschappen van David Willis en van haar kookcursus over, en wachtte op de boodschappen die ze wilde horen.

22.05 uur, kondigde de mechanische stem aan. De toon werd gevolgd door een lange stilte.

262

22.08. Opnieuw een lange stilte.

22.10. Nog een lange stilte.

Ze had de mobiele telefoon in de auto laten liggen en wilde niet terug gaan om hem te halen omdat ze bang was. Elke opbeller kon een boodschap achterlaten. Ze zou haar voice-mail later wel afluisteren, wist ze nog dat ze gedacht had.

Als die telefoontjes van Angie waren...

Maar er was geen enkele manier waarop ze dat met zekerheid zou kunnen weten, en ze kon niets anders doen dan het zich afvragen en wachten.

Het was 03.49 toen het telefoontje binnenkwam bij de alarmcentrale van Hennepin. Een auto die in brand stond. Kovac luisterde uit gewoonte met een half oor. Hij was door en door koud. Zijn voeten voelden als klompen ijs. Hij had het portierraampje op een kier open laten staan om niet te verstikken, en de sneeuw blies erdoor naar binnen. Misschien moest hij déze auto maar in brand steken. De hitte zou zijn bloed ontdooien, en degenen die het bij de autotoewijzing voor het zeggen hadden, konden hem iets beters geven – een Hyundai, bijvoorbeeld, met een hamsterrad onder de motorkap.

Maar toen hij het adres hoorde, begon zijn bloed onmiddellijk sneller te stromen en had hij het ineens niet koud meer.

Ze hadden Smokey Joe met de bijeenkomst inderdaad geprovoceerd. Hij gaf gas en reed weg naar de straat die achter het lege huis van Peter Bondurant lag.

Hun moordenaar had zojuist zijn vierde slachtoffer in brand gestoken... op de parkeerplaats van het buurthuis waar de bijeenkomst had plaatsgevonden.

22

Kate rende, met haar jas half aan, half uit, door de achterdeur naar buiten. Ze had het nog net voor elkaar gekregen om een paar snowboots aan te trekken, maar de dikke zolen boden weinig houvast op de glibberig bevroren treden. Ze slaakte een onwillekeurige kreet toen ze uitgleed, van de stoep viel en terechtkwam in een laag van vijftien centimeter natte sneeuw. Ze rolde door en kwam in één beweging weer overeind.

Kovac had gebeld op weg naar het buurthuis waar de bijeenkomst was gehouden. Op de parkeerplaats stond een auto in brand. Meldingen van iemand ín de auto.

Angie.

Natuurlijk kon niemand dat op dit moment met zekerheid zeggen, maar de gedachte dat het Angie zou kunnen zijn flitste in grote, angstige beelden door Kate's hoofd, terwijl ze naar de garage rende en in haar zak naar haar sleutels zocht.

Quinn had haar in onomwonden termen gezegd hoe hij over haar garage dacht. Onmogelijke plek. Slecht verlicht. Maakte haar kwetsbaar. En dat was allemaal waar, maar ze had op dat moment geen tijd daarbij stil te staan. Als er iemand was die haar wilde beroven of verkrachten, dan zou die iemand moeten wachten.

Ze hoopte dat ze onderweg niet aangehouden zou worden, dacht ze, terwijl ze op het lichtknopje drukte. Ze zou eigenlijk helemaal niet achter het stuur mogen zitten, maar ze wilde niet wachten tot iemand haar zou komen ophalen. Er was op dit tijdstip toch geen verkeer, en het was nog niet eens vijf minuten rijden naar het buurtcentrum.

Ze was halverwege de auto, toen het opeens tot haar doordrong dat het garagelicht niet aan was gegaan.

Het besef deed haar even aarzelen – een fractie van een seconde waarin al haar zintuigen zich opeens op scherp stelden en haar hart een slag miste. Ze drukte op de afstandsbediening van de portierontgrendeling, en het licht in de auto sprong aan. *Doorlopen*, dacht ze. Zolang ze maar bleef doorlopen gaf ze niemand een kans om haar staande te houden. Een belachelijke gedachte, maar ze klampte zich eraan vast, rukte het portier van de auto open, hees zich erin en ging achter het stuur zitten.

In een snelle opeenvolging van bewegingen sloot ze de portieren, startte de motor, zette de vierwielaandrijving aan en schakelde. De auto slipte in de sneeuw en trok naar links. Het scheelde slechts een fractie van een centimeter of de buitenspiegel was tegen de muur kapotgeslagen. De achterbumper raakte de schutting van de buren, maar toen reed ze naar voren terwijl de motor op volle toeren draaide. Ze zwenkte de straat op, maar trok te hard aan het stuur, waardoor ze opnieuw zijwaarts slipte en de voorkant van een zwarte Lexus die langs de stoeprand stond geparkeerd, op een haar na miste.

Haasten is stom, dacht ze, terwijl ze een gevoel van wanhoop de baas trachtte te blijven en probeerde wat gas terug te nemen. Wie dat ook was in die brandende auto, hij of zij zou toch nergens meer naar toe gaan, maar het verlangen om er zo snel mogelijk bij te zijn werd er niet minder op. Stel dat het niet Angie maar iemand anders was, dan hoefde ze niet meer zo bang te zijn, en hoefde ze zich ook niet meer zo verschrikkelijk schuldig te voelen. Hoe eerder ze van haar angst en haar schuldgevoel af zou kunnen komen, des te beter het was.

De straat voor het buurtcentrum stond vol met politiewagens, brandweerauto's en een ambulance. Zwaai- en flitslichten zorgden voor een onwerkelijk tafereel. En natuurlijk was de pers er ook, compleet met busjes, verslaggevers, cameralieden en uitrusting. Het huis-aan-huis-onderzoek was al begonnen, en buren werden uit hun slaap gewekt. Een helikopter van de politie vloog boven de daken en het licht van zijn felle schijnwerper gleed over tuinen, huizen, de parkeerplaats en over een tweetal agenten met honden.

Als Smokey Joe met de auto naar de parkeerplaats was gereden om hem daar in brand te steken, dan volgde daaruit dat hij lopend was weggegaan. De kans dat hij hier in de buurt woonde was dus groot. Op nog geen vijf minuten rijden van Kate's huis, maar daar weigerde ze op dit moment aan te denken.

Ze zette de 4Runner achter het busje van een televisiezender, schakelde in de parkeerstand en liet hem zo scheef langs de stoep staan. Ondanks het late uur waren er toch mensen naar buiten gekomen om te kijken wat er aan de hand was en de onoverzichtelijkheidheid aan de rand van de plaats van de misdaad was er nog groter op geworden. Het was niet ondenkbaar dat de moordenaar zich onder de toeschouwers bevond – dat hij was teruggekomen om zijn accu op te laden door te kijken naar de chaos die het gevolg was van wat hij had aangericht. Niemand zou het met zekerheid kunnen zeggen, en Kate had op dat moment ook andere dingen aan haar hoofd.

Ze baande zich duwend en ellebogend een weg door de menigte.

Ze keek strak naar het ambulancepersoneel dat binnen een kringetje van geüniformeerde politiemensen en op enige afstand van de uitgebrande auto aan het werk was. De arts en de broeders redderden om het slachtoffer heen en blaften korte bevelen in medisch jargon.

Een van de agenten pakte Kate bij de arm toen ze zich door het kordon probeerde te wurmen en hield haar tegen.

'Pardon, mevrouw, u mag er niet door.'

'Ik ben van de slachtofferhulp. Ik kan me legitimeren.'

'Deze hier zal u niet meer nodig hebben. Hij is geroosterd.'

'Hij?'

De agent haalde zijn schouders op. 'Het. Wie zal het zeggen?'

Kate's maag balde zich samen. *O, Jezus, Angie.* 'Waar is Kovac?'

'Hij is bezig, mevrouw. Als u even opzij wilt gaan.'

'O, houdt u toch op met dat officiële gedoe. Ik ben hier met een reden.'

'Ik sta voor haar in, agent,' zei Quinn, zijn legitimatie tonend. 'En als ik u was, zou ik haar maar loslaten, voordat het u een gebroken arm kost.'

De agent trok een gezicht in reactie op Quinns woorden en op het schildje van de FBI, maar liet haar los. Kate vloog op de arts af. Quinn schoot achter haar aan, greep haar van achteren beet, trok haar terug en hield haar stevig vast toen ze probeerde zich los te trekken.

'Laat me los!'

'Laten we eerst uitzoeken wat Kovac ervan weet. Als dit het werk van Smokey Joe is, moet er ergens een legitimatiebewijs zijn.'

'Nee, ik wil het zelf zien!'

'Dat is geen pretje, Kate.'

'Dat weet ik ook wel. Ik heb het eerder gezien. Jezus, wat heb ik eigenlijk níet gezien?'

Ze had alles gezien. Gedurende vele jaren had ze uren achtereen over de meest weerzinwekkende foto's gebogen gezeten. Niemand hoefde haar nog te vertellen tot welk soort onmenselijkheden een menselijk wezen in staat was. Maar toch waren foto's niet echt te vergelijken met de kille, rauwe realiteit van de misdaad zelf. Een foto zei niets over geluiden, over de geladen sfeer en de geur van de dood.

De stank van verbrand vlees was onbeschrijfelijk, en het trof haar als een keiharde klap in het gezicht – het gevoel was te vergelijken met pijn. Haar maag, die toch al teerde op pure angst en een halve fles gin, drukte zijn inhoud omhoog naar haar keel, en het scheelde een haar of ze had moeten overgeven. Het voelde aan alsof haar knieën in water veranderden. Ze begreep niet waarom ze niet viel, maar realiseerde zich toen dat Quinn haar opnieuw vasthield en zijn armen van achteren om haar heen had geslagen. Ze liet zich tegen hem aan vallen en nam zich voor zichzelf daar later voor terecht te wijzen.

Van de honderden slachtoffers die ze had gezien, was er nooit iemand bij geweest die zehad gekend.

Het lichaam lag, gruwelijk verkoold en half gesmolten, op een zij, terwijl de ledematen tot een zittende houding waren verwrongen. De hitte van het vuur moest onvoorstelbaar zijn geweest. De haren waren verdwenen, de neus ook; de lippen waren vertrokken en weggeschroeid, en toonden het gebit in een macabere grimas. Het strottenhoofd lag vrij – er glansde wit bot op de plek waar de dunne huid was weggebrand. De agent had gelijk gehad: het was op het eerste gezicht onmogelijk te zeggen of het om een man of een vrouw ging, afgezien van het feit dat de resten kleding die aan de rug van het slachtoffer zaten gekleefd mogelijk dameskleren waren geweest – een stukje roze trui en een stuk van een rok.

Een potig gebouwde arts met vegen roet in zijn gezicht, keek op en schudde het hoofd. 'Deze hier is voor de lijkschouwer. Ze was allang dood voor wij hier waren.'

Kate was niet in staat om nog helder te denken. Ze probeerde te bedenken wat ze moest doen, hoe ze met zekerheid zou kunnen weten of het Angie was. De verschillende ideeën kronkelden zich in een zich voortdurend vervormende brij door haar hoofd.

Een tandartsrapport konden ze vergeten. Ze wisten niet eens wie Angie DiMarco was en waar ze vandaan was gekomen. Er waren geen ouders die zo'n rapport voor hen konden opvragen, of konden zeggen wie haar huisarts was die hen zou kunnen vertellen of ze ooit botbreuken had gehad. Er waren geen persoonlijke bezittingen om nader te onderzoeken.

Oorbellen. Angie droeg oorbellen.

De oren van het slachtoffer waren weggevreten door de vlammen, en gereduceerd tot verkoolde bobbeltjes.

Ringen. Ze had er minstens zes gehad.

De handen van het slachtoffer waren zwart en gekruld als apenklauwen. Er leken vingers te ontbreken.

Kate rilde, en dat had niets te maken met de kou. Quinn trok haar stapje voor stapje weg.

'Ik weet het niet,' fluisterde ze, nog steeds naar het verbrande lijk kijkend. De tenen waren gestrekt als die van een gymnast, als gevolg van het feit dat de pezen waren samengetrokken. 'Ik weet het niet.'

Ze beefde zo erg dat Quinn het door haar dikke wollen jas heen kon voelen. Hij trok haar weg uit de drukte, streek de haren uit haar gezicht en tilde haar kin op, zodat ze hem aan moest kijken. Haar gezicht zag lijkbleek in het witte schijnsel van de verlichting van de parkeerplaats. Ze keek met glazige ogen van de schok en de angst naar hem op. Hij wilde op dat moment niets liever dan haar tegen zich aan trekken en haar in zijn armen houden.

'Gaat het, schat?' vroeg hij zacht. 'Of wil je liever even zitten?'

Ze schudde het hoofd en keek van hem naar het ambulancepersoneel, naar de brandweerwagens, naar de felle lampen van de mensen van de televisie. 'Ik – nee – eh – oh, God,' stamelde ze. Haar ademhaling was op hol geslagen. Haar ogen vonden opnieuw de zijne en haar mond trilde. 'O, God, John, stel dat zij het is?'

'Als zij het is, dan is dit niet jouw schuld, Kate,' zei hij met klem.

'Rotkind,' mompelde ze, en slikte de tranen terug. 'Daarom doe ik geen kinderen. Ze zijn niets dan ellende.'

Hij keek naar haar terwijl ze vocht. Hij wist dat ze niet half zo sterk was als ze voorgaf te zijn, en dat er niemand in haar leven was die haar een schouder kon bieden om op uit te huilen. En hij wist ook dat ze hem waarschijnlijk, als ze een keuze had gehad, daar nu ook niet voor zou hebben uitgekozen. In het besef van al die dingen fluisterde hij: 'Hé, kom hier,' en hij trok haar tegen zich aan.

Ze verzette zich niet – sterke, onafhankelijke Kate. Haar hoofd vond zijn schouder en ze paste tegen zijn lichaam als de ontbrekende helft. Vertrouwd, comfortabel en volmaakt. Het lawaai en de drukte rond het nieuwe slachtoffer leken naar de achtergrond te verdwijnen. Hij streelde haar haren, drukte lichte kusjes op haar slaap en voelde zich voor het eerst in vijf jaar weer compleet.

'Ik ben er voor jou, lieveling,' fluisterde hij. 'Je bent van mij.'

'Is zij het?' Rob Marshall kwam op zijn veel te korte beentjes op hen af gedribbeld. Hij droeg een dikke donzen parka die bij zijn oren omhoog leek te kruipen, en om zijn bolle hoofd spande een strakke muts.

Kate verstijfde bij het horen van zijn stem. Ze ging rechtop staan en deed een stapje bij Quinn vandaan. Hij kon bijna zien hoe ze de emoties weer naar binnen zoog en snel weer een dikke muur om zich heen optrok.

'Dat weten we niet,' zei ze met hese stem. Ze schraapte haar keel en wreef met een gehandschoende vinger onder haar linkeroog. 'Het lichaam is onherkenbaar verminkt. En voor zover we weten is er nog geen identiteitsbewijs gevonden.'

Rob keek langs haar heen naar het ambulancepersoneel. 'Dit is gewoon niet te geloven. Maar je denkt dat zij het is, niet? Je denkt dat het je getuige is.'

Je getuige, stelde Kate vast. Hij was al bezig zich van de ramp te distantiëren, precies zoals hij zich gedistantieerd had van de beslissing om Angie naar het Phoenix House te sturen. De vuile gladjakker.

'Hoe heeft dit kunnen gebeuren?' wilde hij weten. 'Ik dacht dat je haar in de gaten hield, Kate.'

'Het spijt me. Ik heb je door de telefoon al gezegd dat het me spijt. Ik had bij haar moeten blijven.' De bekentenis was nu helemaal pijnlijk omdat het een bekentenis tegenover haar baas was en ze het automatisch oneens met hem wilde zijn.

'We hebben je om een speciale reden op deze zaak gezet.'

'Ja, dat weet ik ook wel.'

'Je achtergrond, je sterke karakter. Ik hoopte dat je koppigheid bij wijze van uitzondering eens in mijn voordeel zou werken –'

'Weet je, Rob, ik verwijt het mezelf al genoeg voor ons tweeën samen,' zei ze. 'Dus doe me een lol en hou erover op, ja?'

'Sabin is woedend. Ik weet niet wat ik moet doen om hem te kalmeren.'

Zij had de getuige uit het oog verloren, maar het was zijn taak om vrede te stichten. Kate kon hem nu al tegen Sabin horen slijmen, waarbij hij niet zou nalaten haar naam te pas en te onpas te noemen.

'Ik twijfel er niet aan dat je wel iets zult verzinnen,' beet ze hem toe. Ze was te boos om voorzichtig te zijn. 'Laat je nu maar gewoon voor hem op je knieën vallen, en trek een zielig gezicht zoals je altijd doet.'

Robs hele wezen kromde zich, vanaf zijn voeten omhoog, in een kramp van woede, die tot explosie kwam in zijn mond. 'Hoe dúrf je zo tegen mij te spreken! Hoe durf je! Door jouw schuld zijn we onze getuige kwijt. Door jouw schuld is ze misschien wel dood –'

'Dat weten we niet,' viel Quinn hem in de rede.

'– en nog steeds heb je het lef zo tegen mij te spreken! Je hebt me nooit ook maar een greintje respect betoond. Zelfs nu niet. Zelfs niet na dít! Hoe is het mogelijk! Vieze, vuile teef die je bent!'

'Hou je mond,' beval Quinn. Hij ging tussen hen in staan en stompte Rob met de rug van zijn hand hard tegen zijn strottenhoofd. Rob wankelde naar achteren, verloor zijn evenwicht in de sneeuw en viel op zijn billen.

'Waarom ga je niet even een kijkje nemen bij wat Kate net heeft gezien,' zei Quinn. Hij nam niet de moeite de man weer overeind te helpen. 'Misschien dat je dan zult begrijpen wat er op dit moment echt belangrijk is.'

Rob krabbelde sputterend overeind, draaide zich met een ruk om en liep met nijdige stappen weg in de richting van de ambulance, terwijl hij de sneeuw met snelle, woedende bewegingen van zijn parka sloeg.

'Verdomme, John, ík had hem tegen de vlakte willen slaan,' zei Kate.

'Nou, in dat geval heb je het behoud van je baan waarschijnlijk aan mij te danken.'

Nu pas drong het tot Kate door dat ze haar baan wel eens op het spel gezet zou kunnen hebben. Jezus, het zat er dik in dat Rob haar zou willen ontslaan. Hij had gelijk. Ze had hem nooit ook maar een greintje respect betoond. Niet dat hij het verdiende, maar hij was haar baas.

Ze keek naar hem terwijl hij met een hand voor zijn mond bij de ambulance stond. De broeders stonden op het punt de verkoolde resten in een plastic zak te schuiven. Toen hij terugkwam, lag er, hoewel hij bleek zag, een blos op zijn wangen.

'Dat is – dat is – weerzinwekkend,' zei hij, zwaar door zijn mond ademhalend. Hij zette zijn bril af en haalde zijn hand, met wollen want en al, over zijn gezicht. 'Ongelooflijk.' Hij slikte een paar keer en verplaatste zijn gewicht van de ene op de andere voet. 'Die stank…'

'Waarom ga je niet even zitten?' opperde Kate.

Rob trok de rits van zijn parka voor de helft open en trok het jack af. Hij keek nog steeds naar de ambulance. 'Ongelooflijk… verschrikkelijk…'

De helikopter vloog langs. De rotorbladen sloegen als reusachtige vleugels door de lucht.

'Hij daagt ons uit, denken jullie ook niet? De Cremator,' zei hij, met een blik op Quinn. 'Door het meisje te ontvoeren en haar dan hier te verbranden, hier, waar de bijeenkomst heeft plaatsgevonden.'

'Ja. Hij wil dat wij voor gek staan, terwijl hij zelf voorgeeft onoverwinnelijk te zijn.'

'Nou, dat is hem dan uitstekend gelukt,' zei Rob. Hij keek weer naar de ambulance, en naar de broeders die het lijk erin schoven.

'Iedereen die van tevoren weet wat er gaat gebeuren, kan doorgaan voor een genie,' zei Quinn. 'Maar uiteindelijk zal hij toch een fout maken. Dat doen ze allemaal. Waar het om gaat, is dat wij ervoor moeten zorgen dat hij dat zo snel mogelijk doet. En dat we, wanneer dat gebeurt, klaarstaan om hem in zijn nekvel te grijpen.'

'Nou, ik hoop dat ik erbij ben wanneer dat gebeurt.' Opnieuw haalde Rob een hand over zijn gezicht, waarna hij zijn parka weer aftrok. 'Ik ga Sabin bellen,' zei hij tegen Kate. 'Zolang we nog voor hem werken.'

Kate zei niets. Haar zwijgen had niets te maken met de officier van justitie of met de plotseling zo wankele positie van haar baan.

'Kom, laten we gaan kijken waar Kovac is,' zei ze tegen Quinn. 'Kijken of ze al een rijbewijs hebben gevonden.'

Kovac stond te ruziën met een Amerikaanse vrouw van Afrikaanse afkomst die een donkere parka droeg met op de rug het woord BRANDSTICHTING gedrukt. De auto, een middelgroot, rood model, stond midden in een cirkel van draagbare lampen. Hij was nagenoeg uitgebrand en de voorruit was eruit gesprongen. Het linkerportier hing open, en was vervormd als gevolg van het gereedschap dat het reddingsteam had gebruikt om de deur te ontwrichten. Het interieur bood een treurige aanblik van as, gesmolten plastic en druipend blusschuim. De bestuurdersplaats was verteerd door de vlammen, en bestond nu alleen nog maar uit een karkas van verwrongen en verbogen springveren.

'Het is brandstichting, inspecteur,' herhaalde de vrouw met klem. 'En het is aan míjn team om de oorzaak op te sporen.'

'Het is moord, en de oorzaak van de brand interesseert me geen zak,' reageerde Kovac. 'Ik wil de sporendienst in die auto aan het werk zetten, en dan kan ik alleen maar hopen dat die lui van jullie nog niet alles vernield hebben.'

'Ik bied u, uit naam van de brandweer van Minneapolis, mijn excuses aan voor het feit dat we geprobeerd hebben een brand te blussen en een leven te redden. Laten we daar even heel duidelijk over zijn voordat iemand úw auto in brand steekt.'

'Marcell, ik zou me ontzettend gelukkig prijzen als iemand die oude rammelkast in de hens zou willen steken.'

Kate wist dat de tussenkomst van de brandweer een ramp voor hen betekende. De brandweer interesseerde zich niet voor sporen en bewijzen. Bij hen ging het in de eerste plaats om het redden van levens, en het liet hen koud wie een ander vermoord had. En dat betekende dat ze portieren ontwrichtten en alles, met inbegrip van elke eventuele aanwijzing die door de vlammen intact zou kunnen zijn gebleven, volspoten met schuim.

'Er is toch al niets meer over van die auto,' zei Kovac tegen de inspectrice van de brandweer. 'Waarom heb je zo'n haast? Ik zit met een moordenaar en een pyromaan die een kick krijgt van het om zeep brengen van vrouwen.'

'Misschien was dit wel een ongeluk,' siste Marcell. 'Misschien had dit wel niets te maken met die moordenaar van u, en staat u hier uw tijd te verspillen door om niets met mij ruzie te maken.'

'Sam, de kentekenregistratie is binnen.' Elwood baggerde door de sneeuw naar hem toe. Hij wachtte tot hij zo dichtbij was dat hij niet meer hoefde te schreeuwen, hoewel het duidelijk was dat dit nieuwtje niet geheim gehouden zou kunnen worden. 'Het is een Saab uit achtennegentig, en hij staat op naam van Jillian Bondurant.'

De inspectrice van de brandweer salueerde naar Kovac en deed een stapje opzij. 'Als dit een wedstrijdje vérplassen was geweest, dan hebt u hiermee uw naam in de sneeuw geschreven.'

Het team van de sporendienst stortte zich als een groep uitgehongerde aasgieren op de uitgebrande Saab. Kate zat achter de stuur van Kovacs auto en sloeg hen uitgeput en als verdoofd gade. De stoffelijke resten van de vrouw – wie ze ook zijn mocht – waren overgebracht naar de koelcel van de lijkschouwer. Amanda Stone kon bij binnenkomst de volgende ochtend meteen aan de slag.

Quinn trok het rechterportier open en stapte in op een zucht van ijskoude lucht. Sneeuwvlokjes zaten als roos op zijn donkere haar geplakt. Hij haalde zijn gehandschoende hand eroverheen.

'Het staat zo goed als zeker vast dat het vuur aan de linkerkant is aangestoken,' zei hij. 'Daar heeft het het langst en het heetst gebrand. Het dashboard en het stuur zijn gesmolten. Twee van onze beste plaatsen voor vingerafdrukken zijn verdwenen.'

'Hij maakt het steeds bonter,' zei Kate.

'Ja.'

'Hij verandert van tactiek.'

'Om iets duidelijk te maken.'

'Hij is bezig naar een hoogtepunt toe te werken.'

'Ja. En ik heb er alles wat ik heb voor over om te weten voor wanneer en voor waar hij dat gepland heeft.'

'En waarom.'

Quinn schudde het hoofd. 'Het waarom interesseert me al niet meer. Er zijn geen geldige redenen voor. Er zijn alleen maar excuses. Je bent net zo goed als ik op de hoogte van alle secundaire factoren, maar je weet ook dat niet alle kinderen die door hun ouders mishandeld worden uitgroeien tot misdadigers, en dat niet alle kinderen met emotioneel afstandelijke moeders tot moordenaars worden. Er komt een moment waarop iemand ergens voor kiest, en staat die keuze eenmaal vast, dan maak ik me niet meer druk om het waarom. Dan wil ik alleen nog maar dat die schoften van de aardbodem verdwijnen.'

'En je voelt je persoonlijk aangesproken om ze allemaal te ontmaskeren.'

'Het is een klotebaan, maar wat kan ik anders?' Hij schonk haar de beroemde Quinn-grijns, die intussen – aangetast door slaapgebrek en stress – allang niet meer zo overtuigend was.

'Je bent hier niet nodig,' zei Kate, die zichzelf door en door moe en gestrest voelde. 'Ze zullen je morgenochtend alles wel vertellen. Je ziet eruit alsof je dringend behoefte hebt aan een paar uur slaap.'

'Slaap? Daar doe ik niet meer aan. Het haalt de scherpe kantjes van mijn paranoia.'

'Daar zou ik maar mee uitkijken, John. Voor je het weet word je er uitgegooid bij de afdeling kidnappingen en seriemoordenaars, en stoppen ze je in de *X-Files.*'

'Ik ben knapper dan David Duchovny.'

'O, ja, zeker.'

Grappig, dacht ze, hoe ze als vanzelf weer terugvielen in die oude plagerijen, zelfs nu, na alles wat er vanavond gebeurd was. Maar ja, het was dan ook vertrouwd en geruststellend.

'Jij hoeft hier ook niet te zijn, Kate,' zei hij, weer ernstig geworden.

'Ja, wel. Ik geloof niet dat Angie iemand heeft die meer om haar geeft dan ik. Als zij dit inderdaad blijkt te zijn, is het verliezen van een paar uur slaap om het nieuws te vernemen wel het minste wat ik voor haar kan doen.'

Ze verwachtte nog een strenge preek van Quinn ten aanzien van haar schuldgevoel, maar hij zei niets.

'Denk jij dat er een kans is dat het Jillian Bondurant is?' vroeg ze.

'Dat ze niet slachtoffer nummer drie was, en dat ze zich dit zelf heeft aangedaan?'

'Nee. Zelfverbranding komt slechts bij hoge uitzondering voor, en als het gebeurt, wil degene er meestal publiek bij hebben. Waarom zou Jillian hier midden in de nacht naartoe zijn gereden? Wat heeft ze voor speciale band met deze plek? Nee, nee. We zullen meteen na de lijkschouwing weten of het Jillian is, aangezien we deze keer over een gebit beschikken, maar volgens mij is die kans, en het feit dat ze het vuur zelf zou hebben aangestoken, nihil.'

Kate trok haar mondhoeken op in een namaak-glimlachje. 'Ja, ja, dat weet ik ook wel. Ik hoopte alleen maar dat het slachtoffer iemand zou zijn voor wie ik niet verantwoordelijk ben.'

'De bijeenkomst in het buurthuis was mijn idee, Kate. Smokey Joe heeft dit gedaan bij wijze van het figuurlijk opsteken van zijn middelvinger naar mij toe. Nu is het aan mij om me af te vragen wat bij hem precies de vonk heeft doen overslaan. Had ik harder tegen hem van leer moeten trekken? Had ik moeten doen of ik medelijden met hem had? Had ik zijn ego moeten strelen en hem een genie moeten noemen? Wat heb ik gedaan? Wat heb ik níet gedaan? Waarom wist ik niet beter? Als hij in het buurthuis was, als hij vlak voor mijn neus heeft gezeten, waarom heb ik hem dan niet gezien?'

'Kennelijk is je buitengewone röntgenblik, die je in staat stelt het boze dat in een mensenhart op de loer ligt te onderscheiden, dringend aan een reparatiebeurt toe.'

'Hetzelfde kan worden gezegd van jouw vermogen om in de toekomst te kijken.'

'We zijn me een stellletje!' Ditmaal was haar glimlachje oprecht.

'Dat waren we inderdaad.'

Kate keek hem aan, zag de man die ze gekend had en van wie ze gehouden had, en de man die hij in de tussenliggende jaren geworden was. Hij maakte een vermoeide, opgejaagde indruk. Ze vroeg zich af of hij in haar hetzelfde zag. Het was vernederend om toe te moeten geven dat dat waarschijnlijk het geval was. Ze had zichzelf slechts wijsgemaakt dat alles goed met haar was. Maar het was slechts een list geweest, een rol die ze had gespeeld. Dat had ze zich ten volle gerealiseerd toen ze een uur geleden in zijn warme, beschermende armen had gestaan. Het was alsof ze opeens een belangrijk deel van zichzelf weer had teruggekregen, nadat ze jarenlang geweigerd had te erkennen dat ze het kwijt was.

'Ik hield van je, Kate,' zei hij zacht, terwijl zijn donkere ogen de hare gevangenhielden. 'Hoe je verder ook over me mag denken en over de manier waarop het kapot is gegaan, ik hield van je. Dat is het enige waar je nooit aan mag twijfelen. Aan al het andere wel, want dat doe ik zelf ook. Maar mijn liefde voor jou was een feit.'

Kate voelde iets in zich oplaaien. Ze weigerde er een naam aan te geven. Hoop kon het niet zijn. Ze wilde niet hopen op iets met John Quinn. Ze gaf de voorkeur aan ergernis, verontwaardiging en een tikje woede. Maar al die dingen voelde ze niet echt, en dat wist ze. En hij wist het waarschijnlijk ook. Hij was altijd al in staat geweest haar gedachten te lezen.

'Verdomme, John,' mompelde ze.

Als ze nog meer had willen zeggen, dan bedacht ze zich toen het gezicht van Kovac opeens voor Quinns portierraampje verscheen. Kate schrok en vloekte, waarna ze op het knopje in het dashboard drukte om het raampje open te doen.

'Hé, jongens, geen vrijpartijen, hè?' merkte hij lachend op. 'Jullie hadden allang thuis moeten zijn.'

'We doen wat we kunnen om niet dood te vriezen,' zei Quinn. 'Ik heb een broodrooster die meer warmte geeft dan deze verwarming.'

'Heb je het rijbewijs gevonden?' vroeg Kate.

'Nee, maar wel dit.' Hij hield een microcassette in een doorzichtig plastic doosje op. 'Het lag op een meter of vijf van de auto verwijderd op straat. Het is een wonder dat de brandweerlieden het niet vertrapt hebben.'

'Het zal wel van een van de journalisten zijn die in het buurthuis waren,' zei hij. 'Maar je weet maar nooit. Zo heel af en toe vinden we toch iets waaruit blijkt dat God bestaat. Ergens op die stoel daar ligt een cassetterecorder.'

'Ja, dát en de heilige graal,' mompelde Kate terwijl ze door de troep op de zitting wroette: rapporten, tijdschriften, verpakkingen van hamburgers. 'Woon je soms in deze auto, Sam? Er zijn tehuizen voor mensen zoals jij, weet je.'

Ze vond de recorder en gaf hem aan Quinn. Hij haalde de cassette eruit en stopte het exemplaar dat Kovac hem aangaf er voorzichtig, met het uiteinde van een balpen, in.

Wat uit de kleine luidspreker klonk, deed Kate's bloed in ijswater veranderen. Een vrouw die het afwisselend wanhopig uitschreeuwde, en hijgend en naar adem snakkend om genade smeekte. De kreten van iemand die gemarteld werd en smeekte om verlossing door de dood.

Niet bepaald het bewijs dat God bestond, dacht Kate. Eerder het tegenovergestelde. Dat hij níet bestond.

23

Uitbundigheid. Extase. Opwinding. Dat is wat hij voelt in zijn overwinningsroes, en de meer duistere emoties van woede en haat en
frustratie die voortdurend in hem gloeien, tijdelijk naar de achtergrond laat verdwijnen. Manipulatie. Overheersing. Beheersing. Zijn macht reikt verder
dan zijn slachtoffers, houdt hij zichzelf voor. Behalve zijn slachtoffers
zijn ook de politie en Quinn op die manier aan hem onderworpen.
Uitbundigheid. Extase. Opwinding. De rest doet er niet toe. Waar het om gaat, is de overwinning.
De intensiteit is overweldigend. Bevend en zwetend en met een
kleur van de opwinding rijdt hij terug naar huis. Hij kan zichzelf ruiken. De geur is kenmerkend voor dit soort opwinding – sterk, mus-
kusachtig, bijna seksueel. Hij heeft zin om zijn handen onder zijn oksels door te halen en het zweet en de geur over zijn gezicht en in zijn
neusgaten te wrijven en van zijn vingers te likken.

Hij heeft zin zich uit te kleden en het door de vrouw uit zijn fantasieën van zijn hele lichaam te laten likken. Van zijn borst en zijn
buik en zijn rug. In zijn fantasie eindigt ze op haar knieën voor hem
op de grond en likt zijn ballen. Zijn erectie is enorm en pijnlijk, en hij
drukt hem in haar mond en neukt haar mond en slaat haar telkens
wanneer ze moet kokhalzen. Hij komt klaar in haar gezicht, waarna
hij haar op handen en voeten laat zitten en haar van achteren pene-
treert. Hij verkracht haar genadeloos met zijn handen om haar keel,
die hij tussen haar geschreeuw door dichtknijpt.

De beelden winden hem op. Zijn penis is stijf en klopt. Hij snakt
naar verlossing. Wat hij horen wil, zijn de schitterende, vlijmscherpe
geluiden. Hij heeft het nodig, het geschreeuw, die rauwe, pure klan-
ken van de angst voor de aanstaande dood. Hij wil het krijsen horen,
om dan te doen alsof het afkomstig is van de vrouw die hij in gedachten voor zich ziet. Hij heeft het nodig, dit luisteren naar het crescendo van het leven dat zijn uiterste grenzen bereikt. En daarna de
verstommende energie die gretig door de dood wordt opgeslokt.

Hij stopt zijn hand in de zak van zijn jas en vindt niets.

Hij raakt in paniek. Hij zet de auto langs de kant van de weg. Gejaagd doorzoekt hij al zijn zakken en kijkt op de zitting van de stoel naast hem, op de vloer van de auto en in de cassetterecorder. Het bandje is weg.

Woede maakt zich van hem meester en neemt reusachtige en gewelddadige vormen aan. Een vloedgolf van woede. Hij vloekt en schakelt en rijdt verder. Hij heeft een fout gemaakt. Onaanvaardbaar. Hij weet dat het geen fatale fout zal zijn. Zelfs als de politie het bandje vindt, zelfs als ze er een vingerafdruk op aantreffen, heeft hij nog niets te vrezen. Zijn vingerafdrukken zijn niet bekend bij de politie. Hij is sinds zijn tienertijd niet meer gearresteerd geweest. Maar alleen al het idee dat hij een fout heeft gemaakt maakt hem woedend, omdat hij weet dat de speciale eenheid en John Quinn zich erdoor aangemoedigd zullen voelen, terwijl hij ze alleen maar wil verpletteren.

Hij voelt zich ineens lang niet meer zo triomfantelijk. Zijn overwinning is nog maar een holle zege. Zijn erectie is slap geworden, en zijn pik verschrompelt tot een zielig hoopje. In zijn achterhoofd hoort hij de honende stem en de minachting terwijl de vrouw uit zijn fantasie opstaat, en ongeïnteresseerd en verveeld bij hem vandaan loopt.

Hij rijdt de oprit op en drukt op de afstandsbediening van de garagedeur. De woede is een slang die in zijn binnenste kronkelt en gif verspreidt. Het geluid van het blaffen van het hondje volgt hem de garage in. Het godvergeten klerebeest van de buren. Zijn avond was al verpest, en nu dit nog.

Hij stapt uit de auto en loopt naar de vuilniscontainer. De garagedeur gaat langzaam dicht. Het mormel kijkt hem recht in de ogen, blijft onophoudelijk keffen en springt achterwaarts naar de omlaag komende deur. Hij trekt een oude lap uit de container en wendt zich opnieuw tot het hondje. In gedachten ziet hij zichzelf het dier optillen en het in de geïmproviseerde zak keer op keer tegen de betonnen muur slaan.

'Kom dan, Bitsy, stom mormel dat je bent,' fluistert hij op een poeslief toontje. 'Waarom heb je toch zo'n hekel aan me? Ik heb je toch nog nooit iets lelijks aangedaan?'

De hond gromt, een geluid dat in felheid overtroffen wordt door dat van een elektrische puntenslijper, en blijft staan waar hij staat, terwijl hij snel even achterom kijkt naar de deur die nu op minder dan dertig centimeter gesloten is.

'Weet je wel dat ik al vaker van die kutlikkertjes zoals jij vermoord heb?' vraagt hij glimlachend, terwijl hij een stapje naar het dier toe doet en zich bukt. 'Vind je soms dat ik een kwaadaardige geur verspreid?'

Hij steekt een hand uit naar het dier. 'Dat komt doordat ik de ver-

276

persoonlijking van het boze ben,' fluistert hij, terwijl het hondje met ontblote tanden op hem af schiet.

De garagedeur valt dicht.

De man werpt de lap over het dier heen en dempt het verraste blafje.

24

Kate beefde nog steeds toen ze bij haar huis aankwamen. Quinn had er voor de tweede keer die avond op gestaan haar huis vanbinnen te bekijken, en ze had niet tegengestribbeld. De herinnering aan het geschreeuw galmde nog na in haar hoofd. De angstkreten klonken onophoudelijk door haar geheugen, terwijl ze, zonder iets te zeggen, uit de auto stapte, de garage uit liep, de sleutels pakte, de achterdeur van het huis openmaakte en door de keuken naar de gang liep en de thermostaat hoger draaide.

Quinn volgde haar als een schaduw. Ze had verwacht dat hij iets zou zeggen over het kapotte peertje van het garagelicht, maar als hij dat had gedaan, had ze het niet gehoord. Het enige dat ze hoorde was het suizen van het bloed in haar oren, het overdreven luide gerammel van de sleutels, Thor die miauwde, het zoemen van de koelkast... en boven alles uit, het geschreeuw.

'Ik heb het ijskoud,' zei ze, terwijl ze de werkkamer binnenging. De bureaulamp brandde nog, en de plaid lag in een slordig hoopje op de oude bank. Ze wierp een blik op het antwoordapparaat – geen knipperend lampje – en dacht aan de telefoontjes die om 22.05, 22.08 en 22.10 naar haar mobiele telefoon waren gemaakt en waarbij de opbeller had opgehangen.

Naast het vloeiblad stond een halfleeg glas met Sapphire en tonic, maar de ijsblokjes waren allang gesmolten. Kate pakte het met bevende hand op en nam een slok. De tonic had geen prik meer, maar ze merkte het niet. Ze proefde helemaal niets. Quinn nam het glas uit haar hand en zette het weg, waarna hij zijn handen op haar schouders legde en haar in een teder gebaar naar zich toe draaide.

'Heb jij het niet koud?' kletste ze verder. 'Het duurt uren tot het huis warm is. Het ligt aan de ketel. Ik denk dat ik een nieuwe nodig heb. Deze is oeroud, maar ik denk er altijd pas aan wanneer het weer is omgeslagen.

'Zal ik vuur maken in de open haard?' vroeg ze, en voelde toen hoe het bloed wegtrok uit haar gezicht. 'O, God, ik kan gewoon niet geloven dat ik dat heb gezegd. Het enige wat ik ruik is rook, en die verschrikkelijke – Jezus, wat ontzettend –'

Ze slikte en keek naar het glas waar ze nu niet meer zo gemakkelijk bij kon.

Quinn legde een hand tegen haar wang en draaide haar gezicht naar zich toe. 'Sst,' zei hij zacht.

'Maar –'

'Stil.'

Heel voorzichtig, alsof ze van breekbaar glas was, sloeg hij zijn armen om haar heen en trok haar dicht tegen zich aan. Nog een uitnodiging om op hem te steunen, om zich te laten gaan. Ze wist dat ze het niet zou moeten doen. Als ze zich ook maar heel even liet gaan, zou ze verloren zijn. Ze moest in beweging blijven, moest blijven praten, moest iets dóen. Als ze zich liet gaan, als ze haar mond hield, als ze zich niet bezighield met het een of andere domme en zinloze klusje, zou ze overspoeld worden door een vloedgolf van wanhoop, en wat moest ze dan?

Zonder verweer in de armen van de man van wie ze nog steeds hield, maar die ze niet kon hebben.

Het volle besef van dat antwoord woog zo zwaar dat het kleine beetje kracht dat haar nog restte er zwaar van onder druk kwam te staan, en haar ironisch genoeg nog meer in de verleiding bracht om de steun die Quinn haar voor dit moment bood te aanvaarden.

Ze was altijd van hem blijven houden. Ze had het gevoel alleen veilig weggesloten in een apart vakje van haar hart, en daar had ze het voor altijd willen laten zitten. Ze had gehoopt dat het vanzelf zou afsterven en verdwijnen, maar het was alleen maar onderdrukt geweest.

Ze rilde opnieuw en legde haar hoofd in het holletje van zijn schouder. Met haar oor tegen zijn borst gedrukt, hoorde ze het kloppen van zijn hart. Ze herinnerde zich al die andere keren, zo lang geleden, dat hij haar in zijn armen had gehouden en haar getroost had, en zij zichzelf had wijsgemaakt dat hetgeen ze in een gestolen moment met elkaar hadden gedeeld, altijd zou kunnen blijven duren.

God, wat wilde ze dat nu ook weer graag geloven. Ze wilde vergeten dat ze net van de plaats van een misdaad kwamen, dat haar getuige verdwenen was en dat Quinn hier niet gekomen was voor zijn werk, dat altijd al op de eerste plaats was gekomen, maar voor haar.

Hoe oneerlijk was het toch dat ze zich bij hem zo veilig voelde, en zo innig tevreden. En hoe oneerlijk ook dat ze, wanneer ze haar leven vanuit zijn armen bekeek, opeens heel duidelijk zag wat er allemaal aan schortte en ontbrak, en hoe saai en kleurloos het allemaal was. Wat was het oneerlijk om dat alles te moeten beseffen, wanneer ze had besloten dat het beter was om niemand meer nodig te hebben, en hem al helemaal niet.

Ze voelde zijn lippen over haar wang gaan, en over haar slaap. Ze verzette zich tegen het zwakkere gedeelte van haar wil, draaide haar

gezicht naar hem toe en liet zijn lippen de hare vinden. Warm en stevig, en ze pasten op volmaakte wijze op elkaar. Het gevoel dat haar
overspoelde was een mengeling van zoet en bitter genot. De kus was
teder, voorzichtig en aarzelend – vragend en niet nemend. En toen
Quinn zijn hoofd een stukje ophief en haar aankeek, zag ze de vraag
en de onzekerheid in zijn ogen, alsof haar begeerte en achterdocht
via de kus op hem waren overgegaan.

'Ik moet zitten,' fluisterde Kate, en ze deed een stapje naar achteren. Zijn armen vielen van haar af, en opnieuw gleed de kilte als een
onzichtbare stola om haar schouders. Ze griste het glas van het bureau, ging in een hoekje van de bank zitten en trok de plaid op haar
schoot.

'Ik kan dit niet,' zei ze zacht, eerder tegen zichzelf dan tegen hem.
'Het is te moeilijk. Het is te wreed. Ik wil niet straks met de puinhopen blijven zitten wanneer jij weer teruggaat naar Quantico.' Ze nam
een slokje gin en schudde haar hoofd. 'Ik wou dat je niet was gekomen, John.'

Quinn ging naast haar zitten en steunde zijn onderarmen op zijn
dijen. 'Wou je dat echt, Kate?'

De tranen plakten aan haar wimpers. 'Nee. Maar wat doet dat er
nu nog toe? Wat ik graag zou willen is nog nooit op enigerlei van invloed geweest op de realiteit.'

Ze dronk haar glas leeg, zette het weg en wreef met haar handen
over haar gezicht.

'Ik wilde dat Emily bleef leven, en dat deed ze niet. Ik wilde dat
Steven me er niet de schuld van zou geven, maar dat deed hij wel. Ik
wilde –'

Ze maakte haar zin niet af. Wat had ze moeten zeggen? Dat ze gewild had dat Quinn meer van haar had gehouden? Dat ze getrouwd
waren en kinderen hadden gekregen en in Montana waren gaan wonen en paarden waren gaan fokken en elke avond met elkaar naar
bed waren gegaan? Zo naïef was ze niet meer. Jezus, ze schaamde
zich ervoor dat ze dat soort fantasieën gekoesterd had, en ze in een
stoffig hoekje van haar brein had weggestopt. Ze vertikte het om ze
met hem te delen, met het risico dat ze nog meer voor gek kwam te
staan.

'Ik heb heel wat dingen gewenst, maar dat bleek niet voldoende
om ze tot realiteit te maken,' zei ze. 'En nu wil ik mijn ogen sluiten en
geen bloed zien, en ik wil mijn oren dichtdrukken en dat geschreeuw
niet meer horen. Ik wil deze nachtmerrie buitensluiten en gaan slapen. Maar niemand hoeft mij te vertellen dat ik dat net zogoed aan
de maan kan vragen.'

Quinn legde een hand op haar schouder. Zijn duim vond de gespannen spier en begon hem te masseren. 'Ik zou je die maan dolgraag willen geven, Kate,' zei hij. Het was een zinnetje dat ze in het

verleden vaak tegen elkaar hadden gezegd. 'En dan zou ik ook de sterren voor je naar beneden halen en er een ketting van rijgen.'

De tranen sprongen haar opnieuw in de ogen. Ze gaf het op – ze wist dat het zinloos was om te blijven proberen zich sterker voor te doen dan ze was. Ze was zo moe en het deed zo'n pijn – allemaal: de zaak, de herinneringen, de dromen die er niet meer waren. Ze sloeg de handen voor haar gezicht.

Quinn sloeg zijn armen om haar heen en legde haar hoofd weer op zijn schouder.

'Rustig maar,' fluisterde hij. 'Het is goed.'

'Nee, dat is het niet.'

'Kom in mijn armen, Kate.'

Ze kon zich er niet toe brengen om nee te zeggen. Ze kon de gedachte van rechtop te gaan zitten en weer alleen te zijn niet verdragen. Ze was al te lang alleen geweest. Ze verlangde naar zijn troost en steun. Ze verlangde naar zijn kracht, naar de warmte van zijn lichaam. In zijn armen voelde ze zich sinds lange tijd weer thuis.

'Ik ben altijd van je blijven houden,' fluisterde hij.

Kate drukte zich dichter tegen hem aan, maar durfde hem niet aan te kijken.

'Waarom heb je me dan laten gaan?' vroeg ze. De pijn lag net onder de oppervlakte van haar stem. 'En waarom ben je nooit gekomen?'

'Omdat ik dacht dat jij dat wilde, dat jij dat nodig had. Ik dacht dat dat het beste voor jou was. Op het laatst zat je niet echt om mijn aandacht te springen.'

'Personeelszaken had je klem gezet, en dat was mijn schuld –'

'Het was Stevens schuld, niet de jouwe.'

'Dat komt op hetzelfde neer. Steven wilde jou straffen vanwege mij. Vanwege ons.'

Ze probeerde niet het te ontkennen. Wat ze in hun geheime liefde met elkaar hadden gedeeld was heel bijzonder geweest: het soort magie dat de meeste mensen zochten maar nooit vonden, en dat ze geen van tweeën eerder hadden meegemaakt. Maar toen het geheim ten slotte was uitgelekt, had niemand er de magie van kunnen inzien. In het meedogenloze licht van de openbaarheid was hun liefde verlaagd tot een verhouding, tot iets smakeloos en goedkoops. Niemand had het begrepen; niemand had het geprobeerd; niemand had het gewild. Niemand had haar verdriet gezien, of waar ze behoefte aan had gehad. Ze was niet een vrouw die verdronk in verdriet, die was buitengesloten door haar afstandelijke en verbitterde echtgenoot. Ze was een slet die haar rouwende echtgenoot had bedrogen terwijl hun dochtertje nog maar net in haar graf lag.

Ze kon niet zeggen dat ze zich niet schuldig had gevoeld. Ze was niet in de wieg gelegd voor leugens en bedrog. Ze was katholiek op-

gevoed en had begrippen als schuldgevoel en zelfverwijt met de pap-
lepel ingegoten gekregen. Haar schuldgevoel ten aanzien van Emily's dood, en het feit dat ze zich voor haar eigen gevoel immoreel gedragen had, waren te veel voor haar geweest, en ze was niet in staat
geweest zich met kracht te verweren – en al helemaal niet toen de
enige mens op wie ze nog een beroep had willen doen niets van haar
wilde weten omdat hij zelf verteerd werd door zijn eigen verdriet en
woede.

De herinnering aan die verschrikkelijke tijd zorgde ervoor dat ze
niet kon blijven zitten. Gedreven door een innerlijke onrust stond ze
op. De emoties die zich samen met de herinneringen aan haar op-
drongen, waren te veel van het goede.

'Je had me achterna kunnen komen,' zei ze. 'Maar met aan de ene
kant je baan en aan de andere kant de dreigementen van personeelszaken, had je opeens geen tijd meer voor me.

'Ik dacht dat je meer van je werk hield dan van mij,' bekende ze
fluisterend, waarna ze Quinn een verwrongen, vreugdeloos glimlachje schonk. 'Ik dacht dat je er eindelijk achter was dat ik vooral
een lastig mens was.'

'O, Kate…' Hij kwam voor haar staan, boog haar hoofd naar achteren en keek haar doordringend aan. Zijn ogen glansden en waren
donker als de nacht.

Haar ogen getuigden van de onzekerheid die hij altijd zo ontroerend had gevonden – de onzekerheid die schuilging achter een dikke
laag van koppige kracht en uiterlijke onverschilligheid. Een onzekerheid waarin hij misschien wel iets van zichzelf herkende, de eigenschap waar hij in zichzelf zo bang voor was en probeerde te onderdrukken.

'Ik heb je laten gaan omdat ik dacht dat je dat wilde. En daarna
heb ik me met hart en ziel op het werk gestort, omdat dat het enige
was wat hielp tegen de pijn.

'Ik heb alles wat ik ooit was aan deze baan gegeven,' zei hij. 'Ik
weet niet of er van mij nog wel iets over is dat de moeite van het hebben waard is. Maar ik weet dat ik nooit zo van mijn werk – of van wat
of wie dan ook – heb gehouden als van jou, Kate.'

Kate zei niets. Quinn was zich bewust van de verstrijkende tijd,
van de traan die over haar wang rolde. Hij dacht eraan hoe ze elkaar
kwijt waren geraakt en aan alle tijd die ze verloren hadden, en hij
wist dat het veel gecompliceerder was dan alleen maar een gebrek
aan communicatie. De emoties, de angst, de trots en de pijn die tussen hen in waren gekomen, waren allemaal oprecht geweest. Zo
scherp en zo echt dat geen van beiden ooit de moed had gehad ze onder ogen te zien. Het was gemakkelijker geweest om alles gewoon
maar los te laten – en dat was het moeilijkste geweest wat hij ooit van
zijn leven had gedaan.

'We zijn me een stelletje,' fluisterde hij, herhalend wat zij in Kovacs auto had gezegd. 'Wat voelde je, Kate? Had je me niet meer nodig? Hield je niet meer van me?' Heb je –'

Ze drukte een bevende wijsvinger tegen zijn lippen en schudde haar hoofd. 'Dat altijd,' zei ze heel zacht. 'Ik had je altijd nodig en ben altijd van je blijven houden.'

Maar ze had hem ook gehaat. Ze was boos op hem geweest. Ze had hem de schuld van alles gegeven en geprobeerd hem te vergeten. Maar ze was altijd van hem blijven houden. En dat was een angstaanjagende waarheid als een koe – dat in die vijf jaar het verlangen nooit was verdwenen, en ze nooit iets gevoeld had dat het ook maar vagelijk benaderde. Nu rees het in haar op als een nieuw vuur dat dwars door de uitputting en de angst en al het andere heen brandde.

Ze hief haar hoofd op en bracht haar lippen naar de zijne. Ze proefde zijn mond en het zout van haar eigen tranen. Hij sloot haar in zijn armen, drukte haar met kracht tegen zich aan, boog haar naar achteren en nestelde haar tegen zich aan.

'O, God, Kate, ik heb zo naar je verlangd,' bekende hij. Zijn lippen beroerden haar oor. 'En ik heb je zo gemist.'

Kate kuste zijn wang en streelde zijn kortgeknipte haar. 'Ik heb nog nooit zo intens naar iemand verlangd als naar jou… ik verlang zo naar je…'

Hij hoorde wat ze zei, en maakte zich even van haar los om haar aan te kunnen kijken. Hij vroeg haar niet of ze het echt zeker wist. Hij was waarschijnlijk bang voor haar antwoord, dacht Kate. En dat was ze zelf ook. Ze was nergens zeker van. Ze kon alleen maar denken aan het moment zelf, aan de verwarrende, rauwe gevoelens, en aan haar verlangen om zich over te geven aan Quinn… alleen maar aan Quinn.

Ze pakte zijn hand en nam hem mee naar boven. Hij hield haar drie keer staande om haar te kussen, om haar aan te raken, om zijn gezicht in haar haren te drukken. In haar slaapkamer hielpen ze elkaar bij het uitkleden. Handen die elkaar in de weg zaten, ongeduldige vingers. Zijn overhemd over de rugleuning van een stoel, haar rok in een hoopje op de vloer. Maar ze lieten elkaar geen moment los. Een streling. Een kus. Een verlangende omhelzing.

Voor Kate was Quinns aanraking een herinnering die de echte tijd overlapte. Het voelen van zijn hand op haar huid stond in haar geheugen en in haar hart gegrift. Het haalde de begeerte die ze alleen met hem had gekend naar de oppervlakte. Op slag, in een vloed van warme emotie. Alsof ze elkaar in plaats van vijf jaar slechts enkele dagen, niet hadden gezien.

Haar adem stokte toen hij zijn lippen over haar borst liet gaan, en ze huiverde toen hij zijn hand tussen haar benen liet glijden, waar zijn vingers haar warme, vochtige plekje vonden. Haar heupen verhieven zich automatisch naar de hoek die ze zo lang geleden zo vaak hadden gevonden.

Ze liet haar handen over zijn lichaam gaan. Bekend terrein. Richels en vlakten van spieren en bot. Strakke, verhitte huid. Het dal van zijn ruggengraat. Zijn erectie die tegen haar aan drukte – hard als marmer, zacht als fluweel. Zijn stevige, gespierde dij die haar benen verder uit elkaar duwde.

Ze hielp hem bij zich naar binnen, en genoot, zoals ze al die keren hadden gedaan dat ze met elkaar de liefde hadden bedreven, van het besef dat hij op volmaakte wijze in haar paste. Het gevoel, de verwondering, was er nooit minder op geworden, integendeel zelfs. En hetzelfde gold voor hem. Ze zag het in zijn ogen toen hij bij het licht van de lamp op haar neerkeek: het intense genot, het vuur, de verrassing, het tikje wanhoop dat het gevolg was van de wetenschap dat ze deze magie alleen maar met elkaar konden beleven.

Die laatste gedachte maakte haar bijna aan het huilen. Hij was de enige. De man met wie ze was getrouwd en wiens kind ze had gekregen, had bij lange na nooit zoveel diepe emotie bij haar opgeroepen als John Quinn alleen al met zijn aanwezigheid in de kamer deed.

Ze trok hem dichter tegen zich aan, bewoog zich met meer overgave en drukte haar nagels in zijn rug. Hij kuste haar diep en bezitterig met zijn tong en met zijn tanden. Hij nam haar met toenemende kracht, waarna hij zijn ritme vertraagde en hen alle twee weer een stapje terug liet doen.

De tijd verloor elke betekenis. Seconden maakten plaats voor zuchtjes en gefluisterde woordjes; en in plaats van minuten waren alleen het eb en vloed van genot nog maar van belang. En toen ze uiteindelijk de climax bereikten, was dat met een explosie van emotie die alle kleuren van de regenboog doorliep. Wat volgde was de vreemde combinatie van vrede en spanning, van tevredenheid en vervulling en vermoeidheid, tot de uitputting het ten slotte van alles won en ze in elkaars armen in slaap vielen.

25

'Luister!'
Kovac leunde zwaar op het uiteinde van de tafel in het crisiscentrum van de Loving Touch of Death. Hij was lang genoeg thuis geweest om, in afwachting van het doorlopen van de koffie, op een keukenstoel in slaap te vallen. Hij had niet gedoucht, had zich niet geschoren, en vermoedde dat hij er, in hetzelfde verkreukelde pak dat hij de vorige dag ook al had gedragen, uitzag als een zwerver. Hij had zelfs geen tijd gehad om een schoon overhemd aan te trekken. Hij was lang niet de enige van het team die er zo bijliep. Iedereen had donkere kringen onder bloeddoorlopen ogen. Bleke gezichten vertoonden diepe rimpels van vermoeidheid.

De ruimte stonk, afgezien van het natuurlijke aroma van schimmel en muizen, naar sigaretten, zweet en verschaalde koffie. Een draagbare radio op het kastje tegen de muur, die was afgestemd op WCCO, probeerde het op te nemen tegen een kleine televisie die op een nieuwszender stond – beide zonden het laatste nieuws uit dat de verslaggevers hadden weten te bemachtigen. Foto's van de uitgebrande auto en van slachtoffer nummer vier waren haastig op een van de prikborden gehangen – ze waren zo snel uit de ontwikkelbaden gehaald dat ze langzaam maar zeker kromtrokken.

'De media draaien zowat door met de gebeurtenissen van vannacht,' zei Kovac. 'Smokey Joe steekt bij wijze van spreken vlak voor onze neus een slachtoffer in brand, en nu denkt iedereen dat wij niets anders doen dan aan onze teennagels pulken. Ik ben vanmorgen vroeg al op het matje geroepen door de hoofdcommissaris en door hoofdinspecteur Fowler. Om een lang verhaal kort te maken, als we niet snel iets laten gebeuren, staan we binnen afzienbare tijd allemaal in de gevangenis op de afdeling fouillering.'

'Ik weet zeker dat Tip dat heerlijk zal vinden, na al die jaren zonder seks,' zei Adler.

Tippen schoot met een elastiekje een paperclip op hem af. 'Leuk hoor. Mag ik jou dan als eerste fouilleren? Met een koevoet?'

Kovac negeerde hen. 'Het is ons gelukt om de vondst van het cassettebandje voor hen geheim te houden.'

'We mogen blij zijn dat niet een van hen het gevonden heeft,' merkte Walsh op, terwijl hij zijn zakdoek inspecteerde. 'Dan zou het op alle zenders worden uitgezonden.'

Sam had het geschreeuw en het gekrijs niet kunnen vergeten – het galmde nog steeds door zijn hoofd. Het idee dat die geluiden in elk huis van de Twin Cities te horen zouden zijn, zorgde ervoor dat zijn maag zich samenbalde.

'Het bandje is momenteel in het lab van de sporendienst,' zei hij. 'Er zit een specialist op die probeert er achtergrondgeluiden en dergelijke uit te halen. We horen straks welke vorderingen hij heeft gemaakt. Tinks, heb jij Vanlees gevonden?'

Liska schudde haar hoofd. 'Nee. Het schijnt dat hij maar één goede vriend heeft, en dat is de man op wiens huis hij momenteel past. En ik kan me niet voorstellen dat hij binnen afzienbare tijd nieuwe boezemvrienden zal vinden. Dankzij Mary en mijzelf is iedereen die hij kent nu nijdig op hem, omdat we alle mensen uit hun bed hebben gebeld. Eén van zijn kennissen zei dat hij opschept over het huis waar hij nu in zit. Volgens hem moet het, volgens Vanlees' beschrijvingen, ergens in Uptown of zo zijn. In de buurt van een meer.'

'Ik heb een auto voor zijn flat in Lyndale staan,' zei Sam. 'En verder staan er nog auto's bij het Target Center en bij de herenhuizen van Edgewater. En elke agent in de stad kijkt uit naar zijn terreinwagen.'

'We hebben geen grond om hem te kunnen arresteren,' merkte Yurek op.

'Die hebben we ook niet nodig,' zei Quinn, die midden onder het gesprek binnen was gekomen. Sneeuwvlokjes lagen te smelten op zijn haar. Hij trok zijn jas uit en legde hem op het kastje tegen de muur. 'We willen hem ook niet arresteren. We vragen hem om zijn hulp. Als hij onze Smokey Joe blijkt te zijn, voelt hij zich ontzettend zeker van zichzelf. Hij heeft ons vannacht voor gek gezet. Het feit dat de politie hem om zijn hulp vraagt betekent een gigantische streling van zijn ego.'

'We willen hem alleen niet uit het oog verliezen omdat we ergens een foutje hebben gemaakt,' merkte Yurek op.

'Ik beloof dat ik de eerste die een dergelijk foutje maakt persoonlijk door de knieën zal schieten,' zei Kovac.

'Dus, als ik het goed heb, GQ,' zei Tippen tegen Quinn, 'dan ga jij ervan uit dat hij het is?'

'Hij beantwoordt redelijk goed aan het profiel. We laten hem op het bureau komen, maken een praatje met hem, en dan adviseer ik hem constant te schaduwen. We leggen hem het vuur aan de schenen om te kijken wat we daarmee kunnen bereiken. Als het ons lukt hem bang te maken, gaan de deuren vanzelf open. En als het een beetje meezit, bestaat er voldoende aanleiding tot een huiszoekingsbevel.'

'Ik ga naar Edgewater,' zei Liska. 'Ik wil graag in de buurt zijn, om te proberen hem gerust te stellen zodat hij wat minder op zijn hoede zal zijn.'

'Hoe vond je hem gisteravond in het buurthuis?' vroeg Quinn.

'Gefascineerd, een beetje opgewonden, barstensvol theorieën.'

'Weten we waar hij zondagavond was?'

'Hij heeft, populair als hij is, in zijn eentje thuis gezeten.'

'Ik wil erbij zijn als je hem ondervraagt,' zei Quinn. 'Niet in de kamer zelf, maar aan de andere kant van de spiegel.'

'Wil jij hem dan niet ondervragen?'

'Niet meteen. Jij doet het, plus iemand die hij nog niet eerder heeft gezien. Sam is een goed idee. Ik kom dan later binnen.'

'Bel mijn pieper zodra je hem te pakken hebt,' zei Kovac, terwijl er op de achtergrond een telefoon begon te rinkelen. Elwood stond op om op te nemen. 'Tip, Charm, hebben jullie iemand gevonden die Angie zondagavond in een auto heeft zien stappen?'

'Nee,' antwoordde Tippen. 'En het gangbare bedrag voor dat antwoord is tien dollar. Tenzij je Charm bent. In dat geval is één enkele glimlach genoeg voor het antwoord en een sessie pijpen.'

Yurek wierp hem een vuile blik toe. 'Alsof het een traktatie of zo zou zijn om dat voor niets te krijgen.'

'Nou, voor Tip wel,' merkte Liska op.

'Charm! Telefoon!' riep Elwood.

'Ga ermee door,' beval Kovac. 'Laat folders drukken met een foto van het meisje. Laat de hoofdinspecteur een bedrag voor een beloning bepalen. Het is altijd mogelijk dat iemand die op dat moment van de dag in die buurt rondhing, iets heeft gezien.'

'Komt in orde.'

'En verder wil ik dat er een diplomatiek iemand naar de Phoenix gaat om te praten met de hoer die het tweede slachtoffer heeft gekend,' vervolgde Kovac.

'Dat doe ik wel,' bood Moss aan.

'Vraag haar of Fawn Pierce een tatoeage had,' zei Quinn. Hij boog zich naar voren en masseerde de pijnlijke plek achter in zijn nek. 'Lila White had een tatoeage precies op de plek waar er een stuk huid uit haar borst was gesneden. Misschien is Smokey Joe wel een liefhebber van kunst. Of een kunstenaar.'

'Hoe weet je dat?' vroeg Tippen op een ongelovige toon, net alsof Quinn die wetenschap zojuist uit de lucht had geplukt.

'Ik heb iets gedaan waar niemand anders op is gekomen: ik heb gekeken,' zei hij onvriendelijk. 'Ik heb de foto's die de ouders van Lila White aan agent Moss hebben gegeven aandachtig bekeken. Ze zijn enkele dagen voor haar dood genomen. Als blijkt dat Fawn Pierce ook een tatoeage had die door de moordenaar is weggesneden, dan moeten jullie uitzoeken waar de beide vrouwen ze hebben laten maken, en dienen alle salons en de mensen die er iets mee te maken hebben, zorgvuldig onder de loep te worden genomen.'

'Weten we of Jillian Bondurant een tatoeage had?' vroeg Hamill.

'Haar vader zegt dat hij het niet weet.'

'Haar vriendin, Michelle Fine, beweert ook dat ze het niet weet,' zei Liska. 'En volgens mij had ze het moeten weten als Jillian er een had. Zelf zit ze onder.'

'Is Fine ooit op het bureau gekomen voor vingerafdrukken?' vroeg Kovac, terwijl hij in een slordige stapel met aantekeningen op zoek ging.

'Ik heb nog geen tijd gehad om dat na te gaan.'

Er begon een mobiele telefoon te rinkelen. Quinn vloekte en sprong op van tafel, terwijl hij het ding uit zijn jaszak viste.

Adler wees op de televisie waarop beelden van de brandende auto waren te zien. 'Hé, daar heb je Kojak!'

De kunstzonnen deden Kovacs gezicht nog bleker lijken dan het al was. Hij wierp een bedenkelijke blik op de camera's en sloot de vragen kort met: 'Het onderzoek is in volle gang, en we kunnen er op dit moment nog niets over vertellen.'

'Je moet die snor afscheren, Sam,' zei Liska. 'Je lijkt op mr. Peabody uit Rocky en Bullwinkle.'

'Is het laatste slachtoffer verminkt?' riep Tippen vanaf de koffiepot.

'Om acht uur gaat ze onder het mes,' zei Kovac, met een blik op zijn horloge. Tien over halfacht. Hij wendde zich tot Moss. 'Rob Marshall van justitie verwacht je bij het Phoenix House. De hoge pieten willen het graag voor iedereen zichtbaar weer bijleggen met de Urskine's nadat koningin Kreng gisteravond zo'n heibel heeft getrapt.

'Mij kan het persoonlijk geen barst schelen dat ze beledigd zijn. En ik wil iemand die de man van het Kreng vanmiddag of zo op het bureau aan de tand kan voelen. Mary, vraag of hij langs wil komen, maar wees vaag als ze willen weten waarom. Gewoon een routinekwestie, je weet wel. En vraag ze of ze een betaalbewijsje van hun creditcard, of een restitutie hebben gehad van het huisje dat ze hadden gehuurd tijdens het weekend waarin Lila White is vermoord.'

'Gregg Urskine is een van de laatsten die onze getuige gisteravond heeft gezien. Het eerste slachtoffer woonde bij hen in huis. Nummer twee was een vriendin van een van hun huidige bewoonsters. Dat zijn naar mijn idee te veel toevalligheden,' verklaarde Kovac.

'Wedden dat Toni Urskine meteen naar elke nieuwszender en krant zal bellen?' waarschuwde Yurek.

'Als we beleefd zijn, dan staat ze alleen maar voor gek,' zei Kovac. 'We moeten grondig te werk gaan en niets aan het toeval overlaten. En dat wilde ze juist.'

288

'Heeft de bijeenkomst gisteravond nog iets opgeleverd?' vroeg Hamill.

'Van de auto's niets bruikbaars,' zei Elwood. 'Alleen de video-opname maar.'

Kovac keek weer op zijn horloge. 'Daar kijk ik straks wel naar. Onze dokter staat haar messen te slijpen. Kom je mee, GQ?' Quinn stak zijn hand op bij wijze van bevestiging, en rondde zijn gesprek af. Ze pakten hun jassen en verlieten het pand via de achterdeur.

De sneeuw bedekte het vuil in het steegje – met inbegrip van Kovacs auto – waardoor de lege flessen, die zo'n risico voor autobanden vormden en waarmee dit soort steegjes van het centrum bezaaid lagen, onzichtbaar waren geworden. Sam viste een borstel uit de rommel op de achterbank en veegde de sneeuw van de ramen, de motorkap en de achterlichten.

'Ben je gisteravond nog goed in je hotel aangekomen?' vroeg hij, toen ze waren ingestapt en hij de motor startte. 'Want ik had je best kunnen brengen. Zo ver hoef ik er niet voor om.'

'Nee. Dat hoefde niet,' zei Quinn, zonder hem aan te kijken. Hij voelde dat Kovac naar hem keek. 'Kate was erg van streek over dat bandje, en ik ben met haar meegegaan om haar wat te kalmeren.'

'O, en is dat gelukt?'

'Nee. Ze denkt dat haar getuige het slachtoffer is, en dat het het gegil is van haar getuige die gemarteld werd. Ze voelt zich verantwoordelijk.'

'Nou, dan is het waarschijnlijk maar goed ook dat je haar naar huis hebt gebracht. Wat heb je toen gedaan? Een taxi genomen?'

'Ja,' loog hij, terwijl hij terugdacht aan het wakker worden.

Hij had in het zwakke ochtendlicht over het kussen heen naar Kate gekeken en had haar aangeraakt. En hij had gezien hoe ze haar onvoorstelbaar heldere grijze ogen had geopend, en hem er onzeker mee had aangekeken. Het zou fantastisch zijn geweest als hij had kunnen zeggen dat hun liefdesspel een eind aan hun problemen had gemaakt, maar dat was niet zo. Het had ze vertroosting geschonken, had opnieuw een band tussen hen gesmeed, en het had alles er extra gecompliceerd op gemaakt. Maar, God, het was geweest alsof hij, na jaren in de hel geleefd te hebben, was teruggekeerd naar de hemel.

En wat nu? De onuitgesproken vraag had onhandig tussen hen in gehangen terwijl ze hadden opgeruimd, zich hadden aangekleed, snel wat gegeten hadden en haastig waren vertrokken. Er was geen sprake geweest van lekker lui nagenieten, strelen, kussen en opnieuw oplaaiende hartstocht. Er was geen tijd geweest voor een gesprek, hoewel hij Kate daartoe niet verleid zou kunnen hebben. Wanneer ze zich klem gezet voelde, dan trok ze zich eerst altijd in zichzelf terug, deed de deur op slot en dacht na. De hemel weet dat hij er niet veel beter mee omging.

Ze had hem afgezet bij zijn hotel, waar hij zich te haastig had geschoren, een schoon pak aangetrokken en – te laat – de deur uit was gegaan.

'Ik heb je vanmorgen gebeld,' zei Kovac, terwijl hij achteruit schakelde maar zijn voet niet van de rem haalde. 'Maar je nam niet op.'

'Dan stond ik zeker onder de douche.' Quinn hield zijn gezicht in de plooi. 'Heb je een boodschap ingesproken? Ik had geen tijd om daarnaar te kijken.'

'Ik wilde alleen maar weten hoe het met Kate was.'

'Waarom heb je *haar* dan niet gebeld?' vroeg Quinn. Hij voelde dat hij boos begon te worden. Hij keek Kovac aan en gaf het gesprek een totaal andere wending. 'Weet je, als je indertijd evenveel aandacht aan de moord op White had geschonken, hadden we hier nu waarschijnlijk niet gestaan.'

Kovac kreeg een kleur. Eerder van schuldgevoel dan van boosheid, dacht Quinn, hoewel de agent wel voorgaf nijdig te zijn. 'Ik heb die zaak volgens het boekje gedaan.'

'Ja, maar via de snelweg, Sam. Wat heb je anders voor verklaring voor het feit dat je die tatoeage over het hoofd hebt gezien?'

'We hebben ernaar gevraagd. Dat weet ik zeker. Dat moet gewoon,' zei Kovac, eerst heel zelfverzekerd, toen minder, en ten slotte twijfelend. Hij draaide zich naar achteren en keek door de achterruit terwijl hij zijn voet van het rempedaal haalde. 'Maar misschien hebben we het wel niet aan de juiste persoon gevraagd. Of misschien had niemand die tatoeage gezien!'

'Haar ouders zijn een stelletje doodnormale, eenvoudige mensen uit een boerengat. Dacht je echt dat het hen niet was opgevallen dat hun dochter een callalelie op haar borst had getatoeëerd? En denk je dat het haar vaste klanten is ontgaan?'

Kovac gaf gas, reed te snel weg van de parkeerplaats, en trapte toen te hard op de rem. De Caprice slipte over de glibberige, natte sneeuw, en de achterbumper kwam met een flinke klap tegen een vuilniscontainer in aanraking.

'Verdomme!'

Quinn trok een gezicht, waarna hij zich ontspande. Hij was al die tijd naar Kovac blijven kijken. 'Bij de moord op Lila White heb je het alibi van de Urskine's niet nagetrokken.'

'Ik heb hun niet gevraagd om een betaalbewijsje te tonen. Wat hadden ze voor motief om die vrouw te vermoorden? Geen. En daarbij, Toni Urskine maakte zo'n opschudding over het feit dat ze vond we niet echt ons best deden...'

'Ik heb de rapporten gelezen,' zei Quinn. 'Je hebt de eerste week hard aan de zaak gewerkt, maar daarna werd het steeds minder. En hetzelfde geldt voor Fawn Pierce.'

Kovac deed het portierraampje op een kiertje open, stak een sigaret op en blies de eerste rook naar buiten. De Caprice stond nog steeds in een vreemde hoek en met de achterbumper tegen de container. Liska kwam naar buiten, wees op hem, schudde het hoofd en stapte in haar eigen auto.

'Je hebt voldoende van dit soort zaken meegemaakt om te weten hoe het gaat,' zei hij. 'Een hoer vraagt erom, en het bureau trekt zich er zo ongeveer evenveel van aan als van een doodgereden hond. Identificatie, autopsie en een standaard-onderzoek. Als de zaak niet snel tot een oplossing wordt gebracht, dan wordt hij op een zacht pitje gezet om plaats te maken voor belasting betalende burgers die vermoord worden door jaloerse echtgenoten en verslaafde autodieven.

'Ik heb gedaan wat ik kon zolang ik het kon,' zei hij, door het raampje naar de vallende sneeuw starend.

'Ik geloof je, Sam.' Hoewel Quinn het gevoel had dat Sam zichzelf niet helemaal geloofde. De spijt stond in de diepe groeven van zijn verweerde gezicht te lezen. 'Het is alleen maar jammer voor die andere drie slachtoffers dat het niet genoeg was.'

'Hoelang kende je Fawn Pierce al?' vroeg Mary Moss.

Ze waren in de zitkamer van het Phoenix House. Moss ging op het ene uiteinde van de donkergroene bank zitten en nodigde Rita Renner daarmee stilzwijgend uit om op het andere uiteinde plaats te nemen, waardoor een zekere intimiteit gecreëerd zou worden. Er prikte een springveer in haar bil.

'Ongeveer twee jaar,' antwoordde Renner. Ze sprak zó zacht, dat Mary de kleine cassetterecorder op de koffietafel wat dichterbij schoof. 'We hebben elkaar in het centrum leren kennen en zijn bevriend geraakt.'

'Werkten jullie in dezelfde buurt?'

Ze keek naar Toni Urskine, die op de armleuning van de bank zat en haar hand in een geruststellend gebaar op Renners schouder had liggen. Toen keek ze naar Rob Marshall, die aan de andere kant van de koffietafel zat en de indruk maakte dat hij liever elders was. Hij zwaaide voortdurend met zijn linkerbeen.

'Ja,' zei ze. 'We werkten in de buurt van de stripclubs en het Target Center.'

Haar stem klonk alsof hij vanaf een andere planeet afkomstig was. Ze was heel stil en zag er, in haar oude spijkerbroek en flanellen hemd, heel muizig en onopvallend uit. Moss kon zich moeilijk voorstellen dat deze vrouw opgetut langs de straat tippelde op zoek naar een geile smeerlap die bereid was om voor seks met haar te betalen. Maar ja, dit was dan ook de 'bekeerde' Rita Renner, en niet de vrouw die gearresteerd was wegens bezit van drugs en een crackpijpje in haar vagina bewaarde. Wat een verschil, nu ze bekeerd was.

'Had ze vijanden? Heb je ooit gezien dat ze op straat is lastigge-vallen?'

Renner maakte een verwarde indruk. 'Elke avond. Zo zijn de mannen nu eenmaal,' zei ze, terwijl ze van onder haar wimpers naar Rob keek. 'Ze is ooit eens verkracht, weet u. De mensen denken dat je een hoer niet kunt verkrachten, maar dat kun je wel. De politie heeft de man gevonden en hij is in de gevangenis gekomen, maar niet omdat hij Fawn had verkracht. Hij had ook nog een andere vrouw, een accountant, verkracht in een parkeergarage. Daar is hij op ver-oordeeld. Ze wilden niet eens dat Fawn zou getuigen. Alsof het niet uitmaakte wat hij haar had aangedaan.'

'Het getuigen inzake andere mogelijke, door de aangeklaagde be-gane misdaden is op de rechtbank niet toegestaan, mevrouw Ren-ner,' zei Rob. 'Dat lijkt heel oneerlijk, niet?'

'Zegt u dat wel.'

'Dat had iemand aan mevrouw Pierce moeten vertellen. Weet u of ze ooit is benaderd door iemand van de slachtoffer-getuigenhulp?'

'Ja. Ze zei dat het de grootst mogelijke onzin was. Ze moest nog een aantal keren terugkomen, maar dat heeft ze nooit gedaan. Het enige wat ze wilden, was het er steeds maar weer over hebben.'

'Het steeds weer herhalen van de feiten is van het grootst mogelij-ke belang voor de verwerking,' verklaarde Rob. Hij glimlachte op wat een onnatuurlijke manier leek, en waarbij zijn kleine varkens-oogjes verdwenen. 'Ik raad het al mijn cliënten nadrukkelijk aan. Sterker nog, ik adviseer ze om over een bepaalde periode meerdere bandopnamen te maken waarop ze zichzelf over het incident vertel-len. Op die manier kunnen ze zelf horen hoe er een verschuiving plaatsvindt in hun emoties en houding, hetgeen kenmerkend is voor het verwerkingsproces. Het kan een enorme opluchting zijn.'

Renner keek hem alleen maar aan. Ze hield haar hoofd een beet-je schuin, net als een vogeltje dat naar iets nieuws en vreemds zat te kijken.

Mary onderdrukte ongeduldig een zucht. Om door iemand die niet van de politie was bij een gesprek te worden 'geholpen' was even effectief als een extra pink. 'Weet je van iemand in het bijzonder die Fawn boosaardig gezind was?'

'Ze vertelde over een man die haar steeds opbelde en lastigviel.'

'Wanneer was dat?'

'Een paar dagen vóór haar dood.'

'Had die man een naam?'

'Dat weet ik niet meer. Ik had het in die tijd erg moeilijk. Een van haar klanten, denk ik. Kunt u dat niet nagaan bij de telefoondienst?'

'Alleen maar als zij *hem* heeft gebeld.'

Renner fronste haar voorhoofd. 'Staat dat dan niet ergens opge-slagen in een computer?'

'Als je weet hoe hij heet, kunnen we *zijn* telefoongegevens nagaan.'

'Nee, ik weet niet hoe hij heet.' Ze kreeg tranen in de ogen en keek op naar Toni Urskine, die haar opnieuw een bemoedigend klopje op haar schouder gaf. 'Fawn noemde hem de Pad. Dat weet ik nog wel.'

'Ik vrees dat dat niet de naam is waarmee hij in het telefoonboek staat,' merkte Rob Marshall op.

Toni Urskine keek hem nadrukkelijk aan. 'U hoeft niet zo sarcastisch te doen! Rita doet haar best.'

Rob haastte zich het goed te maken. 'Natuurlijk doet ze dat. Zo bedoelde ik het ook helemaal niet,' zei hij met een nerveus lachje, waarmee hij zich vervolgens tot Rita Renner wendde. 'Kunt u zich herinneren dat u het met Fawn gehad hebt over deze... Pad? Als u zich een gesprek probeert te herinneren, schiet u misschien wel iets te binnen.'

'Ik weet het niet meer!' riep Renner half huilend uit, terwijl ze het rechtervoorpand van haar blouse om haar hand draaide. 'Ik had het in die tijd erg moeilijk, zoals ik al zei. En... en waarom zou ik mij zoiets moeten herinneren? Ze was heus niet bang voor hem, of zo.'

'Het geeft niet, Rita. Misschien dat er je later nog op komt,' zei Moss. 'Kun je me vertellen of Fawn tatoeages had?'

Renner keek haar aan, opnieuw van haar stuk gebracht door de plotselinge wending van het gesprek. 'Ja, hoor. Ze had er een paar. Hoezo?'

'Kun je me ook vertellen waar ze die had, op welke plaatsen van haar lichaam?'

'Ze had een roos op haar enkel, een klavertjevier op haar buik, en een stel lippen met een uitgestoken tong op haar bil. Hoezo?'

Moss stond op het punt een nietszeggend leugentje te vertellen, toen haar dat bespaard bleef door de binnenkomst van Gregg Urskine. Hij bracht de koffie. Ze pakte haar cassetterecorder van tafel, stond op en glimlachte verontschuldigend.

'Ik vrees dat ik niet langer kan blijven. Maar bedankt voor het idee.'

'Wilt u niet snel nog even iets warms voor u de kou weer in gaat, rechercheur?' vroeg Urskine met een vriendelijk neutraal gezicht.

'Geen tijd, maar bedankt.'

'U zult wel extra onder druk staan vandaag,' zei Toni Urskine met een vleugje boosaardig genoegen. 'Met alles wat zich gisteravond heeft afgespeeld, maakt de politie wel een erg domme indruk.'

'We doen wat we kunnen,' zei Moss. 'O, ja. Meneer Urskine, inspecteur Kovac vraagt of u in de loop van de dag op het bureau langs wilt komen. En wilt u dan een kopie van de rekening meebrengen van het hotelletje waar u logeerde in het weekend dat Lila White is vermoord?'

Toni Urskine schoot met een van woede knalrood geworden gezicht van de bank. 'Wat? Dit is schandalig!'

'Het is maar een formaliteit,' verzekerde Moss hen. 'We proberen alleen maar zoveel mogelijk de puntjes op de i te zetten.'

'U probeert het ons alleen maar lastig te maken.'

'Het is een simpel verzoek. U bent natuurlijk helemaal niets verplicht deze keer. Inspecteur Kovac vond een dwangbevel niet nodig, want we weten allemaal hoezeer u bij het onderzoek betrokken bent.'

Gregg Urskine lachte zenuwachtig en keek naar Toni. 'Het is goed, schat. Ik zal het bonnetje vast wel kunnen vinden. Het is geen enkel probleem.'

'Het is een schande!' snauwde Toni. 'Ik bel meteen naar de advocaat. We hebben ons in deze hele kwestie alleen maar gedragen als gewetensvolle burgers, en dan worden we op deze manier behandeld! U kunt gaan, mevrouw Moss. En u ook, meneer Marshall,' voegde er even later aan toe, alsof ze hem vergeten was.

'Ik denk dat we hier te maken hebben met een eenvoudig misverstand,' zei Rob met een nerveus lachje. 'Als ik, of een van mijn medewerkers u ook maar ergens mee van dienst kan zijn –'

'Gaat u nu maar weg, alstublieft.'

Gregg Urskine stak zijn hand uit naar zijn vrouw. 'Kom, Toni –'

'Opgedonderd!' krijste ze, terwijl ze zijn hand wegmepte zonder er ook maar naar te kijken.

'We doen alleen maar ons uiterste best voor de slachtoffers, mevrouw Urskine,' zei Moss zacht. 'Ik dacht juist dat u dat wilde. Of is dat alleen maar wanneer de camera's draaien?'

'Heb je al met je vriendin in Milwaukee gesproken?' vroeg Kate. 'Je hebt haar toch de foto gefaxt, niet?'

'Ja, de tweede keer, niet de eerste keer,' antwoordde Susan Frye.

Kate was dolblij dat ze had besloten de vrouw te bellen, in plaats van naar haar kantoortje te lopen. Ze twijfelde er niet aan dat het haar niet gelukt zou zijn haar frustratie en ongeduld te verbergen. Stress had een fnuikende invloed op haar manieren, en ze had het gevoel alsof al haar zenuwuiteinden bloot lagen. De kans was groot, dacht ze, dat een enkel verkeerd antwoord voldoende zou zijn om haar door te laten draaien, en dan verging het haar waarschijnlijk net zo als de man in de hal van het gemeentehuis.

'Maar ik heb haar niet gesproken, want ze zit vast op de rechtbank,' vervolgde Frye. 'Ik zal haar straks nog een keer bellen en dan een boodschap inspreken.'

'Vandaag nog.' Kate realiseerde zich te laat dat het woord eruit was gekomen als een snauwerig bevel. 'Alsjeblieft, Susan? Ik heb het ontzettend moeilijk vanwege dat kind. Ik snap niet wat Rob bezield heeft. Hij had haar moeten toewijzen aan iemand aan jouw kant van het hekje. Ik doe geen zaken betreffende kinderen. Dat kan ik niet. En nu is ze verdwenen –'

'Ik heb gehoord dat ze misschien wel dood is,' zei Frye bot. 'Is het niet zo dat ze denken dat ze het laatste slachtoffer is?'

'Dat weten we nog niet zeker.' Kate vormde met haar lippen het woordje 'kreng'. Dat noemt zich vriendin. 'En zelfs als dat zo is, dan moeten we nog weten wie ze is – was – om haar familie te kunnen waarschuwen.'

'Ik kan je nu al op een briefje geven, Kate, dat je toch niemand zult vinden die iets om haar geeft, want anders was het nooit zo ver met haar gekomen. Arm kind, het zou beter voor haar zijn geweest als ze in de eerste drie maanden geaborteerd was.'

Kate probeerde zich niet gekwetst te voelen over een dergelijke gevoelloze opmerking. Ze bedankte Susan Frye voor haar dubieuze hulp en hing op. Ze vroeg zich af waaraan het te danken was geweest dat Angie op de wereld was gekomen. Toeval? Het lot? Liefde? Het verlangen naar kinderbijslag? Was haar leven vanaf haar conceptie al misgelopen, of waren de fouten pas later gemaakt, sluipend, als zilver dat langzaam steeds doffer wordt en zijn oorspronkelijke glans verliest?

Haar blik dwaalde af naar het fotootje van Emily op de boekenplank. Een kostbaar kort leven, en een toekomst die zo aantrekkelijk had geleken. Ze vroeg zich af of Angie er ooit zo onschuldig had uitgezien, of dat haar ogen altijd getuigd hadden van de achterdochtige verbittering van een kleurloos bestaan.

'Arm kind, het zou beter voor haar zijn geweest als ze in de eerste drie maanden geaborteerd was.'

Maar Angie DiMarco leefde haar treurige leven, terwijl er aan dat van Emily een eind was gemaakt.

Kate sprong uit haar stoel en begon in de kleine ruimte van haar kantoor op en neer te lopen. Als ze op het einde van deze dag nog niet hartstikke gek was geworden, dan was dat een wonder.

Ze had verwacht dat ze meteen bij aankomst op kantoor door Sabin ontboden zou worden, of anders bij Rob had moeten komen voor een officiële preek over de dingen die ze de vorige avond op de parkeerplaats tegen hem had gezegd. Maar ze was niet gebeld. Nóg niet. En dus had ze geprobeerd de gedachte aan de mogelijkheid dat Angie niet meer leefde op een afstand te houden door zich in haar leven te verdiepen. Maar telkens wanneer ze haar gedachtestroom ook maar een beetje vertraagde, begon dat bandje weer in haar hoofd te spoken.

En telkens wanneer ze probeerde om dan maar aan heel iets anders te denken, dacht ze aan Quinn.

En omdat ze ook niet aan Quinn wilde denken, ging ze weer zitten, pakte de telefoon en draaide een ander nummer. Ze had nog andere cliënten aan wie ze moest denken. In ieder geval totdat Rob haar eruit gooide.

Ze belde David Willis, en luisterde naar een uiterst lange en overdreven gedetailleerde uitleg over hoe ze een boodschap op zijn antwoordapparaat kon inspreken. Ze belde de vrouw die verkracht was thuis, en kreeg ook daar het antwoordapparaat aan de lijn, en toen ze haar op haar werk belde, zei de baas van de seksshop dat Melanie Hessler ontslagen was.

'Met ingang van wanneer?' vroeg Kate.

'Met ingang van vandaag. Ze was te vaak afwezig.'

'Ze lijdt aan posttraumatische stress,' merkte Kate met klem op. 'Als gevolg van een misdaad die op *uw* terrein is gepleegd, mag ik er wel even aan toevoegen.'

'Maar *wij* konden er niets aan doen.'

'Posttraumatische stress is door de rechtbank erkend als een officiële aanleiding tot ziekteverlof.' Ze voelde zich geroepen om het onrecht recht te zetten, en was bijna dankbaar voor de gelegenheid tegen iemand tekeer te kunnen gaan. 'Als u Melanie op grond van die reden heeft ontslagen, zou u dat wel eens uw zaak kunnen gaan kosten.'

'Moet u horen, mevrouwtje,' zei de baas van de seksshop, 'misschien kunt u hier beter eerst met Melanie zelf over praten voor u mensen begint te bedreigen. Ik heb de hele week nog geen woord van haar gehoord.'

'Ik dacht dat u zei dat u haar had ontslagen.'

'Dat heb ik ook gedaan. Ik heb het op haar antwoordapparaat ingesproken.'

'U hebt haar op haar antwoordapparaat ontslagen? Wat bent u eigenlijk voor een walgelijke lafaard?'

'Het soort dat nu een eind gaat maken aan dit gesprek met jou, kreng dat je bent,' zei hij, en smeet de hoorn op de haak.

Kate hing afwezig op terwijl ze zich probeerde te herinneren wanneer ze voor het laatst met Melanie Hessler had gesproken. Hooguit een week geleden, dacht ze. Vóór de zaak van de Cremator. Sindsdien had ze geen tijd meer gehad om haar te bellen. Angie had al haar tijd in beslag genomen. Bij nader inzien leek het te lang geleden. Naarmate de dag van het proces naderbij was gekomen had Melenanie steeds vaker opgebeld en was ze steeds zenuwachtiger geworden.

'Ik heb al een week lang niets van haar gehoord.'

Kate realiseerde zich dat het mogelijk was dat ze de stad uit was gegaan, maar als dat zo was, zou ze dat verteld hebben. Ze meldde zich om de haverklap, alsof Kate de maatschappelijk werkster van de reclassering was. Nee, hier klopte iets niet. De rechtbank had er, in haar grenzeloze wijsheid, in toegestemd Melanie's verkrachters op borgtocht vrij te laten, maar de politie had uitstekend werk verricht en ze geen moment uit het oog verloren.

Ik zoek gewoon overal wat achter vanwege Angie, dacht Kate. Er was waarschijnlijk geen enkele reden tot alarm. Maar toch pakte ze, gehoor gevend aan haar intuïtie, de telefoon weer op en belde de inspecteur van zedenmisdrijven.

Hij had ook niets van hun slachtoffer vernomen, maar wist wel te melden dat een van de daders in de loop van het weekend was opgepakt wegens het lastigvallen van een ex-vriendinnetje. Kate vertelde hem wat ze gehoord had, en vroeg hem om bij Melanie Hesslers huis langs te gaan om het te controleren.

'Ik ga er na de middagpauze wel even naartoe.'

'Bedankt, Bernie. Je bent een schat. Ik ben waarschijnlijk alleen maar paranoïde, maar…'

'Dat je paranoïde bent wil nog niet zeggen dat het leven het niet op je voorzien zou hebben.'

'Dat is zo. En met mijn mazzel is het momenteel treurig gesteld.'

'Kiezen op mekaar, Kate. Het kan altijd nog erger.'

Politiehumor. Ze kon er vandaag niet echt om lachen.

Ze probeerde zich te concentreren op een stapel administratief werk, maar gaf het op en sloeg in plaats daarvan Angie's dossier open. Ze hoopte er iets in te ontdekken dat haar op een idee zou brengen om wat te doen. Dit wachten, hier, op kantoor, maakte haar knettergek.

Het dossier was zielig dun. Het bevatte meer vragen dan antwoorden. Was het mogelijk dat ze uit eigen beweging was weggegaan uit het Phoenix House? En als dat zo was, waar was dat bloed dan vandaan gekomen? Ze haalde zich de badkamer weer voor de geest zoals die eruit had gezien: de bloederige handafdruk op de tegel, het met water verdunde bloed dat door de afvoer van het bad wegdruppelde, de handdoeken in de wasmand die onder het bloed hadden gezeten. Meer bloed dan op enig normale wijze verklaarbaar was.

Maar als Smokey Joe haar was komen halen, hoe had hij haar dan aangetroffen, en hoe kwam het dat Rita Renner niets had gehoord – geen deuren, geen worsteling, niets?

Meer vragen dan antwoorden.

De telefoon ging, en Kate nam op in een mengeling van hoop en angst dat het Kovac zou zijn met nieuws over de autopsie van slachtoffer nummer vier.

'Kate Conlan.'

De bekakte stem van een secretaresse bracht onwelkom nieuws van een andere orde. 'Mevrouw Conlan? Meneer Sabin zou u nu graag willen spreken. In zijn kantoor.'

26

'Nou, komt inspecteur Kovac nu nog, of niet?'

Liska keek op haar horloge terwijl ze de verhoorkamer weer binnenging. Het was bijna twaalf uur en ondraaglijk warm in het vertrek. Vanlees had bijna een uur zitten wachten, en hij was er niet blij mee.

'Hij komt eraan. Hij kan elk moment arriveren. Ik heb hem meteen gebeld toen jij zei dat je wilde komen praten, Gil. Hij wil echt horen wat jouw visie op deze toestand met Jillian is. Maar, weet je, hij is bij de autopsie – van de vrouw die gisteravond in de hens is gestoken. Daarom is hij later dan de bedoeling was. Maar het kan niet zo heel veel langer meer duren.'

Die smoes had ze hem al drie keer verkocht, en het was duidelijk dat hij er zijn buik van vol had.

'Ja, nou, je weet dat ik best wil helpen, maar ik heb nog andere dingen te doen,' zei hij. Hij zat tegenover haar aan tafel in zijn werkkleren – een marineblauwe broek en een overhemd in dezelfde kleur. Een portier zou een gelijksoortig uniform kunnen dragen, dacht Liska. Maar aan de andere kant was het ook een politieuniform, maar dan zonder alle opsmuk en franje. 'Ik moet vanmiddag werken –'

'O, wat dat betreft hoef je niet bang te zijn.' Ze wuifde zijn bezorgdheid weg. 'Ik heb je baas gebeld en het is in orde. Ik wilde niet dat je in de problemen zou komen vanwege het feit dat je alleen maar een goed burger probeert te zijn.'

Hij keek alsof dat idee hem ook niet zo best beviel. Hij ging verzitten. Zijn blik dwaalde af naar de spiegel aan de muur achter Liska. 'Zo'n ding hebben we ook in het Target Center, op het kantoor. Zit er iemand aan de andere kant?'

Liska zette een onschuldig gezicht en knipperde met haar ogen. 'Waarom zou er iemand aan de andere kant zitten? Je bent toch zeker niet onder arrest? Je bent alleen maar hier om ons te helpen.'

Vanlees keek strak naar het glas.

Liska draaide zich om en keek er ook naar, terwijl ze zich afvroeg hoe ze er in Quinns ogen uitzag. Vast als een afgetobde barvlinder in een rokerige kroeg. Als de kringen onder haar ogen nog groter werden, zou ze een bagagewagentje nodig hebben om ze te versjouwen. Dit, halverwege een moordonderzoek, was niet het aangewezen moment om te proberen met haar frisse, aantrekkelijke uiterlijk indruk op iemand te maken.

'Dus dan weet je het al, van het vierde slachtoffer,' zei ze, zich opnieuw tot Vanlees wendend. 'Wat een lef heeft die kerel, om haar op die parkeerplaats in brand te steken, vind je ook niet?'

'Ja. Je zou bijna denken dat hij dat gedaan heeft bij wijze van boodschap, of zo.'

'Arrogantie. Dat zegt Quinn. Smokey Joe probeert ons te overtroeven.'

Vanlees fronste zijn voorhoofd. 'Smokey Joe? Ik dacht dat jullie hem de Cremator noemden.'

'Zo noemen ze hem in de pers. Wij noemen hem Smokey Joe.' Ze boog zich over de tafel heen om daarmee iets van intimiteit te suggereren. 'Tegen niemand zeggen dat ik je dat heb verteld, hoor. Dit is iets van, je weet wel, agenten onder mekaar.'

Vanlees knikte. Hij begreep alles van de politiewereld. De geheimen van die wereld waren veilig bij hem. Hij wist waar hij het over had.

'Ze is goed,' zei Quinn, door de ruit kijkend. Hij en Kovac stonden daar nu al twintig minuten hun tijd uit te zingen met wachten en observeren, terwijl Gil Vanlees steeds zenuwachtiger werd.

'Ja. Dat verwacht niemand van haar.' Kovac rook aan de revers van zijn colbertje en trok een gezicht. 'Jezus, ik stink. Eau de Autopsion met een vleugje rook. En wat denk jij van dat joch?'

'Hij is erg gespannen. Ik denk dat we hem wel aan het schrikken kunnen maken, en daarna laten we hem, vanaf het moment dat hij hier weggaat, geen seconde uit het oog. Kijken wat hij doet. Als hij echt gekke dingen gaat doen, houden we er misschien wel een huiszoekingsbevel aan over,' zei Quinn, waarbij hij Vanlees onafgebroken bleef observeren. 'Hij voldoet in een groot aantal opzichten, maar is niet bepaald het scherpste mes in de la, wel?'

'Misschien houdt hij zich wel van de domme opdat de mensen minder van hem verwachten. Dat heb ik wel vaker meegemaakt.'

Quinn maakte een nietszeggend geluid. Het was vaste prik dat het type moordenaar naar wie ze op zoek waren, zich op alle mogelijke manieren uitsloofde om te laten blijken hoe intelligent hij was. Die ijdelheid werd doorgaans zijn ondergang. Altijd bleek dat ze toch niet zo slim waren als ze wel wilden geloven, en ze verpestten het met op te scheppen tegenover de politie.

'Laat blijken dat je op de hoogte bent van het gluren,' zei Quinn. 'En ga daar ook een beetje op door. Dat zal hij niet leuk vinden. Hij wil niet dat de politie denkt dat hij pervers is. En als hij voldoet aan het gebruikelijke patroon van de gluurder, heeft hij misschien ook wel geprobeerd om fetisjen te stelen. Dit soort jongens gaat steeds een stapje verder. Ga daar maar eens een beetje naar vissen.

'Zorg ervoor dat hij voortdurend gespannen blijft,' stelde hij voor. 'Laat hem maar denken dat je op het punt staat je zelfbeheersing te verliezen, en dat je echt je uiterste best doet om kalm te blijven. Deze zaak en de geniale intelligentie van de moordenaar zijn je een beetje te veel geworden. Suggereer dat, maar geef het niet toe. Probeer je rol zo overtuigend mogelijk te spelen.'

Kovac rukte zijn das los en woelde met zijn vingers door zijn haar. 'Spelen? Ik verdien een Oscar, verdomme!'

'Weten ze al wie het slachtoffer is?' vroeg Vanlees.

'Ik heb gehoord dat ze haar rijbewijs hebben gevonden toen ze bezig waren met de autopsie,' antwoordde Liska. 'Kovac wilde er verder niets over zeggen, alleen dat hij er kotsmisselijk van was. Hij zegt dat hij deze geestelijk gestoorde schoft zo snel mogelijk wil vinden om hem de nek om te draaien.'

'Bedoel je dat het *in haar lichaam* zat?' vroeg Vanlees met een mengeling van afgrijzen en fascinatie. 'Ik heb ooit eens over zo'n zaak gelezen.'

'Heb je over echte zaken gelezen?'

'Ja, een beetje,' gaf hij voorzichtig toe. 'Dat verschaft inzicht.'

In wat? vroeg Nikki zich af. 'Ja, dat ben ik met je eens. En hoe zat het met die moordenaar?'

'Zijn moeder was een hoer, en daarom haatte hij hoeren en vermoordde hij ze. Hij stopte altijd iets in hun –' Hij zweeg en kreeg een kleur. 'Nou ja, je weet wel...'

Liska bleef hem strak aankijken. 'Vagina?'

Vanlees wendde zijn blik af en ging opnieuw verzitten. 'Het is hier echt ontzettend benauwd.'

Hij pakte een glas op, maar het was leeg, en dat gold ook voor de plastic kan die op tafel stond.

'Wat denk je dat de moordenaar daar aan heeft?' vroeg Liska, waarbij ze hem aandachtig opnam. 'Iets in de vagina van een vrouw stoppen. Denk je dat hij zich daardoor een echte man voelt? Dat het hem een gevoel van macht geeft? Wat?'

'Is het een geval van gebrek aan respect op volwassen niveau?' opperde ze. 'Ik vind dat altijd veel meer iets voor een akelig rotjochie, vooropgesteld dat hij weet wat een vagina is. Je weet wel, zoals takjes in je neus prikken, of een dooie kat langs de kant van de weg de ogen uit willen steken. Het heeft op een bepaalde manier iets heel kinderlijks, maar in mijn werk kom ik dat soort dingen voortdurend tegen van volwassen kerels. Hoe denk jij daarover, Gil?'

Er verscheen een rimpel op zijn voorhoofd. Langs de zijkant van zijn gezicht liep een enkele druppel zweet. 'Daar heb ik geen mening over.'

'Dat bestaat niet, met al dat studeren van je, en alles wat je over in het echt gepleegde misdaden hebt gelezen. Stel je voor dat jij de dader was. Waarom zou je dan een vreemd voorwerp in de vagina van een vrouw willen stoppen? Omdat je het niet met je lul kon doen? Is dat het?'

Vanlees was knalrood geworden en weigerde haar aan te kijken.

'Had Kovac er niet allang moeten zijn?'

'Hij kan elk moment komen.'

'Ik moet naar de wc,' mompelde hij. 'Misschien moest ik dat intussen maar even doen.'

De deur zwaaide open en Kovac kwam binnen – zijn haar zat in de war, zijn das hing los en zijn verkreukelde kostuum hing om hem heen als een natte jute zak. Hij wierp Liska een onvriendelijke blik toe en wendde zich vervolgens tot Vanlees.

'Is hij het?'

Liska knikte. 'Gil Vanlees, inspecteur Kovac.'

Vanlees stak zijn hand uit. Kovac keek ernaar alsof hij onder de stront zat.

'Ik zit met vier vrouwen die verminkt en verbrand zijn. Ik heb geen zin in spelletjes. Waar zat jij gisteravond tussen tien en twee?'

Vanlees keek hem aan alsof hij een klap in het gezicht had gekregen. 'Wat –?'

'Sam,' zei Liska op een geërgerd toontje. 'Meneer Vanlees is hier om ons enkele inzichten te verschaffen ten aanzien van –'

'Wat ik wil, is inzicht in gisteravond tussen tien en twee. Waar was je?'

'Thuis.'

'Thuis, waar? Ik heb begrepen dat je vrouw je eruit heeft gezet omdat je met je piemel naar een vriendin van haar hebt lopen zwaaien.'

'Dat was een misverstand –'

'Tussen jou en je janneman, of tussen jou en die griet bij wie je door het raam naar binnen hebt gegluurd?'

'Zo was het niet.'

'Zo is het nooit. Vertel eens, hoeveel tijd heb je, alles bij elkaar, besteed aan het bij Jillian Bondurant naar binnen gluren?'

Hij zag intussen zo rood als een tomaat. 'Ik heb niet –'

'O, hou toch op. Ze was een lekker ding, of niet soms? Fraaie welvingen. Exotisch. Kleedde zich een tikje provocerend – van die piepkleine, dunne jurkjes, soldatenlaarzen en hondenhalsbanden en van die onzin. Mannen willen daar best een graantje van meepikken, en helemaal wanneer er thuis niets meer te halen valt, als je snapt wat ik bedoel.'

'Het bevalt me niet, wat u daar zegt.' Vanlees keek naar Liska.
'Moet ik mijn advocaat bellen? Moet mijn advocaat aanwezig zijn bij
dit gesprek?'
'Jezus, Sam,' zei Liska op zeer afkeurende toon. Ze wendde zich
tot Vanlees. 'Het spijt me, Gil.'
'Je hoeft je niet namens mij te verontschuldigen!' snauwde Kovac.
Vanlees keek wantrouwend van de een naar de ander. 'Wat is dit?
Goeie agent – slechte agent? Ik ben niet achterlijk. Ik hoef al deze
onzin niet te pikken.'
Hij maakte aanstalten om op te staan, maar Kovac dook met een
woeste blik in zijn ogen op hem af. Hij wees op hem met zijn rechterhand, en sloeg met zijn linkerhand hard op tafel. 'Blijf zitten, alsjeblieft!' brulde hij.
Vanlees liet zich weer terugvallen op zijn stoel. Hij was lijkbleek
geworden. Kovac deed zichtbaar zijn best om zichzelf beetje bij beetje weer in de hand te krijgen. Hij hief zijn handen op, liet zijn hoofd
zakken en haalde zwaar adem door zijn mond.
'Alsjeblieft,' herhaalde hij zachter. 'Neem me niet kwalijk. Het
spijt me.'
Hij ijsbeerde enkele minuten heen en weer tussen de tafel en de
deur, waarbij hij Vanlees vanuit zijn ooghoeken observeerde. Vanlees keek naar hem alsof hij een woeste gorilla was in wiens hok in de
dierentuin hij per ongeluk terecht was gekomen.
'Moet ik mijn advocaat bellen?' vroeg hij opnieuw aan Liska.
'Waarom zou je een advocaat nodig hebben, Gil? Voor zover ik
weet heb je niets gedaan wat niet mag. Je staat niet onder arrest.
Maar als jij denkt dat je er eentje nodig hebt…'
Hij keek van de een naar de ander en probeerde erachter te komen of dit misschien een soort truc was.
'Het spijt me,' zei Kovac, terwijl hij de stoel aan het hoofdeinde
van de tafel naar achteren trok en ging zitten. Hoofdschuddend viste hij een sigaret uit zijn zak, stak hem op en inhaleerde diep.
'Ik heb de hele week maximaal drie uur slaap gehad,' zei hij, de
rook uitblazend. 'Ik kom zojuist van een van de ergste autopsies die
ik van mijn leven heb meegemaakt.' Hij schudde zijn hoofd en staarde naar de tafel. 'Wat ze met deze vrouw hebben gedaan –'
Hij maakte zijn zin niet af en zweeg. Hij rookte zijn sigaret alsof ze
allemaal in de kantine zaten en een kwartiertje pauzeerden. Ten slotte drukte hij hem uit op de zool van zijn schoen en liet de peuk in een
leeg koffiebekertje vallen. Hij wreef zijn handen over zijn gezicht en
kamde zijn snor met zijn duimen.
'Waar woon je tegenwoordig, Gil?' vroeg hij.
'In Lyndale –'
'Nee, ik bedoel dat huis van je vriend waar je op past. Waar is dat?'
'Bij Lake Harriet.'

'We hebben je adres nodig. Geef het maar aan Nikki voor je gaat. Hoelang doe je dat al, op dat huis oppassen?'

'Al een tijdje. Hij is veel op reis.'

'Wat doet hij voor de kost?'

'Hij importeert elektronische apparatuur die hij via Internet verkoopt. Computers en stereo-apparatuur, dat soort dingen.'

'Waarom ga je dan niet gewoon vast bij hem wonen? Dan zou je je eigen flat kunnen opgeven.'

'Hij heeft een vriendinnetje dat bij hem woont.'

'Is ze daar nu?'

'Nee, ze gaan samen op reis.'

'En hoe staat het met jou, Gil? Heb jij een vriendinnetje?'

'Nee.'

'Nee? Je bent al een poosje bij je vrouw weg. Een man heeft toch zijn behoeften?'

Liska maakte een afkeurend geluid. 'Alsof een vrouw die niet zou hebben.'

Kovac wierp haar geïrriteerd een blik toe. 'Tinks, iedereen weet van jouw behoeften. Zou je misschien even willen doen alsof je geen feministe bent, en nog wat water voor ons willen halen? Het is ontzettend warm en benauwd hierbinnen.'

'De temperatuur stoort me niet,' zei ze. 'Maar die stank van je! Je zou een rioolrat nog aan het kotsen maken. Jezus, Sam.'

'Ga nu maar water halen.'

Hij trok zijn jasje uit en liet het binnenstebuiten over de rugleuning van zijn stoel vallen, terwijl Liska morrend de kamer uit ging. Vanlees keek haar met een treurig gezicht na.

'Sorry voor de stank,' zei Kovac. 'Als je je ooit hebt afgevraagd hoe een verkoold lichaam ruikt, dan is dit je kans. Haal maar eens diep adem.'

Vanlees keek hem alleen maar aan.

'Je hebt mijn vraag niet beantwoord, Gil. Betaal je ervoor? Hou je van hoeren? In de buurt waar je werkt zijn er een heleboel. Zolang je ze maar voldoende betaalt kun je je gang met ze gaan. Er zijn er zelfs die er geen bezwaar tegen hebben om goed gemept te worden, als je daarvan houdt. Ze vastbinden, en zo.'

'Rechercheur Liska zei dat u mij wilde spreken over juffrouw Bondurant,' zei Vanlees stug. 'Van die andere moorden weet ik niets.'

Kovac zweeg, rolde zijn hemdsmouwen op en schonk hem een smerisblik. 'Maar van de moord op Jillian weet je wel iets?'

'Nee! Zo bedoelde ik dat niet.'

'Wat kun je me dan van Jillian vertellen, Gil?'

'Alleen hoe ze was in Edgewater, meer niet. Zoals ik haar zag. Dat soort dingen.'

Kovac knikte en leunde naar achteren. 'Hoe was ze dan? Heeft ze wel eens geprobeerd om je te versieren?'

'Nee! Ze leefde erg teruggetrokken en sprak niet veel.'

'Sprak ze over het algemeen niet veel, of sprak ze alleen niet veel tegen jou? Misschien stelde ze wel geen prijs op de manier waarop je naar haar keek, Gil,' zei hij, nog eens in de gevoelige plek prikkend. Het zweet stond op Vanlees' voorhoofd. 'Ik keek niet naar haar.'

'Flirtte je met haar? Heb je geprobeerd haar te versieren?'

'Nee.'

'Je had een sleutel van haar huis. Ben je ooit wel eens naar binnen gegaan toen zij er niet was?'

'Nee!' De ontkenning ging niet vergezeld van oogcontact.

Kovac besloot het met een ander vermoeden van Quinn te proberen. 'Heb je wel eens in haar la met onderbroekjes gekeken? Wel eens een souvenir meegenomen?'

'Nee!' Vanlees schoof zijn stoel naar achteren en stond op. 'Dit bevalt me niet. Ik ben gekomen om u te helpen. U zou me niet zo moeten behandelen.'

'Nou, Gil, help me dan,' zei Kovac, met een nonchalant schouderophalen. 'Vertel me dan iets waar ik wat aan heb. Had ze, voor zover je weet, wel eens een vriendje over de vloer?'

'Nee. Alleen maar die vriendin van haar, Michele. En haar vader. Hij kwam ook wel eens. Het huis is van hem, weet u.'

'Dat verbaast me niets. Die man is echt steenrijk. Heb je je ooit wel eens afgevraagd of dit hele gedoe met Jillian misschien een ontvoering is? Iemand die het voorzien heeft op de centen van haar vader? Heb je wel eens verdachte individuen bij het huis zien rondhangen?'

'Nee.'

'En je hebt er zelf zo vaak rondgehangen dat het je opgevallen zou zijn, ja?'

'Ik werk daar.'

'Dat is niet echt waar, maar wat doet het ertoe – met dat te zeggen heb je een reden om daar te zijn, om de huizen in de gaten te houden, en misschien ook eens wat lingerie in je zak te stoppen.'

Vanlees zag paars en verklaarde: 'Ik ga nu weg.'

'Maar we zijn nog maar net begonnen,' protesteerde Kovac.

De deur zwaaide weer open en Liska kwam binnen met het water. Quinn hield de deur vast en volgde haar naar binnen. In tegenstelling tot Kovac maakte hij een schone en frisse indruk, afgezien dan van de donkere kringen onder zijn ogen en de diepe rimpels ernaast. Zijn gezicht was een hard, uitdrukkingsloos masker. Hij nam een bekertje van Liska aan, vulde het met water, en dronk het langzaam leeg. Hij had nog steeds geen woord gezegd. Vanlees bleef onafgebroken naar hem kijken.

'Meneer Vanlees, John Quinn, FBI,' zei hij ten slotte, zijn hand uitstekend.

Vanlees haastte zich het gebaar te beantwoorden. Zijn hand was breed en vochtig en hij had korte, stompe vingers. 'Ik heb over u gelezen. Het is een eer u te mogen ontmoeten.'

Hij ging weer zitten, terwijl Quinn plaatsnam op de stoel recht tegenover hem. Quinn trok zijn donkere colbertje uit en hing het zorgvuldig over de rugleuning van zijn stoel. Terwijl hij ging zitten streek hij zijn grijze zijden das recht.

'Betekent dat dat u weet wie ik ben, meneer Vanlees?'

'Inderdaad.'

'Dan hebt u er waarschijnlijk ook een idee van hoe mijn brein functioneert,' zei Quinn. 'Dan weet u bijvoorbeeld ook wat voor soort conclusie ik zou kunnen trekken uit de geschiedenis van een man die graag bij de politie wilde maar niet werd aangenomen, een man van wie bekend is dat hij door ramen gluurt en fetisjen steelt –'

Vanlees' gezicht betrok. 'Ik ben niet – ik heb niet –'

Liska pakte de Polaroid-camera die op tafel lag en maakte snel een foto van hem.

Vanlees sprong op toen de flits afging. 'Hé!'

'Een man die door zijn vrouw, die kritiek heeft op zijn seksuele vermogens, het huis uit is gezet,' vervolgde Quinn.

'Wat? Wát heeft ze gezegd?' sputterde Vanlees. Zijn gezichtsuitdrukking was een mengeling van kwelling, schaamte en ongeloof. Een man die klaarwakker in een nachtmerrie terecht was gekomen. Hij stond weer op en begon opnieuw heen en weer te lopen. Zijn donkere overhemd vertoonde donkere zweetkringen onder de oksels. 'Dit is niet te geloven!'

'Je kende Jillian Bondurant,' vervolgde Quinn zonder ook maar zonder een spoortje emotie. 'Je begluurde haar.'

Hij ontkende het opnieuw, schudde het hoofd en bleef, onder het ijsberen, strak naar de vloer kijken. 'Dat is niet waar. Het kan me niet schelen wat dat kreng beweert.'

'Welk kreng bedoel je?' vroeg Quinn in alle rust.

Vanlees bleef staan en keek hem aan. 'Die vriendin van haar. Ze heeft u iets over mij verteld, nietwaar?'

'Die vriendin van wie je niet wist hoe ze heette?' vroeg Liska. Ze stond tussen Quinn en Kovac in, en maakte de indruk van iemand met wie niet te spotten viel. 'Je hebt me gezegd dat je haar niet kende. Maar nog geen vijf minuten geleden heb je haar naam genoemd, Gil. Michele. Michele Fine. Waarom heb je me verteld dat je haar niet kende, terwijl dat wel zo is?'

'Omdat dat niet zo is. Ik ken haar niet. En ik was haar naam vergeten, dat is alles.'

'En als je al over zoiets onbelangrijks liegt,' zei Liska, 'dan vraag ik me natuurlijk af waar je verder nog over gelogen hebt.'

Vanlees, knalrood, keek ze nijdig aan. Hij had tranen in zijn ogen gekregen en zijn mond trilde van woede. 'Krijgen jullie toch de kelere, allemaal. Jullie kunnen niets bewijzen. Ik ga weg. Ik ben gekomen om te helpen, en jullie behandelen me als een gewone misdadiger. Krijg de kelere!'

'Doet u zichzelf niet tekort, meneer Vanlees,' zei Quinn. 'Als mocht blijken dat u de man bent die we zoeken, bent u allesbehalve gewoon.'

Vanlees zei niets. Toen hij de deur opentrok hield niemand hem tegen. Hij vloog de kamer uit, en haastte zich de gang af naar de wc.

Kovac leunde tegen de deurpost en keek hem na. 'Gevoelig mannetje.'

'Het lijkt bijna wel alsof er iets is waar hij zich schuldig om moet voelen.' Liska keek op naar Quinn. 'Wat denk jij?'

Quinn keek naar Vanlees, die de deur van de heren-wc openduwde met zijn schouder, terwijl zijn hand al naar zijn gulp ging. Hij trok de knoop in zijn das recht en liet zijn hand over de strook zijde gaan. 'Ik denk dat ik mijn handen maar even ga wassen.'

De stank in de heren-wc was heet en vers. Vanlees stond niet bij de urinoirs. Zwarte werkschoenen met dikke zolen keken onder een van de deurtjes van de wc's uit. Quinn liep naar de wasbakken, draaide een kraan open, liet water in zijn handen lopen en waste zijn gezicht. De wc werd doorgetrokken, en even later kwam Vanlees naar buiten. Hij zag bleek en was bezweet. Toen hij Quinn zag, verstijfde hij.

'Gaat het, meneer Vanlees?' vroeg Quinn, zonder ook maar een spoortje bezorgdheid, terwijl hij zijn handen afdroogde aan een papieren handdoekje.

'U intimideert mij,' riep hij verwijtend.

Quinn trok zijn wenkbrauwen op. 'Ik droog mijn handen af.'

'U bent me naar de wc gevolgd.'

'Ik wilde me er alleen maar even van verzekeren dat alles goed met je was, Gil.' *Mijn vriend, makker van me.* 'Ik weet dat je van streek bent. En dat kan ik me best voorstellen. Maar je moet begrijpen dat dit niets persoonlijks is. Ik heb het niet op jou persoonlijk voorzien. Ik heb het voorzien op een moordenaar. Ik moet doen wat ik doen moet om die te pakken te krijgen. Dat kun je toch zeker wel begrijpen? Waar ik op uit ben, is de waarheid en rechtvaardigheid, en niets meer en niets minder dan dat.'

'Ik heb Jillian niets gedaan,' zei Vanlees defensief. 'Zoiets zou ik nooit doen.'

Quinn woog de beide verklaringen zorgvuldig af. Hij verwachtte niet dat een seriemoordenaar ook maar iets zou bekennen. De meesten van hen spraken in de derde persoon over hun misdaden, zelfs nadat ze zonder enige twijfel schuldig waren bevonden. En velen refereerden aan die kant van henzelf, die tot het plegen van een moord in staat was, als aan een totaal andere entiteit. Het boosaardige tweelingsyndroom, noemde hij het. Het stelde degenen met een piepklein geweten in staat tot rationaliseren, tot het wegstoppen van de schuldgevoelens in het duistere deel van hun wezen.

De Gil Vanlees die voor hem stond zou niemand vermoorden. Maar hoe stond het met zijn duistere zijde?

'Ken je iemand die Jillian wel iets aan zou kunnen doen, Gil?' vroeg hij.

Vanlees fronste zijn voorhoofd en keek naar zijn voeten. 'Nee.'

'Nou, voor het geval je iets te binnen schiet.' Quinn gaf hem een visitekaartje aan.

Vanlees pakte het aarzelend aan en bekeek het van voren en van achteren, alsof hij verwachtte dat er een klein zendertje in het papier zat gedrukt.

'We moeten deze moordenaar te pakken zien te krijgen, Gil,' zei hij, hem lang en doordringend aankijkend. 'Hij is een in-slecht mens, en ik zal doen wat ik kan om hem achter slot en grendel te krijgen. Wie hij ook is.'

'Mooi,' zei Vanlees zacht. 'Ik hoop dat u hem vindt.'

Hij liet het kaartje in het borstzakje van zijn overhemd glijden en verliet de wc zonder zijn handen te wassen. Quinn fronste zijn voorhoofd en draaide zich weer om naar de wastafel. Hij bekeek zichzelf aandachtig in de spiegel alsof hij in staat was iets aan zijn gezicht te ontdekken, een soort van geheime en zekere wetenschap, dat Gil Vanlees de man was die ze zochten.

De puzzelstukjes waren er. Als ze allemaal op de juiste manier in elkaar pasten... Als de politie met dat ene, juiste bewijs op de proppen kwam...

Kovac kwam even later binnen en deed in reactie op de stank die er nog steeds hing meteen weer een paar stappen achteruit. 'Allemachtig! Wat heeft die man ontbeten? Kakkerlakkengif?'

'Zenuwen,' zei Quinn

'Wacht maar tot hij ontdekt dat hij voortdurend door de politie wordt gevolgd.'

'Laten we hopen dat hij ervandoor gaat. Als we zijn auto te pakken krijgen, levert dat misschien het bewijs op dat we zoeken. Of misschien is hij alleen maar de zoveelste pathetische verliezer die, als hij even iets meer intelligentie zou hebben gehad, in staat zou zijn geweest om iemand te vermoorden. En in dat geval zit de echte Smokey Joe nu thuis en trekt zich af bij het luisteren naar een van zijn martelbandjes.'

'Nu we het daar tóch over hebben. De technicus van het sporenlab heeft gebeld,' zei Kovac. 'Hij denkt dat we misschien wel naar het bandje van gisteravond willen komen luisteren nu hij er wat mee heeft gespeeld.'

'Heeft hij er de stem van de moordenaar uit kunnen halen?'

'*Moordenaars*, meervoud,' zei Kovac ernstig. 'Volgens hem zijn het er twee. En stel je voor. Eén van hen is een vrouw.'

Kate ging Sabins kantoor binnen met de gedachte dat er nog maar enkele dagen verstreken waren sinds de bespreking die haar een rol in deze zaak had opgeleverd. In sommige opzichten leek het wel een jaar. In die paar dagen tijd was haar leven op zijn kop komen te staan. En het was nog niet voorbij. Nog lang niet.

Sabin en Rob stonden op. Sabin zag er moe uit en zijn gezicht stond streng. Rob maakte een kwieke indruk. Zijn kleine oogjes stonden stralend in zijn pompoenenkop, en hij zag eruit alsof hij koorts had. De koorts van eigengerechtigde verontwaardiging.

'En waar is de man met de zwarte kap en de bijl?' vroeg Kate, terwijl ze bleef staan achter de stoel die voor haar was bedoeld.

Sabin fronste zijn voorhoofd alsof ze zojuist zijn openingszin had bedorven.

Rob keek naar hem. 'Zie je wel? Dat is nu precies wat ik bedoel!'

'Kate, dit is echt geen moment voor grapjes,' zei Sabin.

'Maakte ik dan een grapje? Ik heb het voor elkaar gekregen om de enige getuige in het belangrijkste moordonderzoek dat hier in jaren heeft plaatsgevonden, te verliezen. En je gooit me er niet uit? Na gisteravond verbaast het me dat Rob niet zelf met de bijl klaarstaat.'

'Je moet niet denken dat ik dat niet zou willen,' zei Rob. 'De manier waarop je met alles de spot drijft gaat gewoon te ver, Kate. Ik heb schoon genoeg van de manier waarop je je tegenover mij gedraagt. Je hebt geen greintje respect.'

Ze negeerde haar baas door hem geen antwoord te geven en zich tot Sabin te wenden. 'Maar…?'

'Ik heb besloten me ermee te bemoeien, Kate.' Sabin ging weer zitten. 'Dit is een uiterst gespannen situatie. En iedereen heeft onder die spanning te lijden.'

'Maar ze behandelt me *altijd* zo!'

'Hou op met dat gejammer, Rob,' beval Sabin. 'Ze is ook de beste maatschappelijk werkster die je hebt, en dat weet je best. En dat is precies de reden waarom je haar voor deze opdracht hebt aanbevolen.'

'Mag ik je er even op wijzen dat we intussen zonder getuige zitten?'

Sabin keek hem woedend aan. 'Dat is niet nodig.'

'Angie was míjn verantwoordelijkheid,' zei Kate. 'Niemand betreurt dit meer dan ik. Als ik iets zou kunnen doen – Als ik terug zou kunnen gaan naar gisteren en het anders zou aanpakken –'

'Je hebt het meisje gisteravond persoonlijk bij het Phoenix House afgezet. Klopt dat?' vroeg Sabin op zijn toontje van officier van justitie.

'Ja.'

'En het huis werd geacht onder politiebewaking te staan. Klopt dat?'

'Ja.'

'Dan acht ik hen verantwoordelijk voor deze nachtmerrie. Wát er ook met het meisje gebeurd is – of ze nu ontvoerd is of uit eigen beweging is vertrokken – het is hun schuld, en niet de jouwe.'

Kate keek op haar horloge en bedacht dat de autopsie intussen voltooid moest zijn. Als er enig afdoend bewijs was voor het feit dat de verbrande resten in de auto van gisteravond die van Angie waren, dan moest Sabin dat weten.

'Ik wil dat je beschikbaar blijft voor de zaak, Kate –'

'Weten we –' begon ze, en haar hart begon, terwijl ze over de formulering van de rest van haar vraag nadacht, een steeds sneller ritme te slaan – net alsof het antwoord afhing van de manier hoe ze hem stelde. 'Het slachtoffer in de auto. Heb je er al wat van gehoord?'

Rob wierp haar een valse blik toe. 'O, ben je dan niet opgebeld door een van je politievriendjes die bij de autopsie aanwezig waren?'

'Ik kan me zo voorstellen dat ze het daar vandaag wel een beetje te druk voor hebben.'

'Het rijbewijs van het slachtoffer is tijdens de lijkschouwing gevonden.' Hij haalde diep adem, alsof hij het antwoord er in een snelle zin uit wilde gooien, maar leek zich toen te bedenken. Zijn aarzeling maakte Kate er nog zenuwachtiger op. 'Misschien kun je beter gaan zitten, Kate,' zei hij overdreven vriendelijk.

'Nee.' De rillingen liepen haar nu al over de rug en bezorgden haar kippenvel. Ze greep de rugleuning van de stoel zó stevig beet dat haar knokkels er wit van zagen. 'Hoezo?'

Rob maakte niet langer een zelfvoldane of boze indruk. Zijn gezicht had elke uitdrukking verloren. 'Het slachtoffer is Melanie Hessler. Je cliënte.'

27

'Het spijt me,' zei Rob.

Zijn stem leek van heel ver weg te komen. Kate voelde het bloed uit haar hoofd wegtrekken. Haar benen wilden haar gewicht niet langer dragen. Ze zakte in elkaar op één knie, bleef zich vasthouden aan de stoel en krabbelde vrijwel meteen weer overeind. Emoties woedden door haar heen met de kracht van een cycloon – schok, ontzetting, schaamte, verwarring. Sabin kwam achter zijn bureau vandaan en pakte haar bij de arm, terwijl Rob, vastberaden en verlegen, op vier meter afstand bleef staan.

'Gaat het?' vroeg Sabin.

Kate ging zwaar op de stoel zitten, en voor deze ene keer stoorde het haar niet dat hij zijn hand op haar knie legde. Hij knielde naast haar neer en keek bezorgd naar haar op.

'Kate?'

'Eh, nee,' zei ze. Ze voelde zich duizelig en zwak en misselijk, en opeens leek de werkelijkheid verschrikkelijk ver te zoeken. 'Ik, eh, ik begrijp het niet.'

'Het spijt me, Kate,' zei Rob voor de tweede keer, terwijl hij opeens een stapje naar voren deed, en keek alsof hij zich plotseling gerealiseerd had dat hij wat moest doen nu het te laat was. 'Ik weet dat je erg op haar was gesteld.'

'Ik heb net nog geprobeerd om haar te bellen,' zei Kate zachtjes. 'Ik had haar maandag moeten bellen, maar opeens zat ik met Angie en ben ik al het andere gewoon vergeten.'

Beelden van Melanie Hessler speelden haar na elkaar en door elkaar door het hoofd. Een doodnormale, bijna verlegen vrouw met een tengere bouw en een slechte, zelfgezette permanent. Ze schaamde zich ervoor dat ze in een seksshop werkte, maar ze had het werk nodig om geld te sparen teneinde verder te kunnen leren. Na haar scheiding had ze zonder geld en zonder diploma's op straat gestaan. Nadat ze enkele maanden geleden verkracht was, was ze nooit meer de oude geweest. Ze was emotioneel, geestelijk en lichamelijk beschadigd. Ze leed onder chronische angst, was schichtig, en verwachtte voortdurend dat de verkrachters zich opnieuw aan haar zouden vergrijpen – iets wat onder de slachtoffers van verkrachting een normaal verschijnsel was. Alleen bleek nu dat Melanie niet bang had hoeven zijn voor haar verkrachters.

'O, Jezus,' zei Kate, terwijl ze haar handen voor haar gezicht sloeg. Ze sloot haar ogen en zag in gedachten het verkoolde, afzichtelijke, verminkte, verwrongen, gekrompen, stinkende en verkrachte stoffelijk overschot weer voor zich. Kate had Melanie's hand vastgehouden en haar getroost terwijl ze tot in de verschrikkelijke details over de verkrachting verteld had. Ze had verteld hoe diep en intens ze zich geschaamd had, en dat ze gewoon niet kon begrijpen dat haar zoiets was overkomen.

Melanie Hessler, die zo bang was geweest opnieuw verkracht te worden. En nu was ze onherkenbaar gemarteld, mishandeld en verbrand.

En in haar achterhoofd hoorde Kate de eigenaar van de winkel nog zeggen: *'Ik heb de hele week nog geen woord van haar gehoord.'*

Wanneer had de schoft haar meegenomen? Hoelang had hij haar in leven gehouden? Hoelang had ze om haar dood gesmeekt en zich afgevraagd wat voor soort God haar zo kon laten lijden?

'Verdomme.' Kate liet de woede bovenkomen en probeerde er kracht aan te ontlenen. 'Verdomme.'

Opnieuw drong Robs stem tot haar door. 'Kate, je weet dat het helpt om te praten over wat je nu voelt. Gooi het eruit. Je kende Melanie. Je had haar zo goed geholpen. En dan te bedenken hoe je haar gisteravond hebt gezien –'

'Waarom?' vroeg ze aan niemand in het bijzonder. 'Waarom nam hij haar? Ik begrijp gewoon niet hoe dit gebeurd kan zijn.'

'Het had waarschijnlijk te maken met het feit dat ze in die seksshop werkte,' opperde Rob.

Rob was even vertrouwd met de zaak als zij. Hij was bij meerdere gesprekken met Melanie aanwezig geweest, had naar de bandopnamen van die gesprekken geluisterd en een steungroep voor Melanie voorgesteld.

Bandopnamen.

'O, God,' kwam het fluisterend over Kate's lippen, en opnieuw voelde ze de kracht uit zich wegvloeien. 'Dat bandje. O, mijn God.' Ze sloeg voorover en steunde haar hoofd op haar handen.

'Welk bandje?' vroeg Rob.

Het geschreeuw van pijn, van angst van iemand die werd gemarteld. Het geschreeuw van een vrouw die ze had gekend, een vrouw die haar vertrouwd had en zich tot haar had gewend voor steun en bescherming binnen het rechtssysteem.

'Kate?'

'Neem me niet kwalijk,' mompelde ze, terwijl ze op wankelende benen overeind kwam. 'Ik moet overgeven.'

Ze was verschrikkelijk duizelig, de hele kamer draaide om haar heen, en ze greep zich in het gaan vast aan alle stevige voorwerpen die ze maar kon vinden. De wc leek mijlen ver weg. De gezichten die ze onderweg tegenkwam, waren wazig en verwrongen, de stemmen verdraaid, gedempt en ongearticuleerd. Een van haar cliënten was dood. Een andere werd vermist. En zij was de enige schakel tussen hen.

Ze hurkte voor de wc, hield haar haren met haar hand opzij en gaf het beetje over dat ze had gegeten. Haar maag probeerde zich niet alleen te ontdoen van het voedsel, maar ook van de beelden en ideeën die ze zojuist in Ted Sabins kantoor door de strot geduwd had gekregen, en de gedachten die zich nu als vergif door haar brein verspreidden. *Haar cliënte, haar verantwoordelijkheid. Zij was de enige schakel...*

Toen de krampen ophielden, liet ze zich op de vloer van het hokje in elkaar zakken. Ze voelde zich zwak en bezweet. Het kon haar niet schelen waar ze was, en de kilte van de tegelvloer die door haar broek heen kwam, drong niet tot haar door. Ze rilde niet van de kou, maar van de schok en van een verschrikkelijk voorgevoel dat zich als een dreigende onweerswolk over haar ziel verspreidde.

Een van haar cliënten was dood. Gemarteld, vermoord, verbrand. Een andere cliënte werd vermist en had een haastig weggeveegd spoor van bloed achtergelaten.

Ze was de enige schakel tussen de twee.

Ze moest logisch zijn en rustig nadenken. Het was toeval. Het moest toeval zijn. Hoe kon het géén toeval zijn? Rob had gelijk. Smokey Joe had Melanie uitgekozen omdat ze in de seksshop werkte, die toevallig in een buurt lag waar veel hoeren werkten, en de eerste twee slachtoffers waren hoeren geweest. En Angie had al een band met de moordenaar toen Kate de zaak toegewezen had gekregen.

Maar die dreigende, donkere wolk ging niet weg. Het was een vreemde, intuïtieve reactie die ze niet van zich af kon zetten.

Te veel stress. Te weinig slaap. Te veel pech. Ze leunde met haar hoofd naar achteren tegen de muur en probeerde niet te denken aan de beelden die ze gisteren op de parkeerplaats had gezien.

Doe iets.

Het motto dat haar tot nu toe elke crisis die zich in haar leven had voorgedaan had helpen te doorstaan. *Blijf niet zo stom zitten. Doe iets.* Actie was het beste middel tegen hulpeloosheid, ongeacht het resultaat. Ze moest iets doen, opstaan, nadenken. *Iets doen.*

Het eerste dat ze wilde doen was Quinn bellen, een instinctieve opwelling die ze meteen de kop in drukte. Goed, ze hadden de afgelopen nacht samen doorgebracht, maar dat betekende nog niet automatisch dat ze op hem kon steunen. Die paar uurtjes hielden geen enkele toekomstgarantie in. Ze wist zelfs niet eens of ze wel wilde hopen op een toekomst met hem. Hun verleden was al zo zwaar. Hoe dan ook, dit was niet het moment om daaraan te denken. Nu ze zekerheid had dat Angie niet het slachtoffer in de auto was geweest, was er ineens weer hoop dat het meisje nog leefde. Er moest toch iets zijn dat ze zou kunnen doen om haar te helpen vinden. Ze kwam moeizaam overeind, spoelde de wc door en kwam uit het hokje. Een vrouw in een tuttig, snotgroen mantelpakje stond voor een van de wastafels haar al volmaakte make-up te herstellen. De wastafel stond vol met potjes en tubetjes. Kate schonk haar een flets glimlachje, en liep twee wastafels verder om haar handen en gezicht te wassen.

Ze hield haar handen tegen elkaar, liet er water in lopen en spoelde haar mond. Ze bekeek zichzelf in de spiegel, terwijl ze vanuit haar ooghoeken snel even een blik op de andere vrouw wierp. Ze zag er niet uit – gekwetst, afgepeigerd, angstig en bleek. Ze zag er precies zo uit als ze zich voelde.

'Deze baan wordt nog eens je dood, Kate,' mompelde ze tegen haar spiegelbeeld.

De andere vrouw, die net bezig was haar wimpers van een extra laagje mascara te voorzien, staakte haar bezigheden om haar aan te kijken.

Kate schonk haar een krankzinnig glimlachje. 'Nou, ze kunnen die hoorzitting over geestelijke volwaardigheid waarschijnlijk niet zonder mij beginnen,' zei ze opgewekt, en liep de gang op.

Rob stond haar op te wachten. Hij voelde zich zichtbaar slecht op zijn gemak, zo dicht in de buurt van de damestoiletten. Hij haalde een zakdoek uit zijn zak en veegde er zijn voorhoofd mee af. Kate keek hem nijdig aan.

'En wat nu?' vroeg ze. 'Wil je me, nu Sabin er niet bij is, soms gaan vertellen dat het míjn schuld is dat Melanie Hessler dood is? En dat deze hele tragedie, het feit dat ze in handen is gevallen van deze zwaargestoorde schoft, voorkomen had kunnen worden als ik haar zaak afgelopen maandag aan jou had overgedragen?'

Hij forceerde een beledigd gezicht. 'Nee! Hoe kom je daarbij?'

'Waarschijnlijk omdat ik dat denk,' bekende ze. Ze liep naar de reling van de galerij die uitkeek over het binnenplein. 'Ik ben ervan overtuigd dat niemand mijn werk zo goed doet als ik. Maar ik heb mijn werk niet gedaan, en nu is Melanie dood.'

'Hoe kom je erbij dat je wat er gebeurd is had kunnen voorkomen?' Hij keek haar aan met een mengeling van verbijstering en wrevel. 'Denk je soms dat je Supervrouw bent, of zo? Denk je echt dat je overal invloed op hebt?'

'Nee. Ik weet alleen maar dat ik haar had moeten bellen, en dat ik dat niet heb gedaan. Als ik dat wél had gedaan, had tenminste één persoon het geweten, en had die persoon zich zorgen gemaakt over het feit dat ze vermist werd. Ze had verder niemand anders.'

'En daarmee was ze jouw verantwoordelijkheid,' zei hij. 'Net als Angie.'

'Iemand zal die toch op zich moeten nemen.'

'En die iemand ben jij. Catharina de Grote,' zei hij met een vleugje bitter sarcasme.

Kate tilde haar kin op en keek hem doordringend aan. 'Gisteravond wist je anders niet hoe snel je me de schuld moest geven,' merkte ze op. 'Ik snap werkelijk niet waar ik met jou aan toe ben, Rob. Eerst zeg je dat ik de aangewezen persoon ben die je voor deze zaak wilt hebben, en dan sla je om als een blad aan de boom en jammer je over de manier waarop ik mijn werk doe. Je wilt me de schuld geven van alles wat is misgegaan, maar je wilt niet dat ik die schuld op me neem.

'Wat heb je toch?' vroeg ze. 'Past het feit dat ik de verantwoordelijkheid op me neem soms niet in jouw strategie ten opzicht van Sabin? Als ik bereid ben de schuld op me te nemen, dan kun je namens mij niet berouwvol en kruiperig doen, is dat het soms?'

Hij trok met zijn kaakspieren, en even lichtte er iets heel onaangenaams op in zijn kleine oogjes. 'Je zult nog spijt krijgen van de manier waarop je me behandelt, Kate. Misschien niet vandaag. Misschien niet morgen. Maar er komt een dag –'

'Je kunt me vandaag niet ontslaan, Rob,' zei ze. 'Dat laat Sabin niet toe. En ik heb geen zin om jouw spelletjes mee te spelen. Als je met een reden op me hebt gewacht, doe me een lol, en zeg het dan. Ik moet aan het werk – in ieder geval zolang ik mijn baan nog heb.'

Hij vernauwde zijn ogen tot spleetjes en verplaatste zijn gewicht van zijn ene op zijn andere voet. Ze zag aan zijn gezicht dat ze te ver was gegaan, dat ze een grens had overschreden en dat een simpel excuus en de belofte dat ze zich in het vervolg zou gedragen wel eens niet voldoende zouden kunnen zijn, maar ze was nu zo ver dat ze weigerde om in te binden.

'De politie wil dat je de opnamen van Melanie's gesprekken afluistert om te zien of er misschien iets op staat dat verband houdt met deze zaak,' zei hij stijfjes. 'Het leek me nogal veel van je gevraagd, onder de omstandigheden,' vervolgde hij op de toon van de gekwetste martelaar. 'Ik had je erbij willen helpen.'

'*Had?* Betekent dat dat je intussen besloten hebt om je aanbod in te trekken omdat je tot de conclusie bent gekomen dat ik inderdaad een ondankbaar kreng ben?'

Hij schonk haar een onaangenaam glimlachje, waarbij zijn ogen achter zijn brillenglazen verdwenen. 'Nee, ik wil je houding niet van invloed laten zijn op mijn werk. We zullen de banden samen afluisteren. Jij let op of je dingen hoort die niet kloppen, want jij kende haar.

Ik zal er objectief en vanuit een linguïstische invalshoek naar luisteren. Ik verwacht je over vijf minuten in mijn kamer.'

Kate keek hem na terwijl hij de gang af waggelde, en bedacht hoezeer ze hem haatte, en hoezeer ze opzag tegen de klus die ze voor de
boeg had.

'Waarom kan ik niet gewoon een houweel door mijn voorhoofd
klieven?' mompelde ze, waarna ze hem volgde.

'Dit bandje is een kopie,' zei de man van het sporenlab.

Ze – Kovac, Quinn, Liska en een mager mannetje dat van Kovac
de bijnaam Ears had gekregen – zaten rond een aantal opeengesta-
pelde elektronische instrumenten die voorzien waren van een onvoorstelbare hoeveelheid knoppen, hendeltjes, lichtjes en wijzertjes.

'De geluidskwaliteit is stukken beter dan van een normale microcassetterecorder,' zei Ears. 'Ik zou zelfs zo ver willen gaan om te zeggen dat het erop lijkt dat de moordenaar een microfoontje op het
slachtoffer had gespeld, of er anders eentje heel dicht bij haar had
opgesteld. Dat is een verklaring voor het verdraaide geluid van het
geschreeuw. En het zou ook een verklaring kunnen zijn voor het feit
dat de andere stemmen zo slecht te onderscheiden zijn.'

'Weet je zeker dat het twee stemmen zijn?' vroeg Quinn, die intussen al uitvoerig over de mogelijkheden daarvan had nagedacht.

'Ja. Hier, luister maar.'

De technicus drukte op een knop en stelde een ander knopje bij.
Een luide kreet schalde door het kleine vertrek, en alle vier aanwezigen zetten zich schrap alsof ze letterlijk en lichamelijk waren aan-
gevallen.

Quinn deed zijn best niet te luisteren naar de emoties van de gil,
maar om zich te concentreren op de verschillende componenten van
het geluid, waarbij hij de menselijke factor en zijn eigen menselijke
reactie daarop probeerde uit te schakelen. Het steeds weer opnieuw
beleven van zijn misdaden vormde een vast onderdeel van het le-
vensritme van een seriemoordenaar – de fantasie die steeds geweld-
dadiger vormen aannam en die aanzette tot het plegen van een
moord, de moord, de gewelddadige fantasie, de moord, enzovoort,
en steeds maar weer van voren af aan.

Dankzij goedkope technologie was het voor hen even gemakkelijk als een druk op de knop of het instellen van een lens, om iets opnieuw te beleven dat volmaakter is dan de herinnering alleen. Goedkope technologie in combinatie met de egotistische behoefte van de
moordenaar, zorgde sinds enige jaren ook voor een indrukwekkende hoeveelheid bewijsmateriaal op grond waarvan de verdachte veroordeeld kon worden. De politie moest alleen maar mans genoeg
zijn om het bekijken of het afluisteren ervan te kunnen verdragen.
Het was vaak al erg genoeg om met dit soort misdaden geconfron-

teerd te worden. Het er bovendien naar te moeten kijken of te luisteren eiste vaak een verschrikkelijke tol.

Quinn had er intussen al zoveel bekeken en beluisterd...

Ears draaide een knopje terug en drukte twee hendeltjes naar boven. 'Nu komt het. Ik heb de stem van het slachtoffer geïsoleerd en gedempt, en de andere twee naar voren gehaald. Goed luisteren.'

Niemand haalde adem. Het gegil verdween naar de achtergrond, en een zachte, niet goed te onderscheiden mannenstem zei: 'Draai... doe het,' daarna volgde een onherkenbaar geluid, en een stem die nog slechter te verstaan was en zei: '... Wil het... van mij...'

'Duidelijker krijg ik het niet,' zei Ears, op knopjes drukkend en de opname terugspoelend. 'Ik kan er meer volume achter zetten, maar dat maakt het niet beter verstaanbaar. Ze zijn te ver van de microfoon verwijderd. Maar te oordelen naar wat de metertjes aangeven, hou ik het erop dat de eerste een man is, en de tweede een vrouw.'

Quinn dacht aan het patroon van steekwonden dat de slachtoffers in de borst vertoonden: lange wond, korte wond, lange wond, korte wond... *Cross my heart, hope to die...* Een pact, een plechtige belofte, een verbond. Twee messen – eerst het kleine dat omlaag flitste, en daarna het andere, om de beurt in een macaber ritme.

Nu kon hij die wonden beter begrijpen. Dat hij er zelf niet op gekomen was: twee messen, twee moordenaars. Het was niets nieuws, hij was het al vaker tegengekomen. Maar hij zat er echt niet op te wachten om het nog eens te zien, realiseerde hij zich, terwijl een gevoel van verzet in de vorm van paniek bezit van hem nam.

Geen moord was zo boosaardig of ziek dan de moord die gepleegd werd door een stel. De dynamiek van een dergelijke relatie was het toppunt van de meest ziekelijke extremen van het menselijk gedrag. De obsessies, de dwangneurosen, de angst en de sadistische fantasieën van twee even zwaar gestoorde mensen grepen in elkaar als een stel gifslangen waarbij de een de ander probeerde op te slokken.

'Kun je nog wat langer met het bandje spelen, Ears?' vroeg Kovac. 'Misschien kun je er nog wel een paar woorden uithalen. Ik zou zo graag willen weten waar ze het over hebben.'

De technicus haalde zijn schouders op. 'Ik zal het proberen, maar ik beloof niets.'

'Doe je best. Het kan best zijn dat het behoud van mijn baan van jouw resultaten afhangt.'

'In dat geval ben je me *twee* kratjes bier verschuldigd, die ik in dit leven waarschijnlijk wel nooit te zien zal krijgen.'

'Als je dit voor me kunt doen, krijg je van mij een levenslange voorraad Pigs Eye.'

Quinn ging hen voor de gang op. Hij probeerde orde te scheppen in de chaos van zijn gedachten, in de hoop daarmee het beklemmende gevoel in zijn keel kwijt te kunnen raken. Concentreer je op het probleem waarmee je geconfronteerd wordt, niet op het probleem dat vanbinnen zit. Probeer niet te denken aan het feit dat, net als in een nachtmerrie, juist toen hij het gevoel begon te krijgen dat ze een stapje verder waren gekomen, het aantal moordenaars opeens verdubbeld was.

Kovac kwam als de laatste de gang op en trok de deur achter zich dicht.

'Dat is nu een ontwikkeling waar we echt niet op zaten te wachten,' klaagde hij. 'Het is al erg genoeg om naar *een* gestoorde op zoek te zijn. Nu moet ik alle opperhoofden gaan vertellen dat het er twee zijn.'

'Vertel het ze nog maar even niet,' zei Quinn. 'Ik wil er eerst nog even over nadenken.'

Hij ging met zijn rug tegen de muur staan alsof hij van plan was daar net zo lang te blijven staan tot hij de oplossing gevonden had.

'Wat betekent het voor het profiel dat hij een partner heeft?' vroeg Liska.

'Wat betekent het voor het profiel dat hij een partner heeft, en dat die partner een vrouw is?' vroeg Quinn op zijn beurt.

'Dat maakt het verrekt gecompliceerd,' zei Kovac.

De gang was donker, had een laag plafond, en er waren op dat moment van de dag niet veel werknemers. Er liepen twee vrouwen in labjassen voorbij die het hadden over de politiek die in het laboratorium gehandhaafd werd. Quinn wachtte tot ze buiten gehoorsafstand waren.

'Zijn het gelijkwaardige partners, of is de vrouw een zogenaamd "gewillig slachtoffer"? Doet ze mee omdat ze het fijn vindt, of omdat ze zich daar om de een of andere reden verplicht toe voelt – dat ze bang voor hem is, of dat hij haar domineert of iets dergelijks.' Hij wendde zich tot Liska. 'Heeft Gil Vanlees een vriendin?'

'Voor zover ik weet niet. Ik heb het aan zijn vrouw gevraagd, aan zijn baas, aan zijn collega's, maar niets.'

'Heb je zijn vrouw naar Jillian Bondurant gevraagd? Of ze Jillian kende, of ze het idee had dat haar man haar een beetje al te goed kende?'

'Ze zei dat hij naar alles kijkt wat tieten heeft. Ze heeft Jillian niet apart genoemd.'

'Waar denk je aan?' vroeg Kovac.

'Waar ik aan denk is dat het me dwarszit dat we nooit echt hebben kunnen vaststellen wie slachtoffer nummer drie is. Wat heeft die onthoofding te betekenen? En die extra verminking van de voeten? En nu gebruikt de dader Jillians auto om het vierde slachtoffer te verbranden. Vanwaar al die nadruk op Jillian?' vroeg Quinn. 'We weten dat ze een ongelukkig meisje met problemen was. Is er, afgezien van een al dan niet symbolische dood, een meer permanente manier om aan een ongelukkig bestaan te ontsnappen?'

'Denk je dat het Jillians stem zou kunnen zijn op het bandje?' vroeg Liska. 'Denk je dat ze Vanlees' partner is?'

'Ik heb van begin af aan gezegd dat Jillian Bondurant de sleutel van deze hele zaak is. Ze is het puzzelstukje dat niet past. Maar nu opeens realiseer ik mij dat ze misschien wel helemaal niet de sleutel is. Misschien is ze wel een moordenaar.'

'Jezus,' zei Kovac. 'Nou, het was een aardige baan zolang het duurde. Misschien kan ik Vanlees' baan wel overnemen, en me bezighouden met het wegjagen van groupies bij de toneelingang van het Target Center.'

Hij keek op zijn horloge en tikte op de wijzerplaat. 'Ik moet weg. Ik heb een afspraak met de vrouw van Peter Bondurants ex-partner. Misschien dat ik daar wel iets over Jillian aan de weet kom.'

'Ik wil die vriendin van haar spreken – die Michele Fine. Misschien heeft ze wel kopieën van de muziek die ze samen met Jillian heeft geschreven. Misschien dat we via haar teksten inzicht kunnen krijgen in haar gemoedstoestand en haar fantasiewereld. En verder wil ik weten wat Fine's mening over Vanlees is.'

'Die heeft ze niet,' zei Liska. 'Ik heb haar daar naar gevraagd toen we samen bij Jillians huis waren en we hem daar zagen. Ze zei: "Wie let er nou op verliezers?" '

'Maar roofdieren hebben een neus voor hun eigen soort,' zei Quinn. Hij wendde zich tot Kovac. 'Wie doen er Vanlees?'

'Hamill en Tippen.'

'Prachtig. Laat ze hem vragen of die vriend van hem, op wiens huis hij past, ook opname-apparatuur en videocamera's en zo importeert.'

Kovac knikte. 'Komt in orde.'

'Afgezien van Vanlees is er nog een aantal andere mogelijkheden dat moet worden nagegaan,' vervolgde Quinn. 'Als de relatie tussen Smokey Joe en zijn partner er een is waarbij het om controle, het domineren en macht gaat, dan moeten we naar Jillians leven kijken en ons afvragen welke mannen een dergelijke rol in haar leven hebben gespeeld. Ik kan er, op grond van wat we tot nu toe weten, al twee noemen.'

'Lucas Brandt en Lieve Pappie,' zei Kovac met een grimmig gezicht. 'Geweldig. Misschien zijn we eindelijk iets op het spoor, en dat is dat de dochter van de meest invloedrijke man van deze staat een geestelijk gestoorde moordenaar is – en mogelijk heeft ze het van haar vader. Wat bof ik toch weer!'

Liska gaf hem een bemoedigend klopje op de arm, terwijl ze de gang begonnen af te lopen. 'Je weet toch wat ze zeggen, Sam: Je hebt je familie en je seriemoordenaars niet voor het uitkiezen.'

'Ik weet nog een betere,' zei Quinn, terwijl het scala van naargeestige oplossingen voor deze zaak hem door het hoofd flitste. 'Het is pas afgelopen als het is afgelopen.'

28

De D'Cup was nagenoeg leeg. De twee mannen, de pet en de sik die er de vorige keer hadden gezeten, zaten er nu ook weer, en vandaag hadden ze het over pornografie. Een andere worstelende kunstenaar zat met een *latte* ter waarde van drie dollar aan een tafeltje bij het raam over zijn middelmatigheid te peinzen. Michele Fine had zich ziek gemeld. Dat wist Liska van de Italiaanse hengst achter de bar, en ze nam zich voor de gewoonte te ontwikkelen om haar dag met een kopje cappuccino te beginnen. Het deed er niet toe dat de D'Cup mijlenver bij haar uit de buurt was. Daarin lag juist een deel van de charme.

'Kende je haar vriendin eigenlijk?' vroeg Quinn. 'Jillian Bondurant?'

De Romaanse god tuitte zijn lippen en schudde zijn hoofd. 'Niet echt. Ik bedoel, ze kwam hier vaak, maar ze was niet echt sociaal. Heel introvert, als u snapt wat ik bedoel. Dat is het enige wat ik weet, afgezien dan van wat ik in de krant heb gelezen.'

'Heb je haar hier wel eens met iemand anders gezien?' probeerde Quinn.

'Michele of Jillian Bondurant?'

'Jillian.'

'Dat kan ik niet zeggen.'

'En Michele? Had zij een vriendje?'

Die vraag scheen hem niet te bevallen. Misschien vond hij wel dat ze te persoonlijk werden en dat hij zich sterk moest maken voor het Vierde Gebod. Liska haalde de polaroid-opname van Vanlees te voorschijn en liet hem zien.

'Heb je een van beiden ooit wel eens met deze man gezien? Of is die man hier in zijn eentje wel eens binnen geweest?'

De hengst bestudeerde de foto op de manier waarop mensen dat doen die zowel hun zicht als hun geheugen pogen te verbeteren. 'Nee. Hij komt me niet bekend voor.'

'En hun muziek?' vroeg Quinn. 'Michele heeft verteld dat ze hier wel eens optraden.'

'Chell zingt en speelt gitaar wanneer we open podium hebben. Ik weet dat ze samen muziek hebben geschreven, maar ik zou u niet kunnen zeggen wie verantwoordelijk was voor wat. Jillian trad nooit op. Ze was een toeschouwer. Ze hield ervan andere mensen te observeren.'

'Wat voor soort muziek?' wilde Quinn weten.

'Feministisch folk, zou je het kunnen noemen. Veel woede, veel levensangst, nogal duister allemaal.'

'Duister op wat voor manier?'

'Slechte relaties, verwrongen relaties, een hele hoop emotionele pijn.'

Hij zei het op een verveelde toon, alsof hij eigenlijk 'het gebruikelijke' had willen zeggen. Een commentaar op het moderne bestaan.

Quinn bedankte hem. Liska bestelde een mokka om mee te nemen en gaf hem een dollar fooi. Quinn glimlachte terwijl hij de deur voor haar openhield.

'Kom zeg,' zei Liska, 'het kan geen kwaad om aardig te zijn.'

'Ik heb niets gezegd.'

'Dat was ook niet nodig.'

Het sneeuwde nog steeds. De straat voor het koffiehuis was één grote chaos. De rijstroken waren onzichtbaar geworden en de bestuurders hadden een houding van 'de sterkste overleeft' aangenomen. Terwijl ze stonden te kijken, zagen ze hoe een paarse Neon bijna het leven verloor aan een bus van het gemeentevervoerbedrijf.

'Je doet het lang niet slecht, voor politieagentje spelen,' zei Liska, terwijl ze de autosleutels uit haar zak viste. 'Misschien moest je er maar eens over denken om de glamour van je baan bij de FBI te verruilen voor een relatief oneerbaar bestaan bij moordzaken hier. Dan word je geïntimideerd door de hoge pieten, lastiggevallen door de pers en mag je rondrijden in zo'n schitterende rammelkast als deze.'

'En mag ik dan ook nog in dit rotklimaat leven?' Quinn zette zijn kraag op tegen de wind en de sneeuw. 'Wie kan zo'n aanbod nou afslaan?'

'Nou, goed dan,' zei Liska berustend, terwijl ze achter het stuur kroop. 'Dan kun je ook nog zoveel seks krijgen als je maar hebben wilt. Maar dan moet je wel beloven dat je een heleboel wilt.'

Quinn grinnikte en keek door de achterruit naar het verkeer. 'Tinks, je bent me er eentje.'

Michele Fine's flat was amper anderhalve kilometer rijden, en bevond zich in een dubieuze achterbuurt vol vervallen, oude, lelijke, vierkante flatgebouwen die, volgens Liska, onderdak boden aan een buitensporig groot aantal voorwaardelijk vrijgelatenen, plus kleine criminelen die in de reclassering zaten.

'Vanlees' flat in Lyndale Street is hier maar een paar straten vandaan,' zei ze, terwijl ze over de stoep door de tot smurrie vertrapte sneeuw liepen. 'Ben je ook niet dol op dit soort toevalligheden?'

'Maar toen je met Michele bij Jillians huis was, had je niet de indruk dat ze elkaar kenden?'

Ze fronste haar voorhoofd en dacht terug aan de scène. 'Ze kenden elkaar van gezicht, maar meer niet. Ze hebben niet met elkaar gesproken. Denk je dat ze hem erop betrapt heeft toen hij bij Jillian naar binnen gluurde?'

'Dat was een gok, maar hij heeft er goed op gehapt. Maar wat ik me afvraag is, als ze hem daarbij betrapt heeft, waarom ze dat dan niet aan jou heeft verteld.'

'Goede vraag.' Liska voelde aan de beveiligde voordeur van de flat, en stelde vast dat hij gewoon openstond. 'Laten we daar maar eens een antwoord op zien te krijgen.'

De lift stonk naar slechte afhaalchinees. Ze deelden hem tot de vierde verdieping met een uitgemergeld, neurotisch type dat zich wegdrukte in een hoekje en er onopvallend uit probeerde te zien, maar ondertussen wel heel geïnteresseerd naar Quinns dure trenchcoat keek. Quinn wierp de man een doordringende blik toe, en het volgende moment verschenen er dikke zweetdruppels op zijn bleke voorhoofd. Toen de deuren openschoven, bleef de man in de lift en liet zich weer naar beneden brengen.

'Je doet het met poker vast niet slecht,' zei Liska.

'Daar heb ik geen tijd voor.'

Ze trok haar wenkbrauwen op en keek hem met haar blauwe ogen uitnodigend aan. 'Ik zou maar uitkijken. Alleen maar werken en geen spelletjes maakt van John een saai mannetje.'

Quinn meed haar blik en schonk haar een schaapachtig glimlachje. 'Je zou in mijn armen in slaap vallen, Tinks.'

'Nou, dat betwijfel ik, maar als je er een wetenschappelijk bewijs voor wilt hebben...'

Ze bleef staan voor Fine's deur en keek hem aan. 'Ik pest je alleen maar een beetje, weet je. De trieste waarheid is dat je op me overkomt als een man die al iemand in gedachten heeft.'

Quinn drukte op de bel en keek naar de deur. 'Ja. Een moordenaar.' Maar voor het eerst sinds lange tijd was hij met zijn gedachten niet uitsluitend bij zijn werk.

Alsof Liska hem er toestemming voor had gegeven, dacht hij aan Kate. Hij vroeg zich af hoe het met haar was, wat ze dacht. Hij vroeg zich af of ze zijn boodschap, dat het vierde slachtoffer niet haar getuige was, al had gehoord. Hij vond het afschuwelijk dat ze zichzelf de schuld gaf van wat er was gebeurd, en hij vond het nog erger dat haar baas haar er de schuld van gaf. Hij had zich meteen weer beschermend gevoeld naar haar toe, en had er naar verlangd om die Rob Marshall eens een goed pak op zijn lazer te geven. Hij vroeg zich af of Kate, als ze dat zou weten, erom zou moeten lachen, of dat het haar zou irriteren.

Hij drukte nog eens op de bel.

'Wie is daar?' riep een stem vanaf de andere kant van de deur. Liska stond voor het kijkgaatje. 'Rechercheur Liska, Michele. Ik wil je nog een paar vragen over Jillian stellen.'

'Ik ben ziek.'

'Het duurt slechts even, maar het is erg belangrijk. Er is nóg een moord gepleegd, weet je.'

De deur ging op een kiertje open, en Fine bekeek hen vanaf de andere kant van het veiligheidskettinkje. De nauwe spleet omlijstte haar smalle, hoekige, en door het grote litteken gemarkeerde gezicht. 'Daar heb ik niets mee te maken. Ik kan u niet helpen.'

Toen zag ze Quinn, en haar gezicht verhardde terwijl er een achterdochtige blik in haar ogen kroop. 'Wie is hij?'

'John Quinn, FBI,' zei Quinn. 'Ik zou graag even met u over Jillian willen praten, mevrouw Fine. Ik probeer een duidelijker beeld te krijgen van wie ze was. Ik heb begrepen dat u een goede vriendin van haar was.'

De seconden kropen om terwijl ze hem bleef aankijken en hem leek in te schatten op een manier die vreemd leek voor een serveerster van een koffiehuis. Het was eerder de blik van iemand die te veel van het leven had gezien. Toen ze haar hand ophief om het kettinkje van de deur te halen, ving hij een glimp op van de slang die ze om haar pols getatoeëerd had.

Ze deed de deur open en ging met tegenzin een stapje naar achteren.

'U hebt sinds vrijdag niets meer van haar gehoord?' vroeg Quinn.

Fine keek hem aan met een blik die het midden hield tussen achterdocht en afkeer. 'Hoe had ik iets van haar kunnen horen?' vroeg ze op bittere toon, terwijl de tranen haar in de ogen sprongen. 'Ze is dood. Waarom vraagt u me dat?'

'Omdat ik daar niet zo zeker van ben als u dat schijnt te zijn.'

'Waar hebt u het verdomme over?' vroeg ze verbaasd en nietbegrijpend. 'De kranten staan er vol van. Haar vader heeft een beloning uitgeloofd. Wat voor soort spelletje probeert u te spelen?'

Quinn gaf geen antwoord, maar liet zijn blik door de kamer gaan. Alles in de flat stamde uit de jaren zeventig, en alles was origineel. Hij nam aan dat er sindsdien niets veranderd of afgestoft was. De geweven gordijnen zagen eruit alsof ze elk moment vergaan van hun haakjes zouden kunnen vallen. De bank en de bijpassende luie stoel in de kleine zitkamer, waren rechthoekig, bruin-oranje geruit, en tot op de draad versleten. Op de goedkope koffietafel lagen beduimelde reisgidsen als opgegeven dromen, naast een asbak die tot de rand gevuld was met peuken. Alles was doortrokken van de geur van gewone sigaretten en joints.

'Ik zit echt niet op uw geintjes te wachten,' zei Fine. 'Ik ben ziek. Ik ben ziek van verdriet over Jillian. Ze was mijn vriendin –' Haar stem brak en ze wendde haar blik af, terwijl ze haar lippen op elkaar perste op een manier die het litteken dat vanaf haar mondhoek omlaag liep extra duidelijk deed uitkomen. 'Ik ben – ik ben gewoon ziek. Dus vraagt u nu maar snel wat u weten wilt, en dan kunt u weer opdonderen.'

Ze pakte haar sigaret op, deed een stapje opzij en sloeg haar vrije arm om haar middel. Ze was ongezond mager, dacht Quinn, en bleek. Vel over been. Misschien was ze echt wel ziek. Ze droeg een enorm zwart vest, en eronder een goor wit T-shirt dat zo klein was dat het eruitzag alsof het een kindermaatje was. Ze droeg een versleten, zwarte legging, en haar benen leken wel stokjes. Haar voeten op de smerige vloerbedekking waren bloot.

'Wat heb je dan?' vroeg Liska.

'Wat?'

'Je zegt dat je ziek bent. Wat heb je?'

'Eh… griep,' zei ze afwezig, terwijl ze naar de televisie keek, naar een onvoorstelbaar dikke vrouw die bezig was om Jerry Springer te vertellen over haar relatie met de pokdalige dwerg en de zwarte transseksueel die haar flankeerden. Fine haalde een stukje tabak van haar tong en gooide het in de richting van het scherm. 'Buikgriep.'

'Weet je wat heel goed schijnt te helpen tegen buikgriep?' vroeg Liska met een strak gezicht. 'Marihuana. Dat gebruiken ze tegenwoordig ook voor chemotherapie-patiënten. Maar verder is het natuurlijk wel illegaal…'

Het was slechts een subtiel dreigement. Maar misschien was het wel net voldoende om Fine tot medewerking te bewegen.

Fine keek haar met uitdrukkingsloze ogen aan.

'Toen jij en ik bij Jillian thuis waren,' begon Liska, 'zijn we daar de opzichter tegengekomen. Je was niet echt van hem onder de indruk.'

'Moet dat dan?'

'In hoeverre kende Jillian hem? Waren ze bevriend?'

'Nee. Maar ze kende hem goed genoeg om hem bij de voornaam te noemen.' Ze liep naar de piepkleine eettafel, ging zitten en steunde op het tafelblad alsof ze zelf niet over voldoende kracht beschikte om rechtop te blijven zitten. 'Hij had een oogje op haar.'

'In welk opzicht?'

Fine keek Quinn aan. 'Zoals je dat wel vaker bij mannen ziet.'

'Heeft Jillian ooit verteld dat hij haar lastigviel of haar begluurde, of zo?' vroeg Liska.

'U denkt dat hij haar heeft vermoord.'

'Wat denk jij, Michele?' vroeg Quinn. 'Wat vind jij van die man?'

'Hij is een verliezer.'

'Heb je ooit wel eens iets met hem te maken gehad?'

'Ik heb hem hooguit een paar keer gezegd dat hij op moest lazeren.'

'Waarom?'

'Omdat hij ons aangaapte. Op een manier alsof hij ons samen naakt zag. Vette etter.'

'En wat vond Jillian daarvan?'

Opnieuw haalde ze haar schouders op. 'Ze heeft ooit eens gezegd dat we hem maar moesten laten begaan omdat hij niets beters had.'

'Maar ze heeft nooit gezegd dat hij haar lastigviel.'

'Nee.'

'Heeft ze je ooit verteld dat ze het gevoel had dat ze begluurd werd of gevolgd, of zoiets?'

'Nee. Ofschoon dat wel het geval was.'

Liska keek haar scherp aan. 'O, ja?'

'Haar vader en die nazi-zielknijper van haar hielden haar als haviken in de gaten. Haar vader had een sleutel van het huis. Soms zat hij binnen op haar te wachten wanneer we thuiskwamen. De man had geen greintje respect voor haar privacy.'

'Vond Jillian het storend dat hij dat deed?'

Michele Fine's mond plooide zich in een vreemd, bitter glimlachje. Ze keek naar de asbak en drukte haar sigaret uit. 'Nee. Maar daarvoor was ze dan ook pappies oogappel.'

'Wat wil je daarmee zeggen?'

'Niets. Maar ze liet hem alles voor haar beslissen, dat is alles.'

'Ze heeft je verteld over haar relatie met haar stiefvader. Heeft ze je ooit verteld over haar relatie met haar vader?'

'We spraken nooit over hem. Ze wist dat ik van mening was dat hij haar leven probeerde te beheersen. Het thema was taboe. Waarom?' vroeg ze op een zakelijke toon. 'Denkt u dat hij ook met haar wilde wippen?'

'Dat weet ik niet,' zei Quinn. 'Wat denk jij?'

'Ik denk dat ik nog nooit een man heb ontmoet de gelegenheid niet aangrijpt als hij daar de kans toe krijgt,' zei ze, waarbij ze haar blik op provocerende wijze van Quinns gezicht tot aan zijn kruis over zijn lichaam liet gaan. Even later keek ze hem weer aan. 'Maar als hij het gedaan heeft, dan heeft ze me daar nooit iets van verteld.'

Quinn ging ongevraagd, en alsof hij alle tijd van de wereld had, op de andere stoel zitten. Hij keek opnieuw om zich heen en stelde vast dat de zitkamer helemaal geen persoonlijke toetsen bevatte. Geen foto's. Het enige wat een verzorgde indruk maakte, was de kleine geluidsinstallatie aan de andere kant van de kamer. En de gitaar die ernaast stond.

'Ik heb begrepen dat jij en Jillian samen muziek schreven,' zei hij. 'Wat was Jillians aandeel daarin?'

Fine stak nog een sigaret op en blies de rook naar de goedkope lamp aan het plafond. Quinns blik viel opnieuw op de slang die ze om haar pols had getatoeëerd, en hij keek naar de manier waarop het serpent zich rond een aantal oude littekens kronkelde. De slang uit het paradijs, met een kleine rode appel in zijn bek.

'Soms schreef ze de tekst,' zei ze, terwijl de rook uit het spleetje tussen haar voortanden kwam. 'Soms schreef ze de muziek. Al naargelang haar behoefte. Al naargelang mijn behoefte.'

'Hebben jullie iets uitgegeven?'

'Nog niet.'

'Waar schreef ze graag over?'

'Het leven. Mensen. Relaties.'

'Slechte relaties?'

'Bestaan er dan ook nog andere?'

'Bewaarde ze kopieën van de dingen die jullie samen schreven?'

'Natuurlijk.'

'Waar?' vroeg Liska.

'Bij haar thuis. In de pianokruk en in de boekenkast.'

'Ik heb niets gevonden toen ik daar was.'

'Nou, daar bewaarde ze alles,' zei Fine defensief, nog een rookwolk uitblazend.

'Heb je kopieën die ik zou mogen bekijken?' vroeg Quinn. 'Ik zou graag wat van haar teksten lezen, kijken wat ze me over haar kunnen vertellen.'

'Poëzie is een venster van de ziel,' zei Fine op een vreemde, dromerige toon. Haar blik dwaalde weer af, en Quinn vroeg zich opnieuw af wat ze genomen had en waarom. Was de vermoedelijke moord op Jillian Bondurant haar te veel geworden? Alles leek erop te wijzen dat Jillian haar enige vriendin was geweest. En misschien was zij wel Jillians enige vriendin geweest. En nu had ze niemand meer – geen vriendin, niemand die nog muziek met haar schreef, alleen deze sjofele flat en een uitzichtloos baantje.

'Daar reken ik op,' zei hij.

Toen keek ze hem recht in de ogen. Ze was gewoontjes maar ook een tikje exotisch. Ze had haar vettige, donkere haren naar achteren gekamd. Op de een of andere manier kwam ze hem bekend voor, net zoals, na talloze zaken, alle gezichten hem op een bepaalde manier vagelijk bekend voorkwamen. Haar kleine ogen leken opeens heel helder toen ze zei: 'Maar is het ook een weerspiegeling van wie we zijn of wat we willen?'

Ze stond op en liep naar een boekenkast die gemaakt was van bakstenen en houten planken, en kwam terug met een dossier waar ze in bladerde. Quinn stond op en wilde het van haar overnemen, maar ze draaide zich opzij en keek hem van onder haar wimpers op een bijna kokette manier aan.

'Dit is ook het venster van mijn ziel, meneer de agent. En misschien wil ik wel niet dat u naar binnen gluurt.'

Ze hield een zestal vellen bladmuziek voor hem op. Haar vingernagels waren totaal afgekloven. Toen drukte ze de map tegen haar buik, waardoor haar kleine borsten onder het strakke T-shirtje benadrukt werden. Ze droeg geen beha.

Liska legde haar diplomatenkoffertje op tafel, liet het openspringen, en haalde er een setje voor het nemen van vingerafdrukken uit. 'We hebben je vingerafdrukken nog nodig, Michele. Om je te kunnen uitsluiten van de afdrukken die we in Jillians huis hebben gevonden. Ik weet dat je daar nog niet voor langs bent geweest met alles wat je te doen hebt en zo.'

Fine keek met een somber en achterdochtig gezicht naar het inktkussentje en het kaartje.

'Het is zo klaar,' zei Liska. 'Ga maar even zitten.'

Fine plofte neer op haar stoel en stak haar hand met tegenzin naar haar uit.

'Wanneer heb je voor het laatst van Jillian gehoord?' vroeg Quinn.

'Ik heb haar vrijdag gezien, voor ze naar haar zielknijper moest,' zei Michele, terwijl Liska haar duim over het stempelkussentje rolde en op het kaartje drukte.

'Heeft ze je vrijdagavond niet gebeld?'

'Nee.'

'En ze is ook niet bij je langs geweest?'

'Nee.'

'Waar was je tussen middernacht en twee uur?'

'In bed. Naakt en alleen.' Ze keek van onder haar wimpers verleidelijk naar hem op.

'Dat lijkt nogal vreemd, vind je ook niet?' vroeg Quinn. 'Ze had ruzie gehad met haar vader. Ze was zo van streek dat ze zijn huis uit is gerend. Maar ze heeft geen contact gezocht met haar beste vriendin.'

'Nou, agent Quinn,' zei ze, de stem van de trieste ervaring. 'Ik ben al heel lang geleden tot het inzicht gekomen dat je nooit echt kunt weten wat er in een ander omgaat. En soms is dat maar goed ook.'

Sam zette de Caprice – met een flinke vaart en een harde trap op de rem – op een parkeerplaats die uitsluitend bestemd was voor politievoertuigen aan de Fifth Street-zijde van het gemeentehuis, en stapte uit. Hij vloekte uit de grond van zijn hart, probeerde dwars door de door de sneeuwschuiver opgeworpen sneeuwwal heen de stoep op te rennen en zakte er tot aan zijn knieën in weg. Strompelend en struikelend kwam hij over de wal heen, waarna hij zich de stoeptreden op en het gebouw in haastte. Hij was zo buiten adem dat hij ervan hijgde. Zijn hart werkte te hard om bloed en adrenaline door aderen te pompen die er waarschijnlijk uitzagen als de binnenkant van halfverstopte afvoerbuizen.

Jezus, als hij nog zo'n zaak als deze wilde overleven, mocht hij wel eens wat aan zijn conditie doen. Maar aan de andere kant was het nog maar de vraag of zijn baan deze zaak zou overleven.

De gang stond vol boze vrouwen die zich als een vloedgolf op hem probeerden te storten terwijl hij zijn best deed naar de afdeling recherche te komen. Pas toen hij in hun midden was vastgelopen, zag hij de protestborden boven hun hoofden. ONS LEVEN TELT OOK! GERECHTIGHEID: EEN PHOENIX UIT DE AS HERREZEN.

Hun stemmen klonken als een twintigtal geweren die op hetzelfde moment het vuur openden.

'De politie probeert ons te intimideren!'

'Alleen de Urskine's willen ware gerechtigheid!'

'Waarom gaat u niet op zoek naar de *echte* moordenaar?'

'Daar ben ik mee bezig, mens,' snauwde Kovac tegen de vrouw met een enorme buik en een verbitterd gezicht, die hem de doorgang versperde. 'Dus waarom ga je niet opzij met die vette pens van je, zodat ik met mijn werk door kan gaan?'

Toen pas ontdekte hij de media. Flitslampen links en rechts. *Verdomme!*

Kovac liep verder. Er was in dit soort situaties maar één manier om te overleven: kop houden en doorlopen.

'Inspecteur Kovac, klopt het dat u Gregg Urskine hebt laten arresteren?'

'Er is niemand gearresteerd,' schreeuwde hij, zich door de menigte worstelend.

'Kovac, heeft hij al bekend?'

'Was Melanie Hessler uw mysterieuze getuige?'

Lek in het kantoor van de officier van justitie, dacht hij hoofdschuddend. Dat was nu wat er mis was met dit land – de mensen hier waren nog in staat hun eigen moeder te verkopen als ze er maar een leuk bedrag voor konden krijgen, en ze stonden er geen moment bij stil wat dat wel eens voor een ander zou kunnen betekenen.

'Geen commentaar,' blafte hij, terwijl hij de laatste opzij duwde.

Hij omzeilde de chaos van dozen en archiefkasten en ging de afdeling moorzaken binnen, waarbij hij zijn best deed ongezien langs het geïmproviseerde kantoor van hoofdinspecteur Fowler te komen. Toni Urskine's stem kraste over zijn zenuwuiteinden als een kartelmes over rauw vlees.

'... En u kunt er zeker van zijn dat elke radio- en televisiezender, elke krant en elke journalist die maar naar mij wil luisteren hiervan zal horen! Dit is een schande! Deze moorden hebben *ons* tot slachtoffer gemaakt. *Wij* hebben vrienden verloren. *Wij* hebben geleden. En dit is de manier waarop we door de politie van Minneapolis behandeld worden, nadat we ons als gekken hebben uitgesloofd om mee te werken!'

Kovac dook onder de deur door, de kantorenafdeling binnen. Yurek sprong, met de telefoon tussen zijn kin en schouder geklemd, op van zijn bureau, terwijl hij als een bezetene oogcontact met Sam probeerde te maken, en zijn hand opstak om hem in de buurt te houden.

Sam bleef vijf seconden met draaiende motor staan – de opwinding waarmee hij binnen was gekomen schoot als elektrische stroomstootjes door zijn armen, benen, bloedvaten en aderen. Hij wipte op en neer als een klein jongetje dat dringend moest plassen.

'Ik moet verder, Charm, om mensen te verhoren.'

Yurek knikte en zei in de telefoon: 'Neemt u me niet kwalijk, mevrouw, maar ik moet nu ophangen. We hebben hier momenteel een noodsituatie. Het spijt me. Ja, u wordt teruggebeld. Het spijt me bijzonder, mevrouw.'

Hij kwam hoofdschuddend achter zijn bureau vandaan. 'Die mensen maken me knettergek. Dat was een vrouw die beweert dat haar buurman de Cremator is, en niet alleen heeft hij vier vrouwen op wrede wijze om het leven gebracht, maar hij heeft ook haar hond vermoord *en opgegeten.*'

'Ik heb evenveel tijd voor deze onzin als voor een wortelbehandeling,' snauwde Kovac. 'Is Quinn hier?'

'Hij is net terug. Hij kijkt naar het gesprek met Urskine,' zei Yurek, terwijl hij met Kovac meeliep naar de verhoorkamer. 'Ik kreeg net een telefoontje van boven –'

'En de vrouw met de dooie hond is de burgemeester? Deze zaak is zo krankjorum dat me dat niets zou verbazen.'

'Nee, dat was van de vrouw van de hond. De burgemeester wil je spreken. Ze hebben geprobeerd om je op je draagbare telefoon te bereiken.'

'De batterij is leeg. En je hebt mij niet gezien. De kenau kan wachten. Ik heb iets heel belangrijks te doen. Iets *heel* belangrijks.'

Yurek keek hem bezorgd aan. 'Wat bedoel je? Waar ben je geweest?'

Kovac gaf geen antwoord, maar was met zijn gedachten al bij de aanstaande confrontatie. Quinn stond bij de doorkijkspiegel. Hij zag er vermoeid uit terwijl hij naar de andere kamer keek, de ruimte waar Gregg Urskine tegenover Elwood aan tafel zat.

'We hebben contant betaald. Ik kan het bonnetje niet vinden,' zei Urskine op een wanhopig toontje, terwijl hij verschrikkelijk zijn best deed het plezierige yuppie-glimlachje op de plaats te houden. 'Bewaart u alle bonnetjes, inspecteur? Zou u nog een bonnetje kunnen vinden van iets dat u maanden geleden hebt gedaan?'

'Ja, dat kan ik. Ik hou een simpele maar efficiënte boekhouding bij,' antwoordde Elwood vriendelijk. 'Je weet maar nooit wanneer je iets nodig kunt hebben. Voor de belasting, voor een alibi –'

'Ik heb geen alibi nodig.'

'Nou, ik weet iemand die er wél een nodig heeft,' zei Kovac, en Quinn was meteen een en al aandacht. 'Ga je mee?'

'Ik kom net terug van mijn gesprek met de vrouw van Donald Thornton, Peter Bondurants ex-partner. Wil je weten hoe het de emotioneel labiele Sophie Bondurant gelukt is om bij de scheiding de voogdij over Jillian te krijgen? O, je zult dit schitterend vinden,' voorspelde hij met een sarcastische ondertoon.

'Ik durf het bijna niet te vragen.'

'Ze heeft gedreigd hem aan de openbare schandpaal te nagelen en hem aan te klagen wegens het plegen van ontucht met Jillian.'

29

'O, God,' kreunde Yurek, die meteen het ergste vreesde.

Kovac draaide zich met een ruk naar hem om. 'Hou toch op! Of wil je soms dat ik doe alsof ik niet weet dat Bondurant seksuele spelletjes met zijn dochter speelde?'

'Dat is niet bewezen –'

'En denk je soms dat ik me niet realiseer dat ik daarmee tot over mijn oren in de stront zit?'

'Luister liever naar wat de burgemeester wil.'

'Het kan me geen zak –'

'Ze wil dat je bij haar komt om meneer Bondurant te vertellen hoe het met het onderzoek staat. Ze zitten op dit moment boven op je te wachten.'

Even was het stil in de ruimte, en toen klonk Elwoods stem door de speaker vanuit de verhoorkamer ernaast. 'Hebt u ooit wel eens betaald om seks te kunnen hebben, meneer Urskine?'

'Nee!'

'Dat bedoelde ik niet als een belediging. Het komt alleen omdat u dag in dag uit werkt met al die vrouwen die hun lichaam voor geld hebben verkocht, dat ik veronderstelde dat u mogelijk nieuwsgierig was geworden naar hoe zoiets in z'n werk gaat.'

Urskine schoof zijn stoel met een ruk naar achteren. 'De maat is vol. Ik ga. Als u mij opnieuw wilt spreken, belt u maar met mijn advocaat.'

'Vooruit,' zei Kovac tegen Quinn. Door de zenuwen was zijn maag samengebald tot een harde knoop. 'Laten we de burgemeester en meneer Bondurant dan maar eens gaan vertellen wat we allemaal aan de weet zijn gekomen. Ik breng je onderweg wel op de hoogte.'

'Ik weet zeker dat je zult begrijpen dat Peter er belang bij heeft deze zaak zo snel mogelijk af te ronden,' zei Edwyn Noble tegen hoofdcommissaris Greer. 'Hebben we enig idee wanneer het stoffelijk overschot kan worden vrijgegeven?'

'Nee, dat is nog niet te zeggen.' Greer stond bij het hoofdeinde van de conferentietafel van de burgemeester. Hij stond met de benen iets gespreid en de handen vóór zich in elkaar geslagen – een soldaat in rust, of een uitsmijter die indruk probeert te maken. 'Ik zal inspecteur Kovac even bellen. Ik heb begrepen dat hij op een aantal labuitslagen wacht. Misschien wanneer die eenmaal binnen zijn, en dat kan in principe elke dag zijn –'

'Ik wil mijn dochter begraven, hoofdcommissaris,' zei Bondurant op emotionele toon. Hij keek de hoofcommissaris niet aan, maar staarde voor zich uit naar een onduidelijk punt in de verte. Hij had het aanbod om te gaan zitten genegeerd en liep onrustig door de vergaderruimte heen en weer. 'De gedachte dat ze als het zoveelste lijk ergens in een la in een koelcel moet liggen... ik wil haar terug.'

'Peter, schat, dat begrijpen we,' zei Grace Noble. 'We leven echt reuze met je mee. En ik kan je verzekeren dat de speciale eenheid echt alles op alles zet om deze zaak –'

'Meen je dat werkelijk? Die inspecteur van jullie verdoet meer tijd met mij lastig te vallen, dan dat hij bezig is met het opsporen van mogelijke verdachten.'

'Inspecteur Kovac kan een beetje bot zijn,' zei Greer. 'Maar de resultaten die hij behaald heeft, spreken voor zich.'

'Misschien ga ik hiermee wat te ver,' zei Edwyn Noble, 'maar wat heeft inspecteur Kovac, los van zijn resultaten in het algemeen, recentelijk voor ons gedaan? Intussen is er een nieuw slachtoffer. De moordenaar zet niet alleen de speciale eenheid, maar de hele stad voor gek. Heeft inspecteur Kovac op dit moment eigenlijk wel een serieuze verdachte op het oog?'

'Ik heb van hoofdinspecteur Fowler begrepen dat er eerder vandaag nog iemand verhoord is.'

'Wie? Een echte verdachte?'

Greer fronste zijn voorhoofd. 'Dat mag ik u helaas –'

'Ze was *mijn dochter!*' schreeuwde Peter. Zijn woedende stem weerkaatste tegen de muren. Hij wendde zich af van de starende blikken van de anderen, en sloeg de handen voor zijn gezicht.

De burgemeester drukte een hand tegen haar royale boezem, alsof zijn aanblik haar pijn op de borst bezorgde.

'Als er iemand voor verhoor is binnengebracht,' zei Noble op redelijke toon, 'dan is het slechts een kwestie van enkele uren voor de pers die informatie bekendmaakt. Dat zeg ik niet bij wijze van kritiek op de veiligheidsmaatregelen die er binnen uw korps getroffen worden, hoofdcommissaris. Ik weet dat het onmogelijk is om lekken te voorkomen bij een zaak van deze omvang.'

Greer keek van Bondurants advocaat naar de vrouw van Bondurants advocaat – zijn baas. Ongelukkig, en niet bij machte een smoes te verzinnen om zich hier uit te redden, slaakte hij een diepe zucht. 'De opzichter van het buurtje van het huis waar meneer Bondurants dochter woonde.'

De intercom zoemde, en Grace Noble antwoordde via de telefoon die op het tafeltje tegen de muur stond. 'Mevrouw de burgemeester, inspecteur kovac en speciaal agent Quinn zijn gearriveerd.'

'Stuur ze maar naar binnen, Cynthia.'

Ze was nog niet goed en wel uitgesproken, of Sam kwam al binnen. Zijn ogen vonden Peter Bondurant als een stel warmtegevoelige projectielen. Bondurant leek magerder dan de vorige dag, en hij zag nog grauwer. Hij keek de inspecteur aan met een ijzige, afkeurende blik.

'Inspecteur Kovac, agent Quinn, fijn dat u er bent,' zei de burgemeester. 'Laten we allemaal gaan zitten, dan kunnen we praten.'

'Ik ben niet van plan om tot in de details te gaan,' verklaarde Kovac koppig. Bovendien weigerde hij te gaan zitten om zich voor Bondurant en Edwyn Noble als schietschijf op te stellen.

Niemand ging zitten.

'We hebben begrepen dat u een verdachte hebt,' zei Edwyn Noble.

Sam keek hem doordringend aan, deed hetzelfde met Dick Greer en dacht: *klootzak.*

'Er zijn geen arrestaties verricht,' zei Kovac. 'We zijn nog steeds meerdere mogelijkheden aan het nalopen. En zo ben ik persoonlijk zojuist op iets heel interessants gestoten.'

'Heeft meneer Vanlees een alibi voor de nacht waarin mijn dochter verdwenen is?' vroeg Bondurant op scherpe toon. Hij keek Sam aan terwijl hij langs de tafel heen en weer liep, en hem op een afstand van dertig centimeter passeerde.

'Hebt *u* een alibi voor de nacht waarin uw dochter is verdwenen, meneer Bondurant?'

'Kovac!' blafte de hoofdcommissaris.

'Met alle respect, meneer de hoofdcommissaris, maar het is niet mijn gewoonte om wie dan ook te ontzien.'

'Meneer Bondurant is de vader van een slachtoffer. Dat zijn verzachtende omstandigheden.'

'Ja, en zo ken ik er nog wel een paar,' mompelde Kovac.

'Inspecteur!'

'Inspecteur Kovac vindt dat ik voor mijn rijkdom gestraft moet worden, hoofdcommissaris,' zei Bondurant, die nog steeds heen en weer liep, maar nu naar de vloer keek. 'Hij vindt misschien wel dat het mijn verdiende loon is om mijn dochter te verliezen, want dat is een goed lesje in wat oprecht lijden is.'

'Na wat ik vandaag heb gehoord, vind ik dat u het niet eens verdient om een dochter te hebben,' zei Kovac, waarop de burgemeester onthutst een kreetje slaakte. 'Ja, u verdiende het inderdaad om haar te verliezen, maar niet op de manier waarop het is gegaan. Dat wil zeggen, als ze inderdaad dood is – en dat kunnen we nog steeds niet met zekerheid zeggen.'

'Inspecteur Kovac, ik hoop dat u een goede verklaring hebt voor duw gedrag.' Greer deed agressief een paar stapjes in zijn richting, terwijl hij zijn brede schouders, de schouders van een gewichtheffer, optrok.

Kovac deed een stapje opzij. Hij richtte zijn volledige aandacht op Peter Bondurant. En Peter Bondurant had alleen maar oog voor hem. Hij hield op met ijsberen en vernauwde zijn ogen als een dier dat intuïtief aanvoelt dat het in gevaar verkeert.

'Ik heb vandaag een lang en uitvoerig gesprek met Cheryl Thorton gehad,' zei Kovac, en hij zag hoe het laatste beetje kleur uit Bondurants wangen wegtrok. 'Ze had een aantal uiterst interessante dingen te vertellen over uw scheiding van Jillians moeder.'

Edwyn Noble schrok. 'Ik zie niet in wat dat ermee te maken –'

'O, volgens mij heeft het er van alles mee te maken.' Kovac bleef Bondurant aanstaren.

Bondurant zei: 'Cheryl is een erg verbitterde, wraakzuchtige vrouw.'

'Vindt u? Nadat ze er al die jaren haar mond over heeftgebonden? Als het aan mij lag, noemde ik u een ondankbare schoft –'

'Kovac, zo is het wel genoeg!' riep Greer.

'Helemaal niet,' zei Kovac. 'Als u het wilt opnemen voor een man die zijn eigen kind heeft gemolesteerd, hoofdcommissaris, dan moet u dat zelf weten. Maar ik vertik het om de reet van die man te likken. En het kan me geen zak schelen hoe rijk hij is!'

'O!' riep Grace Noble uit, terwijl ze opnieuw haar hand tegen haar boezem drukte.

'Ik stel voor om dit gesprek beneden voort te zetten,' zei Quinn op vriendelijke toon.

'Mij best,' zei Kovac. 'De verhoorkamer is al voorverwarmd.'

Bondurant trilde intussen zichtbaar over zijn hele lichaam. 'Ik heb Jillian *nooit* misbruikt.'

'Misschien dénkt u wel dat u dat niet hebt gedaan.' Kovac liep langzaam in een kringetje om hem heen. Hij liep weg bij Greer, ging met zijn rug naar de advocaat staan en was zich ervan bewust dat Bondurant hem geen moment uit het oog liet. 'Er zijn veel pedofielen die zichzelf ervan overtuigen dat ze het kind een gunst bewijzen. Er zijn er zelfs die het neuken van kleine kinderen aanzien voor liefde. Was dat bij u ook zo?'

'Vuile schoft!'

Bondurant vloog op Kovac af, greep hem bij de revers van zijn jasje en duwde hem achterwaarts de kamer door. Ze botsten tegen een bijzettafeltje op en twee geelkoperen kandelaars vlogen door de lucht.

Kovac moest zich beheersen om Bondurant niet tegen de grond te gooien en hem wezenloos te stompen. Na wat hij vandaag gehoord had was er niets dat hij liever zou doen, en misschien had hij het ook wel gedaan als ze elkaar in een duister steegje waren tegengekomen. Maar mannen van het soort van Peter Bondurant kwamen nooit in duistere steegjes, en werden nooit geconfronteerd met grof geweld. Bondurant verkocht Sam een rake kaakstoot, en dat was het moment waarop Quinn hem in zijn nekvel greep en hem van de inspecteur af trok. Greer ging snel als een scheidsrechter tussen hen in staan, terwijl hij zijn armen spreidde en met grote ogen van de een naar de ander keek.

'Inspecteur Kovac, mag ik u verzoeken de kamer te verlaten?' zei hij luid.

Kovac trok zijn das en zijn jasje recht, veegde het bloed bij zijn mondhoek weg, grijnsde en keek naar Peter Bondurant.

'Vergeet hem niet te vragen waar hij vannacht om twee uur was,' zei hij. 'Op het moment waarop iemand de auto van zijn dochter met het stoffelijk overschot van een verminkte vrouw erin in brand heeft gestoken.'

'Daar weiger ik antwoord op te geven,' zei Bondurant, terwijl hij zijn bril weer recht op zijn neus zette.

'Jezus, u glipt ook óveral tussendoor, niet?' zei Kovac. 'Ontucht plegen met uw dochter? Geen probleem. Een agent een bloedlip slaan? Ook niet. U bent een rotte appel in dit onderzoek. Maar had u nu echt gedacht dat u een moord kon plegen zonder daarvoor bestraft te worden?'

'*Kovac!*' schreeuwde Greer.

Kovac keek naar Quinn, schudde zijn hoofd en verliet de kamer.

Bondurant rukte zich los. 'Ik wil dat hij van de zaak af wordt gehaald! Ik wil dat hij op staande voet ontslagen wordt!'

'Omdat hij zijn werk doet?' vroeg Quinn kalm. 'Het is zijn taak om onderzoek te plegen. Hij kan het niet helpen wat hij ontdekt, Peter. Je vermoordt de boodschapper.'

'Hij doet geen onderzoek in de zaak!' schreeuwde hij, terwijl hij weer wild gebarend heen en weer begon te lopen. 'Hij doet onderzoek naar *mij*. Hij valt me lastig. Ik heb mijn dochter verloren, verdomme nog aan toe!'

Edwyn Noble probeerde hem bij de arm te pakken toen hij langs hem heen liep, maar Bondurant trok zich los. 'Rustig, Peter. Dat met Kovac wordt geregeld.'

'Ik denk dat we eerder iets zullen moeten doen met dat wat inspecteur Kovac ontdekt heeft, denkt u ook niet?' zei Quinn tegen de advocaat.

'Dat is toch allemaal onzin!' snauwde Noble. 'Er klopt niets van die beweringen.'

'O, nee? Sophie Bondurant was een labiele vrouw. Waarom zou de rechtbank haar de voogdij over Jillian geven? Sterker nog. Waarom vond je het niet nodig, Peter, om die beslissing aan te vechten?' vroeg Quinn, waarbij hij het oogcontact met Bondurant probeerde te herstellen.

Bondurant bleef opgewonden heen en weer lopen. Het zweet stond op zijn voorhoofd, en hij zag intussen zo bleek dat Quinn vreesde dat hij ziek was.

'Cheryl Thorton zegt dat je die beslissing niet hebt aangevochten omdat Sophie je dreigde met de bekendmaking van het feit dat je ontucht met Jillian had gepleegd.'

'Ik heb Jillian nooit een haar gekrenkt. Dat zou ik niet kunnen.'

'Cheryl heeft Peter altijd de schuld gegeven van het ongeluk van haar man,' zei Noble op bittere toon. 'Ze wilde niet dat Donald zich bij Paragon liet uitkopen, en ze heeft hem ervoor gestraft. Hij is door haar aan de drank gegaan. Zij is indirect de oorzaak van het ongeluk, maar voor haar is het Peters schuld.'

'En deze bittere, wraakzuchtige vrouw heeft nu, na al die tijd, pas haar mond opengedaan over dit geval van vermeende ontucht?' vroeg Quinn. 'Dat kan ik me maar moeilijk voorstellen, tenzij ze zwijgt vanwege het royale bedrag dat Peter maandelijks naar het verpleegtehuis stuurt waar Donald Thorton de laatste jaren van zijn leven slijt.'

'Er zijn mensen die dat gulheid zouden noemen,' zei Noble.

'En er zijn ook mensen die het chantage noemen. Er zijn mensen die zouden zeggen dat Peter dat geld betaalt om ervoor te zorgen dat Cheryl Thorton haar mond blijft houden.'

'Die mensen zouden zich vergissen,' verklaarde Noble op vastberaden toon. 'Donald en Peter waren vrienden, partners. Waarom zou hij zich niet over de man ontfermen?'

'Hij heeft hem een uiterst royaal uitkoopbedrag gegeven. Tussen haakjes, dat speelde in precies dezelfde tijd als zijn echtscheiding,' vervolgde Quinn. 'Het bedrag dat Peter aan Donald heeft uitgekeerd was buiten proporties hoog.'

'Wat moest hij anders?' vroeg Noble. 'Moest hij soms proberen het bedrijf te ontfutselen aan de man die had geholpen met de opbouw ervan?'

Het viel Quinn op dat Bondurant intussen zijn mond hield. Hij liep nog steeds te ijsberen, maar deed dat nu alleen nog maar in het hoekje bij het raam. Hij had zich teruggetrokken. Hij liet zijn hoofd hangen en voelde voortdurend aan zijn voorhoofd, alsof hij wilde nagaan of hij koorts had. Quinn liep quasi-terloops naar hem toe, waardoor zijn loopruimte werd gehalveerd en hij op subtiele wijze zijn persoonlijke territorium binnendrong.

'Waarom heb je niet geprobeerd alsnog de voogdij over Jillian te krijgen, Peter?' vroeg hij zacht – een intieme vraag van de ene vriend aan de andere. Hij liet zijn hoofd ook hangen en had zijn handen in zijn broekzakken gestoken.

'Ik was bezig met de volledige leiding van de zaak op me te nemen. Ik kon er op dat moment niet ook nog een kind bij hebben.'

'Dus toen liet je haar maar bij Sophie? Bij een vrouw die om de haverklap werd opgenomen in een psychiatrische inrichting?'

'Zo was het niet. Het was heus niet alsof ze gek was. Sophie had problemen. Iedereen heeft problemen.'

'Niet het soort dat ons een eind aan ons leven laat maken.'

De man kreeg tranen in de ogen. Hij hief zijn hand op als om zijn ogen tegen Quinns scherpe, onderzoekende blik te beschermen.

'Waar hebben jij en Jillian die avond ruzie over gemaakt, Peter?'

Hij schudde zijn hoofd en liep nog steeds heen en weer, althans, voor zover de beperkte ruimte dat toeliet. Drie stappen heen, drie stappen terug, drie stappen heen, drie stappen terug...

'Ze was opgebeld door haar stiefvader,' zei Quinn. 'En jij was boos.'

'Daar hebben we het al over gehad,' zei Edwyn Noble ongeduldig. Het was duidelijk dat hij zich tussen Quinn en zijn cliënt in wilde dringen. Quinn draaide zich half om en sloot hem buiten.

'Waarom herhaal je maar steeds dat Jillian dood is, Peter? Ik weet dat nog helemaal niet zeker. Volgens mij leeft ze nog. Wat brengt je ertoe steeds maar te zeggen dat dat niet zo is? Waar hebben jullie die avond ruzie over gemaakt?'

'Waarom doe je me dit aan?' fluisterde Bondurant op gekwelde toon. De lippen van zijn kleine, zuinige mondje trilden.

'Omdat we de waarheid willen weten, Peter, en volgens mij hou jij een aantal puzzelstukjes achter. Als je de waarheid wilt – en je zegt dat je dat wilt – dan zul je mij die stukjes moeten geven. Begrijp je dat? We hebben alle stukjes nodig om het beeld zo volledig mogelijk te maken.'

Quinn hield zijn adem in. Bondurant bevond zich op het randje. Hij voelde het, hij zag het. Hij probeerde hem eroverheen te helpen.

Bondurant was voor het raam stil blijven staan. Hij maakte een verdoofde indruk en staarde naar buiten, naar de sneeuw. 'Het enige wat ik voor ons wilde, was dat we vader en dochter konden zijn –'

'Dat is genoeg, Peter.' Noble ging voor Quinn staan en pakte zijn cliënt bij de arm. 'We gaan.'

Hij wierp Quinn een woedende blik toe. 'Ik dacht dat we elkaar begrepen.'

'O, ik begrijp u uitstekend, meneer Noble,' zei Quinn. 'Maar dat wil nog niet zeggen dat ik in uw team wil spelen. Mij gaat het alleen maar om twee dingen: waarheid en gerechtigheid. En volgens mij wilt u geen van tweeën.'

Noble zei niets. Hij nam Bondurant mee de kamer uit alsof hij een ziekenbroeder, en zijn cliënt een zwaar verdoofde patiënt was.

Quinn keek naar de burgemeester, die uiteindelijk zelf maar was gaan zitten. Ze maakte zowel een overdonderde als een peinzende indruk, alsof ze in haar geheugen op zoek was naar oude herinneringen waaruit zou kunnen blijken dat Peter Bondurant betrokken was bij dingen die ze nooit achter hem had gezocht. Hoofdcommissaris Greer zag eruit als iemand die zich langzaam maar zeker begon te realiseren dat hij klem zat.

'Dat is nu het vervelende van graven,' zei Quinn. 'Er is geen enkele garantie dat je vindt wat je hoopt te vinden – of dat je hetgeen je vindt ook wel wilt hebben.'

Tegen vijf uur waren alle plaatselijke of in de Twin Cities vertegenwoordigde persagentschappen op de hoogte van de naam Gil Vanlees. Dezelfde media die deze naam zouden publiceren en televisieschermen zouden vullen met slechte foto's van de man, zouden de politie verwijten dat er lekken in het systeem zaten.

Quinn had sterke vermoedens waar het lek zat, en het maakte hem goed nijdig. De zaak had duidelijk te lijden onder het feit dat Bondurant en zijn mensen er toegang toe hadden. En in het licht van Sams onthulling eerder die middag, bezorgde Bondurants bemoeizucht hem helemaal een vieze smaak in de mond.

Niemand had *dat* verhaal naar de pers laten uitlekken. Zelfs niet de zogenaamd verbitterde, wraakzuchtige Cheryl Thorton, wier hersenbeschadigde man door Peter Bondurant financieel ondersteund werd. Hij vroeg zich af hoeveel geld ervoor nodig was om een dergelijke wrok tien jaar lang te onderdrukken.

Wat had zich afgespeeld in het leven van Jillian en haar moeder en vader in die belangrijke periode van de scheiding, vroeg hij zich af in zijn vensterloze kamertje op het FBI-kantoor. Bondurant was van begin af aan op hem overgekomen als een man met geheimen. Geheimen ten aanzien van het heden, en ten aanzien van het verleden. Behoorde het spelen van seksuele spelletjes met zijn dochter soms tot die geheimen?

Hoe had Sophie Bondurant anders de voogdij over Jillian kunnen krijgen? Labiel als ze was. En machtig als Peter was.

Hij bladerde het dossier van de zaak door tot bij de foto's van de plaats van de misdaad van de derde moord. Enkele aspecten van de moord wekten de indruk dat de moordenaar en het slachtoffer elkaar hadden gekend. De onthoofding van dit slachtoffer, terwijl de anderen niet onthoofd waren. De verregaande depersonalisatie. Beide feiten wezen op een soort van woede die persoonlijk was. Maar hoe zat het met de nieuwste theorie, dat de moordenaar een partner had, een vrouw? Dat paste niet bij Peter Bondurant. En hoe zat het met de theorie dat de vrouw in kwestie misschien wel Jillian Bondurant zelf was?

Een geschiedenis van seksueel misbruik paste in het profiel van

338

een vrouw die tot dit soort misdaden in staat was. Ze zou een verwrongen beeld van man-vrouw relaties en van seksuele relaties hebben. Haar partner was naar alle waarschijnlijkheid ouder, een soort verdraaide suggestie van een vaderfiguur, de dominante partner. Quinn dacht aan Jillian, aan de foto die hij van haar in Bondurants werkkamer had gezien. Een meisje dat emotioneel onevenwichtig was, een zwak ontwikkeld ego had en heel triest iets voorgaf te zijn dat ze niet was om haar vader een plezier te doen. Hoe ver was ze bereid te gaan om de goedkeuring te krijgen waar ze zo'n enorme behoefte aan had? Hij dacht aan de verhouding die ze met haar stiefvader had gehad. Het scheen dat die relatie ook van haar was uitgegaan, maar dat was met dergelijke relaties eigenlijk nooit het geval. Kinderen hebben behoefte aan liefde en kunnen door die behoefte makkelijk beïnvloed worden. En als Jillian door haar vader misbruikt was en ze aan die relatie ontsnapt was, alleen om door haar stiefvader tot hetzelfde te worden overgehaald, dan zou dat haar toch al verwrongen beeld van relaties met mannen er *nog* ziekelijker op hebben gemaakt.

Als Peter haar misbruikt had.

Als Jillian geen dood slachtoffer maar een gewillig slachtoffer was.

Als Gil Vanlees in deze ziekelijke toestand haar partner was.

Als Gil Vanlees al een moordenaar was.

Als, als, als…

Vanlees leek ideaal – afgezien van het feit dat Quinn zich niet kon voorstellen dat hij intelligent genoeg was om de politie zo lang te slim af te zijn. Daarbij was hij ook veel te zenuwachtig voor het spelen van het soort uitdagende spelletjes dat de moordenaar speelde. Althans, dat gold voor de Gil Vanlees die hij vandaag in de verhoorkamer had gezien. Maar hij wist uit ervaring dat mensen meer dan één kant konden hebben, en dat een duistere zijde die in staat was om mensen te vermoorden zoals de Cremator dat deed, tot alles in staat was, met inbegrip van zichzelf op onvoorstelbare wijze te vermommen.

Hij stelde zich in gedachten Gil Vanlees voor, en wachtte op het innerlijke gevoel dat hem vertelde dat hij de man was die ze zochten. Maar dat gevoel kwam niet. Hij kon zich niet eens meer herinneren wanneer hij dat voor het laatst had gehad. Zelfs niet na afloop van de daad, nadat een moordenaar gepakt was en punt voor punt beantwoordde aan het profiel. Dat gevoel van innerlijk weten had hem in de steek gelaten. De arrogantie van de zekerheid was weg. En in plaats daarvan voelde hij nu alleen nog maar angst.

Hij bladerde verder in het dossier, tot bij de kersverse foto's van de autopsie van Melanie Hessler. Net als bij het derde slachtoffer waren de wonden die voor en na het intreden van de dood waren toegebracht, onvoorstelbaar wreed geweest, veel wreder dan bij de eerste twee slachtoffers. Terwijl hij de foto's bekeek, hoorde hij in zijn achterhoofd het bandje. Gil na gil na gil.

Het gegil ging in elkaar over en maakte plaats voor de kakofonie uit zijn nachtmerrie. Het klonk steeds luider en luider, totdat zijn hoofd de indruk wekte dat het elk moment uit elkaar kon barsten en de inhoud er in een vies grijs straaltje uit zou lopen. En ondertussen bleef hij strak naar de autopsiefoto's kijken, liet zijn blik over de verminkte, verkoolde resten van wat eens een vrouw was geweest glijden, en dacht aan het soort woede dat iemand moest voelen om dit een medemens aan te kunnen doen. Hij probeerde zich een beeld te vormen van het soort giftige, zwarte emoties die sterk onderdrukt werden, tot die druk ondraaglijk werd. En hij dacht aan Peter Bondurant en aan Gil Vanlees en aan duizend naamloze gezichten die door de straten van deze twee steden liepen, in afwachting van het moment waarop die intense haat tot uitbarsting zou komen en hen dat laatste zetje zou geven.

Iedereen kon in principe de moordenaar zijn die ze zochten. Een groot aantal mensen beschikte over de noodzakelijke componenten, en verloor zijn zelfbeheersing zodra ze geconfronteerd werden met de voor hen specifieke katalysator. De speciale eenheid hield het, uitgaande van de omstandigheden en het profiel, op Vanlees. Maar het enige dat ze hadden, waren logica en een vermoeden. Geen keiharde bewijzen. Kon Vanlees zo voorzichtig en zo slim zijn geweest? Ze hadden geen enkele getuige die hem met een van de slachtoffers in verband kon brengen. Hun getuige was verdwenen. Ze hadden geen voor de hand liggende connectie tussen alle vier de slachtoffers, en behalve met Jillian kon Vanlees met geen van de andere slachtoffers in verband worden gebracht. En dan was het nog maar de vraag of Jillian een slachtoffer was.

Als, als, als.

Quinn viste een Tagamet uit zijn broekzak en slikte hem door met een suikervrije cola. Hij begon het overzicht op de zaak te verliezen. De spelers zaten hem te dicht op de huid. Hun ideeën en hun emoties kleurden de kille feiten waarop hij zijn analyse moest baseren.

De professionele deskundige in hem verlangde nog steeds naar de afstand van zijn kantoor in Quantico. Maar als hij in Quantico was gebleven, zouden hij en Kate in de verleden tijd zijn gebleven.

In een opwelling griste hij de hoorn van de telefoon en draaide haar kantoornummer. Toen hij vier keer was overgegaan, kwam haar antwoordapparaat aan de lijn. Hij liet opnieuw zijn nummer achter, hing op, pakte de hoorn opnieuw, en draaide haar privé-nummer met hetzelfde resultaat. Het was intussen zeven uur. Waar was ze, verdomme?

Automatisch schoot hem het beeld van die vervallen garage in dat donkere steegje achter haar huis door het hoofd, en hij onderdrukte een vloek. En toen hield hij zichzelf voor – zoals hij dat zelf onge-twijfeld ook zou doen – dat ze haar auto al vijf jaar lang elke dag in die garage zette en dat er nooit iets was gebeurd.

Hij zou vanavond heel wat over hebben gehad voor haar deskundig inzicht, om nog maar te zwijgen over een lange, trage kus en een innige omhelzing. Hij boog zich weer over het dossier heen en bladerde naar de rapporten over de slachtoffers, op zoek naar dat ene dingetje dat hij over het hoofd had gezien en dat in één klap alles duidelijk zou maken, met inbegrip van wie de dader was.

De aantekeningen over Melanie Hessler had hij zelf met de hand opgeschreven. Hij wist veel te weinig van haar. Kovac had Moss de opdracht het brein om meer informatie over het laatste slachtoffer van de Cremator te verzamelen, maar tot nu toe had ze hem nog niets gebracht. Hij wist dat ze in een seksshop had gewerkt, waardoor ze, in het brein van de moordenaar, mogelijk tot dezelfde categorie behoorde als de twee hoeren. Ze was enkele maanden geleden in het steegje achter de winkel verkracht, maar de twee verkrachters hadden een ijzersterk alibi en stonden op geen enkele manier onder verdenking.

Het was triest te moeten bedenken hoe elk van deze vrouwen in hun korte leven bij herhaling tot slachtoffer was gemaakt. Lila White en Fawn Pierce in een beroep en een levenswijze die zich kenmerkte door misbruik en degradatie. White was afgelopen zomer nog in elkaar geslagen door de dealer van wie ze haar drugs kocht. Pierce had in twee jaar tijd drie keer in het ziekenhuis gelegen, de ene keer door toedoen van haar pooier, de tweede keer als gevolg van een beroving, en de derde keer na een verkrachting.

Jillian was achter de gesloten deuren van haar eigen huis tot slachtoffer gemaakt. Áls Jillian een slachtoffer was.

Hij keerde terug naar de foto's van slachtoffer nummer drie en keek naar de steekwonden in haar borst. De handtekening. Lange wond, korte wond, lange wond, korte wond, als de punten van een ster, of als de blaadjes van een ijzingwekkende bloem.

Ik hou van je, ik hou niet van je, ik hou van je, ik hou niet van je. Cross my heart, hope to die.

Hij dacht aan de onduidelijke stemmen op de tape.

'*...Draai... doe het...*'

'*Wil het... van mij...*'

Het kostte hem geen enkele moeite zich een voorstelling te maken van de moordenaars die, elk met een mes in de hand, aan weerszijden van het warme, levenloze lichaam van hun slachtoffer stonden, en om de beurt hun mes in de borst van de vrouw stootten om zo samen hun handtekening te plaatsen en hun verbond te bezegelen.

Die gedachte had hem de rillingen moeten bezorgen, maar het

was niet het ergste wat hij in zijn leven had meegemaakt. Bij lange na niet. De meeste gevallen deden hem niets.

Dat bezorgde hem de rillingen.

Een man en een vrouw. Hij liep de mogelijkheden na en dacht aan de mensen van wie bekend was dat ze op een bepaalde manier iets met de slachtoffers te maken hadden. Gil Vanlees, Peter Bondurant, Lucas Brandt. De Urskine's – dat was een mogelijkheid. De hoer die gisteravond in het Phoenix House was geweest toen Angie DiMarco was verdwenen – en die beweerde dat ze niets gezien en gehoord had – en die met het tweede slachtoffer bevriend was geweest. Michele Fine, Jillian Bondurants enige vriendin. Vreemd en trillerig. Lichamelijk en emotioneel beschadigd. Een vrouw met een lang, duister verhaal, daar twijfelde hij niet aan. En ze had geen sluitend alibi voor de avond waarop Jillian was verdwenen.

Hij pakte het vel bladmuziek dat Fine hem had gegeven en dacht aan Jillians composities die ze niet had willen afstaan.

Buitenstaander

Buiten
Aan de duistere zijde
Alleen
Kijk van buiten naar binnen
In een opwelling
Verlang naar een thuis

Buitenstaander
In mijn bloed
In mijn botten
Kan niet hebben
Wat ik wil
Gedoemd tot zwerven
Alleen
Aan de buitenkant

Laat me binnen
Wil een vriend
Wil een geliefde

Blijf bij me
Wees mijn vriendje
Wees mijn vader

Buitenstaander
In mijn bloed

In mijn botten

Kan niet hebben
Wat ik wil
Gedoemd tot zwerven
Alleen
Aan de buitenkant

Knokkels trommelden op de deur, en Kovac keek, zonder op een uitnodiging te wachten, om het hoekje.
'Kun je het ruiken?' vroeg hij, binnenkomend. Hij leunde tegen Quinns stapel aantekeningen. Zijn pak zat vol kreukels, zijn das zat scheef en hij had een dikke lip waar Peter Bondurant hem geraakt had. 'De billen gebrand. Grote blaren.'
'Ze hebben je eruit gegooid,' zei Quinn.
'De man verdient een sigaar. Ik ben van de zaak gehaald. Morgen is er een persconferentie waarop bekend wordt gemaakt wie de leiding van de speciale eenheid van nu af aan op zich zal nemen.'
'Je mag al blij zijn dat Bondurant je niet werkeloos heeft gemaakt,' zei Quinn. 'Je hebt het deze keer wel een beetje al te bont gemaakt, Sam.'
'Dat kan zijn,' gaf hij toe, 'maar elk woord kwam regelrecht uit mijn hart. Ik ben Peter Bondurant, zijn centen, zijn macht en zijn mensen meer dan zat. Het verhaal van Cheryl Thorton was de laatste druppel. Ik moest maar steeds denken aan al die dode vrouwen van wie niemand zich ooit iets aan heeft getrokken, terwijl Bondurant met de zaak speelt alsof het zijn eigen, persoonlijke spelletje live Cluedo is. Ik moest steeds maar denken aan zijn dochter en dat ze een geweldig leven had moeten hebben, maar in plaats daarvan – of ze nu dood is of nog leeft – zit ze dankzij hem voorgoed in de knoop.'
'Vooropgesteld dat hij zich aan haar vergrepen heeft. We weten niet zeker of het waar is wat Cheryl Thorton je heeft verteld.'
'Bondurant betaalt de doktersrekeningen van haar man. Waarom zou ze zoiets gemeens van die man zeggen als het niet waar was?'
'Heeft ze iets laten doorschemeren waaruit blijkt dat ze denkt dat Peter Jillian heeft vermoord?'
'Zo ver wilde ze niet gaan.'
Quinn hield het vel bladmuziek op. 'Ik zou dit maar eens lezen. Misschien ben je wel iets op het spoor.'
Kovac trok een gezicht terwijl hij de songtekst doorlas. 'Jezus.'
Quinn spreidde zijn handen. 'Het kan seksueel zijn, maar voor hetzelfde geld is het dat niet. Misschien slaat het wel op haar vader of haar stiefvader, of misschien betekent het gewoon helemaal niets. Ik wil die Michele nog eens spreken. Kijken of zij er wat mee kan – en of ze het aan me kwijt wil.'

Kovac draaide zich om en keek naar de foto's die Quinn op de muur had geplakt. De slachtoffers, glimlachend, toen ze nog leefden. 'Er is niets waar ik zo'n bloedhekel aan heb als aan een pedofiel. Daarom doe ik geen zedenmisdrijven – ook al hoeven ze niet zo veel uren te draaien daar. Als ik dat soort werk zou doen, zou ik regelrecht de nor in draaien. Ik zou zo'n vuile schoft die zijn eigen kind heeft verkracht maar in handen hoeven te krijgen, en ik zou hem gewoon en zonder aarzelen de strot omdraaien. Zodat hij dat nooit meer zou kunnen doen, en ook geen erfelijk belaste kinderen meer zou kunnen maken, als je snapt wat ik bedoel.'

'Ja, ik snap het.'

'Ik snap echt niet hoe een man naar zijn eigen dochter kan kijken en kan denken: "Hé, daar wil ik ook wel eens wat van hebben." '

Hij schudde zijn hoofd en haalde een sigaret uit het pakje dat in het borstzakje van zijn gekreukte witte overhemd zat. In de kantoren van de FBI mocht niet worden gerookt, maar Quinn zei er niets van.

'Ik heb zelf een dochter, weet je,' zei Kovac, de rook uitblazend. 'Nou, dat wist je natuurlijk niet. Bijna niemand weet het. Uit mijn eerste huwelijk, dat het, nadat ik bij de politie was gaan werken, net nog anderhalve minuut heeft uitgehouden. Gina. Ze is zestien nu. Ik zie haar nooit. Haar moeder is halsoverkop hertrouwd en naar Seattle verhuisd. Een andere man mag voor haar vader spelen.' Hij trok met zijn schouders en liet zijn blik weer over de foto's gaan. 'Wat kun je eraan doen?'

Quinn zag de spijt in zijn ogen. Hij had die blik al te vaak bij te veel mannen verspreid over het hele land gezien. Dit werk eiste zijn tol, en de mensen die bereid waren die te betalen, kregen er nauwelijks wat voor terug.

'Wat ben je van plan met de zaak?' vroeg hij.

Kovac trok een verbaasd gezicht. 'Verder gaan bij de speciale eenheid, wat anders? Het kan me geen bal schelen wat lulletje rozenwater zegt. Dit is mijn zaak, ik heb de leiding. Het kan me niet schelen wie ze in mijn plaats willen benoemen.'

'Zal de hoofdinspecteur je dan niet op een andere zaak zetten?'

'Fowler staat achter me. Hij heeft me een stom klusje gegeven. Ik word geacht me koest te houden, dat is alles.'

'Hoelang kent hij je al?'

'Lang genoeg om beter te weten.'

Quinn lachte vermoeid. 'Sam, je bent me er een.'

'Ja, dat klopt. Maar vraag vooral niet aan te veel mensen *wat* voor een.' Kovac grinnikte, en toen werd hij weer ernstig. Hij liet zijn peuk in het lege colablikje vallen. 'Het is geen egotripperij, weet je. Ik hoef mijn naam niet in de krant te zien. Het interesseert me niet hoeveel ik verdien. Ik heb nooit om promotie gevraagd, en de hemel weet dat ik er ook geen verwacht.

'Maar ik wil deze klootzak achter slot en grendel,' zei hij op vastberaden toon. 'Ik had dat even vurig moeten willen nadat we Lila White hadden gevonden, maar dat heb ik niet gedaan. Niet dat ik niet om haar gaf, maar je had gelijk: ik deed wat iedereen doet. Ik heb me er niet in vastgebeten en heb niet diep genoeg gegraven. Toen de moordenaar niet snel werd gevonden, heb ik er verder niet meer zo heel erg mijn best voor gedaan, omdat de hoge pieten me achter de vodden zaten en omdat ze een hoer was, en een hoer het zo nu en dan nu eenmaal voor de kiezen krijgt. Elk vak heeft zijn risico's. En nu zitten we met vier doden. Ik wil Smokey Joe's reet op een zilveren blaadje voordat nummer vijf in rook opgaat.'

Quinn luisterde zonder Sam in de rede te vallen, en knikte toen hij was uitgesproken. Sam Kovac was een agent van het goede soort. Een goed mens. En deze zaak zou hem zijn baan wel eens kunnen kosten, zelfs als het hem lukte het mysterie op te lossen. Maar vooral wanneer het antwoord op de vraag Peter Bondurant zou blijken te zijn.

'Wat is het laatste nieuws over Vanlees?' vroeg hij.

'Tippen laat hem geen moment uit het oog. Ze spelen kat en muis. Ze hebben hem op Hennepin Boulevard aangehouden om hem naar zijn maat te vragen, de importeur van elektronische apparatuur. Tip zegt dat hij het zowat in zijn broek deed.'

'En hoe staat het met de apparatuur?'

'Adler heeft zijn Web-page bekeken. Hij is gespecialiseerd in computers en aanverwante artikelen, maar hij kan alles voor je krijgen waar een stekker aan zit. Dus het kan best zijn dat hij tot over zijn oren in de opname-apparatuur zit. Ik wou dat we een huiszoekingsbevel voor die flat konden krijgen, maar er is geen rechter ter wereld die bereid is ons er een te geven op basis van wat we van hem hebben – hetgeen gelijkstaat aan niets.'

'Dat zit me niet lekker,' gaf Quinn toe, terwijl hij met zijn pen op het dossier van Vanlees tikte. 'Volgens mij heeft Vanlees echt het buskruit niet uitgevonden. Hij scoort voor wat het profiel aangaat op heel wat punten, maar Smokey Joe is slim en brutaal, en volgens mij is Vanlees geen van tweeën... hetgeen hem ook tot de ideale kandidaat kan maken.'

Kovac plofte op een stoel neer alsof het gewicht van die laatste zorg hem opeens te veel was geworden. 'Vanlees heeft een band met Jillian en met Peter. Dat bevalt me niet. Ik heb voortdurend een nachtmerrie waarin Bondurant onze Smokey Joe is, en waarin niemand naar me wil luisteren en niemand anders hem in overweging wil nemen, zodat hij er ongestraft van af komt.

'Ik graaf een beetje dieper bij hem, en dankzij hem sta ik net niet op straat. En dat bevalt me niets.' Hij pakte nog een sigaret, maar streelde er met zijn vingers alleen maar overheen, alsof hij hoopte dat hij daar wat kalmer van zou worden. 'En dan denk ik: Sam, je bent achterlijk. Bondurant heeft Quinn erbij gehaald. Waarom zou hij dat doen als hij de moordenaar was?'

'Voor de uitdaging,' antwoordde Quinn zonder aarzelen. 'Of om ontmaskerd te worden. In dit geval hou ik het op het eerste. Hij zou klaarkomen op de wetenschap dat ik hier ben en hem niet in de smiezen heb. De politie te slim af zijn staat bij dit soort moordenaars hoog in het vaandel. Maar als Bondurant Smokey Joe is, wie is dan zijn medeplichtige?'

'Jillian,' opperde Kovac. 'En dit hele gedoe met haar moord is alleen maar schijn.'

Quinn schudde het hoofd. 'Dat geloof ik niet. Bondurant is ervan overtuigd dat zijn dochter dood is. Hij gelooft er nog meer in dan wij. Dat is geen spel.'

'Dat brengt ons dus weer terug bij Vanlees.'

'Of bij de Urskine's. Of bij iemand aan wie we nog niet hebben gedacht.'

Kovac keek hem aan en trok een gezicht. 'Aan jou heb ik ook niets.'

'Daarom word ik zo goed betaald.'

'Ja, van mijn belastingcenten,' zei hij vol walging. Hij klemde de sigaret even tussen zijn lippen, en haalde hem er toen weer uit. 'De Urskine's. Dat zou pas echt goed ziek zijn. Ze helpen twee van hun hoeren om zeep en brengen daarna een stel gewone burgers om het leven om de aandacht op hun zogenaamde goede zaak te richten.'

'En om de verdenking af te wenden,' zei Quinn. 'Niemand denkt aan degene die de aandacht probeert te trekken.'

'Maar om de getuige die bij hen in huis zit te ontvoeren? Daar moet je wel titanium ballen voor hebben.' Kovac hield zijn hoofd schuin en dacht na. 'Ik wed dat Toni Urskine op die van haar haar heeft groeien.'

Quinn ging voor zijn aantekeningen staan die hij op de muur had geplakt. Hij las niet echt wat er stond. De letters en de feiten vermengden zich in zijn hoofd met de theorieën, de gezichten en de namen.

'Is er al nieuws van Angie DiMarco?' vroeg hij.

Sam schudde het hoofd. 'Niemand heeft haar gezien. Niemand heeft iets van haar gehoord. We laten haar foto regelmatig op de televisie zien en vragen de mensen die haar gezien hebben een speciaal nummer te bellen. Als je het mij vraagt betekent het feit dat het slachtoffer gisteravond iemand anders bleek te zijn, niets anders dan uitstel van het onvermijdelijke. Maar ja,' besloot hij, terwijl hij zwaar uit de stoel omhoogkwam, 'ik ben dan ook, zoals mijn tweede vrouw altijd zei, de helse pessimist.'

Hij geeuwde uitgebreid en keek op zijn horloge.

'Nou, GQ, ik hou het voor gezien vandaag. Ik kan me niet eens meer herinneren wanneer ik voor het laatst in een bed heb geslapen. En dat heb ik mij voor vanavond ten doel gesteld: als ik tenminste niet onder de douche in slaap val. Hoe staat het met jou? Ik kan je een lift geven naar je hotel.'

'Om wat te doen? Slapen? Dat heb ik opgegeven. Daarvan krijg ik te veel paniekaanvallen,' zei Quinn, zijn blik afwendend. 'Maar in ieder geval bedankt, Sam. Ik denk dat ik nog maar een poosje blijf doorwerken. Er is hier iets dat ik over het hoofd zie.' Hij gebaarde op het open liggende dossier. 'Misschien, als ik er nog een poosje naar blijf kijken...'

Kovac keek hem zonder iets te zeggen even aan, en knikte toen. 'Zoals je wilt. Tot morgen. Zal ik je komen halen?'

'Nee, dank je.'

'Niets te danken. Nou, welterusten.' Hij was de drempel al over en draaide zich toen weer om. 'Als je Kate nog mocht zien, doe haar dan de groeten van me.'

Quinn zei niets. Hij deed niets in de eerste vijf minuten nadat Kovac vertrokken was, maar dacht slechts aan de inspecteur die alles zag. Toen pakte hij de telefoon en draaide Kate's nummer.

30

'Kate, ik ben het. Eh, John. Eh, ik ben nog op kantoor. Bel me even als je tijd hebt. Ik zou graag een aantal punten uit de slachtofferrapporten met je doornemen. Bedankt.'
Kate keek naar de telefoon terwijl de verbinding verbroken werd en het lampje van het antwoordapparaat oplichtte. Aan de ene kant voelde ze zich schuldig omdat ze niet had opgenomen. Aan de andere kant voelde ze zich opgelucht. Inwendig betreurde ze de verloren kans om op de een of andere manier contact met hem te hebben. Een slecht teken, maar zo was het nu eenmaal.
Ze was uitgeput, gestrest, overdonderd. Ze had zich in jaren niet meer zo depressief gevoeld... en ze verlangde naar John Quinns armen om zich heen. En dat was precies de reden waarom ze de telefoon niet had opgenomen. Ze was bang.
En dat was een rottig en bepaald onwelkom gevoel.
Het was stil op kantoor. Behalve Rob en zij zelf was iedereen van hun afdeling al naar huis. Rob had zich afgezonderd in zijn kamer verderop in de gang, en ze twijfelde er niet aan dat hij bezig was aan een lang en venijnig rapport over haar. Aan de andere kant van de receptie, op de afdeling van de officier van justitie, was nog een aantal assistenten van de openbaar aanklager bezig met het voorbereiden van rechtszaken, het uitzetten van strategieën, het doen van research en het schrijven van rapporten en aanbevelingen. Het grootste gedeelte van het gebouw was leeg. Ze was zogoed als alleen.
Haar zenuwen waren tot het uiterste gespannen van het urenlang luisteren naar de stem van haar vermoorde cliënte, die vertelde over haar angst voor lichamelijk geweld, om verkracht te worden, vermoord te worden en alleen te moeten sterven. En naar haar eigen stem die haar geruststelde, die beloofde dat ze haar zou beschermen, dat ze hulp voor haar zou regelen, en die haar best deed om haar een gevoel van valse geborgenheid aan te praten. En uiteindelijk was al haar mooipraterij geen klap waard geweest.
Rob had erop gestaan de banden keer op keer af te spelen. Hij stopte ze, spoelde ze terug, luisterde bepaalde gedeelten een aantal

keren af en stelde Kate keer op keer dezelfde vragen. Alsof het nu nog iets uitmaakte. De politie was niet geïnteresseerd in de subtiele nuances van Melanie's manier van spreken. Het enige dat ze wilden weten was of Melanie in de laatste weken van haar leven voor iemand in het bijzonder bang was geweest.

Hij had het gedaan om haar te straffen, wist Kate.

Uiteindelijk was hij net even te ver gegaan. Terwijl hij aan de knopjes van de recorder friemelde om een bepaald gesprek terug te spoelen en het een derde keer af te spelen, was Kate opgestaan, had zich over de tafel heen gebogen, en op stop gedrukt.

'Zo is het wel genoeg. De boodschap is duidelijk. Je wilde je wreken, en dat heb je gedaan, maar nu is voor mij de maat vol.'

'Ik weet niet waar je het over hebt.' Hij zei het bijna als een uitdaging, zonder ook maar een spoortje oprechtheid. En hij weigerde haar aan te kijken.

'Ik hou van dit bureau, Rob. Ik mag de meeste mensen met wie ik werk. Maar ik ben verdomde goed in mijn werk, en ik heb binnen de kortste keren een nieuwe baan. Als jij me probeert te manipuleren en te straffen, zal ik dat geen moment tolereren.

En nu zul je me moeten excuseren,' vervolgde ze, ' want ik heb zojuist de verschrikkelijkste vierentwintig uur van mijn leven achter de rug en ik zweef op het randje van instorten. Ik ga naar huis. Bel me maar als je niet wilt dat ik terugkom.'

Hij had geen woord gezegd toen ze zijn kamer uit was gelopen. Of misschien had ze hem door het suizen van het bloed in haar oren wel niet gehoord. God wist dat ze het waarschijnlijk verdiende om ontslagen te worden, maar ze had gewoon geen greintje tact meer over. Ze kon het niet meer opbrengen vriendelijk te zijn en goede manieren te tonen, daarvoor was ze op dat moment gewoon veel te emotioneel.

Ze voelde het nog steeds, die oncontroleerbare emotionaliteit. Het was alsof er vanbinnen een slagader was gesprongen, en het voelde aan alsof ze erin zou stikken, alsof ze erin zou verdrinken.

En het enige dat ze wilde, was Quinn vinden en in zijn armen vallen.

Ze had zo haar best gedaan om haar leven weer op orde te krijgen. Ze had een nieuwe basis gelegd en haar huidige bestaan steentje voor steentje opgebouwd. Maar nu bleek dat die basis niet zo stevig was geweest als ze wel gemeend had. Het was zelfs nog erger dan dat. Ze was tot het besef gekomen dat de fundering van haar nieuwe bestaan zich recht boven de breuklijn van haar verleden bevond, en dat haar zogenaamde nieuwe houding in feite alleen maar schijn was. Ze was geen ander, nieuw mens geworden, helemaal niet. Dat was alleen maar een leugen geweest die ze zichzelf de afgelopen vijf jaar elke dag had voorgehouden: dat ze John Quinn niet nodig had om zich meer mens te voelen.

De tranen sprongen haar in de ogen, en een gevoel van diepe wanhoop maakte zich van haar meester. Ze voelde zich leeg en bang. En God, wat was ze moe. Maar ze slikte haar tranen weg en weigerde bij de pakken neer te gaan zitten. Ga naar huis, zet de boel op een rijtje, neem een borrel en probeer wat te slapen. Morgen is er een nieuwe dag.

Ze trok haar jas aan, nam het dossier op dat ze van Angie had samengesteld, pakte haar post en haar memo's en de faxen die zich in de loop van de dag in haar bakje hadden opgestapeld, en mikte alles in haar tas. Ze stak haar hand uit om de bureaulamp uit te doen, maar haar vingers dwaalden af naar de boekenkast, en ze haalde het lijstje met Emily's foto van de plank.

Het lieve, glimlachende engeltje in een geel zonnejurkje. De toekomst strekte zich nog stralend voor haar uit. Of dat zou je, als normaal, arrogant denkend mens verwacht mogen hebben. Kate vroeg zich af of iemand ergens een oude schoenendoos had met daarin een soortgelijk kiekje van Angie DiMarco... of van Melanie Hessler... Lila White, Fawn Pierce, Jillian Bondurant.

Het leven bood geen enkele garantie. Er was nog nooit een belofte gedaan die niet verbroken kon worden. Dat wist ze uit eigen ondervinding. Ze had er te veel gedaan met de beste intenties, om daarna te zien hoe ze, zonder dat ze er iets aan had kunnen doen, ondermijnd werden.

'Het spijt me, Em,' fluisterde ze. Ze drukte het fotootje tegen haar lippen voor een kus voor het slapengaan, en stopte het lijstje toen weer weg in het hoekje van de boekenkast, waar de werkster het zou vinden en het weer in het zicht zou zetten.

Ze verliet haar kamer en deed de deur achter zich op slot. Ze hoorde een stofzuiger in de kamer tegenover de hare. De deur van Robs kamer, verderop in de gang, was dicht. Misschien was hij er nog wel en was hij bezig te bedenken hoe hij haar een gouden handdruk door de neus zou kunnen boren. Of misschien was hij wel naar huis gegaan om – om wat te doen? Ze wist zelfs niet eens of hij een vriendin had – of een vriend. Misschien was donderdagavond wel zijn vaste bowlingavond, wist zij veel. Wat ze wel wist, was dat hij op de afdeling geen vaste vrienden had. Behalve tijdens het verplichte kerstdiner van kantoor, zag Kate hem nooit voor iets anders dan voor het werk. Nu vroeg ze zich af of hij iemand had die thuis op hem wachtte en bij wie hij zijn beklag kon doen over dat kreng van kantoor.

Het was eindelijk opgehouden met sneeuwen, zag ze, toen ze door het glazen daktunneltje naar de parkeergarage van Fourth Street liep. In totaal was er iets meer dan tien centimeter gevallen, had ze iemand horen zeggen. De straten lagen vol troep en smurrie, die in de loop van de nacht door de gemeentereiniging zou worden opgeruimd. Misschien lieten ze het ook wel liggen, in de hoop dat er nog een paar warme dagen zouden komen. Op die manier konden ze de gemeente wat geld besparen voor de sneeuwstormen die hen in de komende maanden nog te wachten stonden.

Ze haalde de sleutels uit haar tas en nam ze zodanig in haar hand dat het langste en scherpste exemplaar met de punt tussen haar wijs- en middelvinger uitstak, een gewoonte die ze zich had aangewend toen ze in een niet zo'n heel veilige buurt van Washington DC had gewoond. De parkeergarage was goed verlicht, maar niet erg druk op dit uur van de avond, en ze voelde zich nooit op haar gemak wanneer ze er alleen doorheen moest lopen. En vanavond, na alles wat er gebeurd was, al helemaal niet. Als gevolg van de moorden en haar slaapgebrek was haar paranoia sterker dan ooit. Een schaduw die tussen twee auto's door viel, een voetstap, het plotselinge dichtslaan van een portier – ze schrok zich elke keer wild. De 4Runner leek ki-lometers ver verwijderd.

Maar even later zat ze erin – de deuren op slot en met lopende mo-tor. Ze was op weg naar huis, en de ergste spanning gleed van haar schouders. Ze probeerde zich te concentreren op het ontspannen van haar schouders. Pyjama, een borrel, en naar bed. Ze zou haar tas mee naar bed nemen, en in bed, op het beddengoed dat nog door-eengewoeld was van hun liefdesspel, wat werk doornemen.

Misschien zou ze de lakens eerst verschonen.

Het ondernemende type van een paar huizen verder had vijf maanden per jaar een sneeuwschuiver op de voorbumper van zijn truck gemonteerd, en verdiende een extra centje bij met het sneeuw-vrij maken van opritten. Hij had het steegje al gedaan. Kate zou een cheque voor hem uitschrijven en die morgenochtend bij hem in de brievenbus stoppen.

Ze zette de auto in de garage, en dacht te laat aan het kapotte licht. Ze vloekte zacht, haalde de zware zaklantaarn uit het handschoe-nenvakje en stapte, met haar armen vol tassen en de zaklantaarn, uit de auto.

De stank bereikte haar neusgaten net een fractie van een seconde eerder dan het moment waarop haar voet in de zachte smurrie trap-te.

'O, shit!' Letterlijk. 'Getverdemme!'

'Kate?'

Die stem kwam uit de richting van het huis. Quinns stem.

'Ik ben hier!' riep ze, haar aktetas, handtas en de zaklantaarn op-nieuw steviger vastgrijpend.

'Wat is er? Waarom vloek je?' vroeg hij, terwijl hij de garage in kwam.

'Ik heb net in een drol getrapt.'

'Wat? Jezus. Wat een stank. Dat moet me de hond wel zijn ge-weest.'

De zaklantaarn sprong aan, en ze scheen met de lichtbundel op de poep. 'Dat kan niet van een hond zijn geweest. De deur was dicht. O, wat smerig!'

'Het lijkt wel van een mens,' zei Quinn. 'Waar is je schep?'

Kate scheen op de muur. 'Daar. Goeie God, denk je dat er iemand in mijn garage is geweest en hier een drol heeft gedraaid?'

'Heb jij een betere theorie?' vroeg hij.

'Ik kan me niet voorstellen waarom iemand zoiets zou doen.'

'Het is een teken van gebrek aan respect.'

'Dat weet ik ook wel. Wat ik bedoel is waarom doet iemand dat bij mij? Wie ken ik die in staat is tot zoiets primitiefs en vreemds?'

'Wie heb je onlangs kwaad gemaakt?'

'Mijn baas. Maar ik kan me van hem niet voorstellen dat hij in mijn garage zou poepen. En dat wil ik me ook niet eens voorstellen.' Ze hinkte samen met hem naar buiten, waarbij ze haar laars alleen maar met de teen op de grond zette omdat ze niet de hele garagevloer onder de smurrie wilde hebben.

'Weten je cliënten waar je woont?'

'Als er iemand mocht zijn die dat weet, dan is dat niet omdat ik dat aan hem of haar verteld zou hebben. Ze hebben mijn kantoornummer – en dat toestel schakelt na kantoortijd automatisch door naar mijn huis – en ze hebben het nummer van mijn mobiele telefoon voor noodgevallen. Dat is alles. Mijn privé-nummer staat niet in het boek, al zal dat geen belemmering zijn voor iemand die me echt wil vinden. Als je echt wilt weten waar iemand woont, is het niet zo moeilijk om daarachter te komen.'

Quinn gooide de poep tussen de garage en de schutting van de buren. Hij maakte de schep schoon in de sneeuw langs de kant, terwijl Kate hetzelfde probeerde te doen met haar laars.

'Dit is niets anders dan het uitroepteken aan het einde van mijn dag,' mompelde ze, terwijl ze terugliepen naar de garage om de schep terug te zetten. Ze scheen met de lamp om zich heen om te zien of er iets weg was. Er scheen niets te ontbreken.

'Zijn jou de afgelopen tijd meer vreemde dingen overkomen?'

Ze lachte vreugdeloos. 'Ik denk dat je rustig kunt stellen dat *alles* aan mijn leven vreemd is.'

'Ik bedoel vandalisme, telefoontjes waarbij snel wordt opgehangen, vreemde post, dat soort dingen.'

'Nee,' zei ze, en toen dacht ze onmiddellijk aan de drie ophangtelefoontjes van de vorige avond. God, was dat echt nog maar pas gisteravond geweest? Ze had gedacht dat het Angie was geweest. Iets anders had ze niet kunnen bedenken. Het idee van een anoniem iemand die haar lastig wilde vallen, was niet bij haar opgekomen. En het leek haar nog steeds niet waarschijnlijk.

'Het lijkt me beter dat je gewoon op straat parkeert,' zei Quinn.

'Het kan best zijn dat het zomaar iemand is geweest die toevallig in de buurt was en nodig moest, of misschien was het een kind dat een geintje wilde uithalen, maar je kunt niet voorzichtig genoeg zijn, Kate.'

'Dat weet ik. En dat zal ik doen – met ingang van morgen. Hoelang ben jij hier al?' vroeg ze, en ze liepen naar het huis.

'Niet lang genoeg om *dat* gedaan te kunnen hebben.'

'Dat bedoelde ik niet.'

'Ik ben hier net. Ik heb je op kantoor gebeld, maar je was al weg. Toen heb ik maar een taxi genomen. Heb je mijn boodschappen gekregen?'

'Ja, maar het was laat en ik was moe. Het is een absolute rotdag geweest, en ik wilde zo snel mogelijk weg.'

Ze maakte de achterdeur open en Thor begroette hen met een verontwaardigd miauwen. Kate zette haar laarzen in het halletje, liet haar aktetas op een keukenstoel vallen en liep regelrecht door naar de koelkast om er het kattenvoer uit te halen.

'Je probeerde me toch niet te ontlopen, wel?' vroeg Quinn, terwijl hij zijn jas uittrok.

'Misschien. Een beetje.'

'Ik maakte me zorgen om je, Kate.'

Ze zette het bakje op de grond, aaide de kat over zijn kop en ging met haar rug naar Quinn toe staan. Dat ene kleine zinnetje van hem was voldoende geweest om alle heftige emoties in één klap weer aan de oppervlakte te brengen, en de tranen sprongen haar in de ogen. Ze wilde niet dat hij ze zou zien. Als ze kon, zou zij ze meteen weer inslikken. Hij wilde dat ze hem nodig had. En ze wilde er zo verschrikkelijk graag aan toegeven.

'Neem me niet kwalijk,' zei ze. 'Ik ben het niet gewend dat er iemand om me geeft.'

Jezus, had ze dat niet anders kunnen zeggen? Het was waar, maar het had zo zielig, pathetisch bijna, geklonken. Het deed haar denken aan Melanie Hessler – die al een week weg was zonder dat iemand voldoende om haar gaf om te kijken waar ze was.

'Ze was een cliënte van mij,' zei ze. 'Melanie Hessler. Slachtoffer nummer vier. Ik heb het voor elkaar gekregen om er in één nacht tijd twee te verliezen. Is dat een record, of niet?'

'O, Kate.' Hij kwam achter haar staan en sloeg zijn armen om haar heen, omhulde haar met zijn warmte en zijn kracht. 'Waarom heb je me niet gebeld?'

Omdat ik je niet nodig wil hebben. Omdat ik niet van je durf te houden.

'Je had er toch niets aan kunnen doen,' zei ze.

Quinn draaide haar in zijn armen en streek de haren uit haar gezicht, maar hij dwong haar niet hem aan te kijken. 'Ik had dit kunnen doen,' fluisterde hij. 'Ik had naar je toe kunnen komen, mijn armen om je heen kunnen slaan en je een tijdje dicht tegen me aan kunnen houden.'

'Ik weet niet of dat wel zo'n goed idee zou zijn geweest,' zei ze zacht.

'Waarom niet?'

'Daarom. Je bent hier om aan een zaak te werken. Je hebt belangrijker dingen te doen.'

'Kate, ik hou van je.'

'Zomaar.'

'Je weet best dat het niet "zomaar" is.'

Ze deed een stapje naar achteren en miste het contact meteen. 'Ik weet dat we in de afgelopen vijf jaar op geen enkele manier contact hebben gehad. Geen woord, geen briefje, niets. En nu zijn we binnen anderhalve dag weer verliefd. En over een week ben je weer weg. En wat dan?' vroeg ze, terwijl ze zich met haar handen in haar zij onrustig heen en weer bewoog. 'Waar denk ik aan?'

'Kennelijk aan niets goeds.'

Kate zag dat ze hem gekwetst had, hetgeen absoluut niet haar bedoeling was geweest. Ze kon het niet uitstaan van zichzelf dat ze zo bot reageerde op zulke broze gevoelens, maar ze schreef het toe aan een gebrek aan oefening en aan het feit dat ze bang was – en de angst maakte haar onhandig.

'Ik denk aan al die keren in de afgelopen vijf jaar dat ik de telefoon wilde pakken om je nummer te draaien, maar dat niet heb gedaan,' zei Quinn. 'Maar ik ben nu hier.'

'Per toeval. Snap je dan niet hoe bang ik ben, John? Als deze zaak er niet was geweest, zou je dan ook zijn gekomen? Zou je me ooit hebben gebeld?'

'En jij?'

'Nee,' zei ze zonder aarzelen, om er toen zachter en hoofdschuddend aan toe te voegen: 'Nee... Nee... Ik heb meer dan genoeg verdriet voor een heel leven te verwerken gehad. Ik zou er niet naar op zoek zijn gegaan. Ik wil geen verdriet meer. Dan voel ik nog liever helemaal niets. En jij laat me *zo verschrikkelijk veel* voelen,' zei ze, terwijl ze een prop in haar keel kreeg. 'Te veel. En ik geloof niet dat dat zomaar weer zal verdwijnen.'

'Nee. Nee.' Hij pakte haar bij haar armen en hield haar voor zich. 'Kijk me aan, Kate.'

Ze wilde niet dat hij haar tranen zou zien. Durfde ze niet aan hem te laten zien.

'Kate, kijk me aan. Het maakt niet uit wat we wel of niet gedaan zouden hebben. Waar het om gaat is dat we nu hier zijn. Waar het om gaat is dat we nog precies hetzelfde voelen als toen. Waar het om gaat is dat het vrijen met jou vanochtend de meest natuurlijke, volmaakte ervaring ter wereld was – alsof we nooit uit elkaar zijn geweest. Dat is waar het om gaat. De rest is niet belangrijk.

'Ik hou van je. Echt,' fluisterde hij. 'En dat is wat telt. Hou je ook van mij?' Ze knikte met hangend hoofd, alsof ze zich schaamde om dat toe te geven. 'Dat heb ik altijd gedaan.'

De tranen rolden over haar wangen. Quinn ving ze op met zijn duimen en veegde ze weg.

'Dat is wat telt,' fluisterde hij. 'En voor al het andere vinden we wel een oplossing.

'Mijn leven was zo leeg nadat je bent weggegaan, Kate. Ik heb geprobeerd het gat met werken te vullen, maar het werk deed niets anders dan verder aan me vreten, en het gat werd alleen maar groter, en ik bleef maar als een idioot verder graven om te proberen het gevuld te krijgen. De laatste tijd heb ik steeds meer het gevoel dat er niets over is. Ik weet dat natuurlijk aan het werk, met de gedachte dat ik er zoveel stukjes van mezelf aan had weggegeven dat ik niet meer weet wie ik ben. Maar wanneer ik bij jou ben, weet ik heel goed wie ik ben, Kate. En dat is het wat er al die tijd aan ontbroken heeft – dat deel van mijzelf dat ik aan jou had gegeven.'

Kate keek hem met grote ogen aan en wist dat hij meende wat hij zei. Quinn mocht dan, wat zijn werk betrof, een kameleon zijn geweest die naar believen van kleur kon veranderen om voor elkaar te krijgen wat hij gedaan wilde krijgen, maar tegen haar was hij in hun relatie altijd volkomen oprecht en eerlijk geweest – tenminste tot op het einde, toen ze alle twee een dikke muur hadden opgetrokken rond hun gekwetste hart. En ze wist hoe moeilijk het voor hem was om dit te zeggen. Kwetsbaarheid was niet iets waar John Quinn goed in was. Het was iets waar Kate altijd met een zo groot mogelijke boog omheen liep. Maar nu voelde ze het vanbinnen, en ze voelde hoe het probeerde om eruit te komen.

'Is het je niet opgevallen dat we geen slechter moment hadden kunnen kiezen?' vroeg ze, hetgeen haar een glimlachje van hem opleverde. Hij kende haar goed genoeg om te beseffen dat ze probeerde ongemerkt van onderwerp te veranderen. Een flauw grapje om de spanning te breken. Een subtiel teken dat ze er nog niet klaar voor was, dat ze op dat moment nog niet de kracht had om hier naar te kijken.

'Och, ik weet niet,' zei hij, terwijl hij zijn omarming wat verslapte. 'Volgens mij heb je op dit moment behoefte aan armen om je heen, en ik heb behoefte aan jou in mijn armen. Dus dat komt redelijk goed uit.'

'Ja, je hebt waarschijnlijk wel gelijk.' Ze stond zichzelf toe haar hoofd op zijn schouder te leggen. *Overgave* was het woord dat haar te binnen schoot, maar ze verzette zich er niet tegen. Ze was te moe om te vechten, en het was waar, ze had behoefte aan armen om zich heen. Daar kreeg ze tegenwoordig niet zo vaak de kans meer toe. Haar eigen schuld, dat wist ze best. Ze hield zichzelf voor dat ze het veel te druk had voor een vriendje, dat ze op dit moment geen behoefte had aan de complicaties van een man in haar leven, terwijl het in werkelijkheid zo was dat hij de enige man voor haar was. Ze wilde geen ander.

'Kus me,' fluisterde hij.

Kate hief haar hoofd op en bood hem haar lippen, deed ze vaneen en nodigde zijn tong bij zich naar binnen. Zoals met elke kus die ze ooit hadden gedeeld, was ze zich bewust van een gloeiende warmte, een gevoel van opwinding, maar tegelijkertijd ook een intense tevredenheid diep in haar ziel. Ze voelde zich alsof ze onbewust haar adem had ingehouden in afwachting van dit moment, en dat ze zich nu kon ontspannen en opnieuw kon ademhalen. Een gevoel van dat het goed was, van *een* te zijn.

'Ik heb je nodig, Kate,' fluisterde Quinn, terwijl hij zijn mond over haar wang naar haar oor liet gaan.

'Ja,' fluisterde ze, terwijl het verlangen in haar aanvoelde als golven die tegen een rotskust sloegen. Hetzelfde verlangen dat de angst overwon dat dit over een dag of twee, of misschien over een week, allemaal over zou zijn.

Hij kuste haar opnieuw, dieper, harder, vuriger, en liet zijn hartstocht de vrije loop. Ze voelde het aan zijn spieren, aan zijn overgave; ze proefde het in zijn mond. Hij duwde zijn tong met kracht tegen de hare, terwijl hij een hand op haar rug legde en haar heupen tegen de zijne drukte om haar te laten voelen hoe sterk hij naar haar verlangde. Ze kreunde achter in haar keel in reactie op het overweldigende verlangen en het gevoel van zijn harde erectie tegen haar buik.

Quinn verbrak de kus, boog zich een beetje naar achteren, en keek haar met glanzende, donkere ogen aan. Hij had zijn lippen enigszins vaneen. Zijn ademhaling was kort en oppervlakkig.

'O, mijn God, wat verlang ik naar je.'

Kate pakte zijn hand en trok hem mee de gang op. Onder aan de trap trok hij haar opnieuw naar zich toe voor nog een kus, die nog heter en vuriger was dan de voorgaande. Hij drukte haar met haar rug tegen de muur. Zijn handen vonden de boord van haar zwarte trui en hij trok hem op. Ze voelde de lucht op haar huid en toen ook zijn handen, die het volgende moment op haar borsten lagen. Ze slaakte een gesmoorde kreet toen hij de cup van haar beha omhoog duwde en haar borst in zijn hand nam. Het maakte niet uit waar ze waren. Het maakte niet uit dat iemand hen door de ruitjes naast de voordeur zou kunnen zien. Haar verlangen naar hem maakte helder en logisch nadenken onmogelijk. Het enige wat op dat moment voor haar bestond, was dit verlangen – dit heftige, primitieve verlangen.

Ze slaakte opnieuw een gesmoorde kreet toen zijn mond haar tepel vond. Ze nam zijn hoofd in haar beide handen, kromde zich over hem heen en maakte haar heupen los van de muur toen hij haar strakke rokje omhoog schoof en haar zwarte panty afstroopte. Opeens bestond er geen zaak meer en geen verleden, opeens was er niets meer wat telde, behalve het verlangen en zijn zoekende, tastende vingers die haar meest gevoelige plekje vonden en bij haar naar binnen gleden.

'John. O, God, John,' hijgde ze, terwijl ze haar nagels in zijn schouders drukte. 'Wat verlang ik naar je!'

Hij kwam overeind kuste haar snel en hard, en nog eens. Toen keek hij de trap op naar boven, vervolgens weer naar haar en wierp over haar schouder een blik op de openstaande deur van de werkkamer, waar het zachte schijnsel van de bureaulamp op de oude, leren bank viel.

Het volgende moment waren ze bij de bank. Quinn trok haar trui over haar hoofd en Kate rukte ongeduldig aan zijn das. Enkele gehaaste bewegingen later lagen hun kleren op de vloer. Ze vielen ineengestrengeld op de bank, en hun adem stokte bij het contact met het koude leer. Maar dat gevoel was meteen weer vergeten, weggeschroeid door de hitte van hun lichaam en het vuur van hun hartstocht.

Kate klemde haar benen om hem heen en ontving hem in een vloeiende stoot diep in haar lichaam. Hij vulde haar op volmaakte wijze, in lichamelijk opzicht, maar ook tot diep in haar ziel. Ze bewogen zich samen als dansers, waarbij het ene lichaam het andere op schitterende wijze aanvulde, en de hartstocht steeds verder werd opgezwiept als een machtige symfonie in een indrukwekkend crescendo.

Toen waren ze over het hoogtepunt heen en zweefden ze langzaam terug naar de aarde. Ze hielden elkaar stevig vast en woordjes van troost en geruststelling, waarvan Kate nu al vreesde dat ze onder de druk van de dagelijkse realiteit geen stand zouden houden. Maar ze deed geen poging het magische moment te verbreken, en ze verzette zich niet tegen de belofte dat alles goed zou komen. Ze wist dat ze het alle twee wilden geloven, en dat konden ze ook in die paar stille momenten voordat de echte wereld weer de overhand zou krijgen.

Ze wist dat John haar die belofte moest doen. Hij had altijd al een sterke behoefte gehad om haar te beschermen. Dat had ze altijd heel ontroerend gevonden – dat hij in staat was haar kwetsbare plekken te zien zoals niemand anders – zelfs haar man niet – dat had gekund. Ze waren altijd in staat geweest elkaars heimelijke verlangens te herkennen, hadden altijd diep in elkaars hart kunnen kijken alsof ze altijd voor elkaar voorbestemd waren geweest.

'Ik heb sinds mijn zeventiende niet meer op deze bank gevrijd,' zei ze zacht, terwijl ze hem in het licht van de lamp in de ogen keek. Ze lagen dicht tegen elkaar aan gedrukt, bijna neus tegen neus, op hun zij.

Quinns glimlach had iets roofdierachtigs. 'Hoe heette die jongen? Zeg op, want dan vermoord ik hem.'

'Mijn holbewoner.'

'Ja, dat ben ik voor jou. Dat ben ik altijd geweest.'

Kate zei niets, maar ze dacht meteen aan die verschrikkelijke scène waarbij Steven haar en John in zijn kantoor met haar overspel geconfronteerd had. Steven had voor de wapens gekozen die hij het beste beheerste: wrede woorden en dreigementen. Quinn die alles slikte en slikte, totdat Steven zich tot haar had gewend. Een gebroken neus en een aantal tandartsbezoeken later had haar man de oorlog naar een nieuw strijdtoneel verplaatst en zijn best gedaan hun beider carrières te verwoesten.

Quinn legde zijn wijsvinger onder haar kin en hief haar hoofd op om haar in de ogen te kunnen kijken. Hij wist precies waar ze aan terug dacht. Ze zag het aan zijn gezicht, aan de lijn van zijn wenkbrauwen. 'Niet doen,' waarschuwde hij.

'Ja, ik weet het. Het heden is al gecompliceerd genoeg. Waarom zouden we het verleden boven water halen?'

Hij streelde haar wang en kuste haar zacht, alsof dat gebaar voldoende was om de deur tot die herinneringen te verzegelen. 'Ik hou van je. Nu. Op dit moment. In het heden – ook al is dat dan nog zo gecompliceerd.'

Kate drukte haar hoofd onder zijn kin en kuste het holletje van zijn keel. Ze wilde graag vragen wat hij dacht dat ze daaraan zouden kunnen doen, maar voor de verandering hield ze haar mond. Dat was vanavond niet belangrijk.

'Ik vind het afschuwelijk voor je van je cliënte,' zei Quinn. 'Kovac heeft verteld dat ze in een seksshop werkte. Ik neem aan dat dat waarschijnlijk de connectie is geweest voor Smokey Joe.'

'Ja, dat zit er wel in, maar ik ben er goed van geschrokken,' bekende Kate, terwijl ze hem afwezig over de rug – niets dan spieren en harde botten – streelde. Hij was te mager. Hij zorgde niet goed voor zichzelf. 'Een week geleden had ik nog helemaal niets met deze zaak te maken. Vandaag ben ik er twee cliënten aan kwijt.'

'Je kunt jezelf hier toch echt niet de schuld van geven, Kate.'

'Natuurlijk kan ik dat wel. Je weet hoe ik ben.'

'Waar een wil is, is een weg.'

'Maar ik *wil* het niet,' zei ze. 'Ik wou alleen dat ik Melanie maandag gebeld had, zoals ik meestal deed. Als ik niet zo vol was geweest van de zorgen om Angie, zou ik me hebben afgevraagd waarom ik niets van haar had gehoord. Ze was emotioneel afhankelijk van me geworden. Het leek wel alsof ze met lichaam en ziel op mij steunde. Ze had ook niemand anders.

'Ik weet dat het gek klinkt, maar ik wou dat ik me tenminste zorgen om haar had gemaakt. De gedachte dat ze in deze nachtmerrie verstrikt is geraakt zonder iemand die op haar wachtte, die zich afvroeg waar ze was, of zich zorgen om haar maakte... Het is gewoon verschrikkelijk verdrietig allemaal.'

Quinn drukte haar dicht tegen zich aan en kuste haar haren terwijl bij bedacht dat er achter dat stoere uiterlijk van haar een heel gevoelig hartje stak. En het feit dat ze zo haar best deed om dat voor iedereen verborgen te houden, maakte het extra kostbaar voor hem. Hij had het van begin af aan gezien, vanaf de eerste keer dat hij haar ontmoet had.

'Je had het niet kunnen voorkomen,' zei hij. 'Maar misschien dat je haar nu kunt helpen.'

'Hoe bedoel je? Door elk gesprek dat ik met haar gevoerd heb opnieuw te beleven? Om te proberen aanwijzingen te ontdekken die wijzen op een misdaad waarvan ze niet wist dat haar die zou overkomen? Zo heb ik de middag doorgebracht. Ik had die tijd nog liever doorgebracht met mezelf met een naald in mijn ogen te prikken.'

'De banden hebben dus niets opgeleverd.'

'Angst, depressieve gevoelens, en uiteindelijk een ruzie met Rob Marshall die me wel eens mijn baan zou kunnen gaan kosten.'

'Ja, daarin ga je wel heel erg ver, Kate.'

'Dat weet ik, maar ik kan er gewoon niets aan doen. Hij weet precies hoe hij me op stang moet jagen. Wat wil je me laten doen?'

'Je oude werk. Ik heb kopieën meegebracht van de slachtofferrapporten en heb het gevoel dat we de oplossing voor onze neus hebben, maar eroverheen kijken. Ik heb behoefte aan een frisse blik.'

'Je hebt de hele afdeling en diverse gedragswetenschappers tot je beschikking. Waarom ik?'

'Omdat het goed voor je is,' zei hij. 'Ik ken je, Kate. Je moet iets doen, en je bent even bevoegd als wie dan ook van het Bureau. Ik heb alles doorgestuurd naar Quantico, maar jij bent hier, en ik vertrouw je. Zou je ernaar willen kijken?'

'Goed dan,' antwoordde ze, om de reden die hij genoemd had. Omdat het goed voor haar was. Ze was Angie kwijt. Ze had Melanie Hessler verloren. Als er iets was dat ze kon doen om de boel weer in evenwicht te brengen, zou ze dat niet laten.

'Kom, laat me eerst even iets aantrekken.' Ze ging zitten en trok de plaid om haar schouders.

Quinn trok een gezicht. 'Ik wist wel dat er een negatief kantje aan zou zitten.'

Kate schonk hem een vreugdeloos glimlachje en liep naar haar bureau. Het lampje van het antwoordapparaat brandde. In het amberkleurige licht van de bureaulamp leek ze op een beeld. Haar haren lichtten rood op en de welving van haar rug was de droom van

359

elke beeldhouwer. Door alleen maar naar haar te kijken, verlangde hij al naar haar. Wat bofte hij toch dat hij een tweede kans had gekregen.

Het antwoordapparaat liet een zeurderige stem horen. 'Kate, met David Willis. Ik *moet* je spreken. Bel me vanavond. Je *weet* dat ik overdag niet thuis ben. Ik heb het idee dat je me opzettelijk mijdt. En juist *nu*, nu het zo *ontzettend* treurig gesteld is met mijn zelfvertrouwen. Ik heb je *nodig* –'

Kate drukte op het knopje en spoelde verder naar de volgende boodschap. 'Als ze allemaal zo waren als hij, zou ik bij een supermarkt gaan werken.'

De volgende boodschap was van de voorzitster van een vereniging van zakenvrouwen die wilde dat ze een lezing kwam geven.

De volgende boodschap was een lange stilte.

Kate en Quinn keken elkaar aan. 'Daarvan heb ik er gisteravond ook een paar gehad. Ik dacht dat het misschien Angie was. Dat wilde ik geloven.'

Of anders was het misschien ook wel degene die Angie in zijn macht had, dacht Quinn. Smokey Joe. 'We moeten je telefoon aftappen, Kate. Als hij Angie heeft, dan heeft hij je nummer.'

Hij zag dat ze daar niet aan gedacht had. Hij zag de flits van verrassing, gevolgd door irritatie over het feit dat ze dat over het hoofd had gezien. Maar Kate beschouwde zichzelf natuurlijk niet als mogelijk slachtoffer. Ze was sterk en had de touwtjes in handen. Maar ze was niet onkwetsbaar.

Quinn stond op van de bank en liep, nog steeds naakt, naar haar toe. Hij sloeg zijn armen om haar heen.

'God, wat een nachtmerrie,' fluisterde ze. 'Denk je dat ze nog leeft?'

'Dat is mogelijk,' zei hij, omdat hij wist dat Kate dat wilde horen. Maar hij wist ook dat ze net zogoed als hij op de hoogte was van de mogelijkheden en de kansen dat het meisje dit zou overleven. Ze wist net zogoed als hij dat Angie DiMarco misschien niet meer in leven was, en dat het misschien beter voor hen was om te hopen dat ze dat niet meer was.

Ik ben dood
Mijn verlangen leeft
Houdt me op de been
Laat de hoop leven
Zal hij me willen?
Zal hij me nemen?
Zal hij me kwetsen?
Zal hij van me houden?

De tekst trof hem. De muziek raakte een pijnlijke, gevoelige snaar. Maar toch speelde hij het bandje. Hij beluisterde het omdat hij de behoefte had aan pijn, de behoefte om iets te voelen.

Peter zat in zijn werkkamer. Het enige licht viel door het raam naar binnen. Het was net voldoende om zwart tot houtskool en grijs tot as te maken. De angst, de schuldgevoelens, het verlangen, de pijn, de behoefte, de emoties waar hij maar zelden bij kon en nimmer tot uitdrukking kon brengen, zaten binnenin hem gevangen. En de druk nam hand over hand toe, totdat hij het idee had dat zijn lichaam eenvoudigweg uit elkaar zou knallen en er niets meer van hem over zou zijn dan kleine stukjes weefsel en plukjes haar die aan de muren en aan het plafond plakten, én aan het glas vóór de foto's van hemzelf met andere mensen van wie hij de laatste tien jaar gemeend had dat ze een belangrijke rol in zijn leven speelden.

Hij vroeg zich af of er ook stukjes van hem terecht zouden komen op de foto's van Jillie die hij, dicht opeen, in een klein hoekje van de plank had gezet. Uit het zicht, waar ze geen aandacht trokken. Subtiele schaamte – voor haar, voor zijn falen en de fouten die hij had gemaakt.

'...Omdat we de waarheid willen weten, Peter, en volgens mij hou jij een paar puzzelstukjes achter... We hebben alle stukjes nodig om het beeld zo volledig mogelijk te maken.'

Donkere stukjes van een verontrustend beeld dat hij aan niemand wilde tonen.

De opwelling van schaamte en woede stroomde als bijtend zuur door zijn aderen.

Ik ben dood
Mijn verlangen leeft
Houdt me op de been
Laat de hoop leven
Zal hij me willen?
Zal hij me nemen?
Zal hij me kwetsen?
Zal hij van me houden?

Het rinkelen van de telefoon kraste als een vlijmscherp mes over zijn zenuwen. Met bevende hand griste hij de hoorn van het toestel.

'Hallo?'

'Pap-pie, pap-pie, pap-pie,' zong de stem als een sirene. 'Kom bij me. Geef me wat ik hebben wil. Je weet wat ik wil. En ik wil het nu.'

Hij slikte de opkomende gal terug. 'Als ik dat doe, laat je me dan met rust?'

'Maar pappie, hou je dan niet van me?'

'Alsjeblieft,' fluisterde hij. 'Goed, ik geef je wat je hebben wilt.'

'Dan zul je me niet meer willen. Je zult niet blij zijn met wat ik voor je heb. Maar je komt toch. Je komt voor mij. Zeg dat je zult komen.'

'Ja,' kwam het ademloos over zijn lippen.

Toen hij ophing, stroomden de tranen over zijn wangen. Ze verschroeiden zijn ogen, brandden zijn wangen en vervaagden zijn blik. Hij trok de onderste rechterla van zijn bureau open, haalde er zijn zwarte Glock negen millimeter semi-automatisch pistool uit en liet hem in de plunjezak glijden die bij zijn voeten stond. Hij verliet de kamer – de zak woog zwaar in zijn hand. Toen ging hij het huis uit en reed weg in de nacht.

31

'Wat is de baan van je dromen?' vroeg Elwood.
'Technisch adviseur bij een politiefilm die zich afspeelt in Hawaï en waarvan Mel Gibson de hoofdrol speelt,' antwoordde Liska zonder aarzelen. 'Zet de motor aan. Ik heb het koud.' Ze rilde en stak haar handen diep in de zakken van haar jas.

Ze stonden op een voor het personeel gereserveerde parkeerplaats naast het Target Center, en keken naar Gil Vanlees' terreinwagen die in het licht van de beveiligingsverlichting stond. Journalisten omcirkelden, zoals de gieren waarmee ze zo vaak werden vergeleken, het gebouw en hielden een groot aantal plaatsen van de parkeerplaats bezet. Ze wachtten af. Zijn naam was in verband met de moord op Jillian Bondurant nog niet goed en wel gevallen, of de verslaggevers waren hem al op het spoor geweest.

Vanlees moest nog naar buiten komen. De groupies die waren blijven hangen na het concert van de Dave Matthews Band eisten zijn volledige aandacht op. De collega's die binnen waren, hadden gemeld dat de directie hem achter het toneel had gehouden. Ze wilden hem het liefst ontslaan op grond van het feit dat hij verdacht werd, maar waren bang dat hij hen daarvoor zou aanklagen. En aan de andere kant waren ze bang voor een aanklacht vanuit het publiek wanneer ze hem gewoon zijn werk lieten doen en er iets misging. Er waren perskaarten uitgedeeld aan muziekcritici en in misdaad gespecialiseerde journalisten, van wie de laatsten op zoek naar hem door de gangen hadden gezworven.

De radio knetterde. 'Hij komt eraan, Elwood.'
'Over en sluiten.' Elwood hing op en kauwde peinzend op zijn broodje. De hele auto stonk naar pindakaas. 'Mel Gibson is getrouwd en heeft zes kinderen.'
'Maar niet in mijn dromen. Daar is hij.'
Vanlees kwam de poort uit geslenterd. Een zestal journalisten kwam als een wolk zomermugjes achter hem aan. Elwood draaide het portierraampje open om te kunnen horen wat ze zeiden.
'Meneer Vanlees, John Quinn beschouwt u als een verdachte in de zaak van de Cremator-moorden. Wat hebt u daarop te zeggen?'

'Hebt u Jillian Bondurant vermoord?'
'Wat hebt u met haar hoofd gedaan? Hebt u er seks mee gehad?'
Elwood slaakte een diepe zucht. 'Dat is om van te kotsen.'
'Stelletje achterlijke debielen,' klaagde Liska. 'Of nog erger dan dat. Het zijn regelrechte strontvliegen.'
Vanlees had geen commentaar voor de journalisten. Hij liep door. Kennelijk had hij al begrepen dat dat de enige manier was om te overleven. Toen hij zich pal voor hun auto bevond, draaide Elwood het contactsleuteltje om en startte de motor. Vanlees sprong opzij en liep haastig verder naar zijn eigen auto.

'Een zenuwachtig, asociaal wezen,' zei Elwood, terwijl hij het laatste stukje van zijn broodje in een plastic zakje voor bewijsstukken stopte, en Vanlees voor het portier van zijn auto stond en moeite had om het sleuteltje in het slot te krijgen.

'Hij is gewoon een engerd,' zei Nikki. '*Mijn* engerd. Denk je dat we er iets aan overhouden als we hem voor deze moorden arresteren?'
'Nee.'
'Wees eens heel eerlijk. Waarom denk je dat? Ik wil geen valse verwachtingen koesteren.'

Vanlees startte de motor, en reed met zó'n vaart weg dat de verslaggevers uiteenstoven. Elwood reed achter hem aan en knipperde even met het grote licht.

'Ik zou best een eervolle vermelding op mijn curriculum willen hebben wanneer ik die naar Mel Gibsons mensen stuur.'
'Als er al iemand met de eer gaat strijken, dan is dat Quinn wel,' zei Elwood. 'De media zijn gek op dat soort helden.'
'En hij doet het natuurlijk ontzettend goed op de buis.'
'Hij zou wel eens de nieuwe Mel Gibson kunnen zijn.'
'Veel beter nog – zijn haar valt niet uit.'

Ze stonden achter Vanlees, die stond te wachten om de First Avenue op te kunnen rijden. Ze reden meteen achter hem aan, waardoor een naderende auto plotseling moest remmen, en de man achter het stuur toeterde.

'Denk je dat Quinn, als hij naar Hollywood gaat, me als technisch adviseur in dienst zou willen nemen?' vroeg Liska.
'Ik kan me vergissen, maar volgens mij gaat het jou niet echt om het geven van advies,' merkte Elwood op.
'Dat klopt. Ik heb liever een rol, maar dat zie ik niet gebeuren. Volgens mij heeft die man een obsessie. Vind je ook niet dat hij een geobsedeerde indruk maakt?'
'Hij is wat je een gedreven persoonlijkheid noemt.'
'Gedreven *en* geobsedeerd. Tweemaal vervloekt door het boze oog.'
'Hoe romantisch.'
'Als je Jane Eyre bent.' Liska schudde het hoofd. 'Ik heb geen tijd

voor gedreven, en ook niet voor geobsedeerd. Ik ben tweeëndertig. Ik heb kinderen. De persoon die ik nodig heb, is Ward Cleaver.'

'Ward Cleaver is dood.'

'Dat moet míj weer overkomen.'

Ze volgden de terreinwagen die, via een wirwar van straten en straatjes, naar Lyndale reed. Elwood keek in de achteruitkijkspiegel en maakte een grommend geluid.

'We lijken wel een begrafenisstoet. Er rijden zeker negen persauto's achter ons aan.'

'Ze nemen natuurlijk alles op video op. Stop de knuppels maar weg.'

'Het is tegenwoordig lang niet meer zo leuk om bij de politie te zijn als vroeger.'

'Hou hem hier goed in de gaten,' zei Liska, toen het netwerk van straatjes nog meer weg kreeg van een heus labyrint. 'Misschien dat we hem hier wel op de bon kunnen slingeren. Ik weet van mezelf dat ik, wanneer ik door deze buurt rij, de ene overtreding na de andere maak.'

Gil Vanlees maakte er niet een. Hij reed net iets langzamer dan de toegestane maximumsnelheid – hij reed alsof hij een lading eieren in kristallen eierdopjes bij zich had. Elwood reed zo vlak achter hem dat hun bumpers elkaar bijna raakten, in de hoop dat hij hem daarmee zenuwachtig zou kunnen maken.

'Wat denk jij, Tinks? Is hij de man die we zoeken, of is dit allemaal loos alarm?'

'Hij beantwoordt aan het profiel. En ik weet zeker dat hij iets verbergt.'

'Maar dat betekent nog niet dat hij een moordenaar zou zijn.'

'Toch zou ik wel eens willen weten wat het is, en dan *zonder* een meute journalisten achter ons aan. Hij moet wel gek zijn om nu iets te proberen.'

'Waarschijnlijk zitten ze niet zo heel lang meer achter ons aan,' zei Elwood, terwijl hij opnieuw in de achteruitkijkspiegel keek. 'Moet je deze zak nu toch eens zien.'

Een al wat oudere Mustang met twee mannen voorin kwam links naast hen rijden, waarbij ze strak voor zich uit naar Vanlees' auto keken.

'Dat noem ik nog eens lef hebben,' zei Liska.

'Ze zien ons waarschijnlijk aan voor de concurrentie.'

De Mustang gaf gas, haalde hen in ging naast Vanlees rijden terwijl het raampje van het rechterportier omlaagging.

'Klootzak!' schreeuwde Elwood.

Vanlees gaf gas, maar de auto bleef naast hem rijden.

Liska griste de radio van het dashboard, gaf hun positie en het kenteken van de Mustang door en vroeg om na te gaan wie de eigenaar ervan was. Elwood pakte het zwaailicht van de voorbank, schoof hem in de houder en zette hem aan. In de auto voor hen leunde de bijrijder met een telelens uit het raampje. Vanlees gaf nog meer gas. De Mustang deed hezelfde. De flits van het fototoestel was verblindend fel.

Vanlees' terreinwagen slingerde naar links, raakte de Mustang en drukte de achterzijde ervan op de weghelft van het tegemoetkomende verkeer, vlak voor de neus van een aankomende taxi. Er was zelfs geen tijd voor gierende banden, geen tijd om te remmen – er was alleen maar de oorverdovende klap van tonnen metaal die in volle vaart tegen elkaar op vlogen. De fotograaf werd uit de auto geslingerd. Hij rolde over straat als een lappenpop die uit het raampje was gegooid. De Mustang veranderde in een vuurzee.

Liska zag het allemaal in slow motion gebeuren – de auto's die tegen elkaar op vlogen, de vlammenzee, Vanlees' pick-up voor hen die naar rechts uitweek, met de rechter voorband de stoep op schoot en een parkeermeter ontwortelde. En toen klikte de tijd weer terug naar de echte snelheid. Elwood schoot voorbij de terreinwagen en ging er, dwars over de weg, voor staan, zodat Vanlees niet zou kunnen ontsnappen. Hij zette de wagen in de parkeerstand en sprong eruit. Liska klemde de microfoon in haar bevende handen en verzocht om ambulances en een brandweerwagen.

Enkele van de journalisten die hen gevolgd waren, zetten hun auto's langs de kant. Een aantal reed vol gas verder, en Elwood, die op weg was naar het brandende wrak, moest opzijspringen om niet van de sokken te worden gereden. Liska gooide haar portier open en haastte zich naar Vanlees, die uit zijn auto kwam gerold. Vanaf een meter afstand rook ze al dat hij gedronken had.

'Ik heb het niet gedaan,' riep hij snikkend.

Van alle kanten flitsten de lampen van de fotografen. Vanlees zag bleker dan bleek in het harde witte licht. Het bloed stroomde uit zijn neus en zijn mond, en het was duidelijk dat hij met zijn gezicht tegen het stuur was geslagen. Hij hield zijn armen voor zijn gezicht om het felle licht af te weren en de foto's onbruikbaar te maken. 'Verdomme, gaan jullie toch weg, allemaal!'

'Dat denk ik niet, Gil,' zei Liska, terwijl ze zijn arm vastpakte. 'Ga maar tegen je auto staan. Je bent gearresteerd.'

'Nu weet ik hoe ze spionnen breken door ze uit hun slaap te houden,' zei Kovac, terwijl hij naar Vanlees' auto liep, die nog steeds met één wiel op de stoep stond. 'Ik sta op het punt om me te laten overplaatsen naar het archief, want dan kan ik tenminste een paar uur slapen.'

Liska keek hem aan en trok een gezicht. 'Klaag maar niet, want *jij* hebt geen kind van negen dat met grote, blauwe ogen vol tranen naar je opkijkt en je vraagt waarom je niet naar zijn school bent gekomen om te kijken naar het toneelstukje dat zijn klas voor Thanksgiving heeft opgevoerd, een stuk waarin híj een Pilgrim Father speelde.'

'Jezus,Tinks,' gromde hij, en hing een sigaret aan zijn lip. Ze zag de verontschuldiging in zijn ogen. 'Ze zouden het ons moeten verbieden om kinderen te krijgen.' 'Zeg dat maar tegen mijn eierstokken. Maar wat doe je hier eigenlijk?' vroeg ze, hem meetrekkend, weg bij de journalisten. 'Wil je soms dat ze je echt op straat zetten? Je wordt geacht je op de achtergrond te houden.'

'Ik ben gekomen om je koffie te brengen.' Met een volkomen onschuldig gezicht drukte hij haar een bekertje dampende koffie in de handen. 'Ik help jullie alleen maar een beetje.'

Hij was nog niet uitgesproken, of zijn blik dwaalde alweer af naar Vanlees' auto, waar zich een aantal geüniformeerde agenten omheen verzameld had. De specialisten Plaats Delict waren bezig om hun boel op te zetten. Draagbare lampen beschenen de onheilsplek van alle kanten, waardoor het geheel iets weg had van een reclamefotosessie voor de firma Chevrolet. Sleepwagens ontfermden zich over de total loss gereden auto's die midden op straat stonden.

De verslaggevers werden door de geüniformeerde politie op een afstandje gehouden. Het feit dat ze zelf bij het ongeluk betrokken waren, zorgde ervoor dat ze er nog meer belangstelling voor hadden dan normaal al het geval zou zijn geweest.

'Weet je al iets over je vervanger?' vroeg Liska.

Kovac stak een sigaret op en schudde zijn hoofd. 'Maar ik heb een goed woordje voor je gedaan bij Fowler.'

Ze keek hem verbaasd aan. 'Jee, bedankt, Sam. Denk je dat ze zullen luisteren?'

'Nee. Persoonlijk denk ik dat ze Yurek zullen nemen, want hij luistert nog naar ze. En wat is het laatste nieuws hier?'

'Vanlees wordt op het moment in de ambulance behandeld, en daarna voeren we hem af naar het bureau. Ik geloof dat hij een gebroken neus heeft. En verder hebben we een dode, een zwaar- en een lichtgewonde.' Liska leunde met haar rug tegen de auto waarin zij en Elwood gereden hadden. 'De bestuurder van de Mustang is geroosterd. De taxichauffeur heeft twee gebroken enkels en een schedelbasisfractuur, maar hij komt er wel bovenop. De fotograaf ligt op de operatietafel. Ze houden het op een forse hersenbeschadiging. Voor hem zie ik het somber in. Maar ja, als je bedenkt waar hij mee bezig was, dan verbaast het me nog dat hij een stel hersens blijkt te hebben.'

'Weten we wie die jongens zijn – waren?'

'Kevin Pardee en Michael Morin. Freelancers die hoopten te scoren met een exclusieve opname. Leven en dood in het tijdperk van de sensatiejournalistiek. Nu staan ze zelf op de voorpagina.'

'Hoe komt het dat Vanlees achter het stuur zat, terwijl je de drank al op een meter afstand van hem kon ruiken?'

'Dat zul je de journalisten moeten vragen. Zij volgden hem op de voet toen hij van zijn werk naar buiten kwam. Wij moesten ons op een afstand houden om te voorkomen dat hij een klacht tegen ons in zou dienen wegens lastigvallen.'

'Vraag maar aan de journalisten,' gromde Sam. 'Zij zullen de eersten zijn om vragen te stellen over het ingebreke blijven van de politie. Smeerlappen. Hoe is het met Elwood?'

'Hij heeft zijn handen lelijk verbrand toen hij probeerde Morin uit de auto te krijgen. Ze hebben hem naar het ziekenhuis gebracht. En zijn wenkbrauwen zijn verbrand. Hij ziet eruit als een idioot.'

'Dat deed hij toch al.'

'Vanlees scoorde 0,8 bij de blaastest. Dat was boffen voor ons. Ik kon beslag laten leggen op zijn auto. En nu zal ik alles wat erin zit moeten inventariseren,' zei ze schouderophalend, waarbij ze Sam met een quasi-onschuldig gezicht aankeek. 'Je weet maar nooit wat we vinden.'

'Laten we duimen voor een bloederig mes onder de voorbank,' zei Kovac. 'Zo stom ziet hij er wel uit, vind je ook niet? Allemachtig, wat is het koud. En het is nog niet eens Thanksgiving.'

'Bingo!' riep een van de specialisten Plaats Delict.

Kovac haastte zich naar hem toe. 'Wat heb je gevonden? Zeg alsjeblieft dat het onder het bloed zit.'

De criminalist stapte bij het portier van de bestuurder vandaan. 'Het zelfbevredigingssetje voor de minvermogende,' zei hij. Hij draaide zich om en hield een exemplaar van de *Hustler* en een uiterst walgelijk zwart zijden damesslipje omhoog.

'De perverse versie van het rokende pistool,' zei Kovac. 'Stop maar in de zak. Wie weet is dit de sleutel die we nodig hebben om erachter te komen wat er omgaat in die kop van hem.'

'Hoe staat het met het huiszoekingsbevel voor Vanlees' flat?' vroeg Quinn, terwijl hij zijn trenchcoat uittrok. Hij droeg hetzelfde pak als hij de vorige avond had gedragen, zag Kovac. En het zat vol kreukels.

Kovac schudde het hoofd. 'Dat kun je vergeten. We hebben niet voldoende bewijs. En het feit dat Peter Bondurants naam met de zaak verbonden is, haalt niets uit. We hebben de terreinwagen van onder tot boven uitgekamd en niets kunnen vinden waaruit zou kunnen blijken dat hij iets met de slachtoffers te maken had. Misschien dat het slipje ons meer geluk oplevert – over een paar weken, wanneer de labtest van het DNA terugkomt. We kunnen het slipje niet eens meteen doorsturen, omdat het op dit moment deel uitmaakt van de inventaris van zijn spullen. We weten niet van wie het was. We kunnen niet aanvoeren dat hij het gestolen heeft. En masturbatie is geen misdaad.'

'Hoor je dat, Tippen?' vroeg Liska. 'Je hebt dus niets te vrezen.'

'Ik heb gehoord dat dat slipje van jou is, Tinks.'

'Draagt Tinks dan slipjes?' vroeg Adler.

'Leuk, hoor.'

Ze – de speciale eenheid minus Elwood – stonden in een vergaderkamer op het hoofdbureau. Elwood had geweigerd naar huis te gaan en zat op dat moment met Vanlees in een verhoorkamer.

'Waarom kon hij niet zo stom zijn om een bebloed mes onder de voorbank te bewaren?' vroeg Adler. 'Dat verbaast me echt, voor iemand met zo'n stomme kop.'

'Ja,' was Quinn het met hem eens. 'En dat is nu precies wat me niet lekker zit. We hebben hier niet bepaald met een genie van doen – tenzij hij meervoudige persoonlijkheden heeft, en een van zijn alterego's weigert zijn brein met de anderen te delen. Wat weten we, afgezien van zijn recente escapades, van zijn achtergrond?'

'Daar ben ik mee bezig,' zei Walsh. Hij had bijna geen stem meer, als gevolg van zijn verkoudheid en het feit dat hij een pakje sigaretten per dag rookte.

'Nikki en ik hebben met zijn vrouw gesproken,' zei Moss. 'Zal ik vragen of ze langs wil komen?'

'Graag,' antwoordde Quinn.

'Zíj zal toch wel weten of die man van haar zo'n pervers type is,' zei Tippen.

Quinn schudde het hoofd. 'Dat hoeft niet per se. Zo te horen is zij de dominante partner in die relatie. Het zit er dik in dat hij zijn hobby uit angst en als daad van ongehoorzaamheid jegens haar geheim heeft gehouden. Maar als hij een vrouwelijke partner heeft – en we denken dat dat zo is – wie is dat dan?'

'De vrouw in elk geval niet. Jillian?' opperde Liska.

'Mogelijk. Heeft de vrouw laten doorschemeren dat ze denkt dat hij een vriendinnetje heeft?'

'Nee.'

Quinn keek op zijn horloge. Hij wilde Vanlees laten wachten om hem goed zenuwachtig te maken. 'Heb je al iets betreffende de vingerafdrukken van Michele Fine gehoord?'

'Minnesota heeft niets.'

'Heeft Vanlees zijn advocaat gebeld?'

'Nog niet,' zei Liska. 'Hij kiest voor een logische benadering. Hij zegt dat hij geen advocaat belt omdat hij onschuldig is, en iemand die onschuldig is, heeft geen advocaat nodig.'

Tippen snoof. 'Jezus, wat doet hij dan hier?'

'Botte pech. Ik heb hem gezegd dat we hem in principe niet zullen vasthouden voor het ongeluk. Ik heb gezegd dat we eerst rustig om de tafel moeten gaan zitten om na te gaan wat eraan vooraf is gegaan, maar dat we hem moesten aanhouden wegens rijden onder invloed. Hij weet niet of hij opgelucht moet zijn, of woedend.'

369

'Laten we dan maar naar hem toe gaan voordat hij een keuze maakt,' zei Quinn. 'Sam – jij, Tinks en ik. We behandelen hem precies zoals de vorige keer.'

'Sam kan beter niet gaan,' waarschuwde Yurek. 'Fowler, Greer, Sabin en die assistent van de openbare aanklager, Logan, komen allemaal kijken.'

'Krijg de kelere,' zei Kovac met intense walging.

Liska trok haar wenkbrauwen op. 'Zul je dan nog wel van me houden?'

'Doe ik dat nu dan?'

Ze schopte hem tegen de schenen.

'Charm,' zei hij tegen Yurek, 'als jij mij was, dan zou ik nu niet zo in de nesten zitten.'

Greer, Sabin, Logan en Fowler stonden op de gang voor de verhoorkamer te wachten. Toen Fowler Kovac zag, vertrok hij zijn gezicht alsof hij opeens zware keelontsteking had. Greers ogen sprongen bijna uit hun kassen.

'Wat doet u hier, inspecteur?' vroeg hij op strenge toon. 'U bent officieel van het onderzoek gehaald.'

'Hij is hier op mijn speciaal verzoek, meneer de hoofdcommissaris,' zei Quinn meteen. 'We hebben al een vast patroon ontwikkeld bij het verhoren van meneer Vanlees, en dat wil ik op dit moment graag zo houden. Het is van het grootste belang dat hij mij vertrouwt.'

Greer en Sabin maakten een verslagen indruk, en Logan was vooral ongeduldig. Fowler haalde een rol zuurtjes uit zijn zak en nam er eentje.

Quinn liet het er verder bij, voordat iemand zou besluiten ertegenin te gaan. Hij hield de deur open voor Liska en Kovac, en volgde hen naar binnen.

Gil Vanlees zag eruit als een reuzenwasbeer. Zijn beide ogen waren blauw geworden in de tijd die sinds het ongeluk was verstreken. Hij had een gescheurde lip en een brede pleister over zijn neus. Hij stond, met zijn handen in zijn zij, aan de andere kant van de kamer, en maakte een boze en zenuwachtig indruk.

Elwood zat op een stoel, met zijn rug tegen de muur. Zijn beide handen zaten in het verband. De huid van zijn gezicht was vuurrood geschroeid. Zijn gezichtsuitdrukking, zonder wenkbrauwen, was er een van aanhoudende, onaangename verrassing.

'Hallo, Gil. Ik heb gehoord dat je een ongelukje hebt gehad,' zei Kovac, terwijl hij aan tafel ging zitten.

Vanlees stak zijn wijsvinger naar hem uit. 'Ik klaag u aan. Uw mensen hebben mij achtervolgd, en de pers heeft mij achtervolgd, en –'

'Je bent met een slok op achter het stuur gaan zitten,' zei Kovac, terwijl hij een sigaret opstak. 'Heb ik die drank voor je gekocht? Heb ik je gedwongen om te drinken?'

'Uw mensen hebben me gedwongen achter het stuur te gaan zitten,' begon Vanlees op hevig verontwaardigde, schijnheilige toon, waarbij hij een vluchtige, zenuwachtige blik op Elwood wierp.

Kovac trok een gezicht. 'Straks ga je me nog vertellen dat het mijn schuld is dat je Jillian Bondurant en die andere vrouwen hebt vermoord.'

Vanlees werd knalrood en de tranen sprongen hem in de ogen. Hij maakte een geluid als van een man die op de wc zit. 'Dat *heb* ik niet gedaan.' Toen wendde hij zich tot Liska. 'Je zei dat dit over het ongeluk zou gaan. Vuile, liegende sloerie die je bent!'

'Hé!' blafte Kovac. 'Rechercheur Liska bewijst je een gunst. Je hebt gisteravond een medeweggebruiker vermoord, smerige zatlap!'

'Daar kon ik niets aan doen. Die klootzak liet een flits afgaan vlak voor mijn neus! Ik was verblind!'

'Dat zegt rechercheur Liska ook. Ze was erbij. Ze is je getuige. Wil je haar soms nog een keer uitmaken voor sloerie? Als ik haar was, zou ik je jouw lul als avondmaaltijd serveren, treurig brok ellende.'

Vanlees wierp Liska een berouwvolle blik toe.

'Liska zegt dat je even onschuldig bent als een Vestaalse maagd,' vervolgde Kovac, ' en dat je geen advocaat wilt. Klopt dat?'

'Ik heb niets misdaan,' zei hij nors.

Kovac schudde zijn hoofd. 'Wauw. Ik moet zeggen, Gil, dat je wel een heel ruime opvatting van de realiteit hebt. Je hebt toevallig wel met een flinke borrel in je lijf achter het stuur gezeten, en dat is in strijd met de wet. Ik weet dat je bij Jillian Bondurant naar binnen hebt gegluurd. En dat kan evenmin door de beugel.'

Vanlees ging zitten op een stoel die zijwaarts voor de tafel stond, zodat hij met zijn rug naar Kovac en de mensen aan de andere kant van de ruit zat. Hij steunde zijn onderarmen op zijn dijen en keek naar de vloer. Hij zat erbij alsof hij bereid was de hele avond zo te blijven zitten en geen woord te zeggen.

Quinn observeerde hem. In zijn ervaring was het niet de onschuldige die een advocaat weigerde, maar was het de man die iets op zijn kerfstok had dat hij graag wilde bekennen.

'Was dat dan Jillians slipje, dat we in je auto hebben gevonden, Gil?' vroeg Kovac bot.

Vanlees keek niet op. 'Nee.'

'Was het dan van Lila White? Of van Fawn Pierce? Of van Melanie Hessler?'

'Nee. Nee. Nee.'

'Weet je, ik zou het nooit van je gedacht hebben, Gil, maar je bent een gecompliceerd mens,' zei Kovac. 'Allemaal verschillende laagjes – net een ui. En elke laag die ik eraf haal stinkt nog erger dan de voorgaande. Je ziet er heel normaal uit. Dan haal je de eerste laag eraf en – o, jee – je vrouw wil van je scheiden! Nou ja, dat komt wel vaker voor. Ik ben zelf twee keer gescheiden. En dan gaan we nog een laagje dieper en – o, jee – ze wil van je scheiden omdat je een gluurder bent! Nee, wacht, je bent niet zomaar een gluurder, je bent een gluurder die daarop klaarkomt! Je bent gewoon één, steeds groter wordende grap. Je drinkt. Je drinkt en gaat met een slok op achter het stuur zitten. Je drinkt, gaat met een slok op achter het stuur zitten en rijdt iemand dood.'

Vanlees liet zijn hoofd nog dieper hangen. Quinn zag zijn gezwollen lippen trillen.

'Ik heb het niet expres gedaan. Ik kon niet meer zien,' zei Vanlees met schorre stem. 'Ze laten me maar niet met rust, en dat is *uw* schuld. Ik heb helemaal niets gedaan.'

'Ze willen weten wat er met Jillian is gebeurd,' zei Kovac. 'En ik wil ook weten wat er met haar is gebeurd. Volgens mij, Gil, was er wel wat meer tussen jullie aan de hand dan je ons verteld hebt. Volgens mij had je een oogje op haar. Ik denk dat je haar begluurde. Volgens mij heb je dat slipje uit haar la gegapt om je ermee af te trekken terwijl je over haar fantaseerde, en ik zal alles doen om dat te bewijzen. We weten al dat het slipje haar maat is, en het is ook haar merk,' blufte hij. 'Het is alleen maar een kwestie van tijd voordat we de uitslag van het DNA-onderzoek binnen hebben. Twee weken. Als ik jou was, zou ik maar aan die verslaggevers wennen, want je krijgt er nog veel meer achter je aan.'

Vanlees huilde. Geruisloos. De tranen rolden over de rug van zijn handen. Hij trilde van de inspanning om ze binnen te houden.

Quinn keek naar Kovac. 'Inspecteur, zou ik meneer Vanlees misschien even onder vier ogen kunnen spreken?'

'O, ja hoor, alsof ik niets beters te doen zou hebben,' klaagde Kovac, terwijl hij opstond. 'Ik weet welke kant dit op gaat, Quinn. Jullie types doen alles om met de eer te gaan strijken. Krijg toch wat. Hij is voor mij.'

'Ik wil hem alleen maar heel even onder vier ogen spreken.'

'Ja, hoor. Ja, hoor. U vindt het maar niets, zoals ik tegen hem praat, dit stuk ongeluk. U zit daar maar en denkt: rustig aan een beetje met die jongen, hou toch een beetje rekening met het feit dat zijn moeder een hoer was die hem er op zijn blote reet van langs gaf met een metalen kleerhanger, en meer van dat soort psychologische onzin. Best hoor. En u wilt op de voorpagina?'

Quinn zei niets tot de politie de kamer uit was, en bleef toen ook nog een hele tijd zwijgen. Hij nam een Tagamet en slikte hem door met water uit de plastic kan die op tafel stond. Quasi-terloops draaide hij zijn stoel zodanig dat hij loodrecht op die van Vanlees kwam te staan. Hij boog zich naar voren, steunde met zijn onderarmen op zijn dijen en bleef zo nog een poosje zitten, tot Vanlees naar hem opkeek.

'Dat spelletje ken ik intussen wel, dat van de slechte agent en de aardige agent,' zei Vanlees met een pruillip. 'U denkt dat ik een stomme idioot ben.'

'Ik denk dat je te veel naar de televisie kijkt,' zei Quinn. 'Maar dit is de echte wereld, Gil. Inspecteur Kovac en ik hebben elk een eigen doel voor ogen.

'Het gaat mij niet om mijn naam op de voorpagina, Gil. Dat heb ik al zo vaak meegemaakt. Dat weet je. Dat gaat vanzelf. Je weet waar het mij om gaat, niet? Je hebt over mij gehoord, en je hebt over mij gelezen.'

Vanlees zei niets.

'De waarheid en gerechtigheid. Dat is wat mij interesseert. En wat die waarheid blijkt te zijn, interesseert me niet. Het is voor mij niet iets persoonlijks. Voor Kovac is het dat wel. Hij heeft het op jou voorzien. Maar het enige dat ik wil weten, is de waarheid. Ik heb het gevoel dat je iets heel ernstigs op je geweten hebt, en misschien wil je daar ook wel over praten, maar je wilt het niet aan Kovac vertellen omdat je hem niet vertrouwt.'

'Ik vertrouw u ook niet.'

'Natuurlijk vertrouw je mij wel. Je kent mij. Ik ben alleen maar eerlijk tegen je geweest, Gil, en ik denk dat je dat ergens wel kunt waarderen.'

'U denkt dat ik Jillian heb vermoord.'

'Ik denk dat je op een heleboel punten beantwoordt aan het profiel. Dat wil ik best toegeven. En als je de situatie objectief zou bekijken, zul je dat met me eens moeten zijn. Je hebt dit soort dingen bestudeerd. Je weet waar we naar op zoek zijn. Je weet ook dat een aantal van jouw stukjes in de puzzel passen. Maar dat betekent niet dat ik geloof dat je haar vermoord hebt. Ik ben er zelfs nog niet eens van overtuigd dat Jillian dood is.'

'Wat?' Vanlees keek hem aan alsof hij dacht dat Quinn stapelgek was.

'Volgens mij steekt er veel meer achter Jillian dan zo op het eerste gezicht lijkt. En ik denk dat jij me daar wel iets over kunt vertellen. Kun je dat, Gil?'

Vanlees keek weer naar de vloer. Quinn kon voelen hoe zijn innerlijke spanning toenam terwijl hij de voors en tegens van een eerlijk antwoord tegen elkaar afwoog.

'Als je haar begluurde, Gil,' zei Quinn zacht, 'dan zal ik je dat niet aanrekenen, want daar gaat het hier niet om. De politie wil dat graag over het hoofd zien in ruil voor iets waar ze wat aan heeft.'

Vanlees leek daar over na te denken, en Quinn was er zeker van dat hij er geen moment bij stilstond dat dat 'iets' opnieuw tegen hem gebruikt zou kunnen worden. Hij dacht aan Jillian, aan hoe hij haar in de schijnwerpers zou kunnen zetten om er zelf uit te komen, want zo reageerden mensen die diep in de nesten terecht waren gekomen nu eenmaal – geef de schuld aan een ander. Het gebeurde regelmatig dat misdadigers hun slachtoffers de schuld gaven van de misdaden die ze tegen hen hadden gepleegd.

'Je vond haar aantrekkelijk, niet?' vroeg Quinn. 'Dat is niet in strijd met de wet. Ze was een aantrekkelijk meisje. Waarom zou je niet naar haar mogen kijken?'

'Ik ben getrouwd,' mompelde hij.

'Je bent getrouwd, maar je bent niet van steen. Kijken staat vrij. En dus heb je gekeken. Daar heb ik echt niets op tegen.'

'Ze was... anders,' zei Vanlees. Hij staarde nog steeds naar de vloer, maar in gedachten zag hij Jillian Bondurant, vermoedde Quinn. 'Nogal... exotisch.'

'Je hebt tegen Kovac gezegd dat ze niet geprobeerd heeft je te versieren, maar dat is niet helemaal waar, hè?' probeerde Quinn. Hij sprak nog steeds op een zachte, vertrouwelijke toon, alsof ze goede, intieme vrienden waren. 'Ze zag ook wel wat in jou, is het niet?'

'Ze heeft nooit iets gezegd, maar ze keek op een bepaalde manier naar me,' bekende hij.

'Op een manier alsof ze met je naar bed wilde.' Een feit, geen vraag. Alsof hij dat volkomen vanzelfsprekend vond.

Dat ging Vanlees een beetje te ver. 'Ik weet het niet. Meer alsof ze wilde dat ik wist wat ze deed, meer niet.'

'Onduidelijke signalen, zou je kunnen zeggen.'

'Ja. Onduidelijke signalen.'

'En, is daar iets van terechtgekomen?'

Vanlees aarzelde en zocht naar een antwoord. Quinn wachtte met ingehouden adem.

'Ik wil alleen de waarheid maar, Gil. Als je onschuldig bent, heeft het geen enkele consequentie voor je. Het blijft onder ons. Mannen onder elkaar.'

De stilte duurde voort.

'Ik... ik weet dat het verkeerd was,' fluisterde Vanlees ten slotte. 'Ik was het ook niet echt van plan. Maar op een avond maakte ik een controlerondje door de achtertuinen –'

'Wanneer was dat?'

'Van de zomer. En... ik was...'

'Bij het huis van Jillian?'

Hij knikte. 'Ze zat aan de piano. Ze droeg een zijden kimono die steeds maar van haar schouder gleed. Ik zag het bandje van haar beha.'

'Dus je bent een poosje naar haar blijven kijken,' zei Quinn, alsof dat iets vanzelfsprekends was, alsof elke man dat zou doen en er helemaal geen kwaad in stak.

'Toen trok ze de kimono uit, stond op en rekte zich uit.'

Vanlees zag het in zijn herinnering weer voor zich. Hij ging sneller ademhalen, en zijn gezicht werd vochtig van het zweet. 'Ze begon te bewegen alsof ze danste. Langzaam en heel... erotisch.'

'Wist ze dat je naar haar stond te kijken?'

'Ik dacht van niet. Maar toen ging ze voor het raam staan en trok ze haar beha omlaag, zodat ik haar tieten kon zien, en ze drukte ze tegen het raam en wreef ermee tegen het glas,' vervolgde hij fluisterend, beschaamd en opgewonden tegelijk. 'Ze – likte met haar tong over het glas.'

'Jezus, dat moet reuze opwindend voor je zijn geweest.'

Vanlees knipperde met zijn ogen en wendde zijn blik af. Nu zouden er brokjes van het verhaal gaan ontbreken. Hij zou niet vertellen over zijn erectie, over hoe hij zijn penis uit zijn broek had gehaald en, terwijl hij naar haar keek, had gemasturbeerd. Maar dat hoefde hij natuurlijk ook niet. Quinn kende zijn geschiedenis en kende zijn gedragspatronen – hij had het in de loop van de jaren waarin hij crimineel seksueel gedrag bestudeerd had, al zo vaak gezien. Gil Vanlees kon hem niets nieuws vertellen. Maar als het waar was wat hij zei, vertelde hij hem wel iets heel nieuws over Jillian Bondurant.

'En wat deed ze toen?' vroeg hij zacht.

Vanlees ging verzitten omdat hij niet lekker zat. 'Ze... ze trok haar slipje omlaag en ze... stak haar hand tussen haar benen.'

'Masturbeerde ze terwijl jij naar haar stond te kijken?'

Hij kreeg een kleur. 'En toen deed ze het raam open, maar ik werd bang en ben weggerend. Maar later ben ik teruggegaan, en toen had ze haar slipje uit het raam gegooid.'

'En dat is het slipje dat de politie in je auto heeft gevonden. Dan is het dus toch van Jillian.'

Hij knikte, en bracht een hand naar zijn voorhoofd alsof hij zijn gezicht probeerde te verbergen. Quinn observeerde hem en probeerde hem in te schatten. Was het de waarheid, of had hij het alleen maar verzonnen om een verklaring te kunnen geven voor het feit dat hij in het bezit was van een slipje van een vrouw die mogelijk vermoord was?

'Wanneer was dat?' vroeg hij opnieuw.

'Afgelopen zomer. In juli.'

'En heeft zoiets zich daarna nog eens voorgedaan?'

'Nee.'

'Heeft ze er ooit iets over gezegd?'

'Nee. Ze sprak bijna nooit tegen me.'

'Onduidelijke signalen,' zei Quinn opnieuw. 'Kon je dat niet uitstaan van haar, Gil? Kon je het niet hebben dat ze zich wel voor je wilde uitkleden en voor je wilde masturberen, maar dat ze daarna deed alsof er helemaal niets gebeurd was? Maakte dat je niet boos, dat ze deed alsof ze je amper kende, alsof je te min voor haar zou zijn? Maakte dat je niet giftig?'

'Ik heb haar niet aangeraakt,' fluisterde hij.

'Ze was een plaaggeest. Als een vrouw mij dat zou flikken – me eerst helemaal hard en opgewonden maken en me dan laten vallen – zou ik goed nijdig zijn. Dan zou ik haar een echt goede beurt willen geven, zodat ze in het vervolg wel naar me zou kijken. Wilde jij dat ook niet, Gil?'

'Maar ik heb het nooit gedaan.'

'Maar je wilde wel met haar naar bed, nietwaar? En wilde je haar niet toch ook wel graag een lesje leren? Die donkere kant die we allemaal hebben, waar we onze wraakgevoelens opslaan en bedenken hoe we iemand willen afstraffen. Heb jij niet ook zo'n donkere kant, Gil? Ik wel.'

Hij wachtte opnieuw, en zijn innerlijke spanning nam toe.

Vanlees maakte een verslagen indruk. Het was net alsof de volle omvang van wat er vanavond gebeurd was eindelijk tot hem was doorgedrongen.

'Kovac zal proberen mij die moord in de schoenen te schuiven,' zei hij. 'Omdat dat slipje van Jillian is. En op grond van alles wat ik u net heb verteld. Zelfs al was zíj de slechterik, en niet ik. Zo zal het gaan, is het niet?'

'Je zult moeten toegeven dat je een goede verdachte bent. Dat zie je zelf toch ook wel in, niet?'

Hij knikte langzaam, peinzend.

'Haar vader is bij haar thuis geweest,' zei hij zacht. 'Zondagochtend. Heel vroeg. Vóór zonsopgang. Ik heb hem naar buiten zien komen. Maandag heb ik vijfhonderd dollar zwijggeld van zijn advocaat gekregen.'

Quinn verwerkte die informatie in stilte en woog die zorgvuldig af. Gil Vanlees zat tot over zijn oren in de stront. Hij kon wel van alles verzinnen. Hij had ook kunnen zeggen dat hij een vreemde, een zwerver, een man met één arm, in de buurt van Jillians huis had zien rondhangen. Maar hij koos ervoor te zeggen dat hij Peter Bondurant had gezien, en dat Peter Bondurant hem geld had gegeven opdat hij zijn mond zou houden.

'Zondagochtend vroeg,' zei Quinn.

Vanlees knikte. Hij keek Quinn niet aan.

'Vóór zonsopgang.'

'Ja.'

'Wat deed jij daar zo vroeg, Gil? En waar was je toen je hem zag – en hij jou zag?'

Nu schudde Vanlees het hoofd – in reactie op de vraag, of in reactie op iets dat hem door het hoofd schoot. Het leek wel alsof hij in de afgelopen tien minuten tien jaar ouder was geworden. Hij straalde zoiets pathetisch uit, zoals hij daar zat in zijn bewakersuniform, de man die zo graag voor agent speelde maar dat niet kon zijn.

Uiteindelijk zei hij heel zacht: 'Ik geloof dat ik nu toch een advocaat nodig heb.'

32

Kate zat, weggekropen in een hoekje en met haar benen opgetrokken, op de oude leren bank in haar werkkamer. Ze had een zwarte legging, dikke wollen sokken en een wijd oud T-shirt, dat ze in jaren niet meer gedragen had, aangetrokken om de vroege ochtendkilte in huis de baas te blijven. Dat T-shirt had ze indertijd van Quinn gekregen. Op de voorkant stond de naam geborduurd van het fitnesscentrum waar hij altijd naartoe ging. Het feit dat ze het shirt al die jaren bewaard had had haar eigenlijk toch wel iets moeten zeggen, maar ja, ze was altijd al selectief en Oost-Indisch doof geweest.

Ze had hem uit de kast gehaald nadat Quinn was weggegaan voor een bespreking met de speciale eenheid, en hem even in de droger gestopt om hem wat op te frissen. Ze had hem aangetrokken toen hij nog warm was, en gedaan alsof het zíjn warmte was. Een pover surrogaat voor het voelen van zijn armen om haar heen. Maar toch voelde ze zich op die manier iets dichter bij hem. En na een nacht in zijn armen was de behoefte daaraan groot.

God, wat een onhandig moment voor het herontdekken van de liefde. Maar wat hadden ze, gezien hun beroep en het leven dat ze leidden, voor keuze? Beiden waren ze zich maar al te zeer bewust van het feit dat het leven geen enkele garantie bood. En waar ze zich vooral van bewust waren, was het feit dat ze al te veel onherroepelijk verloren gegane tijd hadden verspeeld als gevolg van angst en trots en verdriet.

Kate verbeeldde zich dat ze vanaf de grote hoogte van een andere planeet op hen tweeën neerkeek, en hen kon zien tijdens het verstrijken van die jaren. Zij had die tijd doorgebracht met zich op een haast bijziende wijze te concentreren op het opbouwen van een 'normaal' bestaan voor zichzelf, met een baan en hobby's en mensen die ze buiten het werk om zag tijdens feesten en partijen en vrije dagen. Vooral niets diepgaanders. Ze deed wat er van haar verwacht werd en deed alsof ze niets merkte van het uitgebluste gevoel vanbinnen. Denkend dat dat altijd nog stukken beter was dan het alternatief. En Quinn besteedde zijn tijd aan zijn werk, zijn werk, zijn werk. Hij nam meer en meer verantwoordelijkheden op zijn schouders om de innerlijke leegte te vullen, net zolang tot hij onder het gewicht ervan dreigde te bezwijken. Hij stopte zijn geheugen zo propvol met zaken en feiten tot hij ze uiteindelijk niet meer uit elkaar kon houden. Hij gaf kleine beetjes van zichzelf bloot en verdoezelde de rest, tot hij ten slotte amper nog wist wie hij eigenlijk was. Zijn kracht, die aanvankelijk onuitputtelijk en grenzeloos leek, bleek uiteindelijk wel degelijk eindig te zijn. En intussen was zijn zelfvertrouwen in zijn kennis en beoordelingsvermogen evenzeer tot op de draad versleten als de binnenkant van zijn maag.

En dat omdat ze zich beiden datgene ontzegden dat ze na alles wat er gebeurd was het meest nodig hadden om te kunnen helen: elkaar.

Triest eigenlijk, wat mensen zichzelf en elkaar konden aandoen, dacht Kate, terwijl ze haar blik liet gaan over de bladzijden van de slachtofferrapporten die ze op de lage tafel voor de bank had neergelegd. Vier geruïneerde en verziekte levens voordat ze met de Cremator in aanraking waren gekomen. Vijf, met Angie erbij. Geruïneerd omdat ze behoefte hadden aan liefde en niets anders hadden kunnen vinden dan een verziekte en verwrongen replica daarvan. Omdat ze dingen wilden die niet voor hen waren weggelegd. Omdat het gemakkelijker leek genoegen te nemen met minder, dan om je best te doen voor meer. Omdat ze ervan overtuigd waren dat ze niet beter verdienden. Omdat de mensen om hen heen, die hen van het tegendeel hadden moeten overtuigen, niet geloofden dat ze beter verdienden. Omdat het allemaal vrouwen waren, en vrouwen in Amerika automatisch een doelwit vormden.

Al die redenen maakten iemand tot slachtoffer.

Iedereen was wel ergens het slachtoffer van. Het onderscheid in mensen was de manier waarop ze daarmee omgingen – of je geeft eraan toe en je gaat eraan ten onder, of je verwerkt het en je stijgt erbovenuit. Maar de vrouwen op de foto's die voor haar lagen, konden die keus niet langer maken.

Kate boog zich over de tafel heen en liet haar blik over de rapporten gaan. Ze had naar kantoor gebeld om te zeggen dat ze wat tijd voor zichzelf wilde hebben. Ze had gehoord dat Rob ook vrij had genomen en dat er op kantoor gefluisterd werd dat ze elkaar hadden toegetakeld en nu thuisbleven omdat ze niet wilden dat de anderen hun blauwe plekken zouden zien. Kate had gezegd dat het er eerder in zat dat Rob nog steeds zat te werken aan zijn schriftelijke klacht om in haar persoonlijk dossier te stoppen.

Gelukkig was ze voor vandaag van hem verlost. Hetgeen heerlijk geweest zou zijn als ze zich niet had hoeven verdiepen in de rapporten van de verbrande en verminkte vrouwen, en alle emoties en de deprimerende realiteit die daarmee gepaard ging haar bespaard zouden zijn gebleven.

Iedereen was altijd wel ergens een slachtoffer van.

De groep leverde een treurige waslijst op. Prostitutie, drugs, alcohol, aanranding, verkrachting, incest – als het waar was wat ze Kovac over Jillian Bondurant hadden verteld. Slachtoffers van misdaad en slachtoffers van hun jeugd.

Zo op het eerste gezicht leek Jillian Bondurant niet in het rijtje thuis te horen, omdat ze geen prostituee was en ook geen ander, met seksualiteit geassocieerd beroep had, maar wanneer je haar psychologisch profiel bekeek, was ze niet zo heel veel anders dan Lila White of Fawn Pierce. Verwarde en tegenstrijdige emoties aangaande seks en mannen. Geringe zelfachting. Emotioneel behoeftig. Oppervlakkig bezien leek haar leven niet zo moeilijk te zijn geweest als dat van een tippelaarster, omdat ze niet was blootgesteld aan dat soort misdaden en openlijk geweld. Maar er was niets gemakkelijks aan het lijden in stilte, aan het wegstoppen van verdriet en vernedering, om je niet te laten kennen tegenover de mensen om je heen.

Voor Quinn stond het nog helemaal niet vast dat Jillian dood was, maar dat betekende nog niet dat ze geen slachtoffer was. Als ze Smokey Joe's medeplichtige was, zou ze alleen maar een ander soort slachtoffer zijn. De Cremator zelf was ook een slachtoffer. Iemand die als kind tot slachtoffer was gemaakt beschikte daardoor over een van de vele componenten die bijdroegen tot het ontstaan van een seriemoordenaar.

Iedereen was overal wel een slachtoffer van.

Kate pakte haar eigen aantekeningen van Angie. Veel had ze niet opgeschreven. Het waren voornamelijk vermoedens, dingen die ze geleerd had in de jaren waarin ze een studie had gemaakt van het menselijk gedrag om te zien wat bepalend was voor iemands manier van denken en persoonlijkheid. Angie DiMarco was gevormd door misbruik en mishandeling. Waarschijnlijk al vanaf heel jeugdige leeftijd. Ze verwachtte het ergste van de mensen, daagde hen uit om dat te bewijzen, om haar te bewijzen dat ze gelijk had gehad. En dat was ongetwijfeld keer op keer gebeurd, want het soort mensen dat Angie's wereld bevolkte neigde ertoe aan dat soort verwachtingen te beantwoorden. Met inbegrip van Angie zelf.

Ze verwachtte van de mensen dat ze haar niet aardig vonden, dat ze haar wantrouwden, dat ze haar bedrogen en gebruikten, en ze zorgde er dan ook voor dat dat gebeurde. Deze zaak was geen uitzondering geweest. Sabin en de politie hadden niets liever gewild dan haar gebruiken, en Kate was hun instrument geweest. Angie's verdwijning kwam hen slecht uit, maar het was geen ramp. Als ze niet toevallig de status van getuige had gehad, zou niemand een beloning hebben uitgeloofd of haar foto op de televisie hebben vertoond met de vraag of iemand haar had gezien. En desondanks sloofde de politie zich niet echt uit om haar te vinden. De energie van de speciale eenheid was gericht op het vinden van de verdachte, en niet op het vinden van de verdwenen getuige.

Kate vroeg zich af of Angie de spotjes op het nieuws had gezien. Ze zou al die aandacht prachtig hebben gevonden. Misschien had ze zich wel heimelijk verbeeld dat er daadwerkelijk iemand was die om haar gaf.

'Waarom zou het jou iets kunnen schelen wat er met mij gebeurt?' had het meisje gevraagd toen ze voor Kate's kantoor op de gang stonden.

'Omdat het niemand anders iets kan schelen.'

En ik heb het me niet voldoende aangetrokken, dacht Kate met pijn in het hart. Omdat ze bang was geweest dat te doen. Net zoals ze bang was geweest om John weer in haar leven toe te laten. Bang om zo intens te voelen. Bang voor de pijn die dergelijke gevoelens tot gevolg konden hebben.

Wat een zielige manier van leven! Nee – dat was geen leven. Dat was niet meer dan bestaan.

Terwijl ze opstond van de bank om door de kamer te lopen, vroeg zich af of het meisje nog leefde. Of was ze dood? Was ze ontvoerd? Of was ze zelf weggegaan?

Ze had het bloed met eigen ogen gezien. Te veel voor een onschuldige verklaring.

Maar hoe had Smokey Joe kunnen weten waar ze was? Hoe groot was de kans dat hij haar op het politiebureau had gezien, en dat hij haar daarna naar het Phoenix House was gevolgd? Klein. En dat zou betekenen dat hij er op een andere manier achter was gekomen. En dat betekende dat hij ofwel bij de zaak betrokken was... of dat hij en Angie elkaar kenden.

Wie hadden er geweten waar Angie was ondergebracht? Sabin, Rob, de speciale eenheid, een paar geüniformeerde agenten, de Urskines, Peter Bondurants advocaat – en derhalve Peter Bondurant.

De Urskine's, die het eerste slachtoffer hadden gekend en een oppervlakkige band met het tweede slachtoffer hadden gehad. Ze hadden Jillian Bondurant niet gekend, maar door de connectie met de eerste twee moorden had Toni Urskine de kans gekregen de aandacht voor haar levensdoel te trekken.

Gregg was woensdagavond in het huis geweest toen Kate Angie had afgezet. De enigen die thuis waren geweest, waren Gregg en Rita Renner, die, naar het zich liet aanzien, een lievelingetje van de Urskine's was. Rita Renner, die met Fawn Pierce bevriend was geweest.

Kate kende de Urskine's al jaren. Hoewel Toni iemand tot moord zou kunnen aanzetten, kon ze zich niet voorstellen dat het stel die liefhebberij zelf zou uitoefenen. Maar ja, in Toronto had ook nooit iemand vermoed wie de moordenaars Ken en Barbie waren, en dat duo had zulke weerzinwekkende moorden gepleegd dat zelfs de doorgewinterde politiemensen die tijdens het proces in het getuigenbankje hadden moeten verschijnen, ten overstaan van iedereen in tranen waren uitgebarsten.

God, wat een sinistere gedachte – dat de Urskine's onder het mom van vriendelijkheid en bezorgdheid onderdak boden aan vrouwen die terug wilden keren op het rechte pad, en dat ze uit díe vrouwen de slachtoffers voor hun sadistische spelletjes selecteerden. Toch kon Kate zich niet echt voorstellen dat ze zo stom zouden zijn om die slachtoffers onder hun eigen klanten te zoeken, omdat ze dan automatisch verdacht zouden worden. En als de man die Angie die avond in het park had gezien Gregg Urskine was geweest, zou ze hem toch zeker wel herkend hebben toen ze hem in het Phoenix House had gezien?

Kate dacht aan de vage beschrijving die het meisje van Smokey Joe had gegeven, en ze dacht aan de vrijwel nietszeggende tekening. Ze probeerde het te begrijpen. Was ze zo onwillig en zo vaag geweest omdat ze, zoals Kate vermoedde, bang was? Of omdat het, zoals Angie beweerde, donker was geweest, hij een capuchon op had gehad en het allemaal zo snel was gegaan? Of had ze een geheel andere motivatie?

De speciale eenheid had een verdachte op het oog, wist Kate. Quinn was hem op dit moment waarschijnlijk aan het ondervragen. De opzichter van het buurtje waar Jillian Bondurant had gewoond. Hij had geen rechtstreekse relatie tot de zaak, maar ze vermoedde dat hij Angie wel gekend kon hebben als ze wel eens in de buurt van het Target Center getippeld had, waar hij bij de beveiliging werkte.

Maar daarmee was nog steeds niet duidelijk wat voor relatie Angie met de moordenaar zou kunnen hebben. Als ze hem kende en wilde dat hij gegrepen werd, zou ze hem verraden hebben. En als ze hem kende en niet wilde dat hij gegrepen zou worden, zou ze de tekenaar een duidelijke beschrijving van heel iemand anders hebben gegeven.

En als ze die avond in het park helemaal niets had gezien, waarom zou ze dan beweren dat ze dat wel had gedaan? Voor een boterham en een bed? Voor aandacht? In dat geval zou ze eerder behulpzaam hebben moeten zijn, in plaats van het hen alleen maar moeilijk te maken.

Alles aan dit kind was een mysterie in een puzzel in een raadsel.

En dat is dus de reden waarom ik geen kinderen doe.

Maar dit ene kind was haar verantwoordelijkheid – of was dat geweest. En ze zou doen wat ze kon om de waarheid over haar te achterhalen, zelfs al werd dat haar dood.

'Foute woordkeuze, Kate,' mompelde ze, terwijl ze naar boven liep om iets anders aan te trekken.

Twintig minuten later verliet ze het huis via de achterdeur. Er was in de loop van de nacht nog twee centimeter sneeuw bij gevallen, waardoor het landschap opnieuw een fris wit jasje had gekregen, en de treetjes van de trap achter… Ze zag de sporen van laarzen in de oude sneeuw, met een vers laagje sneeuw eroverheen.

Quinn was vanmorgen de voordeur uit gegaan, waar een taxi op hem stond te wachten. En bovendien waren deze sporen veel te klein voor zijn voeten. Het zouden eerder Kate's voetafdrukken kunnen zijn, hoewel het natuurlijk niet te zien was of ze door een man of door een vrouw waren gemaakt.

Kate volgde het spoor door ernaast te lopen, de trap af en de tuin in. Het spoor voerde voorbij de achtermuur van haar garage, en verder, door de nauwe doorgang tussen het gebouwtje en de verweerde, grijze schutting van de buren, naar de zij-ingang van de garage. Alle deuren waren dicht.

Ze huiverde. Ze dacht aan de vorige avond, toen er iemand in haar garage had gepoept. Ze dacht aan het licht dat het opeens niet meer had gedaan, en het gevoel, woensdag, dat er iemand naar haar keek toen ze van de garage naar huis was gelopen.

Ze keek om zich heen en nam het stille steegje zorgvuldig in zich op. De meeste buren hadden zó'n hoge schutting dat je de beneden-verdieping van hun huis niet kon zien. De ramen op de eerste ver-dieping waren leeg en donker. Dit was een buurt die voornamelijk werd bewoond door midden- en hoger kader kantoorpersoneel, en de meeste mensen waren om halfacht de deur al uit.

Kate deinsde achteruit, bij de garage vandaan. Haar hart klopte in haar keel, en ze viste haar mobiele telefoon uit haar tas. Op weg, te-rug naar huis, klapte ze de telefoon open en drukte op het knopje om hem aan te zetten. Er gebeurde niets. Ze had hem vannacht niet op-geladen, en hij was nu leeg. Het ongemak van modern gemak.

Ze bleef naar de garage kijken, en meende dat ze door het zijraam iets zag bewegen. Een autodief? Een inbreker? Een verkrachter? Een ontevreden cliënt? De Cremator?

Ze stopte de telefoon weer in haar tas en haalde haar huissleutels eruit. Ze liet zichzelf binnen, deed de deur achter zich op slot en haal-de diep adem.

'Ik kan dit missen als kiespijn,' mompelde ze, terwijl ze de keuken in liep. Ze zette haar handtas en haar koffertje op tafel en wilde net haar jas uittrekken, toen het geluid tot haar doordrong. Het zachte, venijnige blazen van een kat. Thor zat grommend en sissend, en met zijn oren plat in zijn nek, onder tafel.

Kate's nekharen kwamen overeind, en dat ging gepaard met het gevoel dat er naar haar werd gekeken.

Er schoten haar verschillende mogelijkheden door het hoofd. Ze had er geen idee van hoe dicht die persoon zich achter haar bevond, of hoe dicht hij of zij in de buurt van de deur stond. De telefoon stond aan de andere kant van de keuken – te ver weg.

Ze deed alsof ze heel gewoon iets in haar tas wilde zoeken, deed hem open en keek of ze er iets in zag dat ze als wapen zou kunnen gebruiken. Ze had geen revolver bij zich. Het busje peperspray dat ze een poosje bij zich had gedragen, was verlopen geweest en ze had het weggegooid. Ze had een plastic flesje met Aleve, een pakje papieren zakdoekjes, de hak van de schoen die ze maandag gebroken had. Ze groef wat dieper, vond een nagelvijl, nam hem in haar hand en liet hem in haar jaszak glijden. Ze kende haar ontsnappingsroutes. Ze zou zich omdraaien, de indringer confronteren, en dan links of rechts langs hem heen glippen. Met dat plan in gedachten telde ze tot vijf en draaide zich toen om.

Er was niemand in de keuken. Maar, achter de boog die toegang gaf tot de eetkamer, zat Angie DiMarco op een van de eikenhouten eettafelstoelen.

'Hij heeft bekend dat hij een slipje van Jillian Bondurant heeft, maar toch denk je niet dat hij de dader is?' vroeg Kovac ongelovig.

Zijn woede was rechtstreeks van invloed op zijn rijstijl, stelde Quinn vast. De Caprice schoot schommelend en hortend en stotend als een botsautootje door de straat. Quinn zette zich schrap in het besef dat zijn benen bij een ongeluk als lucifershoutjes zouden knappen. Niet dat het nog iets zou uitmaken, want hij zou die klap waarschijnlijk toch niet overleven. Deze oude rammelkast was waarschijnlijk één grote kreukelzone.

'Ik zeg alleen maar dat er bepaalde dingen zijn die me niet bevallen,' zei hij. 'Vanlees komt niet op me over als een teamspeler. Hij mist de arrogantie van een leider, en de sadistische mannelijke partner is, wanneer het een stel is dat de moorden pleegt, doorgaans de dominante partner. De vrouw is hem onderdanig, een slachtoffer dat zichzelf gelukkig prijst dat zij niet degene is die hij aan het vermoorden is.'

'Nou, dan zijn de rollen deze keer omgedraaid,' hield Kovac vol. 'De vrouw is de baas. Waarom zou dat niet kunnen? Moss en Liska zeggen dat hij bij zijn vrouw onder de plak zat.'

'En zijn moeder was waarschijnlijk ook een dominante vrouw. En ja, wanneer een seksuele sadist zijn slachtoffers vermoordt, dan is dat meestal een symbolische moord op een dominante of manipulatieve of anderszins invloedrijke vrouw uit zijn verleden of uit zijn huidige situatie. Ja, dat klopt allemaal. Maar er zijn ook dingen die niet kloppen. Ik wou dat ik hem alleen maar hoefde aan te kijken om te kunnen zeggen: ja dat voelt goed, dat is hem, maar ik heb dat gevoel, die flits, helemaal niet.'

Maar ja, dat gevoel had hem de afgelopen jaren steeds vaker in de steek gelaten, wist hij. Twijfel was tegenwoordig eerder regel dan uitzondering, dus waar had hij het eigenlijk over? Waarom zou hij nu wel op zijn intuïtie vertrouwen? Kovac rukte aan het stuur en schoot drie rijbanen over naar de afslag die hij hebben wilde. 'Nou, ik kan je wel zeggen dat de bobo's heel tevreden met hem zijn. Over flitsten en bliksemflitsen gesproken. Vanlees bezorgt hen allemaal een zwaar onweer in de broek. Hij heeft een verleden, hij beantwoordt aan het profiel, hij kent Jillian, kan zijn gang gaan met hoeren, en hij is Peter Bondurant niet. Als ze een manier kunnen vinden om hem de moorden in de schoenen te schuiven, dan zullen ze dat niet nalaten. Sterker nog, ze zullen alles op alles zetten om dat voor het begin van de persconferentie vandaag voor elkaar te krijgen.'

En als Vanlees de dader niet was, namen ze daarmee het risico dat de echte dader zich opnieuw zou willen bewijzen. Die gedachte maakte Quinn misselijk.

'Vanlees zegt dat Peter zondagochtend vóór zonsopgang bij Jillian in huis was, en dat hij Noble maandag naar hem toe heeft gestuurd om hem zwijggeld te betalen,' zei hij, hetgeen hem een angstaanjagende starende blik van Kovac opleverde. De Caprice kwam griezelig dicht in de buurt van een roestige oude Escort op de rijbaan ernaast.

'Jezus, man, kijk uit!' snauwde Quinn. 'Hoe halen jullie hier in deze staat je rijbewijs? Moet je er soms alleen maar een aantal flessendoppen voor inleveren of zo?'

'Bierviltjes,' antwoordde Kovac, terwijl hij weer voor zich keek. 'Dus dan was het Bondurant die Jillians huis heeft schoongemaakt en de boodschappen op het antwoordapparaat heeft gewist.'

'Dat lijkt me wel – als het waar is wat Vanlees zegt. En het lijkt me ook niet ondenkbaar dat het door Peter komt dat we geen composities van Jillian hebben gevonden. Hij heeft ze waarschijnlijk meegenomen omdat er dingen in stonden over zijn relatie met haar.'

'De seksuele mishandeling.'

'Mogelijk.'

'Schoft,' mompelde Kovac. 'Zondagochtend. Smokey Joe wacht tot middernacht met het verbranden van zijn slachtoffer. Waarom zou Bondurant op zondagochtend naar haar huis gaan, de boel schoonmaken en de composities meenemen als hij niet al wist dat ze dood was?'

'Waarom vindt hij het noodzakelijk om haar huis schoon te maken?' vroeg Quinn. 'Dat huis is van hem. Zijn dochter woonde er. Zijn vingerafdrukken daar zouden op zich helemaal niet vreemd zijn.'

Kovac keek hem aan. 'Tenzij ze onder het bloed zaten.'

Quinn zette zich schrap met zijn hand tegen het dashboard toen ze gesneden werden door een sleepwagen en Kovac boven op de rem ging staan. 'Concentreer jij je nu maar op het verkeer, Kovac. Want anders is het met ons gedaan voordat we hebben kunnen uitzoeken hoe het allemaal zit.'

Met het gerucht dat er een verdachte in hechtenis zou zitten hadden de media zich opnieuw voor het huis van Peter Bundurant verzameld. Cameralieden met videocamera's liepen over de stoep heen en weer en maakten buitenopnamen van het huis, terwijl verslaggevers hun geluidstests deden. Quinn vroeg zich af of iemand de moeite had genomen om de familie van Lila White of die van Fawn Pierce te bellen.

Twee bewakers van Paragon stonden, gewapend met walkie-talkies, bij de poort. Quinn toonde hun zijn legitimatie, en ze werden doorgelaten. Edwyn Noble's zwarte Lincoln stond op de oprit met een staalblauwe Mercedes sedan ernaast. Kovac zette zijn auto zó dicht achter de Lincoln, dat de bumpers elkaar bijna raakten.

Quinn keek hem streng aan. 'Beloof me dat je je zult gedragen.'

Kovac trok een onschuldig gezicht. Hij was gedegradeerd tot chauffeur en werd geacht in de auto te blijven wachten. Hij mocht Peter Bondurant niet onder ogen komen. Quinn had Vanlees' onthulling bij wijze van extra voorzorgsmaatregel voor zichzelf gehouden. Een Kovac die zich met een grote bek overal mee bemoeide, was wel het laatste waar hij op dit moment behoefte aan had.

'Doe maar rustig aan, GQ. Ik blijf hier gewoon zitten, mijn krantje lezen.' Hij pakte een exemplaar van de *Star-Tribune* van de berg troep op de achterbank. Gil Vanlees nam de halve voorpagina in beslag – een vette kop, een kolom, en een slechte foto waarop hij eruitzag als Popeye's aartsvijand, Bluto. Kovac keek echter niet naar de krant, maar naar de ramen van het huis.

Noble deed open en keek met een bedenkelijk gezicht langs Quinn heen naar de Caprice. Kovac zat achter zijn krant, maar hield hem zo alsof hij zijn middelvinger naar Noble opstak.

'Rustig maar,' zei Quinn. 'Het is u gelukt om de beste agent die aan het onderzoek werkte tot chauffeur te degraderen.'

'We hebben begrepen dat Vanlees in hechtenis is genomen,' zei de advocaat, toen ze het huis binnengingen. Hij negeerde Kovac alsof de man niet waard was om over te spreken.

'Hij is gearresteerd wegens rijden onder invloed. De politie zal hem zo lang mogelijk vasthouden, maar op het moment is er nog geen enkel bewijs dat hij de Cremator zou zijn.'

'Maar hij had… hij had iets van Jillian,' zei Noble, met de verlegenheid van een preuts iemand.

'Waarvan hij zegt dat Jillian het aan hem gegeven heeft.'

'Maar dat is natuurlijk belachelijk.'

'Hij vertelt een heel interessant verhaal. Een verhaal waarin u ook voorkomt, en tussen haakjes, nog wel als degene die hem zwijggeld heeft betaald.'

Quinn zag de angst oplichten in de ogen van de advocaat. Heel even maar. 'Dat is absurd. Hij liegt.'

'Daarmee zou hij dan lang niet de enige zijn,' zei Quinn. 'Ik wil Peter spreken. Ik wil hem een aantal vragen stellen over Jillians gemoedstoestand op díe avond in het bijzonder, en in het algemeen.'

De advocaat wierp een zenuwachtige blik op de trap. 'Peter kan vanochtend niemand ontvangen. Hij voelt zich vanmorgen niet zo goed.'

'Maar mij ontvangt hij wel.' Quinn begon uit eigen beweging de trap op te lopen, alsof hij wist waar hij zijn moest. Noble haastte zich achter hem aan.

'Volgens mij begrijpt u het niet, agent Quinn. Deze hele kwestie heeft een zware tol van zijn zenuwen gevergd.'

'Probeert u me soms te vertellen dat hij dronken is? Of dat hij zwaar onder de kalmerende middelen zit? Of catatonisch is?'

Noble's lange gezicht had iets van een ezel toen Quinn over zijn schouder keek. 'Lucas Brandt is bij hem.'

'O, dat is nog veel beter. Dan sla ik twee vliegen in één klap.'

Ze hadden de overloop bereikt en Quinn deed een stapje opzij om Noble voor te laten gaan.

Het voorvertrek van Peter Bondurants slaapkamersuite was de toonzaal van een binnenhuisarchitect die kennelijk meer van het huis dan van Peter af wist. Het was een kamer voor een achttiende-eeuwse Engelse lord, met veel mahoniehout en brokaat, en donkere jachttaferelen in gouden lijsten aan de muren. De met goud damast beklede oorfauteuils zagen eruit alsof er nog nooit iemand in had gezeten.

Noble klopte zachtjes op de deur van de slaapkamer, en ging vervolgens naar binnen terwijl hij Quinn liet wachten. Even later kwamen Noble en Brandt samen naar buiten. Brandts pokerface was uitdrukkingsloos en stond zorgvuldig neutraal. Dit was waarschijnlijk ook het masker dat hij droeg wanneer hij in de rechtszaal getuigde voor wie hem die dag het meeste geld betaalde.

'Agent Quinn,' zei hij op de gedempte toon die iemand in een ziekenzaal zou bezigen. 'Ik heb begrepen dat u een verdachte hebt.'

'Mogelijk. Ik wilde Peter een paar vragen stellen.'

'Peter is vanochtend zichzelf niet.'

Quinn trok zijn wenkbrauwen op. 'Ach? Wie is hij dan wél?'

Noble keek hem aan en fronste zijn voorhoofd. 'Ik denk dat inspecteur Kovac een slechte uitwerking op u heeft gehad. Dit is niet het moment voor flauwe grappen.'

'En evenmin is dit het moment om spelletjes met mij te spelen, meneer Noble,' zei Quinn. Hij wendde zich tot Brandt. 'Ik wil hem over Jillian spreken. Als u erbij wilt zijn in die kamer, dan vind ik dat best. En misschien dat u mij dan ook nog het een en ander zult kunnen vertellen over haar mentale en emotionele toestand.'

'Daar hebben we het al over gehad.'

Quinn knikte kort en grijnsde schaapachtig om zijn woede te maskeren. 'Best, dan zegt u niets.'

Hij deed een stap in de richting van de deur alsof hij Brandt gewoon omver zou duwen en over hem heen zou lopen.

'Hij is onder de invloed van kalmerende middelen,' zei Brandt, die geen centimeter van zijn plaats week. 'Ik zal uw vragen zo goed mogelijk beantwoorden.'

Quinn bekeek hem met half samengeknepen ogen en wierp toen een snelle blik op de advocaat.

'Vergeeft u me mijn nieuwsgierigheid,' zei hij. 'Maar beschermt u hem eigenlijk voor zíjn bestwil, of voor het uwe?'

Geen van tweeën vertrok een spier.

Quinn schudde het hoofd. 'Het geeft niet. Of liever, het interesseert me niet. Het enige waar het mij om gaat, is de volledige waarheid.'

Hij vertelde hun wat Vanlees hem had meegedeeld over het gluurdersincident.

Edwyn Noble wees het verhaal in ieder opzicht – intellectueel, emotioneel en fysiek – van de hand, en herhaalde zijn mening dat Vanlees een leugenaar was. Hij liep heen en weer, klakte met zijn tong, schudde het hoofd, en ontkende alles, met uitzondering van het idee dat Vanlees door Jillians raam had gegluurd. Brandt, daarentegen, stond met neergeslagen ogen en met de handen voor zich gevouwen voor de slaapkamerdeur, en luisterde aandachtig.

'Wat ik wil weten, dr. Brandt, is of Jillian wel of niet tot dergelijk gedrag in staat was.'

'En zou u dit verhaal aan Peter hebben verteld en hem diezelfde vraag hebben gesteld?' vroeg Peter beledigd. 'Over zijn eigen kind?'

'Nee, ik zou Peter heel iets anders hebben gevraagd.' Hij keek even naar Noble. 'Ik zou hem hebben gevraagd wat hij zondagmorgen, vóór zonsopkomst, in Jillians huis deed dat zo belangrijk was dat hij er een getuige zwijggeld voor heeft betaald.'

Noble, diep gekwetst, bewoog zijn hoofd naar achteren en begon zijn mond open te doen.

'Hou maar op, Edwyn,' adviseerde Quinn, die inmiddels geen greintje respect meer voor de advocaat had. Hij wendde zich weer tot Brandt.

'Ik heb u al eerder verteld dat Jillian als gevolg van haar relatie met haar stiefvader een heleboel tegenstrijdige emoties had en ten aanzien van haar seksualiteit behoorlijk in de war was.'

'Dus het antwoord is ja.'

Brandt zei niets en Quinn bleef wachten.

'Ze gedroeg zich wel eens onfatsoenlijk.'

'Losbandig.'

'Nou, zo ver zou ik niet willen gaan. Maar ze hield ervan om... reacties uit te lokken. Opzettelijk.'

'Manipulatief.'

'Ja.'

'Wreed?'

Daar keek hij van op. Brandt keek hem strak aan. 'Waarom vraagt u dat?'

'Omdat, als Jillian niet dood is, dr. Brandt, er maar één logisch iets is dat ze dan wél kan zijn: een verdachte.'

33

Ze zag er verschrikkelijk uit, dacht Kate. Lijkbleek, haar ogen glazig en bloeddoorlopen, haar haren vet en ongewassen. Maar ze leefde, en Kate voelde zich onbeschrijfelijk opgelucht. Ze hoefde zich niet schuldig te voelen over Angie's dood. Het meisje leefde, al was ze dan verre van gezond.

En ze zit in mijn keuken.

'Angie, God, je hebt me ontzettend laten schrikken!' zei Kate. 'Hoe ben je binnengekomen? De deur was op slot. En hoe weet je eigenlijk waar ik woon?'

Het meisje zei niets. Kate deed een paar stapjes naar haar toe om te proberen haar conditie in te schatten. Haar gezicht zat onder de blauwe plekken, haar volle onderlip was gespleten en er zat een dikke bloedkorst op.

'Hé, meisje, waar ben je geweest?' vroeg ze. 'Weet je wel dat er mensen zijn die zich zorgen om je hebben gemaakt?'

'Toen ik bij je op kantoor was, heb ik je adres op een envelop zien staan,' zei het meisje. Ze keek Kate nog steeds strak aan, en haar stem klonk toonloos en schor.

'Dat was slim.' Kate deed nog een paar stapjes dichterbij. 'Het zou alleen zo veel beter zijn als we die talenten van jou zouden kunnen gebruiken op een manier waarop iedereen daar wat aan zou hebben. Waar heb je gezeten, Angie? Wie heeft je lip opengehaald?'

Kate was nu bij de boog gekomen. Het meisje zat nog steeds op de stoel en had zich niet verroerd. Ze droeg dezelfde afgedragen spijkerbroek die ze de eerste dag al aanhad, maar nu zat hij op de dijen onder de donkere vlekken die op bloedvlekken leken. Verder droeg ze hetzelfde vuile spijkerjack dat veel te dun was voor deze kou, en een sjofele blauwe trui die Kate eerder had gezien. Rond haar keel vertoonde ze een aantal wurgsporen – paarse bloeduitstortingen op de plaats waar vingers hadden geprobeerd haar luchtpijp en de bloedtoevoer naar haar hersenen af te knijpen.

Rond Angie's mondhoeken zweefde een uiterst vaag, bitter glimlachje. 'Het is wel eens erger geweest.'

'Dat weet ik, lieverd,' zei Kate zacht. Pas toen ze voor het meisje op haar knieën was gezakt om haar beter te kunnen zien, zag ze het stanleymes op haar schoot – een vlijmscherp mes in een gladde, grijsmetalen houder.

Ze kwam langzaam overeind en deed een stapje naar achteren. 'Wie heeft je dit aangedaan, Angie? Waar ben je geweest?'

'In de kelder van de duivel,' zei ze, en dat leek ze op de een of andere wrange manier amusant te vinden.

'Angie, ik ga een ziekenauto voor je bellen, goed?' zei Kate, terwijl ze nog een stapje achteruit, naar de telefoon deed.

Op hetzelfde moment kreeg het meisje tranen in de ogen. 'Nee. Ik heb geen ziekenauto nodig,' zei ze, doodsbang bij het vooruitzicht.

'Iemand heeft je te grazen genomen, lieverd.' Kate vroeg zich af wie die persoon geweest zou kunnen zijn. Was Angie ontsnapt en was ze hier op eigen gelegenheid naartoe gekomen, of had iemand haar gebracht? Zat haar ontvoerder in de kamer ernaast te wachten? Te kijken? Als ze bij de telefoon kon komen, zou ze 911 kunnen draaien, waarna de politie binnen enkele minuten voor de deur zou staan.

'Nee, alsjeblieft niet doen,' smeekte Angie. 'Kan ik niet gewoon hier blijven? Gewoon een tijdje bij jou zijn? Een poosje maar?'

'Schat, je hebt een dokter nodig.'

'Nee. Nee. Nee.' Het meisje schudde haar hoofd. Haar vingers kromden zich om het handvat van het stanleymes. Ze drukte het scherpe mes tegen de palm van haar hand.

Op de plek waar het puntje van het mes door haar huid was gedrongen, verscheen een druppel bloed.

De telefoon ging, en de gespannen stilte werd verbroken. Kate schrok enorm.

'Niet opnemen!' riep Angie, terwijl ze haar hand ophield, het mes centimeter voor centimeter omlaag door haar huid trok en er nog meer bloed verscheen.

'Anders snijd ik mezelf écht,' dreigde ze. 'Dat doe ik zo.'

Als ze dat meende, als ze het mes echt over de binnenkant van haar pols zou halen, zou ze wel eens doodgebloed kunnen zijn voordat Kate de kans had gekregen 911 te bellen.

De telefoon hield op met rinkelen. Het antwoordapparaat in de werkkamer deelde de opbeller op beleefde toon mee dat hij of zij een boodschap kon inspreken. Ze vroeg zich af of het Quinn was. Of misschien was het Kovac wel, met nieuws. Of anders zou het Rob kunnen zijn, om te zeggen dat ze ontslagen was. Ze achtte hem in staat dat op het antwoordapparaat in te spreken, precies zoals de baas van Melanie Hessler dat had gedaan.

'Waarom zou je jezelf willen snijden, Angie?' vroeg ze. 'Je bent nu veilig. Ik zal je helpen. Ik help je hier doorheen. En ik zal je helpen met een schone lei opnieuw te beginnen.'

'Je hebt me voorheen ook niet geholpen.'

'Daar heb je me geen kans toe gegeven.'

'Soms vind ik het fijn om mezelf te snijden,' bekende Angie beschaamd, en ze liet haar hoofd hangen. 'En soms moet ik dat ook. Als ik dat gevoel krijg, dat gevoel van... Dan ben ik bang. Maar als ik mezelf dan snijd, gaat het weg. Dat is niet normaal, hè?' Ze keek Kate met zulke treurige ogen aan, dat haar hart ervan brak.

Kate antwoordde niet meteen. Ze had gelezen over meisjes die deden wat Angie zojuist beschreven had, en ja, haar eerste gedachte was dat het abnormaal was. Hoe kon iemand die goed bij zijn hoofd was zichzelf verminken?

'Ik kan je laten helpen, Angie,' zei ze. 'Er zijn mensen die je kunnen leren hoe je met dat soort gevoelens moet omgaan zonder dat je je ervoor hoeft te snijden.'

'Weten die mensen veel!' riep Angie honend uit, en de minachting straalde van haar af. 'Die mensen weten niets van "omgaan met". Ze weten helemaal niets.'

Ik ook niet, dacht Kate. Jezus, waarom had ze zich maandag niet gewoon ziek gemeld?

Ze overwoog om te proberen Angie het mes af te nemen, maar besloot dat toen toch maar niet te doen. Het risico op een echte ramp was te groot. Ze moest proberen haar aan de praat te houden, en misschien dat ze haar dan uiteindelijk wel zover zou kunnen krijgen dat ze het weglegde. Ze hadden alle tijd van de wereld – vooropgesteld dat ze alleen waren.

'Angie, ben je hier alleen naartoe gekomen?'

Angie keek naar het lemmet van het mes terwijl ze het puntje voorzichtig langs de blauwe lijnen van de tatoeage bij haar duim – de letter A met een horizontale lijn dicht bij de top – liet gaan.

'Ben je gebracht?'

'Ik ben altijd alleen,' zei ze zacht.

'Was je dat ook nadat ik je bij het Phoenix House had afgezet? Was je toen ook alleen?'

'Nee.' Ze drukte de punt van het mes in de getatoeëerde bloeddruppels van de doornenarmband rond haar pols. 'Ik wist dat hij me wilde. Hij heeft me laten halen.'

'Wie wilde je? Gregg Urskine?'

'De engel van het kwaad.'

Kate had haar het liefste bij de schouders gegrepen om het hele verhaal uit haar te schudden, maar ze wist dat ze dat niet kon. Als ze op die manier te dicht in haar buurt zou komen, bestond de kans dat ze haar mes zou gebruiken om Kate's gezicht aan flarden te snijden.

'Wie is dat?' vroeg Kate.

'Ik stond onder de douche,' zei ze. Er lag een glazige blik in haar ogen, en Kate begreep dat ze terugdacht aan wat er in de badkamer van het Phoenix House was gebeurd. 'Ik was bezig een snee te maken. Ik keek naar het bloed en het water. En toen heeft hij iemand gestuurd om mij te halen. Alsof hij mijn bloed had geroken, of zo.'

'Wie?' probeerde Kate opnieuw.

'Hij was niet blij,' zei ze op een dreigende toon, die op een haast huiveringwekkende manier contrasteerde met de sluwe grijns die rond haar mondhoeken speelde. 'Hij was boos omdat ik zijn bevelen niet had opgevolgd.'

'Ik zie dat dit een lang verhaal gaat worden,' zei Kate. Ze keek naar het bloed dat van Angie's hand op het kleed van de eetkamer droop. 'Waarom gaan we niet naar de andere kamer? Dan kunnen we lekker zitten. Ik kan de open haard aandoen. Zodat je weer wat op temperatuur komt. Lijkt je dat wat?'

Ze moest haar afleiden van dat gescharrel met het mes. Bij de ene telefoon vandaan en vlak bij de andere zien te komen, zodat er gebeld kon worden. De telefoon met ingebouwde fax in de werkkamer had 911 in het geheugen zitten. Als Angie eenmaal op de bank zat, zou ze zelf op het randje van haar bureau kunnen gaan zitten, de telefoon van de haak nemen en op het knopje drukken. Misschien lukte dat wel. Het was in ieder geval stukken beter dan hier zwijgend te blijven staan en naar het bloedende meisje te moeten kijken.

'Ik heb koude voeten,' zei Angie.

'Kom, dan gaan we naar de andere kamer. Waarom trek je die natte laarzen niet uit?'

Het meisje nam haar op met half samengeknepen ogen, bracht haar bloedende hand naar haar mond en haalde haar tong over een van de wonden. 'Ga jij maar voor.'

Voor het psychotische, met een mes gewapende kind uit naar de klaarstaande seriemoordenaar. Geweldig. Kate ging op weg naar de werkkamer. Ze liep bijna zijwaarts, met één oog op Angie en het andere naar voren gericht, terwijl ze het gesprek op gang probeerde te houden. Angie hield het mes in haar hand – klaar voor gebruik. Ze liep een beetje voorovergebogen, met haar arm tegen haar maag gedrukt, en Kate begreep dat ze pijn had.

'Heeft Gregg Urskine je pijn gedaan, Angie? Ik heb al dat bloed in de badkamer gezien.'

Ze knipperde verbaasd met haar ogen. 'Ik zat in Het Gat.'

'Ik weet niet wat dat betekent.'

'Nee, natuurlijk weet je dat niet.'

Kate ging haar voor de werkkamer in.

'Ga zitten.' Ze wees op de bank waar zij en Quinn nog niet zo heel lang geleden de liefde hadden bedreven. 'Ik steek de haard aan.'

Even overwoog ze om de pook als wapen te gebruiken, maar zette dat idee toen meteen weer van zich af. Het zou om een aantal redenen, en niet in de laatste plaats vanwege Angie's geestelijke toestand, veel beter zijn een truc te gebruiken om haar dat mes neer te laten leggen, dan het met geweld uit haar handen te slaan

Angie ging op een hoekje van de bank zitten en trok de punt van het mes over de bloedvlekken op haar spijkerbroek.

'Wie heeft je keel dichtgeknepen, Angie?' vroeg Kate, terwijl ze naar haar bureau liep. Er was een fax binnengekomen. Het telefoontje dat ze niet had opgenomen.

'Een kennis van een kennis.'

'Je verdient een beter soort kennissen.' Ze ging met haar heup op het bureau zitten en keek ondertussen naar de fax – een kopie van een krantenartikel uit Milwaukee. 'Kende je die man?'

'Natuurlijk,' antwoordde ze zacht, terwijl ze strak naar de vlammen keek. 'En jij kent hem ook.'

Haar woorden drongen nauwelijks tot Kate door. Haar aandacht was gericht op de fax die haar gestuurd was door de secretaresse van de juridische afdeling, en er stond een krabbel op die zei: *'Ik dacht dat je dit wel zo snel mogelijk zou willen lezen.'* Het artikel was van 21 januari 1996. De kop luidde: *Zusters vrijgesproken inzake dood door verbranding ouders.* Er stonden twee slechte, korrelige foto's bij, die er door de fax niet beter op waren geworden. Maar desondanks herkende Kate het rechter meisje meteen. Angie DiMarco.

Peter zat in zijn slaapkamer op een kleine stoel bij het raam, met op zijn schoot de plunjezak waar hij zijn armen omheen had geslagen. Hij droeg dezelfde kleren die hij tijdens de nacht had aangehad – een zwarte broek en een trui. De broek was vuil. Hij had overgegeven op de trui. De zure stank van braaksel en zweet en angst hing als een giftige wolk om hem heen, maar hij had er geen behoefte aan iets anders aan te trekken, noch om te douchen.

Hij kon zich voorstellen dat hij bleek zag. Hij had het gevoel alsof al het bloed uit zijn lichaam was weggevloeid. Wat er nu, in plaats daarvan, door zijn aderen stroomde, was het brandende, schroeiende, bijtende zuur van schuld. Hij stelde zich voor hoe dat zuur van hem van binnenuit zou verbranden en zijn botten in as zou veranderen.

Edwyn was gekomen om hem te vertellen over de arrestatie van de opzichter, Vanlees. Hij had hem in de muziekkamer aangetroffen, waar hij bezig was geweest om de kleine vleugel met een moersleutel aan gruzelementen te slaan. Edwyn had Lucas gebeld, die met een tas vol ampullen en injectienaalden was gekomen.

Peter had de kalmerende middelen geweigerd. Hij wilde zich niet verdoofd voelen. Hij was al te lang verdoofd door het leven gegaan, zonder aandacht te schenken aan de mensen om hem heen. Misschien dat het, als hij het had aangedurfd om eerder naar zijn gevoelens te kijken, wel niet zo ver zou zijn gekomen. Het enige wat hij nu nog voelde, was de verschroeiende pijn van berouw.

Hij keek naar buiten en zag hoe Kovac zijn auto met de bumper tegen Edwyns Lincoln aan zette, waarna hij achteruit reed en keerde. Aan de ene kant voelde hij zich opgelucht dat John Quinn weg was. Maar aan de andere kant voelde hij zich wanhopig. Hij had naar het gesprek aan de andere kant van de deur geluisterd. Noble en Brandt die excuses voor hem aandroegen, die voor hem logen. Quinn die hen vroeg of ze dat deden om Peter te beschermen, of omwille van henzelf. Hij zat in de stoel en de tijd verstreek. Hij dacht terug, en liet Jillians leven vanaf het moment van haar geboorte als een film aan zich voorbijtrekken. Hij stond stil bij elke rampzalige fout die hij had gemaakt, en dacht vooruit, aan de toekomst. Hij staarde naar buiten zonder de perswagens en de verslaggevers te zien die stonden te wachten tot hij naar buiten zou komen en iets zou zeggen. Hij drukte de plunjezak tegen zich aan, wiegde heen en weer en bereikte ten slotte de enige conclusie die hij kon begrijpen.
Toen keek hij op zijn horloge, en wachtte.

Kate keek naar de fax en ze rilde van top tot teen. Haar brein pikte er de sleutelwoorden uit: *tijdens de brand om het leven gekomen, moeder, stiefvader, alcoholmisbruik, drugs, pleeggezin, kinderrechter, incestverleden.*
'Wat heb je?' vroeg Angie.
'Niets,' antwoordde Kate automatisch, terwijl ze haar blik met moeite losmaakte van het artikel. 'Ik voelde me alleen even een beetje duizelig.'
'Ik dacht even dat *jij* in Het Gat terecht was gekomen.' Haar glimlachje had iets geschifts. 'Zou dat niet leuk zijn?'
'Geen idee. Hoe is het, om in Het Gat te zitten?'
De glimlach verdween.'Het is donker en leeg en het slokt je helemaal op, en dan voelt het alsof je er nooit meer uit zult kunnen komen, en er is ook niemand die je eruit zal halen,' zei ze, terwijl de blik in haar ogen zijn glans verloor. Niet leeg en kleurloos, maar bang, vervuld van pijn – hetgeen betekende dat ze nog niet reddeloos verloren was. Wat haar ook tijdens haar jeugd overkomen mocht zijn dat was uitgemond in de tragedie waarbij haar ouders onder verdachte omstandigheden om het leven waren gekomen, toch was er diep vanbinnen toch nog een stukje menselijkheid bij haar over. En dat stukje had ook de afgelopen dagen in 'de kelder van de duivel' overleefd, waar dat dan ook mocht zijn.
'Maar soms is het ook een veilige plek,' zei ze zacht, met een blik op het bloed dat in straaltjes over haar hand en om haar pols liep. 'Ik kan me daar schuilhouden… als ik dat durf.'
'Angie? Vind je het goed dat ik even een doek pak voor je hand?' vroeg Kate.

'Vind je het niet fijn om mijn bloed te zien? Ik wel.'
'Ik zie het liever niet op mijn vloerbedekking druipen,' zei Kate, met iets van haar gebruikelijke, ironische toon, eerder om Angie wat leven in te blazen, dan dat ze zich echt zorgen om het vloerkleed maakte.

Angie bleef nog even naar de binnenkant van haar hand kijken, maar toen bracht ze hem naar haar gezicht en smeerde ze het bloed in een liefdevolle streling over haar wang.

Kate liep achterwaarts van het bureau naar de deur.

Het meisje keek op. 'Ga je weg?'

'Nee, lieverd, ik ga niet weg. Ik ga alleen maar even een natte doek halen.' En 911 bellen, dacht Kate, terwijl ze nog een stapje naar de deur deed. Intussen durfde ze het meisje niet goed alleen te laten, uit angst voor wat ze zichzelf zou kunnen aandoen.

Op het moment waarop ze de gang bereikte, ging de bel. Ze verstijfde. In het raam links van de voordeur verscheen een gezicht – een rond hoofd boven een dik donzen jack, dat door de vitrage naar binnen probeerde te kijken. Rob.

'Kate, ik weet dat je thuis bent,' zei hij op zijn zeurderige toon, terwijl hij zijn gezicht tegen het raam gedrukt hield en op de deur klopte. 'Ik zie je daar staan.'

'Wat doe jij hier?' siste ze, de deur opentrekkend.

'Toen ik naar kantoor belde, hoorde ik dat je thuis was gebleven. We moeten het hebben over –'

'Kun je niet bellen?' vroeg ze, waarna ze de rest van haar kattige opmerking inslikte en haar woorden wegwuifde. 'Dit is geen goed moment om –'

Rob zette een koppig gezicht en kwam een stapje naar haar toe. 'Kate, we moeten echt praten.'

Kate onderdrukte een wanhopige zucht. 'Kun je niet wat zachter zijn?'

'Waarom? Mag de buurt soms niet weten dat je mij ontloopt?'

'Doe niet zo achterlijk. Ik ontloop je niet. Het is alleen dat ik hier met een probleempje zit. Angie is opgedoken, en ze verkeert in een geestelijk zeer labiele toestand.'

Zijn kleine varkensoogjes werden groot. 'Is ze hier? Bij jou? Wat doet ze hier? Heb je de politie gebeld?'

'Nog niet. Ik wil het er niet erger op maken. Ze heeft een mes en is bereid het te gebruiken – om zichzelf ermee te verwonden.'

'Goeie God. En je hebt haar dat mes niet afgepakt, mevrouw de Supervrouw?' vroeg hij sarcastisch terwijl hij haar de gang in duwde.

'Ik loop zelf liever geen verwondingen op, als ik dat kan voorkomen.'

'Heeft ze zichzelf gesneden?'

'Tot dusver zijn het alleen maar oppervlakkige verwondingen, maar er is er een bij die gehecht moet worden.'

'Waar is ze?'

Kate wees op de werkkamer. 'Misschien kun jij haar afleiden, dan bel ik 911.'

'Heeft ze je verteld waar ze geweest is? Wie haar heeft meegenomen?'

'Nee, niet echt.'

'Als we haar naar het ziekenhuis sturen, klapt ze natuurlijk helemaal dicht, omdat ze daar niet heen wil. En dan kan het wel dagen duren voor we ook maar een woord uit haar krijgen,' zei hij zalvend. 'De politie heeft al iemand gearresteerd. De persconferentie kan elk moment beginnen. Als we haar zo ver kunnen krijgen dat ze ons vertelt wat er gebeurd is, kunnen we het nog aan Sabin doorgeven voor de persconferentie is afgelopen.'

Kate sloeg haar armen over elkaar en dacht na. Ze zag Angie op de bank zitten, waar ze met het puntje van haar wijsvinger patroontjes beschreef in haar bloedende handpalm. Als de ambulance zou komen, zouden de broeders haar zonder ook maar een greintje respect meesleuren, dat was zeker. Maar was het zoveel beter wat zíj met haar wilde doen? Haar proberen aan de praat te krijgen terwijl ze daar zo, in al haar kwetsbaarheid, bloedend op de bank zat?

Omdat ze probeerden een moordenaar te vinden.

Ze slaakte een diepe zucht. 'Goed, dan proberen we het. Maar als ze echt te ver gaat met dat mes, dan bel ik.'

Rob nam haar met half samengeknepen ogen op. En met zijn glimlachje als van een boer die kiespijn heeft. 'Ik weet dat dit moeilijk voor je is, Kate, maar soms heb ik echt wel eens gelijk. Je zult zien dat dit een van die zeldzame momenten is. Ik weet precies wat ik doe.'

'Wat doet híj hier?' riep Angie uit, alsof de woorden haar een vieze smaak in de mond bezorgden.

Rob schonk haar een overeenkomstig glimlachje. 'Ik ben alleen maar hier om te helpen, Angie,' zei hij, terwijl hij met zijn rug tegen het bureau ging zitten.

Ze keek hem lang en doordringend aan. 'Dat betwijfel ik.'

'Zo te zien heb je het nodige meegemaakt sinds we je voor het laatst hebben gezien. Kun je ons daar wat over vertellen?'

'Wil je dat echt horen?' vroeg ze bijna verleidelijk, waarbij ze hem met toegeknepen ogen aankeek. Ze hief haar hand op en likte opnieuw heel langzaam het bloed van haar hand, waarbij ze hem strak bleef aankijken. 'Wil je weten aan wie ik dit te danken heb? Of wil je alleen maar over de seks horen?'

'Je vertelt ons maar wat je kwijt wilt, Angie,' zei hij toonloos. 'Het is belangrijk voor je om erover te praten, en wij zijn er om te luisteren.'

'Ja, ja, dat is duidelijk. Je vindt het lekker om over andermans pijn en verdriet te horen. Je bent een pervers, smerig klein ettertje, is het niet?'

Robs kaakspieren begonnen te werken. Hij bleef geforceerd glimlachen, maar zag er ondertussen meer uit als iemand die op een kogel bijt.

'Je stelt mijn geduld wel heel erg op de proef, Angie,' zei hij op gespannen toon. 'En ik weet zeker dat dat niet echt je bedoeling is. Of wel?'

Het meisje hield haar blik zó lang afgewend, dat Kate al begon te vrezen dat ze helemaal niets meer zou willen zeggen. Misschien was ze wel afgedaald in Het Gat, waar ze het over had gehad. Ze hield het mes stevig in haar rechterhand geklemd en drukte haar vingertoppen tegen het lemmet.

'Angie,' zei Kate, terwijl ze achter de bank ging staan en quasi-achteloos de plaid van de rugleuning pakte. 'We willen je alleen maar helpen.'

Ze ging zitten op de armleuning van het andere uiteinde, en hield de plaid losjes op haar schoot.

De tranen sprongen Angie in de ogen, en ze schudde haar hoofd. 'Nee, dat is niet waar. Ik wou dat het zo was, maar het is niet zo. Je bent alleen maar geïnteresseerd in wat ik je kan vertellen.' Haar opgezette lippen plooiden zich in een bitter glimlachje. 'Het gekke is dat je denkt dat je krijgt wat je hebben wilt, maar je moest eens weten hoe je je vergist.'

'Vertel ons eens wat er die nacht in de Phoenix is gebeurd,' drong Rob aan, waarmee hij de aandacht weer naar zich toe trok. 'Kate heeft je afgezet. Je bent naar boven gegaan om te douchen… Is er iemand binnengekomen toen je daarmee bezig was?'

Angie keek hem strak aan en kraste met de punt van het mes over haar dij.

'Wie is je komen halen, Angie?' drong Rob verder aan.

'Nee,' zei ze.

'Wie is je komen halen,' vroeg hij opnieuw, waarbij hij de woorden ditmaal heel nadrukkelijk uitsprak.

'Nee,' zei ze, en nu keek ze hem woedend aan. 'Ik doe het niet.'

Het lemmet drukte dieper. In het schijnsel van het vuur glansden transpiratiedruppeltjes op haar bleke gezicht. Het denim scheurde en er welde bloed op uit de scheur.

Kate voelde zich misselijk worden. 'Rob, hou op.'

'Ze moet hier doorheen, Kate,' zei hij. 'Angie, wie is je komen halen?'

'Nee.' De tranen stroomden over Angie's mishandelde gezicht. 'Je kunt me niet dwingen.'

'Laat haar met rust.' Kate stond op. Jezus, ze moest wat doen voor het kind zich aan flarden sneed.

Rob keek Angie strak aan. 'Vooruit, Angie, vertel op. Geen spelletjes meer.'

Angie beantwoordde zijn blik en ze trilde over haar hele lichaam.

'Waar heeft hij je naartoe gebracht? Wat heeft hij met je gedaan?'

'Krijg de kelere!' riep ze uit. 'Ik speel je spelletje niet mee.'

'Ja, dat doe je wel, Angie,' zei hij, en zijn stem kreeg een dreigende klank. 'Dat zul je wel. Je hebt geen keus.'

'Krijg de kelere! Ik haat je!'

Ze sprong krijsend van de bank en hief haar mes hoog op.

Kate was snel. Vrijwel op hetzelfde moment gooide ze de plaid over het mes en dook ze van opzij op Angie af. Het meisje brulde het uit toen ze samen tegen de vloer sloegen en daarbij de lage tafel met de slachtofferrapporten omverstootten.

Kate hield haar in bedwang terwijl ze worstelde om los te komen. Ze voelde zich verschrikkelijk opgelucht. Rob raapte het mes op, deed het dicht en stak het in zijn zak.

Angie begon te snikken. Kate ging op haar knieën zitten en trok het meisje in haar armen om haar te troosten.

'Rustig maar, Angie,' fluisterde ze. 'Je hoeft nu niet bang meer te zijn.'

Angie maakte zich van Kate los en keek haar met woedende, ongelovige ogen aan. 'Stomme trut die je bent,' kwam het hijgend over haar lippen. 'Nu ben je er geweest.'

34

'De haaien ruiken bloed in het water,' merkte Quinn op, terwijl ze naar de menigte keken die zich voor de persconferentie verzamelde. Kovac trok een gezicht. 'Ja, en een deel daarvan is van mij.' 'Sam, ik geef je op een briefje dat niemand nog naar je zal omkijken nu Vanlees op het offerblok ligt.' Die gedachte leek Kovac nog meer te bedrukken. Quinn werd er ook niet vrolijker van. Het was al erg genoeg dat Bondurants mensen informatie over Vanlees hadden laten uitlekken naar de pers, maar dat de politie het in dit stadium openlijk tegen de pers over Vanlees had, was gevaarlijk prematuur. Dat had hij ook tegen de burgemeester, Greer en Sabin gezegd. Dat ze zijn advies niet wilden opvolgen, daar kon hij niets aan doen. Maar het betekende wel dat de angst die hij voelde het zoveelste gat in zijn maagwand schroeide.

Hij was degene geweest die het profiel had opgezet, en het was een feit dat Vanlees er bijna volledig aan beantwoordde. Bij nader inzien had hij beter niet zo snel zijn mening kunnen geven. Door de mogelijkheid dat ze met twee moordenaars te maken hadden, zag alles er opeens heel anders uit. Maar Vanlees was de ideale zondebok voor de pers en de heren die het voor het zeggen hadden, en ze popelden om hem goed onderhanden te nemen.

De burgemeester had besloten om de persconferentie in de grote hal van de ingang aan Fourth Street te houden. Een kathedraal van gepolijst marmer met een indrukwekkende dubbele trap en glas-in-loodvensters. Het soort plaats waar politici boven het gewone volk verheven op de trap konden staan en belangrijk konden lijken, waar de glans van het marmer op hun huid leek te weerkaatsen, waardoor ze stralender leken dan de gemiddelde burger.

Quinn en Kovac keken vanuit een in de schaduw gelegen nis naar de televisiemensen die hun apparatuur klaarzetten, terwijl de journalisten onderling wedijverden om de beste, met het oog op hun status, beschikbare plekjes. De burgemeester en Sabin stonden op de trap te overleggen, terwijl de assistente van de burgemeester haar mantelpakje afborstelde. Gary Yurek was druk in gesprek met hoofdcommissaris Greer, Fowler en een paar andere hoge politiefunctionarissen die als houtwurmen uit de kast waren gekropen om ook mee op de foto te kunnen. Quinn wachtte nog even voor hij zich bij het circus voegde om de menigte toe te spreken. Hij zou proberen een voorzichtige draai te geven aan de aankondiging dat er een verdachte in hechtenis was genomen, hoewel hij van tevoren al wist dat niemand daar naar zou willen luisteren. Ze luisterden veel liever naar Edwyn Noble, die in opdracht van Peter Bondurant de ene leugen na de andere vertelde, hetgeen hij op dat moment, in zijn gesprek met een verslaggever van de plaatselijke studio van de NBC, waarschijnlijk ook deed.

Van Peter zelf was geen spoor te bekennen. Niet dat Quinn hem verwacht had – niet na vanochtend, en zeker niet met de toespelingen op incest die naar de media waren uitgelekt. Dat nam niet weg dat hij zich toch afvroeg hoe het precies met Bondurants geestelijke toestand was gesteld, en wat Lucas Brandt ertoe had gebracht hem halsoverkop met zijn zwarte koffertje te bezoeken. Was het Jillians verscheiden, of de onthulling van wat er al die jaren geleden mogelijk was gebeurd?

'Charm,' zei Kovac op minachtende toon. 'Voorbestemd voor een hoekkamer. Ze lopen met hem weg, daarboven. Met die hartverwarmende glimlach van hem, plus het feit dat hij zich niet verheven acht boven hielenlikken, zal hij het nog een heel eind schoppen.'

'Jaloers?' vroeg Quinn.

Hij trok een van zijn gezichten. 'Carrièremaken is niet mijn stijl. Wat heb ik aan een mooi kantoor met uitzicht naar twee kanten, wanneer ik een gammel bureautje in een piepklein hokje zonder behoorlijke archiefkasten kan krijgen?'

'Je bent tenminste niet bitter.'

Aan de rochelende hoestbui hoorden ze dat Vince Walsh was gearriveerd. Kovac draaide zich om en keek hem aan.

'Jezus, Vince, haal er toch een long uit, joh.'

'Verdomde verkoudheid,' klaagde Walsh. Zijn teint had de typische vreemde, gelige ondertoon van een gebalsemd lichaam. Hij hield Kovac een grote bruine envelop voor. 'De medische gegevens van Jillian Bondurant – of in ieder geval, wat Le Blanc bereid was ons daarvan te geven. Er zitten een paar röntgenfoto's bij. Neem jij ze aan, of wil je dat ik ze afgeef bij de lijkschouwer?'

'Ik lig eruit, weet je,' zei Kovac, terwijl hij de envelop aanpakte. 'Yurek heeft het nu voor het zeggen.'

Walsh zoog de halve inhoud van zijn neusholtes door zijn keel, en trok een zuur gezicht.

Kovac knikte. 'Ja, dat zei ik ook al.'

Peter wachtte met het betreden van het gebouw tot de persconferentie goed op gang was gekomen. Dat was eenvoudig genoeg: hij hoefde alleen maar Edwyn even vanuit de auto te bellen. Noble kon onmogelijk weten dat hij niet thuis was. Peter had de mensen die Edwyn bij het huis had neergezet om een oogje in het zeil te houden, weggestuurd. Ze waren zonder te protesteren vertrokken. Uiteindelijk was hij degene die hen betaalde.

Hij liep, met de plunjezak in zijn armen, de hal binnen, en liet zijn blik over de achterkant van een zestigtal hoofden gaan. Greer stond op het podium en vertelde op de voor hem zo typerende, dramatische manier over de kwalificaties van de man die hij als opvolger van Kovac had aangewezen. Dat interesseerde Peter niet. De hele speciale eenheid interesseerde hem niet langer. Hij wist wie Jillian had vermoord.

De pers riep vragen. Van alle kanten ging flitslicht af. Peter liep om de menigte heen in de richting van de trap, en voelde zich onzichtbaar. Misschien was hij dat ook wel. Misschien was hij al een geest. Zijn leven lang was hij zich bewust geweest van een bepaalde leegte in zijn ziel, een gat dat hij met niets had kunnen vullen. Misschien was hij wel al zó lang van binnenuit geërodeerd, dat de essentie van wat hem tot een mens maakte langzaam maar zeker verdwenen was, waardoor hij onzichtbaar was geworden.

Quinn zag Bondurant binnenkomen. Het gekke was dat hij de enige leek te zijn die hem zag. Hij nam aan dat niemand echt goed keek. Een ieders aandacht was op het podium gericht, en op de laatste lading onzin die ze aan de media wilden verkopen. Daar kwam bij dat hij er enigszins onguur – onverzorgd en ongeschoren – uitzag, en helemaal niet leek op de Peter Bondurant van de dure pakken en elk haartje op z'n plaats.

Zijn huid was zo bleek dat hij bijna doorschijnend leek. Zijn gezicht was ingevallen, alsof zijn lichaam van binnenuit verteerd werd. Zijn blik kruiste die van Quinn, en hij bleef, met de zwarte plunjezak in zijn armen geklemd, achter de cameramensen staan.

Quinns instinct sprong op scherp – juist op het moment waarop Greer hem uitnodigde het podium te betreden.

De lichten waren zo fel dat hij Bondurant niet langer kon zien. Hij vroeg zich af of Kovac hem had gezien.

'Ik wil heel nadrukkelijk stellen,' begon hij, 'dat het verhoor van een mogelijke verdachte niet betekent dat het onderzoek afgerond zou zijn.'

'Denkt u dat Vanlees de Cremator is?' riep een verslaggever.

'Het lijkt me niet verstandig om die vraag te beantwoorden.'

Hij probeerde een stapje opzij te doen, zodat hij Bondurant weer zou kunnen zien, maar Bondurant stond niet meer op de plek waar hij hem het laatst had gezien. Hij voelde dat zijn zenuwen zich spanden.

'Maar Vanlees beantwoordt aan het profiel. Hij kende Jillian Bondurant –'

'Klopt het dan niet dat hij kledingstukken van haar in zijn bezit had toen hij gearresteerd werd?' vroeg een ander.

Verdomde lekken, dacht Quinn. Hij vond het belangrijker om te zien waar Bondurant was gebleven, dan te reageren op de vragen uit de zaal. Wat deed hij hier in z'n eentje? En waarom zag hij eruit als een zwerver?

'Speciaal agent Quinn...?'

'Geen commentaar.'

'Wat kunt u ons dan wel over de zaak Bondurant vertellen?'

'Dat ik haar vermoord heb.'

Peter stapte, aan de voet van de trap, achter een cameraman vandaan, en draaide zich om naar de menigte. Heel even was Quinn de enige die zich realiseerde dat die bekentenis van hem afkomstig was. Toen richtte hij een negen millimeter semi-automatische revolver op zijn hoofd, en een golf van afschuw en ontzetting trok door de ruimte.

'Ik heb haar vermoord!' riep Peter luider.

Hij leek zich over zijn eigen bekentenis te verbazen – zijn ogen leken uit zijn lijkbleke hoofd te puilen en zijn mond hing open. Hij keek met een doodsbang gezicht naar de revolver, alsof een ander, en niet hijzelf, het wapen op hem gericht hield. Toen begon hij de trap zijwaarts op te lopen, terwijl hij schichtig om zich heen keek, naar de mensen in de hal en naar die bij het podium – burgemeester Noble, hoofdcommissaris Greer, Ted Sabin – die angstig achteruitdeinsden en keken alsof ze hem nog nooit eerder hadden gezien.

Quinn week niet van zijn plaats op het podium.

'Peter, laat die revolver zakken,' zei hij nadrukkelijk, waarbij de microfoon zijn stem versterkte en door de hal deed schallen.

Bondurant schudde zijn hoofd. Hij trok op een vreemde manier met zijn gezicht en hield de plunjezak met zijn linkerarm tegen zich aan gedrukt. Quinn zag hoe achter hem twee geüniformeerde agenten met getrokken pistool positie kozen.

'Peter, dit wil je niet echt,' zei hij op zachte, geruststellende toon, terwijl hij beetje bij beetje bij het podium vandaan schoof.

'Ik heb haar leven verpest. Ik heb haar vermoord. Nu ben ik aan de beurt.'

'Waarom hier? En waarom juist nu?'

'Omdat ik wil dat iedereen het weet,' zei hij met verstikte stem. 'Opdat iedereen weet wat ik ben.'

Edwyn Noble liep van de voorzijde van de menigte naar de trap.

'Peter, doe dit niet.'

'Wat?' vroeg Peter. 'Mijn reputatie bederven? Of die van jou?'

'Je raaskalt,' blafte de advocaat. 'Laat die revolver zakken.'

Peter luisterde niet. Zijn angst was bijna te voelen. Je zag het aan het zweet dat hem over het gezicht stroomde. Je kon het aan hem ruiken. Je merkte het aan zijn hijgerige, oppervlakkige ademhaling. 'Het is mijn schuld,' zei hij, en begon nog harder te huilen. 'Ik heb dit gedaan. En daar moet ik voor boeten. Hier. Nu. Ik kan er niet meer tegen.'

'Kom mee, Peter,' zei Quinn, terwijl hij nog een stapje naar hem toe deed en zijn linkerhand uitstak. 'Dan gaan we ergens zitten en kun je me het hele verhaal vertellen. Dat wil je toch, is het niet?'

Hij hoorde het zoemen van de camera's van de fotografen, die de ene foto na de andere maakten. De videocamera's draaiden ook, en het zou hem niets verbazen als er enkele live-uitzendingen bij waren. En allemaal legden ze de intense pijn van deze gekwelde man voor hun publiek vast.

'Je kunt me vertrouwen, Peter. Ik heb je vanaf het eerste moment naar de waarheid gevraagd. Dat is het enige wat ik wil, de waarheid. En die kun jij me geven.'

'Ik heb haar vermoord. Ik heb haar vermoord,' mompelde hij keer op keer, terwijl de tranen over zijn wangen stroomden.

De revolver in zijn hand trilde behoorlijk. Nog een paar minuten, en zijn spieren zouden niet meer in staat zijn het wapen omhoog te houden. Als hij zich niet eerst door het hoofd schoot.

'Je hebt me erbij gehaald, Peter,' zei Quinn. 'Je hebt me laten komen omdat je daar een reden voor had. Je wilt me de waarheid vertellen.'

'O, mijn God, mijn God!' snikte Bondurant. Het gevecht dat hij op innerlijk niveau met zichzelf streed verscheurde hem. Nu beefde zijn hele rechterarm, maar hij slaagde erin het wapen te spannen.

'Peter, nee!' beval Quinn, en hij dook op hem af.

Het wapen ging af. Gegil weergalmde met het schot. Een fractie van een seconde te laat greep Quinn Bondurant bij de pols en duwde het wapen omhoog. Er weerklonk een tweede schot. Kovac benaderde, samen met de geüniformeerde agenten, Peter van achteren en rukte het wapen uit zijn hand.

Bondurant liet zich tegen Quinn aan vallen. Hij snikte en bloedde, maar hij leefde. Quinn hielp hem voorzichtig op de marmeren treden te gaan zitten. Het eerste schot had hem vlak boven zijn slaap getroffen, en had, op weg naar het plafond van de hal, een vijf centimeter lange voor door de zijkant van zijn voorhoofd en zijn haar getrokken. Op de plek waar de kogel hem getroffen had was de huid zwart geblakerd – kruidresten. Hij liet zijn hoofd tussen zijn knieën zakken en gaf over.

Het aantal decibellen in de hal bereikte een oorverdovend niveau. Fotografen verdrongen zich van alle kanten en probeerden het beste plaatje te schieten. Edwyn Noble duwde twee van hen opzij om bij zijn baas te kunnen komen.

404

'Niets zeggen, Peter.'

Kovac wierp de advocaat een blik van walging toe. 'Weet je, ik denk dat het daar wel een beetje te laat voor is.'

Ted Sabin liep het podium op en riep om orde en stilte. De burgemeester huilde. Dick Greer bekte zijn ondergeschikten af. De politie deed wat ze doen moest: ze namen het wapen in beslag en maakten ruim baan voor het ambulancepersoneel.

Quinn hurkte achter Peter. Hij had zijn pols nog steeds vast, en voelde zijn op hol geslagen hart. Quinns eigen hart sloeg eveneens behoorlijk snel. Een fractie van een centimeter, en een iets vastere hand, en Peter Bondurant zou zich, ten overstaan van de halve natie, overhoop hebben geschoten. Een gebeurtenis die in het avondjournaal vertoond zou worden, samen met de waarschuwing: We maken u erop attent dat de volgende beelden minder geschikt zijn voor...

'Je hebt het recht om te zwijgen, Peter,' zei hij zacht. 'Alles wat je nu zegt, kan later tegen je worden gebruikt.'

'Moet u dit nu doen?' siste Noble. 'Met de pers erbij?'

'De pers was er ook bij toen hij met een geladen revolver op het toneel verscheen,' zei Quinn, terwijl hij aan de plunjezak trok waarin Peter het wapen naar binnen had gesmokkeld. Bondurant, die opnieuw heftig begon te snikken, probeerde de zak nog even vast te houden, maar gaf het ten slotte op. En toen zakte hij in elkaar.

'Ik denk dat er, wat Peter Bondurant betreft, al te veel regels overtreden zijn,' zei Quinn.

Hij gaf de plunjezak aan Vince Walsh. 'Pas op, hij is zwaar. Er zouden wel eens nog meer wapens in kunnen zitten.'

'U hebt het recht om uw advocaat bij het verhoor aanwezig te laten zijn,' ging Kovac verder met het opsommen van de Mirandarechten, terwijl hij de handboeien te voorschijn haalde.

'Jezus, godallemachtig!' klonk een hese uitroep. Quinn keek op en zag Walsh, die de plunjezak liet vallen en met een paars aangelopen gezicht naar zijn keel greep.

De arts zei achteraf dat hij al dood was voordat hij helemaal in elkaar was gezakt... vlak naast de plunjezak waarin Jillian Bondurants afgehakte hoofd zat.

35

Kate stapte achteruit bij Angie vandaan, en probeerde niet te ontcijferen wat het meisje gezegd had. Ze hapte naar lucht, en tijdens de val had ze haar elleboog hard aan de lage tafel gestoten. Ze masseerde hem terwijl ze haar gedachten probeerde te ordenen. Angie zat op haar knieën te krijsen en sloeg zichzelf onophoudelijk met haar bloedende handen op het hoofd. Haar spijkerbroek raakte op de dijen doorweekt van het bloed dat uit de verwondingen sijpelde die ze zichzelf met het mes had toegebracht.

'Mijn God,' kwam het ademloos over haar lippen, onthutst als ze was door de aanblik. Ze week achteruit naar het bureau en draaide zich om naar de telefoon.

Rob stond een meter van Kate af en keek naar Angie met een vreemd soort interesse, alsof hij een wetenschapper was die een bijzonder insect bestudeerde.

'Praat tegen ons, Angie,' zei hij zacht. 'Vertel ons wat je voelt.'

'Jezus Christus, Rob,' snauwde Kate, terwijl ze de hoorn van het toestel pakte. 'Laat haar met rust! Ga liever naar de keuken en haal een paar natte handdoeken.'

In plaats daarvan ging hij naar Angie, haalde een zwartleren knuppel uit de zak van zijn jack en sloeg er hard mee op haar rug. Het meisje schreeuwde het uit en viel om, waarbij ze haar rug kromde alsof ze probeerde aan de pijn te ontsnappen.

Kate sloeg haar baas stomverbaasd en met open mond gade. 'W… wat…?' begon ze, waarna ze slikte en het, met wild kloppend hart, opnieuw probeerde. 'Wat doe je daar? Ben je soms helemaal gek geworden?' vroeg ze, ademloos van verbazing.

Rob Marshall keek haar aan met een blik van onvervalste haat. Zijn ogen straalden er bijna van. De blik doorboorde Kate als een zwaard. Ze voelde de minachting in hete golven van hem af rollen, en rook hoe het opwelde door zijn poriën en een smerige stank verspreidde. Ze stond daar terwijl de seconden verstreken en het uiteindelijk tot haar doordrong dat de telefoon het niet deed.

'Je hebt geen respect voor mij, Kate, rotwijf,' snauwde hij op dreigende toon.

Die woorden, en de haat erachter, troffen haar als een keiharde vuist. Even was ze met stomheid geslagen, en toen opeens vielen de puzzelstukjes op hun plaats en begon ze over haar hele lichaam te beven.

'Wie heeft geprobeerd je te wurgen, Angie? Ken je die man?'

'Natuurlijk... Jij kent hem ook...'

'Rustig maar, Angie. Hier ben je veilig.'

'Stomme trut die je bent, nu ben je er geweest!'

Rob Marshall? Nee. Het idee leek bijna bespottelijk. Bijna. Behalve dat de telefoon het nog gedaan had voor hij verschenen was, en hij voor haar stond met een wapen in zijn hand.

Ze legde de hoorn terug op het toestel.

'Ik ben jou spuugzat,' zei hij op verbitterde toon. 'Altijd maar kritiek, kritiek, kritiek. En rotopmerkingen, rotopmerkingen en rotopmerkingen. Je kleineert me. Je kijkt op me neer.'

Hij stond op de slachtofferrapporten die op de grond waren gedwarreld. *Iedereen is wel ergens een slachtoffer van.* Dat had ze die ochtend zeker wel vijf keer gedacht bij het doorlezen van de rapporten, maar ze had er niet echt bij stilgestaan.

Lila White was een slachtoffer van aanranding geweest.

Fawn Pierce was een slachtoffer van verkrachting geweest.

Melanie Hessler, ook een slachtoffer van verkrachting.

Ze hadden allemaal te maken gehad met het bureau voor slachtoffer- en getuigenhulp.

De enige die niet in het plaatje paste, was Jillian Bondurant.

'Maar je werkt *voor* de slachtoffers, om ze te *helpen*, verdomme,' fluisterde ze.

Een hulpverlener die, op grond van zijn functie, naar talloze verhalen had geluisterd van mensen – overwegend vrouwen – die mishandeld, geslagen, verkracht en vernederd waren...

Hoe vaak had hij haar niet gedwongen de opnamen van de gesprekken met Melanie Hessler af te luisteren? Rob, die aandachtig luisterde en de band regelmatig terugspoelde om bepaalde gedeeltes opnieuw, en nogmaals te beluisteren.

Ze herinnerde zich opeens hoe ze op de parkeerplaats waar ze Hessler hadden gevonden, in Kovacs auto had gezeten en geluisterd had naar de cassette die de moordenaar verloren had. Melanie Hessler, die om haar leven had gesmeekt, die het in doodsangst had uitgeschreeuwd en om verlossing had gesmeekt.

Ze dacht aan Rob die naar het verkoolde lijk was gegaan, en geschokt en schijnbaar van streek was teruggekomen. Maar wat ze had aangezien voor ontzetting, was in werkelijkheid opwinding geweest.

O, mijn God.

Ze voelde de gal uit haar maag omhoogkomen, en kreeg een afschuwelijke smaak in haar mond bij de herinnering aan elke gemene opmerking die ze ooit tegen hem had gemaakt.

O, God, ik ben dood.

'Het spijt me,' zei ze, terwijl ze koortsachtig nadacht over wat ze zou kunnen doen. De voordeur was maar tien meter de gang af. Robs gezicht vertrok tot een masker van walging. Hij kneep zijn ogen halfdicht en keek alsof hij met zijn neus boven een open riool hing. 'Nee, het spijt je helemaal niet. Je hebt helemaal geen spijt van de manier waarop je me behandeld hebt. Maar het spijt je dat ik je ervoor ga vermoorden.'

'Angie, vlucht!' riep Kate. Ze griste de fax van het bureau, rukte de stekker uit het stopcontact en slingerde het apparaat naar Rob. Het trof hem tegen de borst en hij verloor zijn evenwicht.

Ze vloog naar de deur en gleed uit over een van de slachtoffer-rapporten – een foutje dat haar een kostbare fractie van een seconde kostte. Rob greep haar met zijn linkerhand bij de mouw van haar jas en haalde met zijn andere hand als een wilde naar haar uit met de knuppel.

Ondanks de dikke wollen stof van de kraag van haar jas kon Kate de klap op haar schouder duidelijk voelen. Zwaar, dodelijk en ernstig. Als hij haar met evenveel kracht op het hoofd zou slaan, zou ze als een blok in elkaar zakken.

Ze dook opzij, rukte zich los en maakte van zijn eigen vaart gebruik om hem de gang op te duwen. Op het moment waarop hij langs haar heen kwam, greep ze hem bij zijn linkerarm, draaide hem op zijn rug, gaf hem een harde zet tegen het gangtafeltje, rende verder zonder op de klap te wachten en vloog door naar de voordeur die opeens wel een kilometer ver weg leek.

Rob brulde en stortte zich van achteren boven op haar. Ze sloegen hard tegen de grond, waarbij Kate het uitschreeuwde toen haar rechterarm in een onnatuurlijke hoek onder haar dubbelvouwde en ze de spieren in haar schouder voelde scheuren.

De pijn schoot als vuurpijlen door haar lichaam. Ze probeerde het zo goed mogelijk te negeren terwijl ze zich trachtte los te schoppen om de laatste meters naar de deur te kruipen. Rob greep haar haren beet, gaf er een harde ruk aan en sloeg haar met zijn vuist hard tegen de rechterkant van haar hoofd. Ze zag nu alles wazig, terwijl haar oor van de klap begon te suizen en te gloeien. Messcherpe pijn schoot door haar gezicht, en vervolgens omlaag naar haar kaak.

'Kreng! Kreng!' schreeuwde hij keer op keer.

En toen voelde ze zijn handen rond haar keel. Hij kneep en kneep, en zijn geschreeuw leek van steeds verder weg te komen. Ze verzette zich automatisch, koortsachtig, en probeerde zijn handen weg te trekken, maar zijn vingers waren kort en dik en sterk.

Ze kon geen lucht krijgen en had het gevoel alsof haar ogen elk moment konden barsten, terwijl haar hersens leken op te zwellen.

Met het laatste beetje nuchter verstand dat ze nog kon opbrengen, dwong ze zichzelf om zich helemaal slap te houden. Rob ging gedurende enkele seconden die een eeuwigheid leken door met knijpen, maar liet haar keel toen los en smeet haar hoofd tegen de vloer. Ze wist dat hij haar uitschold, maar kon niet verstaan wat hij zei omdat het bloed in één golf naar haar hersenen terugstroomde. Ze probeerde niet naar lucht te happen, zoals ze zo wanhopig graag zou willen. Ze probeerde haar hersenen aan de gang te houden. Ze moest denken – niet aan de plaats van de misdaad waar ze was geweest, niet aan het verkoolde lichaam van haar cliënte, en niet aan de autopsiefoto's van de vier vrouwen die door deze man gemarteld en verminkt waren.

'Ik kan volgens jou *niets* goed doen!' tierde Rob, terwijl hij zich van haar af liet rollen. 'Je ziet me aan voor een idioot! Je acht jezelf beter dan de rest van de wereld, en ík ben geen cent waard!'

Kate, die hem niet kon zien, bewoog haar linkerhand beetje bij beetje naar de zak van haar jas.

'Je bent toch zo'n godvergeten kreng!' krijste hij, waarop hij haar een harde schop gaf. Hij ging zo tekeer, dat hij haar, op het moment dat zijn laars haar heup raakte, niet eens hoorde kreunen.

Kate klemde haar kiezen op elkaar en concentreerde zich op haar hand, die langzaam naar haar zak gleed.

'Maar je *kent* me niet,' verklaarde Rob. Hij griste iets van het haltafeltje en smeet het weg. Wat het ook geweest mocht zijn, het sloeg ergens in de buurt van de keuken tegen de grond. 'Je weet helemaal *niets* van mij af. Je weet niets van mijn *ware ik*.'

En ze had het inderdaad nooit achter hem gezocht. Goeie God, ze had meer dan anderhalf jaar met hem samengewerkt! Nooit zou ze ook maar vermoed hebben dat hij hiertoe in staat was. Ze had nooit stilgestaan bij de motieven die hij had gehad om voor zijn beroep te kiezen. Integendeel. Zijn roeping voor het maatschappelijk werk en het helpen van slachtoffers – hij was altijd zo bereid naar hen te luisteren en tijd aan hen te besteden – was in haar ogen het enige geweest wat voor hem pleitte. Dat had ze altijd gevonden.

'Je denkt dat ik een nul ben,' schreeuwde hij. '*Maar ik ben iemand! Ik ben de engel van het kwaad! Ik ben de godvergeten Cremator!* Zo, en vertel me nu dan maar eens hoe je over me denkt, vuil teringwijf!'

Hij hurkte naast haar neer en rolde haar op haar rug. Kate hield haar ogen bijna gesloten, zodat ze tussen haar wimpers door nog net iets van wazige kleuren kon onderscheiden. Ze had haar hand in haar zak, en haar vingers sloten zich om het heft van haar metalen nagelvijl.

'Ik heb jou voor het laatst bewaard,' zei hij. 'Je zult me smeken je te vermoorden, en ik zal ervan genieten om dat te doen.'

36

'Wat is er die avond gebeurd, Peter?' vroeg Quinn.

Ze zaten in een klein, wit kamertje ergens in de ingewanden van het gemeentehuis, in de buurt van het cellenblok voor volwassen arrestanten. Bondurant had een beroep gedaan op zijn rechten en geweigerd naar het ziekenhuis te gaan. Een verpleger had de schotwond bij zijn slaap ter plekke behandeld – op de trap waar hij een einde aan zijn leven had willen maken.

Edwyn Noble had een verschrikkelijke scène getrapt en geroepen dat hij het recht had bij het verhoor van zijn cliënt aanwezig te zijn, en hij had erop gestaan dat Peter rechtstreeks naar het ziekenhuis getransporteerd zou worden, ongeacht of hij daar nu heen wilde of niet. Maar uiteindelijk had Peter zijn zin gekregen en had hij ten overstaan van een twaalftal nieuwscamera's verklaard dat hij een bekentenis wilde afleggen.

Afgezien van Bondurant en Quinn was ook Yurek nog in het kamertje aanwezig. Peter had alleen Quinn maar gewild, maar de politie had er ook een afgevaardigde bij willen hebben. Kovacs naam was niet genoemd.

'Jillian kwam eten,' zei Peter. Hij maakte een kleine, verschrompelde indruk en zag eruit als een heroïneverslaafde. Bleek, en uitdrukkingsloze, rode ogen. 'Ze had weer eens zo'n bui. Dan weer vrolijk, dan weer depressief, het ene moment lachte ze, en het volgende snauwde ze weer. Zo was ze – onberekenbaar. Net haar moeder. Als baby was ze al zo.'

'Waar hadden jullie ruzie over?'

Hij keek naar een roze vlek op de muur tegenover hem die ooit bloed geweest had kunnen zijn voordat iemand geprobeerd had hem schoon te maken. 'De universiteit, haar muziek, haar therapie, haar stiefvader en wij tweeën.'

'Wilde ze haar relatie met LeBlanc hervatten?'

'Ze had met hem gesproken. Ze zei dat ze erover dacht weer naar Frankrijk te gaan.'

'En jij was boos.'

'Boos,' herhaalde hij met een zucht. 'Dat is niet helemaal het juiste woord. Ik was van streek. Ik voelde me verschrikkelijk schuldig.'

'Hoezo schuldig?'

Hij dacht lang na alvorens antwoord te geven, alsof hij elk woord zorgvuldig afwoog. 'Omdat het mijn schuld was, wat er tussen Jillian en LeBlanc is gebeurd. Ik had het kunnen voorkomen. Ik had Sophie's voogdij kunnen aanvechten, maar ik heb het er bij gelaten.'

'Ze dreigde je met bekend te maken dat je Jillian had gemolesteerd.'

'Ze dreigde me met de *bewering* dat ik Jillian gemolesteerd zou hebben,' corrigeerde Peter hem. 'Ze had Jillian zowaar geleerd wat ze moest zeggen, en hoe ze zich moest gedragen om de mensen ervan te overtuigen dat het waar was.'

'Maar het was niet waar?'

'Ze was mijn kind. Ik zou nooit iets hebben kunnen doen dat schadelijk voor haar was.'

Hij dacht even over dat antwoord na, en toen liet zijn zelfbeheersing hem in de steek. Hij sloeg een bevende hand voor zijn mond en begon geruisloos te huilen. 'Hoe had ik dat kunnen weten?'

'Je wist dat Sophie labiel was,' merkte Quinn op.

'Ik was in die tijd bezig met de uitkoop van Don Thorton en zat met een aantal enorme overheidscontracten. Ze had me kapot kunnen maken.'

Quinn zei niets, en liet het aan Bondurant zelf over om alles wat er gebeurd was te ordenen, zoals hij dat alleen al in de afgelopen week zeker duizenden keren gedaan moest hebben.

Bondurant slaakte een verslagen zucht en keek naar de tafel. 'Ik heb mijn dochter meegegeven aan een gestoorde vrouw en een pedofiel. Het zou beter zijn geweest als ik haar toen had vermoord.'

'Wat is er vrijdagavond gebeurd?' vroeg Quinn weer, hem opnieuw met het heden confronterend.

'We hadden ruzie over LeBlanc. Ze verweet me dat ik niet van haar hield en sloot zichzelf een poosje op in de muziekkamer. Ik liet haar begaan. Ik ging naar de bibliotheek, ging voor de open haard zitten en dronk een glaasje cognac.

'Om ongeveer halftwaalf kwam ze achter me de kamer binnen. Zingend. Ze had een schitterende stem – onwerkelijk mooi. Het lied dat ze zong was obsceen, walgelijk, pervers. Het was alles wat Sophie haar al die jaren geleden had bijgebracht; om alle dingen die ik zogenaamd met haar had gedaan nog eens in te peperen.'

'En toen werd je boos.'

'Het maakte me kotsmisselijk. Ik stond op en draaide me om teneinde haar dat te vertellen, en toen stond ze naakt voor me. "Wil je me niet, pappie?" vroeg ze. "Hou je dan niet van me?"'

Zelfs de herinnering verbaasde hem, en maakte hem misselijk. Hij boog zich over de prullenbak die naast zijn stoel was gezet, en braakte, maar zijn maag was leeg. Quinn wachtte kalm, emotieloos, opzettelijk afstandelijk.

'Bent u met haar naar bed geweest?' vroeg Yurek.

Quinn wierp hem een woedende blik toe.

'Nee! Mijn God!' riep Peter, ontzet bij de gedachte.

'Wat is er gebeurd?' vroeg Quinn. 'Jullie kregen ruzie, en uiteindelijk is ze het huis uit gerend.'

'Ja,' zei hij, terwijl hij weer wat rustiger werd. 'We kregen ruzie. Ik heb een aantal dingen gezegd die ik beter niet had kunnen zeggen. Ze was zo kwetsbaar. Maar ik was zo geschokt en zo boos. Ze rende de kamer uit, trok haar kleren aan en ging weg. En dat was de laatste keer dat ik haar in levenden lijve heb gezien.'

Yurek keek verbaasd en teleurgesteld. 'Maar u zei dat u haar vermoord had.'

'Begrijpt u het dan niet? Ik had haar kunnen redden, maar dat heb ik niet gedaan. De eerste keer heb ik haar laten gaan omdat ik mezelf, mijn bedrijf en mijn vermogen belangrijker vond. Het is mijn schuld dat ze geworden is zoals ze was. En vrijdagavond heb ik haar niet tegengehouden omdat ik geen zin in toestanden had, en nu is ze dood. Ik heb haar in feite vermoord, inspecteur, net zo zeker wanneer ik haar met messteken om het leven had gebracht.'

Yurek schoof zijn stoel naar achteren, stond op en begon heen en weer te lopen. Hij zag eruit als een man die zojuist ontdekt had dat iemand hem bij de neus had genomen. 'Kom, zeg, meneer Bondurant. Denkt u echt dat wij dat geloven?' Hij miste de stem en de intonatie om door te kunnen gaan voor de keiharde agent – ook al wilde hij dat nog zo graag. 'U had het hoofd van uw dochter bij u. Wat heeft dat dan te betekenen? Of is dat soms een souvenir dat de *echte* moordenaar u gestuurd heeft?'

Bondurant zei niets. De herinnering aan Jillians hoofd had hem opnieuw van streek gemaakt, en hij begon zich weer af te sluiten. Quinn zag hoe hij zich in zichzelf terugtrok, en afgleed naar een plek waar hij aan deze harde realiteit kon ontsnappen. Als hij daar eenmaal volledig zat, zou het wel eens heel lang kunnen duren voor hij weer in staat was terug te keren.

'Peter, wat deed je zondagochtend in Jillians huis?'

'Ik wilde naar haar toe. Kijken of alles goed met haar was.'

'Midden in de nacht?' vroeg Yurek ongelovig.

'Ze belde me niet terug. Ik had haar zaterdag, op advies van Lucas Brandt, met rust gelaten. Maar zondagochtend... hield ik het niet meer uit en moest ik iets doen.'

'Dus toen heb je je eigen sleutel gebruikt en ben je naar binnen gegaan,' zei Quinn.

Bondurant keek omlaag naar de vlek op zijn trui en krabde er afwezig aan met de nagel van zijn duim. 'Ik had verwacht dat ze in bed zou liggen... en toen vroeg ik me af in *wiens* bed ze lag, en wachtte ik tot ze thuis zou komen.'

'Wat heb je tijdens het wachten gedaan?'

'Het huis schoongemaakt,' zei hij, alsof dat volkomen logisch en op geen enkele manier vreemd was. 'Het huis was... een stal,' zei hij, en hij trok een vies gezicht. 'Vuil, smerig, overal troep en rommel.'

'Een beetje zoals Jillians leven?' vroeg Quinn vriendelijk.

De tranen sprongen Bondurant in de ogen. Het schoonmaken had eerder een symbolische dan een hygiënische reden gehad. Hij was niet in staat geweest het leven van zijn dochter te veranderen, maar hij kon haar leefomgeving opruimen. Een daad van controle, en mogelijk van affectie, dacht Quinn.

'Heb jij de boodschappen van haar antwoordapparaat gewist?' vroeg hij.

Bondurant knikte. De tranen begonnen te stromen. Hij zette zijn ellebogen op tafel en drukte zijn handen tegen zijn ogen.

'Stond er een boodschap van LeBlanc op?' vroeg Quinn.

'Die schoft! Hij is evenzeer verantwoordelijk voor haar dood als ik!'

Hij boog zich luid snikkend over de tafel heen, waarbij hij een afschuwelijk balkend geluid maakte dat ergens vanuit het midden van zijn borst kwam. Quinn wachtte tot hij weer wat gekalmeerd was, en stelde zich voor hoe Peter onder het opruimen op Jillians muziek gestoten moest zijn. Het kon zijn dat de muziek, na het incident in zijn werkkamer vrijdagavond, de directe aanleiding was geweest om naar Jillians huis te gaan, maar nu zou Peter vanuit zijn schuldgevoel beweren dat het hem in eerste instantie om haar welzijn te doen was geweest.

Quinn boog zich naar voren en legde zijn hand over de tafel heen op Bondurants pols. Het lichamelijke contact was bedoeld om hem weer terug te brengen tot het heden. 'Peter? Weet je wie Jillians echte moordenaar is?'

'Haar vriendin,' zei hij, zo zacht dat hij nauwelijks te verstaan was, en hij trok met zijn mond om de ironie. 'Haar enige vriendin. Michele Fine.'

'Hoe kom je daarbij?'

'Ze probeerde me te chanteren.'

'Probeerde? Verleden tijd?'

'Tot gisteravond.'

'Wat is er gisteravond dan gebeurd?' vroeg Quinn.

'Toen heb ik haar vermoord.'

Quinn had de deur van de verhoorkamer nog niet achter zich dichtgetrokken, of hij werd al besprongen door Edwyn Noble.

'Niets van dat alles is geldig tijdens het proces, Quinn.'

'Hij heeft afstand gedaan van zijn rechten, meneer Noble.'

'Het is duidelijk dat hij niet in staat is tot het nemen van de juiste beslissingen.'

'Je stapt maar naar de rechter,' zei Sabin.

De twee advocaten stonden als kemphanen tegenover elkaar. Yurek trok de assistent van de openbare aanklager, Logan, terzijde, om hem te vragen een huiszoekingsbevel voor het huis van Michele Fine te regelen. Kovac stond drie meter verderop tegen de muur van de gang geleund, en rookte voor de afwisseling eens niet. De eenzame coyote.

'Kan ik je een lift geven, GQ?' vroeg hij met een hoopvol gezicht.

Quinn trok een Kovac-achtig gezicht. 'Ja, ik kan intussen niet meer ontkennen dat ik een masochist ben. Ik kan van mezelf niet geloven dat ik dit ga zeggen, maar ja, graag.'

Buiten werden ze opgewacht door de pers. Quinn hield zijn gezicht strak in de plooi en riep 'Geen commentaar' in reactie op elke vraag die hem naar het hoofd werd geslingerd. Kovac had zijn auto aan de Fourth Avenue-kant van het gebouw laten staan. Een zestal verslaggevers achtervolgde hen totdat ze waren ingestapt. Quinn wachtte met verslag te doen tot Kovac geschakeld had en was weggereden.

'Bondurant zegt dat hij Michele Fine heeft doodgeschoten en haar lichaam in de Minneapolis Sculpture Garden – de gemeentelijke beeldentuin – heeft laten liggen. Ze heeft geprobeerd hem te chanteren met enkele van Jillians meer onthullende liederen, en met de dingen die Jillian haar zogenaamd verteld zou hebben. Gisteravond had ze de laatste grote som moeten ontvangen. Hij zou het geld meebrengen, en zij de muziek, de banden die ze had enzovoort.

'Op dat moment wist hij nog niet dat ze iets te maken had gehad met de moord op Jillian. Hij zei dat hij bereid was zwijggeld te betalen, maar hij nam wél een revolver mee.'

'Dat klinkt in mijn oren naar voorbedachten rade,' zei Kovac, terwijl hij het zwaailicht in de beugel drukte en aanzette.

'Ja. Hoe dan ook, Michele komt opdagen met de hele handel in een plunjezak. Ze laat hem een deel van de bladmuziek en cassettes zien, en ritst de zak dan dicht. Hij geeft het geld en krijgt de plunjezak. Zij loopt weg en had niet verwacht dat hij opnieuw in de zak zou kijken.'

'Je moet nooit ergens van uitgaan.'

Quinn zette zich schrap en hield zich vast aan het portier toen de Lumina vlak voor een stoplicht plotseling rechtsaf sloeg. Overal werd getoeterd.

'Hij heeft er dus in gekeken. Hij heeft haar in de rug geschoten en haar laten liggen op de plek waar ze is gevallen.'

'Waarom heeft ze dat in vredesnaam gedaan? Waarom heeft ze hem dat hoofd gegeven?'

'Ze is er waarschijnlijk van uitgegaan dat ze allang verdwenen zou zijn tegen de tijd dat hij de politie zou bellen,' speculeerde Quinn. 'Toen Liska en ik bij haar thuis waren, heb ik daar meerdere reisgidsen zien liggen. Het zou me niets verbazen als ze rechtstreeks naar het vliegveld had willen gaan.'

'En Vanlees? Heeft hij ook iets over Vanlees gezegd?'

Quinn hield zijn adem in toen Kovac een stadsbus sneed en vlak achter een busje invoegde. 'Niets.'

'Je denkt toch niet dat ze alleen werkte?'

'Nee. We weten dat ze niet in haar eentje heeft gedood. En ze zou die chantage ook niet vanuit zichzelf hebben gepleegd. Gewillige slachtoffers van een seksuele sadist zijn letterlijk marionetten. Hun partner heeft de macht in handen – hij is ze via lichamelijke, geestelijke en seksuele mishandeling de baas. Nee, ik weet heel zeker dat ze dit niet in haar eentje heeft gedaan.'

'En Vanlees zat in hechtenis toen dit zich allemaal heeft afgespeeld.'

'Ik neem aan dat het plan al klaarlag en ze het gewoon heeft uitgevoerd zonder te weten waar hij was. Ze zou veel te bang zijn geweest om het níet te doen. *Als* hij de dader is.'

'Ze kenden elkaar.'

'Jij en ik kennen elkaar. We hebben niemand vermoord. Ik kan me echt niet van Vanlees voorstellen dat hij iemand op een dergelijk niveau zou willen of kunnen manipuleren. Hij beantwoordt aan het verkeerde profiel.'

'Maar wie is het dan?'

'Dat weet ik niet,' zei Quinn, en het gezicht dat hij trok was meer voor zichzelf bestemd dan voor Kovac, die gas gaf en bijna een busje van de weg drukte. 'Maar als we Fine hebben, dan hebben we in ieder geval een spoor.'

Vier patrouillewagens waren er eerder dan zij. De Minneapolis Sculpture Garden was een uitgestrekt park waarin ruim veertig beeldhouwwerken van vooraanstaande kunstenaars tentoon werden gesteld. Het belangrijkste stuk was een enorme lepel waarop een reusachtige rode kers lag. De plek zou onder de beste omstandigheden al iets surrealistisch hebben gehad, dacht Quinn. Als plaats van misdaad was het iets uit *Alice in Wonderland.*

'Rapport van de lijkschouwer,' riep Yurek, terwijl hij uit zijn auto stapte. Geen schotwonden die aan de beschrijving van Michele Fine's wonden beantwoorden.'

'Hij zei dat ze bij de lepel hadden afgesproken,' zei Quinn, terwijl ze snel in die richting liepen.

'Weet hij zeker dat hij haar heeft geraakt?' vroeg Kovac. 'Het was donker.'

'Hij zegt dat hij haar heeft geraakt, dat ze het heeft uitgeschreeuwd en is gevallen.'

'Hier!' riep een van de geüniformeerde agenten vanaf de brug van de lepel, en hij zwaaide. Zijn ademhaling was als een rooksignaal in de ijzige, grauwe lucht.

Quinn begon, net als alle anderen, te rennen. De pers zou hen op de hielen zitten.

'Is ze dood?' vroeg Yurek, toen hij bij de plek kwam.

'Dood? Jezus,' zei de agent, op een grote, kersenrode bloedvlek in de sneeuw wijzend. 'Ze is verdwenen.'

37

Rob greep Kate bij haar haren en begon haar overeind te trekken. Kate's vingers sloten zich rond de metalen nagelvijl in haar zak. Ze wachtte. Dit was waarschijnlijk het beste wapen dat ze in handen zou krijgen. Maar ze zou het heel zorgvuldig en op het juiste moment moeten gebruiken. Strategieën flitsten haar door het hoofd als ratten in een doolhof die stuk voor stuk wanhopig naar een uitweg zochten. Rob sloeg haar in het gezicht, en ze proefde bloed. 'Ik weet dat je niet dood bent. Je onderschat me nog steeds, Kate,' zei hij. 'Zelfs nu probeer je me nog uit te dagen. Dat is ontzettend stom.'

Kate liet haar hoofd hangen en trok haar benen onder zich op. Hij wilde dat ze bang was. Hij wilde de angst in haar ogen zien. Hij wilde haar angst kunnen ruiken. Hij wilde het kunnen horen aan haar stem. Daar kickte hij op. Dat was het waar het hem om ging bij het afluisteren van de banden van de slachtoffers – zijn eigen slachtoffers en de slachtoffers van anderen. De gedachte aan al die slachtoffers die hun hart bij hem hadden uitgestort, en hij die zijn perverse neigingen gelaafd had aan hun lijden en angst, maakte haar kotsmisselijk.

Nu wilde hij dat ze bang en onderdanig was. Hij wou dat ze spijt had van alle keren dat ze hem een grote mond had gegeven, alle keren dat ze hem getrotseerd had. En als ze hem gaf wat hij hebben wilde, zou zijn overwinningsroes hem er alleen maar nog wreder op maken.

'Vandaag zal ik je meester zijn, Kate,' verkondigde hij op dramatische toon,

Kate hief haar hoofd op en keek hem lang en venijnig aan. Ze zoog op de wond in haar wang en raapte al haar moed bijeen. Hij zou haar hiervoor laten boeten, maar het was niet anders.

Opzettelijk spuugde ze hem het bloed in zijn gezicht. 'Dat had je gedacht, vuil klein ettertje dat je bent.'

Hij ontstak in woede en haalde uit met de knuppel. Kate ontweek de klap, kwam overeind en gaf hem met haar elleboog een harde dreun onder zijn kin, waardoor zijn tanden op elkaar sloegen. Ze haalde de vijl uit haar zak en stootte hem vlak boven zijn sleutelbeen tot aan het heft in zijn nek.

Rob krijste het uit, greep de vijl, wankelde naar achteren en viel tegen het haltafeltje. Kate vloog naar de keuken. Als ze het huis maar uit kon en de straat op. Het zou haar niets verbazen als hij haar auto onklaar had gemaakt of hem geblokkeerd had. Als ze hulp wilde hebben, moest ze de straat op.

Ze vloog door de eetkamer, en gooide in het voorbijgaan de stoelen om. Rob kwam haar achterna en vloekte, siste en gromde toen hij zich ergens aan stootte. Hij spoog zijn woorden uit alsof het kogels waren.

Hij kon haar nooit inhalen op die korte, dikke beentjes van hem, en kennelijk had hij geen revolver. De keuken nog door, en dan was ze vrij. Ze zou naar de buurman aan de overkant rennen. De grafisch ontwerper die zijn studio op zolder had. Hij was altijd thuis.

Ze rende de keuken in, minderde vaart en bleef ten slotte staan, terwijl de moed haar loodzwaar in de schoenen zonk.

Angie stond, met een slagersmes in haar hand dat ze op Kate's borst hield gericht, voor de keukendeur. De tranen stroomden haar over de wangen.

'Het spijt me. Het spijt me. Het spijt me,' snikte ze, terwijl ze over haar hele lichaam trilde.

Opeens kreeg het gesprek dat zich in de werkkamer tussen Angie en Rob ontsponnen had een totaal nieuwe betekenis. Stukjes van de waarheid begonnen op hun plaats te vallen. Het beeld dat ze vormden was verwrongen en surrealistisch.

Als Rob de Cremator was, dan was hij degene die Angie in het park had gezien. Maar de man die Oscar had getekend leek even veel op Rob Marshall als op Ted Sabin. Ze had in de verhoorkamer tegenover hem gezeten en op geen enkele manier laten blijken…

Het volgende moment kwam Rob achter haar de keuken binnen, en de leren knuppel met zijn stalen binnenwerk maakte contact met haar achterhoofd. Haar benen zakten onder haar in elkaar en ze viel op haar knieën op de keukenvloer. Het laatste dat ze zag was Angie DiMarco.

Dat is waarom ik geen kinderen doe. Je weet nooit wat er in hen omgaat.

En toen werd het zwart om haar heen.

De reisgidsen lagen nog steeds op Michele Fine's lage tafel. Bepaalde pagina's waren dubbelgevouwen, en er waren aantekeningen in de kantlijn gemaakt. *Lekker zonnen. Veel te duur. Disco's!*

De moordenaar als toerist, dacht Quinn, terwijl hij de bladzijden omsloeg.

Wanneer de politie de luchtvaartmaatschappijen belde, zou waarschijnlijk blijken dat ze voor meerdere bestemmingen had geboekt. Als ze boften, zouden ze gelijksoortige boekingen voor haar partner vinden. Wie hij ook zijn mocht.

Gezien de grote hoeveelheid bloed in de beeldentuin, leek het onwaarschijnlijk dat Fine op eigen kracht uit het park was gekomen. Gil Vanlees had op het bureau gezeten. Zowel Fine als het geld dat Peter Bondurant had afgegeven en had laten liggen, waren verdwenen.

Het krioelde in de flat van de politie. Ze zochten overal, in elke kast, elke holte, elke kier, naar iets waaruit zou kunnen blijken wie Fine's partner in de misdaad was. Een haastig gekrabbeld briefje, een opgeschreven telefoonnummer, een envelop, een foto, iets, het maakte niet uit wat. Adler en Yurek waren bezig de buren te ondervragen. Kenden ze haar? Hadden ze haar gezien? Wisten ze of ze een vriend had?

De kamers zagen er precies zo uit als de vorige dag. Hetzelfde stof, dezelfde volle asbak. Tippen vond een crackpijp in een la van de tafel.

Quinn liep de gang af en keek in de badkamer, die smeriger dan smerig was, en liep door naar Michele's slaapkamer. Het bed was niet opgemaakt. Kleren lagen overal in het rond als omhulsels van gevallen dode lichamen. Net als in de rest van de flat ontbrak ook hier elke persoonlijke of decoratieve toets – afgezien van het raam, dat op het zuiden lag en uitkeek op de achterkant van een ander gebouw.

'Moet je die raamdecoraties zien,' zei Liska, en ze liep erheen. Ze hingen aan de haakjes van kleine zuignapjes die op het raam waren geplakt. Ringen met een diameter van een kleine decimeter, die elk een klein kunstwerkje bevatten. Het licht dat erdoorheen viel bracht de kleuren tot leven. De lucht van het ontluchtingsrooster boven het raam deed ze als vlindervleugels tegen de ruit fladderen en liet de decoraties die aan elk van de ringen bevestigd waren, meefladderen – een lintje, een parelknoopje aan een touwtje, een oorbel, een heel dun vlechtje...

Liska kwam naast Quinn staan, en haar mond viel open toen ze begreep waar ze naar stonden te kijken.

De calalelie van Lila White. Het klavertjevier van Fawn Pierce. Een mond met uitgestoken tong. Een hart met het woord *Pappie*. Ze telde er zes.

Tatoeages.

De tatoeages die afkomstig waren van de lichamen van de slachtoffers van de Cremator. Ze hingen, strakgespannen in kleine, handgemaakte ringen, in de zon te drogen. Versierd met een persoonlijk aandenken van de vrouw van wie ze afkomstig waren. Souvenirs van gemartelde en vermoorde vrouwen.

38

Nog even, en zijn triomf zal een feit zijn. De kroon op zijn werk. Zijn grote finale – voorlopig dan, en voor deze plaats. Hij heeft het Kreng op tafel liggen zoals hij haar hebben wil, met haar handen en voeten vastgebonden aan de tafelpoten met behulp van het plastic binddraad dat hij heeft meegenomen uit de postkamer op kantoor. Verder heeft ze een stuk van dat draad om haar nek, en de uiteinden hangen te wachten op het moment waarop hij ze om zijn vuisten zal wikkelen. Ter verhoging van de sfeer heeft hij de kaarsen die hij in huis heeft gevonden naar de kelder gebracht. Hij vindt vlammen erg sensueel, opwindend en erotisch. Die opwinding wordt nog eens versterkt door de overheersende geur van benzine.

Hij doet een stapje naar achteren om het tafereel te bewonderen. Het Kreng, dat machteloos aan *hem* is overgeleverd. Ze heeft haar kleren nog aan, omdat hij wil dat ze haar vernedering bij bewustzijn ondergaat. Hij wil dat ze elke seconde van haar vernedering aan den lijve ondervindt. En hij wil het allemaal op band opnemen.

Hij stopt een nieuwe microcassette in de recorder en zet hem op een barkruk waarvan de bekleding van zwart vinyl gescheurd is. Over vingerafdrukken maakt hij zich geen zorgen. Nog even, en dan zal de hele wereld weten wie de Cremator is.

Hij ziet niet in waarom hij het plan niet ten uitvoer zou kunnen brengen. Michele mag er dan niet meer zijn, maar hij heeft Angie altijd nog. Als ze voor haar proef slaagt, neemt hij haar misschien wel mee. Maar als ze niet aan de eisen voldoet, zal hij haar vermoorden. Ze is Michele niet – zijn volmaakte wederhelft. Michele die alles deed wat hij haar vroeg, zolang ze maar het gevoel had dat hij daarom van haar zou houden. Michele, die zijn voorbeeld in de martelspelletjes zonder protesten had opgevolgd, die hem had aangezet tot het verbranden van de lijken, en die genoten had van het maken van haar kunstwerkjes met de tatoeages.

Hij mist haar, voor zover hij in staat is om iemand te missen. Met een vaag gevoel van afstandelijkheid. Mevrouw Vetter zal dat walgelijke hondje van haar veel erger missen.

Angie observeert hem terwijl hij de leren rol losmaakt waarin hij zijn favoriete werktuigen bewaart, en die op tafel uitspreidt. Ze zou, zoals ze eruitziet, zo uit een film over tienerbendes gestapt kunnen zijn. Ze loopt er slordig bij, haar spijkerbroek is op de dijen gescheurd en is doorweekt van het bloed. Ze heeft het slagersmes uit de keuken nog steeds vast en prikt de punt ervan zo onopvallend mogelijk in het puntje van haar duim, waarna ze naar het bloed kijkt dat eruit komt. Maf klein kreng.

Hij kijkt naar de wurgsporen rond haar hals en denkt aan alle manieren waarop ze hem bij de uitvoering van zijn Grote Plan heeft tegengewerkt. Tijdens haar eerste gesprek zette ze hem voor gek met te weigeren de naam te noemen van de bar waar hij haar die avond had opgepikt, omdat dat nodig was geweest om haar verhaal geloofwaardig te maken. Vervolgens had ze geweigerd de tekenaar de beschrijving van de Cremator te geven, zoals hij haar gezegd had dat ze moest doen. Hij had erg veel tijd besteed aan het verzinnen van het uiterlijk van een denkbeeldige moordenaar. De beschrijving die het meisje had gegeven, was zó vaag dat hij in principe op de helft van het totaal aantal mannelijke inwoners van de Twin Cities van toepassing zou kunnen zijn – met inbegrip van die dwaas van een Vanlees. Het idee dat men Vanlees voor de Cremator aanzag maakte hem woedend. En zelfs na alle afranselingen die hij haar sinds woensdag had gegeven, had ze nog steeds geweigerd hem in Kate's werkkamer zijn moment van onthulling te gunnen.

'*Angie, wie is je komen halen?*'
'*Nee.*'
'*Wie is je komen halen?*'
'*Nee, ik doe het niet.*'
'*Angie, wie is je komen halen?*'
'*Nee, je kunt me niet dwingen.*'

Hij had haar opgedragen die vraag te beantwoorden met: 'De engel van het kwaad'. Het maakte niet uit dat hij haar niet zelf was komen halen, dat Michele degene was geweest die had voorkomen dat de stomme kleine slet zichzelf in de douche aan flarden had gesneden, die de boel had opgeruimd en haar stilletjes via de achterdeur het huis uit had gesmokkeld. Het meisje had een duidelijke opdracht gehad, en die had ze niet uitgevoerd.

Hij besluit dat hij haar, ondanks haar medewerking in de keuken, toch maar zal vermoorden. Ze is te onvoorspelbaar.

Hij zal haar hier vermoorden. Nadat hij het Kreng om het leven heeft gebracht. Hij stelt zich voor hoe opgetogen en uitgelaten hij zal zijn bij het doden van het Kreng. En hij stelt zich voor hoe hij het meisje, boven op het bloederige, verminkte lichaam, op tafel zal gooien en haar daar zal vastbinden, om haar dan te neuken, te wurgen en haar gezicht met messteken onherkenbaar te maken. Ja, hij zal haar net zo straffen als hij het Kreng wil straffen.

Hij zal ze alle twee vermoorden en ze dan samen verbranden, hier, nadat hij het huis in brand heeft gestoken. Hij heeft alles al voorbereid voor de brand, en de benzine uitgegoten. De benzine was afkomstig uit de jerrycan die hij persoonlijk bij het Kreng in de garage had gezet toen hij daar ook op de vloer had gescheten.

Het fantaseren over de moorden die hij weldra zal plegen windt hem op zoals al zijn fantasieën hem altijd opwinden – op intellectuele, seksuele en fundamentele wijze. Het gedachtepatroon is kenmerkend voor zijn soort: fantasie, gewelddadige fantasie; dan de katalysatoren die tot actie leiden: moord. De natuurlijke cyclus van zijn leven – en de dood van zijn slachtoffers.

Zijn besluit staat vast, en hij concentreert zich op de huidige fase van zijn plan: Kate Conlan.

Kate kwam langzaam maar zeker weer bij bewustzijn – niet geleidelijk aan, maar stukje bij beetje en met horten en stoten, als een televisie met een slechte ontvangst. Ze kon horen maar zag niets. Toen kon ze vagelijk iets onderscheiden, maar het bleef bij een afgrijselijke hoge pieptoon in haar oren. Het enige wat onveranderd bleef, was een dreunende pijn in haar achterhoofd. De pijn maakte haar misselijk. Ze had het gevoel dat ze haar armen en benen niet kon bewegen, en ze vroeg zich af of Rob haar nek of haar ruggengraat had gebroken. Maar toen drong het tot haar door dat ze haar handen nog steeds kon voelen, en dat ze vreselijk pijn deden.

Vastgebonden.

De plafondtegels, de geur van stof, van vocht. De kelder. Ze lag met gespreide benen vastgebonden op de oude pingpongtafel in haar eigen kelder.

Een andere geur – eentje die hier niet thuishoorde – drong haar neusgaten binnen. Een zware, olieachtige en bittere geur. *Benzine.*

O, lieve God.

Ze keek naar Rob Marshall, die aan het voeteneinde van de tafel naar haar stond te kijken. Rob Marshall, een seriemoordenaar. Het was zó onwaarschijnlijk dat ze dolgraag wilde geloven dat ze een nachtmerrie had, maar ze wist wel beter. Ze had tijdens haar jaren bij de FBI te veel meegemaakt. De verhalen lagen in haar geheugen opgeslagen als dossiers in een archiefkast. De ingenieur van NASA die lifters had ontvoerd en hun bloed had gedronken. De elektronicus, getrouwd en vader van twee kinderen, die bepaalde lichaamsdelen van zijn slachtoffers in de vrieskist in zijn garage bewaarde. De jonge rechtenstudent die als vrijwilliger bij een zelfmoordhulpnummer werkte en Ted Bundy bleek te zijn.

En daarbij kwam dan de maatschappelijk werker van de slachtofferhulp, die zijn slachtoffers selecteerde via de cliëntenlijst van zijn kantoor. Ze kon het niet uitstaan van zichzelf dat ze het niet gemerkt had, hoewel ze heel goed wist dat een moordenaar van het intellectuele niveau van Smokey Joe een nagenoeg volmaakte kameleon was. En zelfs nu kostte het haar nog steeds moeite om te geloven dat Rob Marshall werkelijk zo intelligent was.

Hij had zijn jack uitgetrokken. Hij droeg een grijs sweatshirt, dat rond de hals doorweekt was met het bloed van de wond die ze hem met haar nagelvijl had toegebracht. Een centimetertje meer naar rechts en ze zou zijn slagader hebben geraakt.

'Heb ik iets gemist?' vroeg ze. Haar stem klonk hees; het gevolg van het feit dat hij haar keel had dichtgedrukt.

Ze zag zijn verbaasde gezicht, zijn verwarring. Een-nul voor het slachtoffer.

'Nog altijd zo'n scherp tongetje,' zei hij. 'Kennelijk leer je het nooit, kreng.'

'Waarom zou ik? Wat ben je van plan, Rob? Me eerst martelen en dan vermoorden?' Ze probeerde wanhopig om niet al te angstig te klinken. In werkelijkheid gierde de angst haar door de keel, en plotseling herinnerde ze zich, terwijl de adrenaline door haar aderen schoot, de wurgsporen rond de hals van zijn slachtoffers. 'Je laat je toch niet op andere gedachten brengen. Waarom zou ik mijzelf de genoegdoening ontzeggen je in je gezicht voor waardeloze lul uit te maken, ?'

Angie's adem stokte. Ze stond, met haar rug naar de brandende kaarsen en met het slagersmes in haar hand, naast de tafel en maakte een zacht, kermend geluid. Ze hield het mes tegen haar borst gedrukt, alsof het een dierbaar stuk speelgoed was waar ze troost uit probeerde te putten.

Robs gezicht verstrakte. Hij haalde een pennenmesje uit zijn zak en stak het, helemaal tot aan het heft, in Kate's rechter voetzool, waarmee ze meteen en op uiterst pijnlijke wijze begreep welke prijs hij haar voor de door haar gekozen strategie zou laten betalen.

Ze schreeuwde het uit, en haar hele lichaam probeerde zich te krommen, maar werd daarin belemmerd door de touwen rond haar polsen en enkels. Toen ze zich weer terug liet vallen, leken de touwen een fractie te zijn opgerekt, waardoor ze iets meer beweeglijkheid had gekregen.

Ze probeerde haar gedachten op een rijtje te krijgen door zich op Angie te concentreren. Ze dacht aan de blik die ze eerder in haar ogen had gezien, toen ze ineens beseft had dat Angie's ogen niet leeg waren en dat er, zolang er nog maar licht in de duisternis was, ook hoop was. Ze dacht aan het moment waarop het meisje Rob met het keukenmes te lijf had willen gaan.

'Angie, vlucht!' kwam het schor over haar lippen. 'Maak dat je wegkomt!'

Het meisje kromp ineen en wierp nerveus een blik op Rob.

'Ze blijft hier,' snauwde hij, waarna hij het mes opnieuw in haar voet stak en Kate het voor de tweede keer uitschreeuwde. 'Ze is van mij,' zei hij. Zijn ogen straalden van het genot dat hij ontleende aan het toebrengen van pijn.

'Dat geloof ik niet,' zei Kate, naar lucht happend. 'Ze is niet achterlijk.'

'Nee, degene die hier achterlijk is, dat ben jij,' zei hij, en hij deed een stapje naar achteren. Hij trok een lange, dunne kaars uit de kandelaar die hij uit haar eetkamer had gehaald en op de wasdroger had gezet.

'Omdat ik weet wat voor pathetische, perverse stakker jij bent?'

'Ha, pathetisch, hè? Kreng! Vind je dat nu nog steeds?' vroeg hij, terwijl hij de vlam van de kaars om de beurt bij de tenen van haar rechtervoet hield.

Als vanzelf probeerde Kate de oorzaak van de pijn weg te trappen, en ze schopte de kaars uit zijn hand. Rob dook hem vloekend achterna, en even kon ze hem niet meer zien.

'Stom kreng!' schold hij nijdig. 'Stom, achterlijk kreng!'

De geur van benzine drukte zwaar op Kate's neus en mond, en ze huiverde bij de gedachte levend te moeten verbranden. De doodsangst voelde aan als een vuist in haar keel. De pijn waar Rob haar huid had geschroeid was als een levend iets, alsof haar voet al in brand stond en de vlammen nu elk moment langs haar been omhoog zouden schieten.

'Wat is er, Rob?' vroeg ze, de behoefte om te huilen onderdrukkend. 'Ik dacht dat je juist zo dol was op vuur. Je wilt me toch niet vertellen dat je er bang voor bent?'

Hij krabbelde overeind en keek haar woedend aan. '*Ik* ben de Cremator!' brulde hij, met de kaars in zijn vuist geklemd. Ze zag aan zijn versnelde ademhaling en zijn schokkerige bewegingen dat hij verschrikkelijk opgewonden was. Dit liep helemaal niet zoals hij het zich had voorgesteld.

'Ik ben de *machtigste*!' riep hij, met wilde blik om zich heen kijkend. 'Ik ben de engel van het kwaad! *Ik* ben degene die over jouw leven beslist! Ik ben *jouw* god!'

Kate zette haar pijn om in woede. 'Je bent een uitzuiger. Je bent een parasiet. Je bent helemaal *niets*.'

Daarmee provoceerde ze hem waarschijnlijk tot zevenenveertig messteken in haar voetzolen en het uitsnijden van haar strottenhoofd, dat hij dan vervolgens in de afvalverwerking zou gooien. Toen dacht ze aan de foto's van zijn andere slachtoffers, aan de band van Melanie Hessler, aan de urenlange martelingen, de verkrachtingen en het herhaaldelijke wurgen.

Ze had risico's genomen en hoog spel gespeeld. En dat zou ze blijven doen. Ze had immers niets te verliezen.

'Ik moet gewoon van je kotsen, slappe ellendeling die je bent.'
En dat was ook zo. De gedachte dat ze dag in dag uit aan zijn zijde had gewerkt, en dat, telkens wanneer zijn gedachten waren afgedwaald, hij gefantaseerd had over mishandeling, geweld en moord – uitgerekend datgene waar ze hun cliënten doorheen en overheen probeerden te helpen – maakte haar kotsmisselijk.

Hij liep bij het voeteneinde van de tafel heen en weer en mompelde zachtjes voor zich heen, alsof hij het tegen stemmen in hoofd had. Ze kon zich evenwel niet voorstellen dat hij stemmen hoorde. Rob was niet psychotisch. Hij was zich volkomen bewust van alles wat hij deed. Zijn handelingen waren een bewuste keuze – hoewel hij, wanneer hij gegrepen werd, waarschijnlijk zou proberen de autoriteiten van het tegendeel te overtuigen.

'Zonder dit soort dominant gedrag lukt het je waarschijnlijk niet om een stijve te krijgen, wel?' ging Kate verder. 'Ik snap trouwens best dat er geen enkele vrouw is die het vrijwillig met je zou willen doen. Dus dan moet je haar natuurlijk wel vastbinden.'

'Hou je kop!' krijste hij. 'Hou godverdomme je bek!'

Hij slingerde de kaars naar haar hoofd, maar miste haar op een meter. Daarna stond hij met enkele grote stappen naast haar. Hij griste een uitbeenmes dat naast haar op tafel lag en zette de punt ervan tegen haar strottenhoofd. Kate slikte automatisch toen ze de scherpe punt van het staal in haar keel voelde drukken.

'Ik snij je strottenhoofd eruit!' brulde hij in haar gezicht. 'Ik snij hem er verdomme uit! Ik ben die rotopmerkingen van je toch *zo* spuugzat! Ik kan die stem van je gewoon niet meer horen!'

Kate sloot haar ogen en probeerde niet opnieuw te slikken. Ze hield zich stijf toen hij het kleine, scherpe mes in haar keel begon te drukken. Doodsangst maakte zich van haar meester. Haar intuïtie zei haar dat ze haar hoofd af moest wenden. Logica zei haar dat ze zich niet mocht verroeren. En toen werd de druk van het mes minder, en verdween uiteindelijk.

Rob keek naar de cassetterecorder die hij op de oude barkruk had gezet. Hij mocht haar rotopmerkingen dan niet willen horen, maar wat hij wel wilde horen, was haar geschreeuw. Hij hield ervan om naar het smeken, het gegil en het gekrijs van al zijn slachtoffers te luisteren. En van niemand zou hem dat zo opwinden als juist van haar. Als hij haar stembanden eruit sneed, zou hij zichzelf dat genoegen ontzeggen. En zonder haar gekrijs had het geen enkele zin meer om haar te vermoorden.

'Je wilt het horen, is het niet, Rob?' vroeg ze. 'Je wilt er achteraf naar kunnen luisteren om precies te kunnen bepalen op welk moment ik bang werd en je daarmee de controle over de situatie kreeg. Nee, dat wil je niet missen, hè?'

Hij pakte de cassetterecorder op en hield hem dicht bij haar

425

mond. Toen legde hij het mes neer en pakte een combinatietang, die hij op haar tepel zette om er vervolgens keihard in te knijpen. Het scheelde dat ze een trui en een beha aanhad, maar desondanks deed het toch nog steeds zo'n ontzettende pijn, dat ze het uitschreeuwde. Even later liet hij haar los, deed met een vals glimlachje een stapje naar achteren en hield de recorder omhoog.

'Ziezo,' zei hij. 'Dat staat erop.'

Het leek een eeuwigheid te duren voor het witte lawaai in Kate's hoofd was verstomd. Ze hijgde alsof ze vierhonderd meter had hardgelopen, ze zweette en beefde. Toen ze weer in staat was haar ogen open te doen, zag ze Angie, die nog steeds met het mes tegen zich aan gedrukt op hetzelfde plekje stond. Kate vroeg zich af of ze catatonisch was geworden. Angie was haar enige hoop, de zwakste schakel in Robs scenario. Ze kon niet buiten de steun van het meisje, maar daarvoor moest ze wel helder zijn, en in staat zijn te handelen.

'Angie,' kwam het krakend over haar lippen. 'Je bent niet zijn bezit. Je kunt je tegen hem verzetten. Je *hebt* je ook al tegen hem verzet, is het niet?' Ze dacht aan de scène die zich boven had afgespeeld – Rob die van Angie had willen horen wat hij met haar had gedaan nadat hij haar uit het Phoenix House ontvoerd had, en Angie die hem had getrotseerd en had geweigerd zijn vragen te beantwoorden. Dat had ze al eerder gedaan – op kantoor.

Rob werd rood. 'Praat niet tegen haar!'

'Ben je soms bang dat ze zich tegen je zal keren, Rob?' vroeg Kate, met niet half zoveel lef als ze vijf minuten eerder nog getoond had.

'Hou je bek. Ze is van mij. En dat ben jij ook, kreng!'

Hij dook op haar af, greep de kraag van haar trui beet en rukte er aan in een poging hem te scheuren. Toen hem dat niet lukte, sputterde en vloekte hij, en begon hij, tussen de verzameling gereedschap die hij zorgvuldig naast haar op tafel had uitgestald, naar een ander mes te zoeken.

'Ze is net zomin van jou als ik van jou ben,' zei Kate, waarbij ze hem woedend aankeek en zich zo ver mogelijk als de touwen maar toelieten van de tafel probeerde te verheffen. 'En ik zal ook nooit, *nooit* van jou zijn, klootzak!'

'Hou je bek!' schreeuwde hij weer. Hij draaide zich om en sloeg haar met de rug van zijn hand in het gezicht. 'Hou je bek! Hou je bek! Gemeen, vuil kreng!'

De messen sloegen tegen elkaar, en hij pakte een groot exemplaar. Kate hield haar adem in – misschien wel haar laatste adem, dacht ze – en hield die vast. Opnieuw greep Rob de kraag van haar trui beet, zette het mes erin en sneed de trui met wilde, heftige en bijna ongecontroleerde bewegingen doormidden. Het puntje van het mes raakte haar borst, schampte over haar buik en verwondde het hoogste punt van haar heup.

'Ik zal je een lesje leren! Ik zal je een lesje leren! Angie!' blafte hij, terwijl hij zich met een ruk naar het meisje omdraaide. 'Kom hier! Kom ogenblikkelijk hier!'

Hij wachtte niet. Hij vloog om de tafel heen, greep het meisje bij de arm en sleurde haar mee naar Kate.

'Doe het!' siste hij in haar oor. 'Voor Michele. Doe het voor Michele. Je wilt toch dat Michele van je houdt? Ja toch, Angie?'

Michele? Wat nu weer, dacht Kate, terwijl een volgende golf van doodsangst zich van haar meester maakte. Wie was in vredesnaam Michele, en wat betekende ze voor Angie? Hoe kon ze het opnemen tegen een vijand die ze niet kende?

De tranen stroomden over Angie's wangen. Haar onderlip trilde. Ze hield het slagersmes in haar bevende handen geklemd.

'Niet doen, Angie,' zei Kate, met een van angst trillende stem. 'Laat je niet op deze wijze door hem gebruiken.'

Ze had er geen idee van of het meisje haar had gehoord. Ze dacht aan wat Angie haar over Het Gat had verteld, en ze vroeg zich af of Angie zich daar op dit moment in terugtrok om deze nachtmerrie niet bewust mee te hoeven maken. Maar wat dan? Zou haar functioneren dan overgaan op een automatische piloot? Was Het Gat een ander deel van een gespleten persoonlijkheid? Was ze op grond daarvan in staat geweest om eerder aan Robs moordpartijen deel te nemen?

Ze rukte opnieuw aan de touwen en rekte het plastic nog een fractie van een centimeter op.

'Doe het!' brulde Rob tegen de zijkant van Angie's gezicht. 'Vooruit dan, stomme trut! Doe het voor je zus. Doe het voor Michele. Je wilt dat Michele van je houdt.'

Zus. De krantenkop flitste Kate als een komeet door het hoofd: *Zusters vrijgesproken inzake dood door verbranding ouders.*

Robs varkensoogjes puilden uit zijn lelijke, dikke kop, terwijl hij het mes ophief en het uitbrulde van pure frustratie: '*Doe het!!*'

Het licht weerkaatste in een verblindende explosie van sterren op het lemmet van het mes terwijl het door de lucht schoot en, juist op het moment waarop het Kate lukte zich een paar cruciale centimeters af te wenden, in het holletje van haar schouder stootte. De punt van het mes raakte het bot en schampte af, maar de pijn schoot als een bliksemschicht door haar lichaam.

'Doe het!' schreeuwde Rob tegen Angie, terwijl hij haar met het heft van het bebloede mes op het achterhoofd sloeg. 'Waardeloze hoer die je bent!'

'*Nee!*' huilde het meisje.

'*Doe het!*'

Onder luide snikken hief Angie haar mes op.

'Fine's vingerafdrukken zijn in Wisconsin bekend,' zei Yurek, terwijl hij de slaapkamer binnenstapte.

De specialisten plaats delict waren bezig de van de tatoeages gemaakte raamdecoraties te verwijderen, waarbij ze elk kunstwerkje zorgvuldig in vloeipapier pakten en vervolgens in een papieren zakje stopten.

'Haar echte naam is Michele Finlow. Ze heeft een aantal kleine misdrijven op haar naam staan, en ze heeft een jeugdstrafblad.'

Kovac trok zijn wenkbrauwen op. 'Geldt het villen van iemand in Wisconsin als een klein misdrijf?'

'Dat is de staat waaraan we Ed Gein en Jeffrey Dahmer te danken hebben,' merkte Tippen op.

'Hé, kom jij toevallig ook niet uit Wisconsin, Tip?' vroeg een van de specialisten.

'Ja. Uit Menominie. Zin om Thanksgiving bij mij thuis te komen vieren?'

Quinn stopte zijn wijsvinger in zijn vrije oor en luisterde naar Kate's telefoon, die voor de derde keer binnen twintig minuten niet werd opgenomen. Haar antwoordapparaat had aan moeten springen. Hij hing op en probeerde haar mobiele telefoon. Hij ging vier keer over, en verbond toen door naar haar boodschappendienst. Haar cliënten belden haar op haar mobiele telefoon. Angie DiMarco had dat nummer. Kate voelde zich zo verantwoordelijk voor Angie dat ze altijd op zou nemen.

Hij wreef over de brandende plek in zijn maag.

Mary Moss voegde zich bij het groepje. 'Een van de buren verderop in de gang zegt dat ze Michele wel eens met een kleine, gedrongen man met een bril heeft gezien. Ze weet niet hoe hij heet, maar wel dat hij een zwarte terreinwagen heeft die ooit eens van achteren tegen de auto van de bewoner van 3F is opgereden.'

'Ja!' riep Kovac uit, terwijl hij zijn arm wild op en neer bewoog. 'Smokey Joe, je bent er geweest.'

'Hamill is op dit moment bij 3F binnen om de informatie van de verzekering op te vragen.'

'Met een beetje geluk hebben we de Cremator vóór het journaal van zes uur te pakken en zijn we nog op tijd voor Patrick's Happy Hour,' zei Kovac grijnzend. 'Ik ben dol op dit soort dagen.'

Hamill kwam op een holletje de flat binnen en ontweek de specialisten van de sporendienst. 'Dit geloven jullie nooit,' zei hij tegen de mensen van de speciale eenheid. 'Micheles vriend heette Rob Marshall.'

'Godallemachtig.'

Quinn greep Kovac bij de schouders en duwde hem voor zich uit naar de deur. 'Ik moet naar Kate. Geef me de sleutels. Ik rij.'

'Doe het! Doe het!'

Angie slaakte een lange, verwrongen kreet die haarzelf in de oren klonk alsof hij vanaf de andere kant van een heel lange tunnel kwam. Het Gat doemde in haar op, een grote, zwarte, gapende mond. En aan de andere kant had de Stem een vorm aangenomen.

Stomme kleine slet! Doe wat ik je zeg!

'Ik kan het niet!' riep ze.

'DOE HET!'

De angst was als een zachte bal in haar keel die haar verstikte.

Niemand houdt van je, achterlijk klein kreng.

'Jij houdt van me, Michele,' kermde ze. Ze wist niet zeker of ze die woorden hardop had uitgesproken of dat ze alleen maar in haar hoofd zaten.

'DOE HET!'

DOE HET!

Ze keek met grote ogen op Kate neer.

Het Gat zweefde boven haar. Ze kon de hete adem ervan voelen. Als ze erin viel, dan hoefde ze er nooit meer uit te komen. Dan zou ze veilig zijn.

Dan zou ze alleen zijn. Voor altijd.

'DOE HET!'

Je weet wat je moet doen, Angel. Doe wat je gezegd is, Angel.

Ze trilde over haar hele lichaam.

Lafaard.

'Je kunt Michele redden, Angie. Doe het voor Michele.'

Ze keek omlaag, naar Kate, naar de plaats op haar borst waar hij wilde dat ze het mes zou steken. Precies zoals Michele had gedaan. Ze had het haar zus zien doen. *Hij* had haar gedwongen om toe te kijken terwijl ze aan weerszijden van de dode vrouw hadden gestaan, en ze haar om de beurt in de borst hadden gestoken om hun band, hun liefde, te bezegelen. Ze had het doodeng gevonden en ze was er misselijk van geworden. Michele had haar uitgelachen en haar toen aan *hem* gegeven, voor seks.

Hij had haar pijn gedaan. Ze haatte hem. Michele hield van hem. Zij hield van Michele.

Niemand houdt van je, achterlijk klein kreng.

Dat was het enige wat ze ooit had gewild, iemand die om haar gaf, iemand die ervoor zou zorgen dat ze niet alleen was. Maar ze hadden allemaal misbruik van haar gemaakt. Zelfs Michele, dankzij wie ze niet alleen was geweest. Maar Michele hield van haar. Liefde en haat. Liefde en haat. Liefdehaat, liefdehaat, liefdehaat. Voor haar was dat hetzelfde. Ze hield van Michele, wilde haar redden. Michele was de enige die ze had.

'DOE HET! VERMOORD HAAR! VERMOORD HAAR!'

Ze keek naar Kate, die aan de touwen trok en met doodsangst in de ogen naar haar opkeek.

'Waarom zou het je iets kunnen schelen wat er met me gebeurt?'
'Omdat het niemand anders iets kan schelen.'
'Het spijt me,' jammerde ze zacht.
'Angie, niet doen!'
'Vooruit, steek dat mes in haar borst. Nu!'
De druk binnenin haar was onvoorstelbaar. De druk van buitenaf was nog groter. Ze had het gevoel alsof haar botten het zouden begeven, ze onder haar eigen gewicht zou bezwijken, Het Gat de troep op zou zuigen en ze voorgoed verdwenen zou zijn.

Misschien was dat maar goed ook. Dan zou ze tenminste niemand meer pijn hoeven doen.

'Als je het niet doet, vermoord ik die klote-trut van een zus van je!' schreeuwde hij. 'Doe het, of ik hak Michele voor je ogen aan mootjes! DOE HET!'

Ze hield van haar zus. Ze kon haar zus redden. Ze hief het mes nog wat hoger op.

'Nee!'

Kate hield haar adem in en zette zich schrap, terwijl ze strak naar Angie bleef kijken.

Het meisje slaakte een onaardse kreet, terwijl ze het slagersmes met beide handen hoog boven haar hoofd hief, waarna ze zich plotseling opzijdraaide en het mes in Rob Marshalls nek ramde.

Ze trok het mes eruit en het bloed spoot alle kanten op. Bloed op de muur, op het bed, op Kate – het spoot in het rond als uit een losgeraakte tuinslang. Rob wankelde met een schokkende beweging achteruit en bracht zijn handen verbaasd naar de wond. Het bloed spoot tussen zijn vingers door.

Angie bleef krijsen en stootte opnieuw met het mes – in zijn hand, in zijn borst. Ze volgde hem terwijl hij verder naar achteren wankelde, en probeerde te ontsnappen. Hij probeerde om hulp of om genade te roepen, maar verslikte zich in zijn eigen bloed en kwam niet verder dan een aantal rochelende geluiden. Zijn knieën knikten, en hij viel tegen de wasdroger, waarbij hij de kandelaar omverstootte, die vervolgens op de grond viel.

Toen pas deed Angie een stapje naar achteren en keek ze naar hem alsof ze er geen idee van had wie die rochelende man was of hoe hij daar zo op de grond terechtgekomen kon zijn, terwijl zijn hart het laatste beetje bloed uit zijn lichaam pompte. Toen keek ze naar het mes, waar het bloed van afdroop. Ze keek naar haar handen die onder dat bloed zaten en ervan plakten, en toen draaide ze zich langzaam om naar Kate.

Quinn reed alsof zijn leven ervan afhing. Hij reed zonder zich te storen aan verkeersregels of aan natuurkundewetten. Hij reed gedreven door een groeiend angstgevoel in zijn maag. Kovac hield zich vast waar hij kon, zette zich schrap en schreeuwde het in reactie op Quinns onmogelijke inhaalmanoeuvres meer dan eens uit.

'Als hij slim is, dan is hij de stad al uit,' zei Kovac.

'Slim heeft hier niets mee te maken,' riep Quinn boven het gebrul van de motor uit. 'Hij heeft Kate bij deze zaak betrokken als onderdeel van zijn spel. Hij heeft Melanie Hessler vermoord omdat ze haar cliënt was. Hij heeft in Kate's garage zijn visitekaartje achtergelaten en zal niet vertrekken voor hij het spel tussen hen heeft afgemaakt.'

Toen de auto voor Kate's huis slippend en met gierende banden tot stilstand kwam, zag hij dat het ganglicht brandde. Het licht scheen door de vitrage voor de zijvenster, dat ze allang dicht had moeten laten maken. Quinn ramde de versnelling in de parkeerstand nog voor de auto volledig tot stilstand was gekomen, en de transmissie maakte een afgrijselijk geluid. Hij sprong de auto uit en vloog naar de deur, precies op het moment waarop twee surveillancewagens de hoek om kwamen gegierd. Hij rende de stoep op, bonkte op de deur en rukte aan de deurkruk. Op slot.

'Kate! Kate!'

Hij drukte zijn gezicht tegen het glas van een van de zijvensters. Het haltafeltje stond scheef. Er waren dingen van afgevallen. Een hoek van het kleed lag dubbelgeslagen.

'Kate!'

De kreet die ergens vanuit het huis klonk, doorboorde hem als een vlijmscherp zwaard. 'Nee!'

Quinn greep de brievenbus beet, rukte hem van de muur en smeet hem, op het moment waarop Kovac de stoep op kwam, door het zijraam. Enkele seconden later waren ze binnen. Zijn blik viel op een veeg bloed op de muur bij de werkkamer.

'Kate!'

Haar kreet klonk van ergens diep in het huis. 'Angie! *Nee!*'

Angie draaide het mes in haar met bloed besmeurde handen en staarde naar het lemmet. Ze drukte het puntje ervan tegen de tere huid van haar pols.

'Angie, nee!' riep Kate, aan de touwen trekkend. 'Niet doen! Doe dat niet, alsjeblieft! Maak me liever los. Dan kunnen we hulp voor je halen.'

Ze kon Rob niet zien, maar ze wist dat hij bij de wasdroger op de grond lag. Ze hoorde hem rochelen. Hij had in zijn val de kandelaar op de grond laten vallen en de vlammen hadden de benzine bereikt die hij moest hebben uitgegoten toen Kate bewusteloos was. De benzine ontbrandde met een luid gesis.

De vlammen zouden, op zoek naar steeds meer brandstof, het

spoor van de benzine volgen. De kelder bood volop mogelijkheden – dozen vol troep die haar ouders hadden bewaard en nooit waren komen ophalen, troep die ze weg had willen gooien maar waar ze niet aan toe was gekomen: de gebruikelijke halfvolle blikken verf en andere licht ontvlambare chemicaliën.

'Angie! Angie!' zei Kate, trachtend de aandacht van het meisje te trekken. Angie, die haar eigen dood in de ogen stond te kijken.

'Nu houdt Michele niet meer van me,' fluisterde het meisje, met een blik op de man die ze zojuist gedood had. Ze klonk teleurgesteld in zichzelf, als een klein kind dat met krijt op de muur had getekend en opeens begreep dat daar straf op zou volgen.

'Kate!' hoorde ze Quinn boven schreeuwen.

Angie leek het geschreeuw en de zware, rennende voetstappen niet te horen. Ze drukte het lemmet van het mes tegen de schaduw van een ader in haar pols.

'Kate!'

Ze probeerde 'In de kelder!' te roepen, maar haar stem deed het niet meer en ze kon zichzelf amper horen. De vlammen hadden greep gekregen op een doos oude kleren die, ironisch genoeg, bestemd was geweest voor het Phoenix House, en ze laaiden fel en gretig op – veel dichter bij de tafel dan haar lief was. Kate rukte aan de touwen, maar het enige dat ze ermee bereikte, was dat ze ze nog strakker om haar polsen en enkels trok. Ze begon het gevoel in haar handen kwijt te raken.

Ze probeerde haar keel te schrapen om luider te kunnen spreken. Er steeg dikke, zwarte rook op van de dozen.

'Angie, help me. Als je mij helpt, dan help ik jou. Is dat geen goeie deal?'

Het meisje staarde naar het mes.

Eindelijk ging het alarm van de rookdetector boven aan de trap af, en de denderende voetstappen kwamen eropaf.

Angie drukte het lemmet wat harder tegen haar pols. De kleine bloeddruppeltjes die verschenen leken wel een kralenarmband.

'Nee, Angie, alsjeblieft niet,' fluisterde Kate, die best wist dat het meisje haar niet kon horen. Zelfs als ze had geschreeuwd, dan nog zou Angie haar niet horen.

Angie keek haar recht in het gezicht, en voor het eerst sinds Kate haar had leren kennen, zag ze eruit als degene die ze was: een kind. Een kind dat niemand ooit had willen hebben, en van wie nooit iemand had gehouden.

'Het doet pijn,' zei ze.

'Bel de brandweer!' riep Quinn van boven aan de trap. 'Kate!'

'Joh –' Haar stem brak, en ze begon te hoesten. De rook kolkte langs het plafond naar de trap en de nieuwe bron van zuurstof.

'Kate!'

Quinn kwam als eerste de trap af met de .38 die hij van Kovac had geleend. Hij kende de regels die onder dit soort omstandigheden gevolgd dienden te worden, maar de gevoelens in zijn hart waren sterker. Hij dook onder de rookwolk door, en het eerste wat hij zag was Kate, die met handen en voeten aan de tafel lag vastgebonden, haar opengesneden trui en de plasjes bloed op haar borst en buik. En toen keek hij naar het meisje dat naast de tafel stond: Angie DiMarco, met een slagersmes in haar handen.

'Angie, laat dat mes vallen!' brulde hij.

Het meisje keek naar hem op, en hij zag het licht in haar ogen verdwijnen. 'Niemand houdt van me,' zei ze, waarop ze, in een flitsende beweging, haar pols tot op het bot doorsneed.

'NEE!' krijste Kate.

'Jezus!' Quinn rende met getrokken pistool de kelder in.

Angie liet zich op haar knieën vallen terwijl het bloed uit haar arm gutste. Het mes viel op de vloer. Quinn schopte het opzij, knielde voor haar neer en pakte haar arm beet in een ijzeren greep. Het bloed pompte tussen zijn vingers door. Angie viel krachteloos tegen hem aan.

Kate sloeg het tafereel in opperste ontzetting gade, en had zelfs geen oog voor Kovac, die haar touwen doorsneed. Ze liet zich van de tafel rollen, kwam neer op voeten die ze niet langer kon voelen en zakte als een zak aardappelen in elkaar. Ze kon niet anders dan naar Angie kruipen. Haar handen waren paars en opgezet, en ze kon haar vingers niet gebruiken, maar haar armen deden het nog wel, en die sloeg ze om Angie heen.

'We moeten hier weg!' schreeuwde Quinn.

Het vuur had intussen de trap bereikt. Een geüniformeerde agent probeerde de vlammen met een brandblusser tegen te houden. Maar terwijl hij dat deed, kropen de vlammen, het spoor van benzine volgend, verder over de vloer van de kelder en stortten zich daarbij op alles wat brandbaar was.

Quinn trok Angie, samen met een politieagent, de trap op en naar buiten. Ze hoorden de loeiende sirenes van ambulances en brandweerwagens die onderweg waren. Hij droeg het meisje over aan de agent en rende het huis weer in, net toen Kovac de trap op kwam met Kate, die zwaar op hem steunde. Beiden hoestten en proestten, en werden gevolgd door dikke, zwarte, naar chemicaliën stinkende rookwolken.

'Kate!'

Ze liet zich tegen hem aan vallen en hij tilde haar op in zijn armen.

'Ik ga terug om Marshall te halen!' brulde Kovac boven de herrie uit. Het vuur was intussen door de vloer omhoog gekomen en had het benzinespoor gevonden dat Rob door het huis had uitgegoten.

'Hij is dood!' krijste Kate, maar Kovac was al verdwenen. 'Sam!'

Een van de geüniformeerde agenten ging hem achterna.

De sirenes waren vlakbij, en de zware brandweerwagens wurmden zich de smalle straat door. Quinn liep met Kate in zijn armen de trap van de achterdeur af, en haastte zich de steeg door naar de voortuin en de straat. Hij zette haar op de achterbank van Kovacs auto, precies op het moment waarop er binnen in het huis iets met een luide klap explodeerde en enkele ramen op de begane grond uit hun sponningen knalden. Kovac en de agent wankelden bij de achterdeur vandaan en lieten zich op handen en voeten languit in de sneeuw vallen. Brandweerlieden en ambulancepersoneel kwamen naar hen toe gerend.

'Gaat het?' vroeg Quinn, waarbij hij haar in de ogen keek en zijn vingers hard in haar schouders drukte.

Kate keek op naar het huis en naar de vlammen, die intussen zichtbaar waren achter de ramen van de begane grond, en dacht aan alles wat er in de afgelopen paar uur was gebeurd. Angie werd in de ambulance geschoven die achter Kovacs auto stond. En dat was het moment waarop de angst, de intense paniek die ze tijdens de beproeving grotendeels had weten te onderdrukken, opeens in een vloedgolf naar de oppervlakte kwam, en haar overspoelde.

Ze begon te beven en draaide zich naar Quinn toe. 'Nee,' fluisterde ze, en toen kwamen ook de tranen. En hij nam haar in zijn armen en hield haar stevig vast.

39

'Ik heb hem nooit gemogen,' zei Yvonne Vetter tegen de geüniformeerde agent die voor Rob Marshalls garage de wacht hield. Ze droeg een veel te grote, op meerdere plaatsen opbollende wollen jas, waardoor ze eruitzag alsof ze misvormd was. Haar ronde, zure gezicht keek hem aan van onder een vlotte rode baret die absoluut niet bij de jas paste. 'Ik heb meerdere keren dat speciale nummer van jullie gebeld. Volgens mij heeft hij mijn Bitsy opgegeten, de kannibaal.'

'Uw wat, mevrouw?'

'Mijn Bitsy. Mijn lieve hondje!'

'Iemand die een hond eet is toch geen kannibaal, mevrouw?' zei Tippen.

Liska gaf hem een tik op zijn arm.

De speciale eenheid zou als eerste een kijkje mogen nemen in Robs martelkamer, waarna de sporendienst zou komen om naar bewijsmateriaal te zoeken. Ze werden gevolgd door de man met de videocamera. Terwijl ze het huis binnengingen, kwamen de eerste wagens van de pers de straat al in gereden.

Het was een mooi huis in een rustige straat in een nette buurt. Een extra groot, met bomen begroeid perceel in de buurt van een van de meest geliefde meren van de stad. Een schitterend afgewerkte kelder. Makelaars zouden gekwijld hebben over de kans om zo'n huis als dit te mogen verkopen, ware het niet dat Rob Marshall hier minstens vier vrouwen gemarteld en vermoord had.

Ze begonnen in de kelder, en liepen door een mediaruimte die was uitgerust met meerdere televisies, videorecorders en stereoapparatuur, terwijl de boekenkast vol stond met video- en geluidsbanden.

Tippen draaide zich om naar de cameraman. 'Maak nog geen opnamen van de stereo-installatie. Ik heb dringend behoefte aan een nieuwe geluidstoren met cassetterecorder.'

De cameraman richtte zijn lens onmiddellijk op de opnameapparatuur.

Tippen rolde met zijn ogen. 'Dat was maar een *grapje*. Jullie techneuten hebben ook totaal geen gevoel voor humor.'

De cameraman richtte zijn video op Tippens billen toen hij wegliep.

In een hoek van de ruimte stond een etalagepop zonder hoofd. Ze droeg een piepkleine, doorzichtige beha van zwart kant en een paars minirokje van spandex.

'Hé, Tinks, misschien vind je hier wel wat leuke kleren die je kunt gebruiken,' riep hij, terwijl hij naar een kleverig uitziende smurrie op de schouders van de etalagepop keek. Mogelijk bloed, vermengd met een andere, heldere vloeistof.

Liska liep verder de gang af, controleerde de stookruimte en liep verder. Haar jongens zouden dit huis helemaal het einde hebben gevonden. Ze hadden het er voortdurend over dat ze net zo'n soort huis wilden hebben als hun vriend Mark, met een te gekke hobbyruimte in de kelder – waar mam hen niet voortdurend in de gaten kon houden – met een grote biljarttafel en een televisie met een extra groot scherm.

Hier, in de ruimte aan het einde van de gang, stond ook een biljarttafel. Hij was afgedekt met een groot stuk wit, met bloed besmeurd plastic. Op het plastic lag een lichaam. De stank van bloed, urine en ontlasting hing zwaar in de lucht. De stank van een gewelddadige dood.

'Tippen!' brulde Liska, terwijl ze naar de tafel rende.

Michele Fine lag in een vreemde, verdraaide hoek op haar rug en staarde met grote ogen naar het felle licht dat in haar gezicht scheen. Ze knipperde niet met haar ogen. Haar ogen hadden de doodse uitdrukking van iemand die niet meer leefde. Haar mond hing open, en het kwijl dat uit haar mondhoek over haar kin had gedropen, was wit opgedroogd. Ze bewoog haar lippen een heel klein beetje.

Liska boog zich over haar heen en drukte twee vingers tegen Fine's nek om een hartslag te voelen, maar ze kon niets vinden.

'…elp …me …elp …me …' Nauwelijks verstaanbare, gefluisterde brokstukken van woorden.

Tippen kwam de ruimte in gerend en bleef met een ruk staan. 'Shit.'

'Bel de ambulance,' beval Liska. 'Misschien overleeft ze het wel, dan kan ze ons alles vertellen.'

40

'Ik wilde niet helpen,' zei Angie zacht.

Het klonk helemaal niet als haar stem. De gedachte zweefde op een wolk door haar door medicijnen benevelde brein. Het klonk als de stem van het kleine meisje binnenin haar, het meisje dat ze altijd probeerde te verstoppen en te beschermen. Ze keek naar het verband om haar linkerarm en was zich vagelijk bewust van een op de loer liggend verlangen om het eraf te rukken en de wond weer te laten bloeden.

'Ik wilde niet doen wat *hij* zei.'

Ze wachtte op een snauw van de Stem, maar hij deed er onverwacht het zwijgen toe. Ze wachtte op Het Gat dat zich voor haar zou openen, maar de medicijnen hielden het op een afstand.

Ze zat aan een tafel in een kamer waarvan het de bedoeling was dat hij niet op een ziekenhuiskamer zou lijken. Het blauwe, katoenen nachthemd dat ze droeg had korte mouwen, waardoor iedereen haar magere armen met de littekens kon zien. Ze keek er zelf naar, naar de littekens – fijne streepjes naast elkaar als tralies in de deur van een gevangeniscel. Verwondingen die ze zichzelf had toegebracht. Verwondingen die het leven in haar ziel had geslagen. Littekens die een voortdurende herinnering waren, zodat ze nooit helemaal kon vergeten wie en wat ze was.

'Was het Rob Marshall die je die avond had meegenomen naar het park, Angie?' vroeg Kate zacht. Ze zat ook aan de tafel, maar had haar stoel opzijgedraaid, zodat ze tegenover Angie zat. 'Was hij de man over wie je me verteld hebt?'

Angie knikte, zonder haar blik van de littekens af te wenden. 'Zijn Grote Plan,' mompelde ze.

Ze wilde dat de medicijnen ook de herinneringen zouden doen vervagen, maar de beelden in haar hoofd waren even helder alsof ze die op de televisie zag. Ze zat in de terreinwagen, in de wetenschap dat de dode vrouw achterin lag en dat de man die achter het stuur zat haar vermoord had, en dat Michele daar ook aan mee had gedaan. In gedachten zag ze weer hoe ze de vrouw met messteken doorboorden en hoe hun seksuele opwinding met elke stoot groeide. Na afloop had Michele haar aan *hem* gegeven, en die avond in het park had hij haar opnieuw genomen, omdat hij zo opgewonden was geweest over de vrouw die achterin lag en vanwege zijn Grote Plan.

'Hij had gezegd dat ik iemand anders moest beschrijven.'

'Als de moordenaar?' vroeg Kate.

'Iemand die hij verzonnen had. Hij had talloze details bedacht die hij me keer op keer liet herhalen.'

Angie trok aan een los draadje van haar verband en wilde dat het bloed door de dikke lagen wit gaas heen zou sijpelen. De aanblik zou haar kalmeren, zou ervoor zorgen dat ze het minder erg vond om naast Kate te zitten. Na alles wat er was gebeurd, durfde ze haar niet in de ogen te kijken.

'Ik haat hem,' zei ze.

Tegenwoordige tijd, dacht Kate. Alsof ze niet wist dat hij dood was, dat ze hem vermoord had. Misschien wist ze dat ook wel niet. Misschien stond haar brein haar die schrale troost wel niet toe.

'Ik haat hem ook,' zei Kate zacht.

Wisconsin stuurde hun steeds meer feiten over de zusjes Finlow, feiten die zich samenvoegden tot een afschuwelijk, smerig verhaal waarvan Amerika elke avond op het nieuws een nieuwe aflevering kreeg voorgeschoteld. Het lugubere verschijnsel van geliefden die moordenaars waren geworden en de ondergang van een miljardair zorgden voor extra hoge kijkcijfers. Michele Finlow, die nog tien uur geleefd had nadat ze in Rob Marshalls kelder was aangetroffen, had zelf nog het een en ander kunnen vertellen. Angie zou die verhalen aanvullen, voor zover haar brein haar toestond dat ze zich bepaalde fragmenten herinnerde.

Michele en Angie, dochters van twee verschillende vaders en een moeder van wie bekend was dat ze drugs gebruikte en regelmatig mishandeld werd, waren van het ene pleeggezin bij het andere terechtgekomen, en hadden nooit de liefde en warmte gevonden die ze nodig hadden. Kinderen die door de mazen waren geglipt van een systeem dat verre van ideaal was. Beiden hadden een jeugdstrafblad, hoewel dat van Michele langer was en meer neigde tot gewelddadig gedrag.

Kate had de krantenartikelen gelezen over de brand waarbij de moeder en de stiefvader om het leven waren gekomen. De politie was het er in principe wel over eens dat die door de meisjes was aangestoken, maar er waren onvoldoende bewijzen geweest om tot een veroordeling te kunnen komen. Er was een getuige die zich herinnerde dat ze Michele doodkalm, terwijl het huis in vlammen opging, in de achtertuin had zien staan, waar ze had staan luisteren naar het geschreeuw van de twee mensen die erin zaten opgesloten. Ze had zelfs heel dicht bij een raam gestaan, en had brandwonden opgelopen toen dat raam gesprongen was en het vuur, op zoek naar verse zuurstof, naar buiten was geslagen. Het was deze zaak geweest die hen via het justitiële apparaat in contact had gebracht met Rob Marshall. En Rob had de meisjes meegenomen naar Minneapolis.

Liefde. Of zo had Michele het in ieder geval genoemd, ofschoon het betwijfeld kon worden dat ze ook maar enig besef van de ware betekenis van dat woord had. Een man die verliefd was liet zijn zwaargewonde partner niet alleen in een kelder liggen terwijl hij het land verliet, want dat was wat Rob van plan was geweest.

De kogel die door Peter Bondurant was afgevuurd, had Michele in de rug, in het ruggenmerg, getroffen. Rob, die van een afstandje had staan toekijken, had gewacht tot Bondurant weg was, waarna hij haar had opgetild en naar zijn huis had teruggebracht. Elke schotwond die op een eerstehulppost werd binnengebracht, moest bij de politie worden gemeld. Hij had dat risico niet willen nemen, zelfs niet om het leven te redden van deze vrouw, die kennelijk van hem hield.

Hij had haar laten liggen op de tafel waarop ze hun ziekelijke, sadistische fantasieën hadden uitgeleefd en waarop ze vier vrouwen hadden vermoord. Hij had haar achtergelaten terwijl ze verlamd was, in een shocktoestand verkeerde en lag dood te bloeden. Hij had zelfs niet eens de moeite genomen haar toe te dekken met een deken. Het geld dat Peter had betaald, was in Robs auto teruggevonden.

Volgens Michele had Rob zich uit jaloezie op Jillian gefixeerd, maar Michele had hem op andere gedachten gebracht. Maar op die fatale vrijdagavond had Jillian vanuit een telefooncel gebeld omdat de batterij van haar mobiele telefoon leeg was geweest. Ze wilde praten over de ruzie die ze met haar vader had gehad. Ze had behoefte aan de steun van een vriendin. En haar vriendin leverde haar uit aan Rob Marshall.

'Michele houdt van hem,' zei Angie, terwijl ze aan het verband plukte. Er lag een bedenkelijk trekje rond haar mond toen ze eraan toevoegde: 'Meer dan van mij.'

Maar Michele was de enige die ze had, haar enige familie, haar surrogaat-moeder, en daarom had ze alles gedaan wat Michele haar had gevraagd. Kate vroeg zich af wat er in Angie's brein zou gebeuren wanneer ze haar uiteindelijk zouden vertellen dat Michele dood was, dat ze alleen was – datgene waar ze zo verschrikkelijk bang voor was.

Er werd zacht op de deur geklopt, het teken dat Kate's toegestane tijd als bezoeker erop zat. Als ze wegging zou ze ondervraagd worden door de mensen die aan de andere kant van het observatieraam zaten – Sabin, hoofdinspecteur Fowler, Gary Yurek en Kovac – die weer in de gratie was nadat hij in het nieuws was geweest als held bij de brand in Kate's huis. Op de voorpagina's van alle kranten, en zelfs in de *Newsweek*, had een foto gestaan van hem en Quinn die haar via de achterdeur van haar huis naar buiten droegen. Ze dachten dat ze daar was omdat zij dat hadden verzocht. Maar ze had hun vragen niet gesteld, en niet op antwoorden aangedrongen. Ze was niet naar deze besloten psychiatrische afdeling gekomen om Angie Finlow te exploiteren. Ze was niet gekomen in de rol van maatschappelijk werkster die een bezoek bracht aan haar cliënt. Ze was gekomen om iemand op te zoeken met wie ze een beproeving had doorstaan. Iemand wiens leven voor altijd op een unieke manier met het hare verbonden zou zijn.

Ze reikte over het tafelblad heen en legde haar hand op die van Angie, in een poging haar in het heden te houden. Haar eigen handen waren nog steeds opgezet en hadden nog een vreemde kleur, terwijl de afbindingssporen rond haar polsen ook met wit verband verbonden waren. Inmiddels waren er drie dagen verstreken sinds het incident bij haar thuis.

'Je bent niet alleen, meiske,' fluisterde Kate zacht. 'Je kunt niet mijn leven redden om er dan zomaar weer uit te verdwijnen. Ik hou een oogje op je. En dit is om ervoor te zorgen dat je dat niet zult vergeten.'

Met de bedrevenheid van een goochelaar drukte ze het voorwerp dat ze in haar hand hield, in die van Angie. De kleine, aardewerken engel die Angie van haar bureau had gestolen en in het Phoenix House had achtergelaten.

Angie staarde naar het beeldje, een beschermengel in een wereld waarin die dingen niet echt bestonden – of dat had ze in ieder geval altijd gedacht. De behoefte om er nu wel in te geloven was zó groot dat ze er bang van werd, en zich moest terugtrekken in het donkere gedeelte van haar hoofd om zich voor die angst te verbergen. Het was beter om in niets te geloven, dan te wachten op de verwoestende klap van de onvermijdelijke teleurstelling.

Ze sloot haar vingers rond het beeldje en hield het vast alsof het een geheim was. Ze sloot haar ogen en sloot haar gedachten af, en merkte niets van de tranen die over haar wangen rolden.

Kate knipperde haar eigen tranen terug terwijl ze langzaam en voorzichtig opstond. Ze streelde Angie over het hoofd, boog zich eroverheen en drukte er een heel zacht kusje op.

'Ik kom terug,' fluisterde ze, waarna ze haar krukken pakte, naar de deur hobbelde en voor zich uit mompelde: 'Misschien moet ik toch maar ophouden met te zeggen dat ik geen kinderzaken behandel.'

Het idee ging gepaard met een golf van emoties waar ze vandaag gewoon niet de kracht voor had. Gelukkig wachtten haar nog een heleboel dagen die ze kon besteden aan de verwerking daarvan.

Toen ze de gang inliep ging de deur van de observatiekamer open, en kwamen Sabin, Fowler en Yurek met een teleurgesteld gezicht naar buiten. Kovac volgde hen met een uitdrukking van: 'Moet je dat stelletje idioten toch eens zien.' Op hetzelfde moment kwam Lucas Brandt in hoog tempo aangelopen, samen met een kleine, knappe, boos kijkende, Italiaans uitziende man in een duur, donkergrijs pak.

'Heb je met dat meisje gesproken zonder dat haar advocaat erbij was?' vroeg hij onvriendelijk.

Kate schonk hem een ijzige blik.

'Je kunt hier niet aan beginnen voordat is vastgesteld in hoeverre ze toerekeningsvatbaar is,' zei Brandt tegen Sabin.

'Je hoeft mij niet te vertellen wat ik wel en niet moet doen.' Sabin trok zijn schouders op alsof hij op de vuist wilde. 'Wat kom je hier doen, Costello?'

Anthony Costello, een gluiperd die alleen voor rijke en beroemde lieden werkte. 'Ik ben hier op verzoek van Peter Bondurant teneinde de verdediging van Angie Finlow op me te nemen.'

Kate moest zich beheersen om niet in de lach te schieten. Net nu ze dacht dat er niets meer was waar ze nog van op kon kijken... Peter Bondurant die voor Angie's verdediging betaalt. Om goed te maken dat hij haar zus in de rug had geschoten? Uitstekende p.r. voor een man die zelf voor de rechter zou moeten verschijnen? Of misschien wilde hij alleen maar iets doen aan de puinhoop die hij van het leven van zijn dochter had gemaakt; Angie te helpen bij het ontstijgen van de puinhoop die haar leven altijd was geweest. Karma.

'Alles wat ze je verteld heeft is vertrouwelijk,' blafte Costello haar toe.

'Ik ben alleen maar bij een vriendin op bezoek geweest,' zei Kate, terwijl ze verder hobbelde. De mannen moesten het onderling maar uitvechten.

Nog een feit voor het circus van de media.

'Hé, Red!'

Ze draaide zich om en bleef staan toen ze Kovac achter zich aan zag komen. Hij zag eruit alsof hij op het strand in slaap was gevallen. Zijn gezicht had de knalrode kleur van zonnebrand. Zijn wenkbrauwen waren een stel bijna totaal weggeschroeide, bleke streepjes. De vereiste smerissnor was verdwenen, waardoor hij er niet alleen naakt, maar ook jonger uitzag.

'Moet je dat stelletje ballen nou toch eens horen,' kwam het in een kraakstem over zijn lippen, en hij deed zijn best om een hoestbui de baas te blijven. De nawerking van rookinhalatie.

'Niet te geloven,' beaamde ze.

'Is Quinn al terug?'

'Morgen.'

Hij was naar Quantico teruggekeerd voor de afwikkeling van de zaak, en om voor het eerst in vijf jaar een aantal vakantiedagen op te nemen voor Thanksgiving.

'Dus dan zie ik je vanavond?' vroeg Kovac.

Ze trok een gezicht. 'Ik denk van niet, Sam. Ik voel me niet echt zo sociaal.'

'Kate,' zei hij op een afkeurende toon, 'het is de avond vóór Thanksgiving, de avond van de wake van de kalkoen. En ik ben de bisschop, verdomme! We hebben een heleboel te vieren.'

Dat was zeker waar, maar ze had echt geen enkele behoefte aan een avond zuipen rond een rubberen kalkoen in het gezelschap van een groot aantal opgewonden, dronken agenten. Na alles wat er was gebeurd, na alle journalisten die ze in de afgelopen dagen te woord had gestaan, had ze er behoefte aan om alleen te zijn.

'Ik zie het wel op het nieuws,' zei ze.

Hij slaakte een diepe zucht, gaf het op en werd ernstig voor de werkelijke reden waarom hij zich uit de groep had losgemaakt. 'Het is een verschrikkelijke zaak geweest. Je bent onvoorstelbaar moedig geweest, Red.' Hij grijnsde zijn gebruikelijke, wrange glimlachje. 'Je kunt ermee door voor een gewone burger.'

Kate keek hem grinnikend aan. 'Krijg wat, Kojak.' Toen hobbelde ze naar hem toe, boog zich naar hem toe en gaf hem een zoen op zijn wang. 'Je hebt mijn leven gered. Bedankt.'

'Graag gedaan.'

Sinds de vorige dag was het opeens warm in Minnesota, scheen de zon en haalde het kwik de achttien graden. De sneeuw was bijna gesmolten, waardoor de dorre, gele grasvelden, de struiken zonder bladeren en alle troep weer zichtbaar was geworden. De burgers van Minneapolis, die heel goed wisten hoe lang de winter kon duren nadat hij eenmaal in volle ernst begonnen was, waren met fietsen en rolschaatsen uit hun vroegtijdige winterslaap te voorschijn gekomen. Kleine groepjes snel wandelende oude dametjes liepen door Kate's straat op weg naar het meer, en minderden even vaart om naar het zwartgeblakerde interieur van haar huis te kijken.

De grootste schade was aangericht in de kelder en op de begane grond. Het huis kon gered worden. Het zou gerestaureerd en weer helemaal opgeknapt worden, en ze zou proberen om, telkens wanneer ze naar de kelder moest, niet te diep na te denken over wat zich daar had afgespeeld. Als ze voor de wasmachine stond, zou ze proberen om niet aan Rob Marshall te denken, die verkoold op de grond had gelegen.

Ze had moeilijker opdrachten voor de boeg dan het uitzoeken van nieuwe keukenkastjes.

Kate liep voorzichtig door de zwartgeblakerde puinhopen van wat de begane grond was geweest. Een vriend van Kovac, een deskundige op het gebied van brandschade, was het huis met haar doorgelopen en had haar verteld waar ze wel en niet kon lopen, en wat ze wel en niet moest doen. Ze droeg de gele helm die hij haar had gegeven tegen eventueel vallende brokken pleisterwerk. Aan haar ene voet droeg ze een bergschoen met een dikke zool. Over het verband om haar andere voet zat een dikke wollen sok en een dikke plastic vuilniszak.

Ze zocht met een speciale, lange tang tussen de puinhopen naar dingen die de moeite van het bewaren waard waren. Het was een ongelooflijk deprimerende klus. De snelle komst van de brandweer had niet kunnen voorkomen dat er, door de explosie van verf en oplosmiddelen in de kelder, toch aanzienlijke schade op de begane grond was ontstaan. En wat het vuur niet had vernield, was wel bedorven door het bluswater.

Het verlies van gewone bezittingen liet haar koud. Ze kon zo weer een nieuwe televisie kopen. En een bank was een bank. Haar kleren hadden rookschade, maar de verzekering zou haar geld geven om een nieuwe garderobe aan te schaffen. Nee, wat pijn deed was het verlies van dingen waar een speciale herinnering aan zat. Ze was opgegroeid in dit huis. Het ding dat er nu uitzag als een verbrande boomstronk, was ooit het bureau van haar vader geweest. Ze herinnerde zich hoe ze er, tijdens het verstoppertje spelen met haar zus, onder was gekropen. De schommelstoel in de zitkamer was van haar oudtante geweest. Fotoalbums met herinneringen aan een heel leven waren verbrand, gesmolten of doorweekt, bevroren, en weer ontdooid.

Ze raapte de resten op van het album waarin de foto's van Emily hadden gezeten, en begon het door te bladeren. De tranen schoten haar in de ogen toen ze zich realiseerde dat de foto's grotendeels bedorven waren. Het was net alsof ze haar kind voor de tweede keer verloor.

Ze deed het album dicht en hield het tegen zich aan gedrukt, terwijl ze door haar tranen heen om zich heen keek. Misschien was dit wel niet de goede dag om dit werk te doen. Quinn had via de telefoon geprobeerd om haar op andere gedachten te brengen. Ze had volgehouden dat ze er sterk genoeg voor was, en dat ze graag iets positiefs wilde doen.

Maar ze was er niet sterk genoeg voor. Niet op de manier waarop ze dat zou moeten zijn. Ze voelde zich nog te kwetsbaar en te moe, en de emoties waren nog te vers. Ze had het gevoel dat ze meer verloren had dan de daadwerkelijke schade. Haar vertrouwen in haar beoordelingsvermogen was aangetast. De wereld zoals zij die had gezien, was op zijn kop komen te staan. Ze had heel sterk het gevoel dat ze in staat had moeten zijn om datgene wat er gebeurd was, te voorkomen.

De vloek van het slachtoffer. Het achteraf alles beter weten. Het niet kunnen uitstaan dat ze niet meer controle op de wereld om zich heen had gehad. De proef op de som was of ze in staat zou zijn daar boven te staan, het opzij te zetten en boven de ervaring uit te groeien.

Ze bracht het fotoalbum naar buiten en legde het in een doos op de trap bij de keukendeur. De achtertuin was gehuld in een geeloranje gloed van de zon die bijna onder was. Het korrelige licht viel als nevel in de verre uithoek van haar winterdode achtertuin, en op het beeld dat ze vergeten was om aan het einde van de herfst weg te zetten – een elf die op een sokkel zat en een boek las. Het maakte, zonder bloeiende planten en struiken eromheen, een veel te kwetsbare indruk. Ze werd zich bewust van het vreemde verlangen om het, als een kind, in haar armen te nemen en dicht tegen zich aan te houden. Om het te beschermen.

Een nieuwe vlaag van emoties deed opnieuw de tranen in haar ogen springen toen ze weer aan Angie dacht, die er in dat veel te grote ziekenhuishemd zo klein en zo jong en zo verdwaald had uitgezien toen ze naar het kleine engeltje in haar hand had gekeken.

Voor het huis sloeg een autoportier dicht, en toen ze om de hoek van het huis keek, zag ze Quinn, die wegliep bij een taxi. Haar hart maakte meteen een sprongetje. Het was heerlijk om hem te zien, om te zien zoals hij eruitzag, zoals hij liep en fronsend opkeek naar het huis zonder zich te realiseren dat ze hem observeerde. En op datzelfde moment voelde ze dat haar zenuwen zich spanden.

Sinds de brand hadden ze elkaar nog nauwelijks gezien. De afwikkeling van de zaak had veel tijd van hem gevergd. Er was van de kant van de media, die alles nog eens wilden doorkauwen en analyseren en opnieuw wilden uitpluizen, veel vraag naar hem geweest. En toen was hem van hogerhand bevolen weer naar Quantico terug te keren, waar meerdere van zijn zaken vrijwel op hetzelfde moment de ontknoping hadden genaderd. Zelfs hun telefoongesprekken waren kort geweest, en ze hadden het geen van beiden gewaagd om ook maar iets te zeggen over het gevoelige thema van hun relatie. Het was alleen maar aan deze zaak te danken geweest dat hij naar Minneapolis was gekomen. De zaak had hen bij elkaar gebracht. Maar nu was de zaak voorbij. Hoe moest het nu verder?

'Ik ben achter!' riep Kate.

Quinn keek haar aan terwijl hij door het steegje naar de achtertuin kwam. Ze zag er bespottelijk en beeldschoon uit met die helm en een groene, canvas jas die veel te groot voor haar was. Beeldschoon, ondanks het feit dat ze het zowel geestelijk als lichamelijk zwaar te verduren had gehad.

Bijna was hij haar kwijt geweest. Alweer. Voorgoed. Die gedachte trof hem ongeveer om de vijf minuten met de kracht van een moker in zijn solar plexus. En voor een deel was hij haar bijna verloren, omdat hij niet in staat was geweest om het monster te herkennen dat niemand zo goed geacht werd te herkennen als hij, niet herkend had terwijl het zich nota bene vlak voor zijn neus had bevonden.

'Dag, schoonheid,' zei hij. Hij liet zijn koffers vallen, nam haar in zijn armen en kuste haar – niet op een seksuele manier, maar op een manier waar ze alle twee troost uit konden putten. De helm schoof naar achteren en gleed van haar hoofd, waardoor haar haren vrijkwamen en over haar rug vielen. 'Hoe gaat het?'

'Slecht. Dit is verschrikkelijk werk,' zei ze zonder eromheen te draaien, zoals ze altijd deed. 'Ik hield van mijn huis. Ik hield van mijn spulletjes. Ik heb al eens opnieuw moeten beginnen. En dat wil ik niet nog eens moeten doen. Maar het leven zegt: "Pech gehad", en wat kan ik anders dan de draad oppakken en verder gaan?'

Ze haalde haar schouders op en verbrak het oogcontact. 'En dat is altijd nog beter dan hoe Angie ervan af is gekomen. Of Melanie Hessler.'

Quinn nam haar koppige kinnetje in zijn hand en dwong haar hem opnieuw aan te kijken. 'Loop je jezelf soms dingen te verwijten, Kathryn Elizabeth?'

Ze knikte en liet hem met zijn duimen de tranen van haar wangen vegen.

'Nou, dan ben je niet de enige,' bekende hij, met een vreugdeloos glimlachje. 'We zijn een lekker stel. Denk je toch eens in hoe groot de wereld wel niet zou zijn als jij en ik het werkelijk voor het zeggen hadden.'

'We zouden het er beter van afbrengen dan degene die die functie momenteel bekleedt,' voorspelde ze, en moest toen rillen. 'Of we zouden er een enorme bende van maken, waarbij mensen om wie ik geef door onze schuld te lijden zouden hebben.'

'Weet je wat ik vandaag gehoord heb? Het is maar een gerucht, maar ik heb gehoord dat we ook maar mensen zijn. En mensen maken fouten.'

Kate trok haar wenkbrauwen op. 'Mensen?' Ze pakte zijn hand en trok hem mee naar de oude, verweerde tuinbank van cederhout. 'Jij en ik? Wie heeft je dat verteld? Dan zoek ik ze wel even op om hun brein met dodelijke stralen te doen smelten.'

Ze gingen zitten en hij sloeg bijna automatisch zijn arm om haar schouder, met dezelfde vanzelfsprekendheid als waarmee haar hoofd zijn schouder vond.

'Wat ben je eigenlijk vroeg,' zei ze.

'Ik wilde de wake van de kalkoen niet missen,' zei hij met een strak gezicht. 'Ben je blij me te zien?'

'Niet na dat antwoord.'

Hij lachte en streek met zijn lippen over haar slaap. Ze zaten nog een paar minuten zwijgend bij elkaar en staarden naar de zwartgeblakerde achterdeur waardoor Quinn en Kovac haar naar buiten hadden gedragen.

'Ik ben hier teruggekomen en heb dit hele speciale bestaan voor mezelf opgebouwd,' zei Kate zacht. 'Want ik dacht dat ik het, als ik dat zo deed, zou kunnen beheersen, en dat er dan geen erge dingen zouden kunnen gebeuren. Dat was nogal naïef, vind je ook niet?' Quinn haalde zijn schouders op. 'Ik dacht dat ik, wanneer ik mijn leven maar de sporen zou geven, er alle demonen uit zou kunnen verdrijven. Maar zo werkt het niet. Er is altijd wel weer een andere demon. Intussen zijn dat er zoveel geweest dat ik de tel kwijt ben geraakt. Ik kan ze ook niet meer uit elkaar houden. Verdomme, ik herken ze zelfs niet eens meer wanneer ze pal voor mijn neus staan.'

Hoewel hij probeerde een stoere indruk te maken, hoorde Kate de wanhoop in zijn stem doorklinken, en ze wist dat zijn zelfvertrouwen ook een deuk had opgelopen. De machtige Quinn. Hij heeft altijd gelijk, is altijd zeker van zichzelf, en schiet als een pijl door het leven. Ze had altijd van zijn niet-aflatende kracht gehouden, had altijd bewondering voor zijn koppigheid gehad. En nu hield ze evenzeer van hem vanwege zijn kwetsbaarheid.

'Niemand heeft dit aan zien komen, John. Ik heb hem vanaf de dag dat hij hier kwam werken niet kunnen uitstaan, en zelfs ik heb dit geen moment vermoed. We zien wat we verwachten te zien. En dat is eng, als je bedenkt wat er onder de oppervlakte kan liggen.'

Ze tuurde naar de levenloze, bruine tuin, die een surrealistische indruk maakte in het zwakker wordende licht. 'Denk aan de meest verschrikkelijke, weerzinwekkende wreedheid die de ene mens een ander kan aandoen. En op dit moment is er ergens op aarde vast wel iemand die met iets dergelijks bezig is. Ik snap werkelijk niet hoe je er nog steeds tegen kunt, John.'

'Ik kan er niet meer tegen,' bekende hij. 'Weet je hoe het is als je ergens aan begint? Dan is alles je te veel en moet je jezelf leren harden. Je moet leren om een emotioneel harnas aan te trekken. Dan kom je op een punt dat je al zoveel hebt gezien, dat je nergens meer door geraakt wordt, en dan begin je vraagtekens te zetten bij je eigen menselijkheid. Als je dan toch doorgaat, begint dat harnas te roesten, het kwaad begint erdoorheen te vreten, en je bent weer terug bij af – je bent alleen ouder en bekaf, en je weet dat het je nooit zal lukken om alle demonen te verslaan, ook al doe je nog zo je best.'

'En wat dan?' vroeg Kate zacht.

'Dan doe je ofwel een stapje opzij, of je stopt de loop van je pistool in je mond, of je gaat door tot je er dood bij neervalt, zoals Vince Walsh.'

'Zo op het eerste gezicht lijkt dat toch geen moeilijke keuze.'

'Dat is het wél als je, afgezien van je baan, niets anders hebt. Wanneer je jezelf erin begraaft omdat je te bang bent eruit te stappen en te kiezen voor het leven dat je in werkelijkheid wilt. En zo zag het er de laatste vijf jaar voor mij uit,' zei hij. 'Maar nu is het afgelopen. Met ingang van vandaag ben ik officieel met verlof. Tijd om de spanning af te reageren en mijn kop weer recht op mijn schouders te krijgen.'

'Om te beslissen wat je wilt,' vulde Kate het lijstje aan.

'Ik weet wat ik wil,' zei hij.

Hij draaide zich naar haar toe en nam haar hand in de zijne. 'Ik heb behoefte aan iets goeds in mijn leven, Kate. Aan iets moois en warms. Ik heb jou nodig. Ik heb ons nodig. En wat heb jij nodig?'

Kate keek hem aan, zag vanuit haar ooghoeken en haar verwoeste huis en dacht aan de phoenix die uit de as herrijst. De gebeurtenissen die hen naar deze plek en naar dit moment hadden gebracht mochten dan verwoestend zijn geweest, maar toch was het een kans op een nieuw begin. Samen.

Voor het eerst in vijf jaar voelde ze een warme, zoete, innerlijke vrede in plaats van de harde, pijnlijk holle leegte waar ze bijna gevoelloos voor was geworden. Ze had de jaren zonder hem nauwelijks bestaan. Nu was het tijd om weer te leven. Na alle dood – letterlijk en figuurlijk – was het voor hen beiden hoog tijd om weer verder te gaan met hun leven.

'John Quinn, ik heb jouw armen om mij heen nodig,' zei ze met een teder glimlachje. 'Elke dag en elke nacht van mijn leven.'

Quinn liet zijn ingehouden adem ontsnappen, en er brak een grijns door op zijn knappe gezicht. 'Nou, dat duurde ook lang voordat je dat zei.'

Hij nam haar voorzichtig, rekening houdend met haar verwondingen, in zijn armen en hield haar dicht tegen zich aan. Hij verbeeldde zich dat hij, ondanks het dikke canvas van haar jas, haar hart voelde slaan.

'Mijn hart behoort jou toe, Kate Conlan,' zei hij, terwijl hij zijn koude neus in haar dikke haren drukte. 'En dat is altijd zo geweest. Ik heb het te lang zonder moeten doen.'

Kate glimlachte tegen zijn borst, en wist dat *dit* thuis was – zijn omhelzing, zijn liefde.

'Nou, dan heb je pech gehad, John Quinn,' zei ze, in het laatste licht van de ondergaande zon naar hem opkijkend. 'Want ik geef het je nooit meer terug.'

Dankwoord

Heel veel dank aan speciaal agent Larry Brubaker van de FBI, voor het feit dat hij zo edelmoedig zijn tijd en ervaring met mij heeft gedeeld. Ik verklaar hierbij nadrukkelijk dat hij *niet* model heeft gestaan voor Vince Walsh! Ook wil ik opmerken dat tijdens het schrijven van dit boek veel veranderingen hebben plaatsgevonden bij de afdeling van de FBI die bekendstaat als CASKU (Child Abduction Serial Killer Unit). Nu, onder supervisie van het nationale centrum voor misdaadanalyse, werken de agenten niet langer diep in het souterrain van de FBI-academie in Quantico. Ze zijn letterlijk omhooggeschoten en hebben tegenwoordig ramen in hun nieuwe werkomgeving. Voor schrijvers niet zó belangrijk, maar de agenten stellen het zeer op prijs.

Mijn oprechte dank geldt ook de deskundigen van de diverse juridische instellingen, omdat ze zo vriendelijk waren mijn vele vragen te beantwoorden. Zoals altijd heb ik mijn best gedaan de verschillende beroepen zo waarheidsgetrouw mogelijk weer te geven. Eventuele fouten komen geheel voor mijn rekening.

Frances James, Hennepin County Victim/Witness Program
Donna Dunn, Olmsted County Victim Services
Brigadier Bernie Martinson, politie van Minneapolis
Speciaal agent Roger Wheeler, FBI
Inspecteur Dale Barsness, politie van Minneapolis
Rechercheur John Reed, Hennepin County Sheriff's Office

Andi Sisco: duizendmaal dank voor de connecties die je voor me hebt gelegd! Je bent een kei.

Diva Karyn, ook bekend als Elizabeth Grayson: speciale dank voor enkele inspirerende suggesties met betrekking tot een gruwelijk fetisj die in dit boek wordt beschreven. Wie beweert dat schrijvers van thrillers een monopolie op walgelijke kennis hebben?

Eileen Dreyer, auteur van *Trauma code blauw*: dank voor je gebruikelijke steun, technisch en anderszins.

Diva Bush, ook bekend als Kim Cates: voor meer van dit alles.

En mijn speciale dank, Rocket, voor je steun, empathie, aanmoediging, en zo nu en dan een schop onder mijn achterste. Als je het niet meer ziet zitten, is het heerlijk om iemand om je heen te hebben.